미래교사를 위한

교육학개론

김성열 · 강현석 · 김석우 · 김회수 · 도승이 · 박인우 · 박주병
성기선 · 손은령 · 신종호 · 이길재 · 이상무 · 이희수 · 정제영
공저

학지사

머리말

교육은 특정한 내용을 매개로 가르치는 사람과 배우는 사람 사이에서 이루어지는 상호작용 활동입니다. 우리는 가르치는 사람을 교사, 배우는 사람을 학생, 특정한 내용을 교육내용이라고 부릅니다. 교사는 가르치는 일을 전문적으로 하는 사람으로서 공적으로 인정받은 사람이며, 학생은 사회의 책임 있는 성원으로 자라나는 과정에 있는 사람입니다. 그리고 교육내용은 인류가 그동안 축적한 지식들 중에서 학문적 분류체계에 따라 선정한 핵심적인 개념이나 원리, 이론체계라고 할 수 있습니다.

개인은 교육을 통하여 인격을 도야하고, 인지적 역량 등의 잠재적 역량을 개발하여 자주적 생활능력을 갖춘 사람으로 성장해 나갑니다. 또한 개인은 민주주의의 다양한 덕목을 체득하여 국가적 차원에서는 민주국가의 시민으로, 세계적 차원에서는 지구촌의 시민으로 자라납니다. 개인은 교육을 받아야만 자신에게 적합한 삶의 양식을 계발할 수 있고, 수준 높은 삶의 질을 누릴 수 있는 기반을 마련할 수 있습니다. 국가도 교육받은 국민이 있어야만 정치적으로든 경제적으로든 사회적으로든 지속 가능한 발전을 할 수 있습니다. 그래서 오늘날 개인에게는 교육이 기본적인 인권으로 여겨지고 있고, 국가는 개인에게 평등한 교육기회와 적합한 교육환경을 제공하기 위해 노력합니다.

오늘날 교육은 학교를 중심으로 한 공교육으로 제도화되어 있습니다. 교육은 대부분 국가가 설계하고 운영하는 학교에서 이루어집니다. 우리나라는 「헌법」 제31조에 교육에 관한 사항을 정해 놓고 있습니다. 정부는 「헌법」과 다양한 법령으로 유치원과 초·중등교육에 필요한 모든 사항—교육이념과 목적, 교육과정, 교원자격, 교육재정 등—을 정하고, 이에 적극적으로 관여하고 통제합니다. 이처럼 공교육은 국가의 관여와 통제 속에서 이루어지는 교육으로, 보편성과 통일성을 강조하다 보니 획일적으로 이루어지는 경향이 있습니다. 이 획일성을 극복하고 학습자 개인에게 적합한 교육을 제공하는 것이 공교육 혁신의 과제가 되고 있기도 합니다.

교사가 되고자 하는 사람이나 이미 교사가 된 사람은 학교교육을 올바르게 바라볼 수 있는 안목을 가져야 합니다. 그리고 더 좋은 교육을 실시할 수 있는 역량을 갖추어야 합니다. 예비교사나 현직교사가 학교교육에 대한 안목을 형성하고 교육 실천역량을 함양하는 것은 교육학의 다양한 지식체계를 학습하고, 이를 우리 교육에 적용하면서 비판적으로 분석할 때 가능합니다.

이 책은 바로 이러한 필요성에서 출발하여 장차 교사가 되고자 사범대학과 교육대학 및 교육대학원에서 공부하는 사람, 교직과정을 이수하는 사람들이 학습해야 할 교육학의 기본적 지식체계를 제공하는 것을 목적으로 집필되었습니다. 그러나 단순히 교육학 분야의 이론들을 요약하는 것을 지양하고, 우리 교육현상을 이해하며 교육문제를 다양한 측면에서 바라보고 해결 방안을 고민하는 데 필요한 교육학의 핵심지식과 원리, 이론을 담고자 노력하였습니다. 독자들은 이 책의 내용을 학습함으로써 우리 교육을 보다 넓은 안목으로 바라볼 수 있고, 더 나은 교육을 실천할 역량을 기를 수 있습니다. 이와 더불어 교육문제가 만병통치약과 같은 하나의 처방이나 정책으로는 결코 해결할 수 없는 매우 복잡한 성격을 지니고 있음을 알게 될 것입니다.

이 책은 전국의 여러 대학에 소속되어 있는 교육학계의 중진학자들이 집필한 14개의 장으로 구성되었습니다. 제1장에서는 교육에 대한 정의와 함께 시대적 변화에 따라 교육이 어떤 역할 변화를 겪어 왔고, 향후 미래 인재 양성을 위하여 우리가 새롭게 준비해야 할 사항들이 무엇인지를 살펴보고 있습니다. 제2장에서는 교육의 역사적 전개과정을 서양교육사와 한국교육사로 나누어 살펴보았습니다. 이 장의 학습을 통하여 독자들은 인류가 교육이라는 이름으로 거쳐 온 여러 활동을 개략적으로 이해할 수 있습니다. 제3장에서는 인간으로 태어나 계속해서 성장하고 발전하는 사람에게 교육은 특권이자 의무라는 관점에서 교육에 대한 철학적 탐구가 무엇인지를 살펴보고 있습니다. 제4장에서는 오늘날 교육에서 학습자를 이해하고 고려하는 것이 중요하다는 전제하에 학습자를 이해하고 이를 교육 상황에 적용하는 데 필요한 발달이론, 동기와 정서이론, 다양한 지능이론 등을 다루고 있습니다. 제5장에서는 우리나라의 학교교육이 어떠한 역사를 가지고 있고 어떠한 사회적 맥락 속에서 전개되어 왔는지, 다양한 사회 문제와 어떻게 관련되어 있는지를 검토하고 있습니다. 독자들은 이 장을 학습함으로써 학교교육이 사회의 평등화에 기여하는지, 기존의 사회적 불평등 구조를 반복 재생산하고 정당화하는지에 대해 나름대로 안목을 가질 수 있습니다. 제6장에서는 교육을 통해 기르고자 하는 바람직한 인간상을 구현하는 데 필요한 교육과정을 구성할 때 쟁점이 되는 지식과 경험의 문제, 교육과정 설계와 개발이론 및 절차 등을 살펴보고 있습니다. 제7장에서는 학습자가 배워야 할 것을 잘 배울 수 있도록 돕는 데 필요한 교수-학습이론을 다루고 있습니다. 독자들은 이 장을 공부하고 나면 교수-학습이론은 교육목적에 따라 다양하게 분류할 수 있음을 알게 될 것입니다. 제8장에서는 교육평가가 학업성적을 점수화하는 것을 포함하여 교육목표의 타당성 여부, 교육과정, 교육프로그램, 수업, 교사, 교육의 제반여건 등 교육과 관련된 모든 측면과 연관되어 있음을 설명하고 있습니다. 이 장의 학습을 통해 교육평가가 학생선발이나 분류를 위한 활동이라는 협소한 인식을 확장시킬 수 있을 것입니다. 제9장에서는 보다 효과적이고 효율적인 학습을 위한 방안을 탐구하는 교육공학을 다루고 있습니다. 교육공학은 제4차 산업혁명의 진전과 감염병의 확산 등의 여러 요인으로 비대면 수업이 확대됨에 따라 가장 주목을 받고 있는 분야이기도 합니다. 제10장에서는 학생들에게 행복한 삶의 안내자로서 교사가 알아야 할 생활지도와 상담, 상담이론과 기법 등을 다루고 있습니다. 이 장에서 다루고 있는 생활지도와 상담에 관한 내용은 오늘날 교사들의 역할이 코치와 상담자, 돌봄의 역할 등으로 확장되고 있는 상황에서 매우 중요하다고 할 수 있습니다. 제11장에서는 교육행정에 대하여 다루고 있습니다. 교육행정은 주로 학교에서 이루어지는 교육활동의 여건을 조성하거나 규제하는 국가의 권력 작용입니다. 독자들은 이 장에서 교육행정의 의미와 성격, 원리 및 교육행정제도, 좋은 학교를 만들기 위한 학교장의 지도성 등을 학습할 수 있습니다. 제12장은 평생교육에 대한 내용을 다루고 있습니다. 오늘날은 평생교육의 시대입니다. 학교교육도 평생교육의 관점에서 바라보아야 합니다. 이 장은 평생교육의 기원과 대두, 평생교육의 개념적 특성과 다양한 학습의 제 양상, 평생교육의 법제도, 사업 등을 포함하고 있습니다. 제13장에서는 사회로부터 가르치는 일을 전문으로 하는 사람으로 인정받고 있는 교사에 관하여 다루고 있습니다. 이 장은 교사의 의미, 교사의 역할과 자질, 교직사회의 특징, 변화하는 사회에서의 교사의 능력 계발 등에 대한 내용을 중심으로 구성하였습니다. 마지막으로, 제14장은 우리나라 교육의 미래를 다루고 있습니다. 이 장에서는 우리나라 교육이 저출산으로 인한 학령인구의 감소, 사회적 양극화와 교육격차의 심화, 제4차 산업혁명과 인공지능 시대의 도래 등의 환경변화에 대응하면서 지속 가능한 발전을 이루기 위해서 해결해야 할 과제들을 탐색하고 있습니다.

『미래교사를 위한 교육학개론』이라는 제목을 달고 있는 이 책은 전국의 여러 대학과 사범대학, 교육대학에서 개설하고 있는 교육학개론 강의에서 교재로 사용하는 것을 염두에 두고 쓰였습니다. 이 책에서 개론 수준을 넘어서는 내용도 다루고 있으나 제목에 굳이 '개론'이라는 용어를 사용한 이유는 현재 교사양성을 위한 검정령에 '교육학개론'이 기본과목으로 되어 있어서 그 취지를 존중하고자 함입니다.

이 책으로 강의를 할 때 한 학기에 다루기에는 내용이 많다고 생각된다면 내용과 분량을 적절히 조절하여 가르칠 수 있습니다. 또한 이 책은 교원임용시험 등 각종 채용시험에서 시험과목으로 교육학을 준비하는 대학생이나 일반인에게도 매우 유용한 학습교재가 되리라고 생각합니다.

끝으로, 좋은 책을 만드는 데 관심과 투자를 아끼지 않는 학지사 김진환 사장님께 감사를 드립니다. 원고 마감과 교정 일정을 제대로 지키지 못했던 집필진 때문에 출간되기까지 마음을 졸였던 편집부 여러분께도 죄송한 마음과 감사의 마음을 함께 전합니다.

부디 이 책이 교육학개론을 가르치거나 공부하는 다양한 독자에게 사랑받는 책이 되기를 기대해 봅니다.

2021년 8월

저자를 대표하여 김성열

차례

제1장

교육의 개념적 기초

신종호(서울대학교 교육학과)

1. 교육은 어떻게 정의할 수 있는가
2. 교육은 왜 필요할까
3. 과거, 현재, 미래, 교육은 어떻게 변화하고 있는가
4. 시대 변화에 따라 교육 요소들은 어떻게 달라지고 있는가

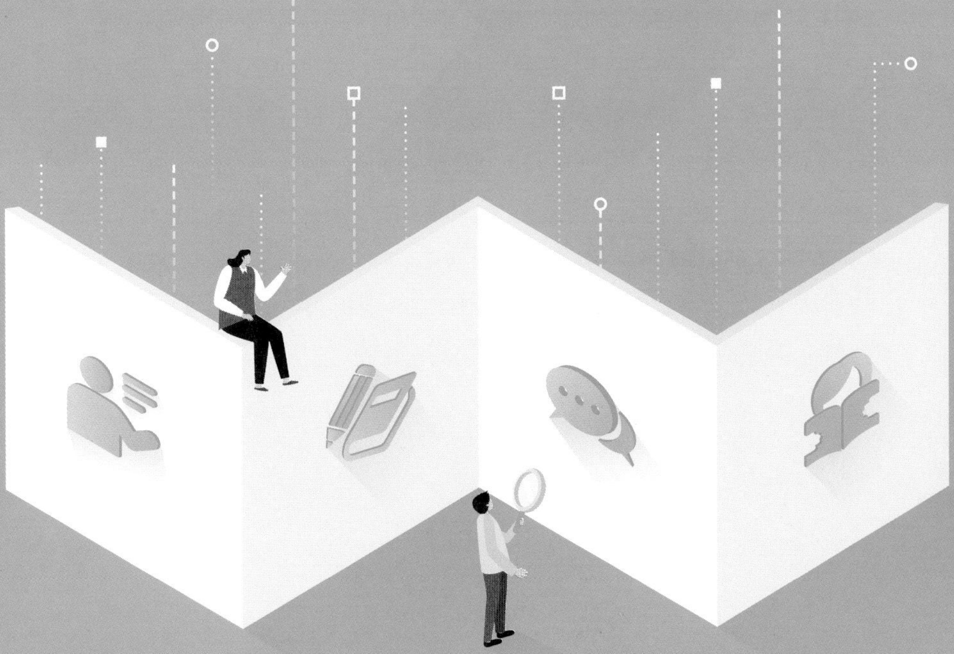

학습 개요

교육은 시대와 사회의 변화에 따라 그 역할을 달리하여 왔다. 대량생산으로 대표되는 과거 산업화 시대의 교육, 컴퓨터와 인터넷으로 대표되는 현재 지식정보화 시대의 교육, 인공지능과 빅데이터로 대표되는 미래 시대의 교육은 시대가 요구하는 인재상이 달라짐에 따라 그 역할을 달리해 왔고, 미래를 위한 또 다른 변화를 위해 노력해야 하는 시점에 와 있다. 과거, 현재, 미래의 교육은 어떻게 달라질 것이고, 이에 따라 교사, 학생, 교육 내용 및 방법은 어떻게 달라져야 하는지에 대한 진지한 성찰이 필요하다. 이 장에서는 교육에 대한 정의와 함께 시대적 변화에 따라 교육이 어떤 역할 변화를 겪어 왔고, 향후 미래 인재 양성을 위해 어떤 새로운 준비를 해야 하는지를 같이 살펴보고자 한다.

1. 교육은 어떻게 정의할 수 있는가

교육에 대한 정의는 다양한 관점에서 규정될 수 있다. 일반적으로 개념에 대한 정의는 전문가들이 규정하는 명시적 정의(explicit definition)와 일반인들이 개념에 대해 전문적으로 정의하지 않지만 마음속에 가지고 있는 생각을 보여 주는 암묵적 정의(implicit definition)로 구분할 수 있다. 예를 들면, '학습'에 대해 전문가들은 '경험에 의해 개인이 가지고 있는 행동 잠재력이 긍정적인 방향으로 변화하는 것'이라고 정의하는 반면, 일반인들은 이러한 명확한 정의를 규정하지는 못하지만 학습을 '학교에서 공부하는 것' '직업을 갖기 위해 계속 자기계발하는 활동'이라고 정의할 수 있다. 전자를 학습의 명시적 정의, 후자를 암묵적 정의라고 할 수 있다.

우리가 어떤 개념에 대해 명시적 정의와 함께 암묵적 정의를 아는 것은 개념이 대표하는 현상을 현실과 연계하여 보다 구체적으로 이해하는 데 도움이 된다. 이 장에서도 교육에 대한 명시적 정의와 함께 암묵적 정의를 함께 살펴봄으로써 교육에 대한 우리의 이해를 보다 교육실제와 연계하여 이해할 수 있는 장점을 가질 수 있다.

명시적 정의	암묵적 정의
말하는 사람의 목적이나 내용에 대해 의미가 분명히 진술되어 있으며, 개념에 대한 의미 추론이 필요치 않고 있는 그대로 그 의미를 규정할 수 있는 정의	개념의 의미가 분명히 진술되지 않지만, 말한 사람이 갖고 있는 내적 의미 추론을 통해 개념의 뜻을 규정하는 정의

[그림 1-1] 명시적 정의와 암묵적 정의

1) 교육의 명시적 정의

전문가들의 교육에 대한 정의를 살펴보면 교육에 대한 의미 규정이 다양하다는 것을 확인할 수 있다. 이 장에서는 교육에 대한 명시적 정의를 크게 어원적 정의, 조작적 정의, 규범적 정의, 기능적 정의로 세분하여 살펴보고자 한다.

(1) 어원적 정의

교육에 대한 어원적 정의는 한자어, 영어, 우리말에 대한 분석을 통해 그 의미를 규정한다. 한자어로서 교육은 '가르칠 교(敎)' '기를 육(育)'을 쓰는데, 먼저 이 의미를 분석적으로 살펴보고자 한다.

가르칠 교(敎)의 구성은 '爻(본받을 효)' + '子(아들 자)' + '攴(卜: 칠 복 + 又: 오른손 우)'로 되어 있다. 이는 말 그대로 '살짝 때려 아이가 본받도록 한다'는 뜻을 가지고 있다(강미영, 2020). 또한 기를 육(育)도 그 의미를 살펴보면, '기르다[양(養)], 낳다[생(生)], 자라다[성(成)]' 등의 뜻을 가진다고 한다. 이들 교(敎) 자와 육(育) 자의 의미를 같이 고려할 때, 한자어를 통해 본 교육은 '인간으로서 삶을 살아가는 데 필요한 것들을 본받도록 하고 이를 외부적으로 키워 주는 과정'이라고 정의할 수 있을 것이다(김호일, 1995).

영어에서 말하는 교육이란 무엇일까? 영어로 교육은 'education'이라고 하는데, 이 단어를 구성하는 파트는 크게 둘로 나누어 볼 수 있다. 첫 번째 파트인 'e'는 '밖으로'(out, from, away)의 의미를 갖고, 두 번째 파트의 어근인 'ducare'는 '끌다' '꺼내다'(lead)의 의미를 가지고 있다. 이를 종합적으로 고려할 때 영어 어원을 통해 본 교육(education)은 '인간이 선천적으로 지니고 태어난 여러 자질이나 잠재력을 밖으로 잘 꺼내 주는 것'이라고 이해할 수 있을 것이다(두산백과사전, n.d.).

마지막으로 우리말의 어원을 살펴보자. 교육의 우리말 어원은 '가르치다'라는 말에서 그 의미를 찾을 수 있을 것이다. '가르치다'라는 말은 '갈다'와 '치다'의 두 말로 구성된다. '갈다'는 '연마하다'라는 의미를 가지고 있으며, 지적 능력이나 특정 기능의 전수에 주로 사용하는 말이라 한다. '치다'라는 말은 '보살펴 키우다'라는 의미를 가지고 있는데, 사랑을 가지고 돌본다는 의미를 나타낸다고 한다. 이러한 어원적 의미를 통해 볼 때 '가르치다'라는 우리말에서 본 교육은 '지식이나 기능, 이치 따위를 깨달을 수 있도록 마음을 다해 보살피는 과정'으로 정의할 수 있을 것이다(강미영, 2020).

이처럼 다양한 어원적 정의를 통해 본 교육은 한마디로 '개인이 가지고 있는 자질이나 잠재력을 계발해 나가도록 사랑의 마음을 가지고 안내하고 조력하는 과정'이라고 정의할 수 있다. 이 정의를 통해 과연 현재 우리 학교교육은 교육의 본질적 기능을 다하고 있다고 할 수 있는지 다시 생각해 볼 필요가 있을 것이다. 우리 교육이 학생들의 자질이나 잠재력을 제대로 키워 주고 있는지, 사랑의 마음으로 학생들의 성장을 교육의 중심에 두고 있는지, 안내하고 조력하는 일을 하는지, 어떤 특정한 방향으로 달리게 하고 순위를 매기는 데 전념하고 있는지 등 우리 학교교육에 대한 중요한 질문들을 교육의 어원적 정의를 통해 던져 볼 수 있을 것이다.

(2) 조작적 정의

조작적 정의(operational definition)는 한 개념을 관찰 가능한 구체적 의미를 갖도록 규정하는 것을 말한다. '불안'을 '심장 박동이 빨라지고 식은땀이 나며, 어떤 일에 집중하지 못하는 상태'라고 정의하는 것이 그 예이다. 또는 지능(intelligence)을 '지능검사로 측정하여 나타난 결과'라고 정의하는 것도 조작적 정의의 한 예이다.

교육에 대한 조작적 정의로 가장 많이 알려진 것은 정범모(1968)의 정의이다. 정범모는 교육을 "인간 행동의 계획적 변화"라고 정의하였다. 조작적 정의의 가장 큰 특징이 관찰 가능성이기에, 교육에 대한 정범모의 조작적 정의에서도 '인간 행동'이라는 요소를 포함하고 있음을 볼 수 있다. 이때 인간 행동은 밖으로 드러나는 외현적 행동과 밖으로 직접 관찰되지는 않지만 간접적 행동 지표들을 통해 확인할 수 있는 내현적 행동(지식, 사고력, 가치관, 태도 등 모든 심리 특성 포함)을 포괄한다. 이 조작적 정의에서는 내현적 행동의 경우에도 개인이 체계적인 지식과 사고능력을, 삶에 대한 어떤 가치관을 얼마나 가지고 있는지는 관찰 가능한 외적 결과물들을 통해 확인 가능하다는 전제를 갖는다.

정범모의 조작적 정의의 중요한 또 다른 요소가 바로 '계획적 변화'라는 것이다. 교육은 인간 행동의 변화를 말하는데, 우연에 의해 또는 성숙에 의해 나타나는 변화가 아닌, 구체적인 계획과 의도를 통해 만들어지는 변화를 말한다는 것이다. 따라서 교육은 변화시키고자 하는 인간의 행동을 명확하게 설정하여야 하고, 구체적인 계획을 가지고 이를 변화시키고자 노력하는 것이라 정의할 수 있다. 따라서 정범모의 조작적 정의의 관점에서 본 교육은 인간 행동에 대한 명확한 목표(교육목표)와 그 목표를 달성하기 위해 어떤 경험들을 제공할 것인가(교육과정), 어떻게 인간 행동의 변화를 가져올 것인가(교육방법)에 대한 체계적인 접근이 필요한 분야라고 할 수 있다.

(3) 규범적 정의

규범적 정의는 개념이 추구하고자 하는 가치 또는 가치가 실현된 상태를 주 내용으로 개념에 대한 규정을 하는 것을 말하다. 규범적 정의는 교육에서 추구해야 할 가치를 중심으로 교육을 정의한다. 교육은 '개인의 자아실현을 돕는 것이어야 한다'라고 정의하는 게 그 예이다. 이 정의에서 교육이 추구하는 가치는 바로 개인의 '자아실현'이고, 이처럼 교육이 지향해야 할 가치를 중심으로 교육을 규정하는 것을 규범적 정의라고 한다. 또한 교육을 '한 개인이 무지 상태에서 벗어나도록 도와주는 계명(啓明) 활동이다'라고 정의하는 것도 규범적 정의에 하나라고 볼 수 있다.

교육에 대한 대표적인 규범적 정의로 가장 많이 언급하는 것이 피터스(R. S. Peters)의 정의이다(Peters, 1966). 피터스는 교육을 "개인을 합리적 사고와 활동으로 입문시키는 일종의 성인식"이라고 정의한다. 이 정의는 개인이 합리적 사고와 경험들을 갖추도록 도와주는 것이 교육이 추구해야 할 가치라는 것을 잘 보여 주며, 인간의 삶에서 개인의 합리적인 사고와 경험이 차지하는 중요성을 반영하고 있는 교육에 대한 정의라고 할 수 있다. 피터스의 정의에 따르면, 개인이 합리적 사고와 경험을 하도록 도와주기 위해서는 교육목표, 교육과정, 교육방법이 합리성을 갖추고 있어야 하며, 주입이나 강요, 반복적 훈련, 보상을 수단으로 한 조건화와 같은 방법으로 교육을 하는 것은 진정한 의미의 교육에서 벗어난 행동이라 볼 수 있다.

(4) 기능적 정의

기능적 정의는 교육이 추구해야 할 바람직한 가치를 통해 교육을 정의하는 것이 아니라, 교육이 수행해야 할 외적 역할이나 기능을 중심으로 교육을 정의하는 방식이다. 교육을 '국가가 필요로 하는 인적 자원의 양성'으로 규정하는 것이 한 예가 될 수 있다. 개인적 측면에서 볼 때 교육을 '좋은 사회적 지위를 획득하기 위한 준비 과정'이라고 정의할 수 있는데, 이것도 기능적 정의의 한 예가 될 수 있다.

교육에 대한 대표적인 기능적 정의로 들 수 있는 것이 존 듀이(John Dewey)의 정의이다. 듀이는 교육을 "삶의 사회적 연속성을 유지하는 수단"이라고 정의하였는데(Dewey, 1952), 이는 교육이 사회의 유지와 존속을 위해 개인들을 준비시키는 활동이라고 정의한 예라고 할 수 있다. 또한 페스탈로치(Pestalozzi)도 교육은 "사회의 계속적 개혁을 위한 수단이며, 민족과 국가의 발전 수단"이라고 보았는데(김호일,

1995), 이것도 교육의 기능적 정의의 한 예라고 할 수 있다. 이처럼 교육의 기능적 정의는 교육을 다른 사회적 · 개인적 목적을 달성하기 위한 수단으로 본다는 측면에서 그 특징이 있다고 할 수 있다.

2) 교육의 암묵적 정의

다음으로 교육에 대한 암묵적 정의에 대해 이야기하고자 한다. 일반인들이 교육에 대해 어떤 생각을 갖고 있는지를 이해하는 것은 교육의 실제 모습을 이해하는 데 매우 중요하다. 일반적으로 우리나라 사람들은 교육을 '좋은 직업과 지위를 갖기 위한 과정' '주변 사람들로부터 인정받기 위한 사회적 결과물' '자녀교육의 성공 여부를 결정해 주는 결과물' 등으로 정의하고 있음을 확인할 수 있다. 우리 사회에서 대표적으로 나타나는 이들 교육에 대한 암묵적 정의에 대해 구체적으로 살펴보도록 하자.

(1) 교육은 좋은 직업과 지위를 갖기 위한 일종의 자격증 획득 과정

통계청과 여성가족부에서 실시한 『2019 청소년 통계』에 따르면, 우리 청소년들이 대학에 가고자 하는 주된 이유로 52.9%가 '좋은 직업을 갖기 위해서', 반면에 38.1%의 청소년들이 '능력과 소질을 개발하기 위해서'라고 생각하는 것으로 나타났다고 한다. 이를 성별로 보면, '좋은 직업을 갖기 위해서'라는 이유에 있어서 남학생 비율이 여학생보다 높고, '능력과 소질을 개발하기 위해서'는 여학생 비율이 남학생보다 높게 나타났다고 한다(통계청, 여성가족부, 2019). 이 결과는 간접적으로 우리 청소년들이 교육을 어떻게 바라보고 있는지를 보여 주는 결과라고 할 수 있다. 교육은 일종의 출세를 위한 수단이지 자기 자신의 잠재력을 계발해 가는 과정으로 보지 않고 있음을 보여 준다. 또한 이러한 경향성은 남자 청소년들에게서 더 강하게 나타나고 있다.

또한 전국의 만 19세 이상의 성인 남녀를 대상으로 한 '2019년 대학 및 교육에 대한 국민인식 조사' 결과(신성현, 2019. 8. 23.)를 살펴보더라도, 전체 응답자의 63%가 우리나라에서 대학에 들어가는 것이 필요하다고 응답하였는데, 응답자 60% 이상은 대학 졸업장이 취직(76%), 결혼(66%), 승진(77%), 사회에서의 성공(61%)에 도움이 된다고 응답하였다고 한다. 이는 교육은 일종의 취직, 결혼, 승진을 위한 보증서를 따기 위한 것이라는 인식이 보이지 않게 자리 잡고 있음을 보여 주는, 또 다른 교육에 대한 사람들의 인식조사 결과라고 할 수 있다. 특히 이 조사 결과에 따르면 응답자의 70% 정도가 소위 '명문대' 졸업장이 보다 높은 사회적 지위나 결과를 획득하는 데 중요한 의미를 갖는다고 응답하였다고 한다. 이는 사회적 출세 보증서를 받기 위한 과정으로서, 교육 경쟁이 왜 우리 사회에서 심하게 나타날 수밖에 없는지를 보여 주는 단면이라고 볼 수 있을 것이다.

(2) 교육은 주변 사람들로부터 인정받기 위한 사회적 결과물을 획득하는 활동

우리가 흔히 공부를 왜 열심히 하느냐, 또는 왜 좋은 대학에 가려고 하느냐를 물으면, 적지 않은 사람들이 주변 사람들로부터 인정받으려면 공부를 잘해야 하고, 나아가 좋은 대학을 나와야 한다는 이야기를 한다. 교육이 한 사람을 평가하는 일종의 중요한 사회적 지표 제공의 기능을 수행하고 있음을 보여 주는 사회적 인식, 교육에 대한 암묵적 정의인 것이다.

앞에서 언급한 '2019년 대학 및 교육에 대한 국민인식 조사' 결과에 따르면, 명문대학에 들어가는 것이 '집안의 자랑'이라고 생각하는 사람이 응답자의 약 75%였다고 한다. 이 결과는 반대로, 명문대학 또는 소위 말하는 '좋은' 대학을 가지 못하는 것은 개인뿐만 아니라 집안의 수치라고 생각하는 것이, 밖으로 이야기하지는 않지만 우리 사회 구성원들의 인식에 분명히 존재함을 보여 주는 결과인 것이다. 이는 교육이 개인과 개인이 속한 집단(예: 가정)을 평가하는 사회적 잣대로서 우리 인식 속에서 기능함을 보여 주는 인식조사 결과라 할 수 있다.

(3) 교육은 자녀를 잘 키웠는지를 보여 주는 한 가족의 결과물

자녀를 잘 키웠다는 것이 무엇을 의미하는지는 개인과 사회가 가진 가치와 철학에 따라 분명히 달리 규정될 수 있다. 하지만 우리 사회에서는 아이가 공부를 잘 하느냐, 소위 '좋은' 대학에 갔느냐를 통해 자녀교육의 성공을 판단하려는 인식이 아직까지 남아 있다. 한국교육개발원(2018) 조사 결과에 따르면, 사람들은 '자녀교육에 성공했다는 것이 무엇을 의미하는가'에 대해 자녀가 좋은 대학을 나와 좋은 직장에 취직하는 것(25.2%)이라고 가장 많이 답했다고 한다. '행복이 성적순이 아닌 것'

처럼, 자녀교육의 성공 여부도 성적순이 분명 아닌데, 우리는 교육을 자녀교육 성공의 파라미터로 인식하고 있음을 보여 주는 것이다. 이러한 우리들의 암묵적 인식은 매 대학입시 철마다 확인된다. 자녀교육의 성공은 우리 아이가 공부뿐만 아니라 마음과 신체 면에서 얼마나 건강하게 성장했느냐를 통해 판단될 수 있음을 모르는 사람은 없다. 하지만 실제 사람들의 마음속에는 '협의의 교육' 결과물인 성적이 자녀를 얼마나 잘 키웠는지를 보여 주는 지표라는 교육에 대한 암묵적 인식이 여전히 자리 잡고 있음을 볼 수 있다.

2. 교육은 왜 필요할까

교육이 왜 필요한지를 묻는 것은 우문(愚問)일지 모른다. 하지만 왜 우리가 학교를 통해, 또는 학교 밖 조직을 통해 교육을 지속해서 받고자 하는지, 개인적 측면에서뿐만 아니라 사회적 측면에서, 나아가 인류지속의 측면에서도 교육이 왜 필요한지를 생각해 보는 것은 교육이 수행해야 할 역할과 책무를 생각해 보는 데 중요한 시사점을 제공한다. 여기에서는 교육의 필요성을 개인적, 사회적, 인류지속의 측면으로 나누어 살펴보고자 한다.

1) 개인적 측면의 필요성

교육이 개인에게 왜 필요한지는 교육이 개인에게 어떤 결과를 가져다주는지를 통해 확인할 수 있다. 먼저, 교육은 '개인의 성장'을 위한 중요한 기회와 경험을 제공한다. 개인은 사회적 존재이기에 사회에서 생활하고 활동하기 위해서는 그 사회가 요구하는 능력과 경험을 갖추고 있어야 한다. 교육은 바로 개인이 가지고 있는 잠재성을 계발할 수 있도록 도와주는 과정이고, 이 과정을 통해 개인은 사회적 존재로서 자신이 맡을 일들을 수행할 수 있는 능력을 갖추게 된다. 만일 개인이 성장할 수 있는 기회를 교육이 제공하지 않는다면, 개인이 가지고 있는 잠재성은 아무런 의미를 가질 수 없을 것이다.

둘째, 교육은 결과적 측면에서 개인의 성장을 가져올 뿐만 아니라, 그 과정에서 개인에게 '성취의 즐거움'을 경험하게 한다. 교육을 통해 개인이 경험하는 성취의 즐거움은 개인이 일에 대한 가치와 동기를 형성하는 데 중요한 영향을 미치게 된다. 인간이 가지고 있는 기본적 욕구 중에 하나가 성취 욕구이며, 교육은 인간이 가지고 있는 성취 욕구를 긍정적으로 경험할 수 있는 기회를 제공한다. 가문의 기업을 승계할 자녀의 군복무 경험을 중시하는 것으로 우리에게 알려진 스웨덴의 명문가인 발렌베리 가의 경우, 자녀교육에 있어 스스로 문제를 해결하고 성취하는 과정에서 자기결정성과 책무성을 배우도록 강조한다고 한다. 이는 개인이 가지고 있는 성취 욕구와 성취 과정에서의 긍정적 심리 경험들을 연계함으로써, 이후 기업 경영에서도 이를 성공적 결과로 연결시켜 나가도록 돕는 발렌베리 가의 교육전통이라고 할 수 있을 것이다. 교육의 과정에서 개인이 경험하는 성취 경험은 개인이 이후 성장하는 데 중요한 삶의 자산이 될 수 있다.

마지막으로, 교육은 개인이 성공적으로 '사회활동을 준비'할 수 있는 기회와 경험을 제공한다. 인간이 태어나면 생존을 위해 상당한 기간을 부모에게 위탁하듯이, 개인이 사회생활을 본격적으로 하기 위해서는 필요한 지식과 기능, 역량을 갖추기 위한 준비를 해야 한다. 교육은 바로 개인이 사회적 존재로서 자신이 맡게 될 사회적 역할을 제대로 수행할 수 있도록 준비 기회를 제공하는 기능을 수행하며, 개인은 교육을 통해 자신의 삶에 필요한 다양한 역량과 기술을 갖출 수 있도록 노력해야 한다. 따라서 교육은 사회가 개인에게 요구하는 지식, 기능, 역량이 무엇인지를 확인하고, 이를 개인이 사회에 나가기 전에 갖출 수 있도록 체계적인 경험을 제공해야 한다. 교육이 이러한 기능을 제대로 수행하지 못하게 될 경우, 개인은 사회에서 자신의 역할을 제대로 하지 못하게 되고, 사회 또한 개인이 자신의 역할을 성공적으로 수행하지 못함으로써 그 비용을 지불할 수밖에 없게 된다. 따라서 교육은 개인의 필요와 사회의 필요를 연결하는 기능을 수행한다고도 할 수 있을 것이다.

2) 사회적 측면의 필요성

교육의 사회적 필요성은 다양하게 찾을 수 있지만, 여기에서는 사회가 필요로 하는 인적 자원의 육성과 이를 통한 경제 발전의 원동력 확보, 그리고 건강한 사회공동체를 만들기 위한 민주시민의 육성에 관해서 살펴보고자 한다. 교육은 사회의 유지, 발전, 지속을 위한 중요한 기능을 수행하기에, 사회 구성원을 성장시키는 교육 시스템을 구축하는 것은 그 사회의 다양한 측면에서의 경쟁력을 확보, 유지, 발전시키는 데 중요한 의미를 갖는다.

(1) 인재 육성과 경제 개발의 필요성 충족

1970년대 이후 우리 사회의 급속한 경제 발전에 중요한 역할을 한 분야 중에 하나가 교육이다. 교육을 통한 인재 육성이 한 사회의 경제발전에 중요한 원동력이 됨을 보여 준 세계적 사례라 할 수 있다. 한국을 포함한 동아시아 국가들의 빠른 경제 성장 및 발전 요인을 분석한 연구들은 공통적으로 교육을 성공 요인으로 꼽는다. 세계은행(World Bank, 1993)은 이들 지역의 국가들이 보편적 초등교육을 우선 제공하고, 이후 중등교육을 빠르게 확대하는 교육정책을 펼친 것이 경제 성장에 중요한 기능을 수행했다고 분석한 바 있다(Green, 2013). 숙련된 노동력과 기술, 지식 전수 등으로 동아시아 국가들에서 빠른 경제 성장이 가능했고, 이 과정에서 교육이 중요한 역할을 했음을 강조한 바 있다. 또한 역사적으로 취학률 증가와 산업발달 간에 정적인 상관이 존재하며, 사회의 평균 학력수준과 경제성장률 간에도 정적인 관계가 있다고 한다(곽영우, 1998).

하지만 과거 산업화 시대에 요구되는 인재 양성에 성공한 우리 교육은 현재 미래 세대에 필요한 창의인재 육성이라는 새로운 도전에 직면해 있다. 지식전달 중심의 표준화된 산업화 교육 패러다임으로는 변화하는 사회를 이끌어 나갈 인재 양성에 실패할 수밖에 없기 때문이다. 디지털 및 인공지능 시대에 맞는 신기술 혁신인재 양성을 위한 새로운 교육과 미래 사회 패러다임 변화에 따른 미래형 교육에 대한 준비가 필요하며, 이를 위해서는 창의역량을 계발할 수 있도록 학생활동 중심의 역량교육 패러다임으로의 전환을 본격화해야 한다. 최근에는 창의융합 인재양성을 위한 교육과정의 개발과 운영 시스템의 구축이 중요한 교육 과제로 등장하고 있다.

(2) 사회공동체가 필요로 하는 민주시민 육성의 필요성 충족

다양한 구성원들이 서로 존중하고 협력하는 공동체를 구성, 유지, 발전시키기 위해서는 구성원들이 올바른 시민의식과 인성을 갖출 수 있도록 할 필요가 있으며, 민주시민 교육은 과거보다 훨씬 강조되고 있는 상황이다. 한 사회공동체의 민주적 생활문화를 만들기 위해서는 필요한 제도 및 절차의 확립뿐만 아니라, 그 사회공동체의 구성원 하나하나가 민주시민으로서의 올바른 가치 의식을 가지고 있어야 한다.

현재 사회뿐만 아니라 미래 사회에서도 지적 능력뿐만 아니라 정의적 능력을 갖춘, 특히 타인에 대한 배려와 협력, 사회성, 공감과 소통 능력 등을 갖춘 인재가 요구된다. 그러나 우리나라의 교육은 학업 성취와 경쟁만을 강조하는 경향이 있고, 이러한 문제점을 극복하고 타인에 대한 배려와 협력, 공동체 구성원으로서 수행해야 할 역할과 책무성 등을 개인이 갖도록 하기 위해서는 올바른 시민교육이 더욱 중요해질 수밖에 없다.

시민교육은 사회문화자본이라고 할 수 있는 공동체의 신뢰 구축과도 밀접한 관련이 있다. 사회문화자본은 공공 목적을 위해 구성원들 간에 서로 돕고 협력하도록 하는 비공식적 가치나 규범 또는 신뢰를 의미하는데(Fukuyama, 1997), 아직까지 우리 사회는 '저신뢰 사회', 사회문화자본 수준이 하위권인 국가라는 평가를 받고 있다고 한다(현대경제연구원, 2013). 따라서 민주시민 교육을 통해 사회적 역할, 책무, 타인에 대한 배려와 협력, 사회성, 공감 등의 역량을 지속적으로 계발함으로써 우리 사회의 사회문화자본 확충이 가능해질 것으로 기대한다.

3) 인류지속 측면의 필요성

교육은 한 사회공동체의 유지와 발전을 위해서뿐만 아니라 인류공동체의 유지와 건강한 발전을 위해서도 필요하다. 한 사회가 직면한 문제가 있는 것처럼, 환경 문제, 국가 간 갈등, 국가 간 삶의 격차 증가 등과 같이 지구에 살고 있는 전 인류가 직면해 있는 공동의 문제와 과제가 있을 수 있으며, 인류공동체가 직면한 문제를 해결하기 위해서는 교육도 중요한 역할을 수행해야만 한다.

지속 가능한 인류공동체를 만들기 위한 교육의 역할과 관련하여, 2015년 9월 유엔 총회에서는「우리 세계의 변혁: 2030 지속가능발전 의제(Transforming Our World: The 2030 Agenda for Sustainable Development)」라는 문서가 채택되었다고 한다(임현묵, 박환보, 2018). 이 문서에 포함된 지속 가능한 인류공동체를 만들기 위하여 교육은 '모두를 위한 포용적이고 공평한 것이어야 한다'는 점을 강조한다. 즉, 모든 사람이 교육의 기회로부터 차별받지 않는 것이 인류가 지속적으로 현재의 문제를 해결하고 발전시키는 데 중요한 의미를 갖는다는 것이다.

또한 2020년에는 유네스코(UNESCO)가 지구공동체에서 같이 살아가는 구성원들의 삶의 기본권을 보장하기 위해서 교육이 중요한 역할을 해야 한다고 강조한 바 있다. 유네스코는 모든 이가 개인이 가지고 있는 능력의 계발과 사회 참여를 위해 자신이 속한 지역이나 배경과 무관하게 교육기회를 차별 없이 보장받아야 한다고 제안한다. 하지만 경제적으로 어려운 저개발국가에서는 중등교육 참여율 증가에도 불구하고, 전체 해당 연령 학생의 약 75%만이 15세까지 학교에 남아 있다고 한다. 여전히 심각한 문제는 학교에 남아 있는 학생들 중 약 50%만이 기본적인 학습과 생활에 필요한 문해력을 가지고 있으며, 나머지 50%의 학생은 학교에 다니지만 이러한 기본 역량을 제대로 배우지 못한 채 이후 학교를 떠난다는 것이다.

이 같은 교육격차의 문제는 한 사회의 지속적 발전에 중대한 영향을 미칠 뿐만 아니라, 인류 전체의 지속적 발전을 위협하는 요소가 될 수 있다. 따라서 지역이나 인종, 성별에 의해 차별받지 않고 모든 사람이 사회가 요구하는 최소한의 역량과 경험, 그리고 민주시민 의식을 가지고 사회활동을 할 수 있도록 교육기회가 보장되어야 하며, 이것이 인류 전체가 지속적으로 함께 성장할 수 있는 중요한 기반이 된다는 것을 잊지 말아야 한다.

3. 과거, 현재, 미래, 교육은 어떻게 변화하고 있는가

사회의 변화를 다양한 관점에서 논의해 볼 수 있는데, 여기서는 산업화의 관점에서 과거, 현재, 미래 교육의 특징들이 무엇인지를 살펴보고자 한다. 대량생산을 핵심으로 한 1, 2차 산업혁명은 이에 적합한 인력양성이라는 측면에서 근대 학교교육 제도를 만들어 냈다. 또한 컴퓨터와 인터넷 산업의 등장으로 전면적으로 우리에게 다가온 지식정보화 사회는 이 사회를 살아가야 할 인재들에게 필요한 새로운 역량과 경험을 학교교육에 요구하였고, 이를 반영한 변화들이 실제 학교교육에서 나타나고 있음을 목격할 수 있었다. 그리고 인공지능과 빅데이터로 대변되는 미래 사회 역시 새로운 교육의 변화를 요구하고 있는 상황이다.

1) 과거의 교육

18세기 산업혁명 이후 사회의 특징을 규정하자면 '분업과 대량생산'의 사회라고 할 수 있다. 산업혁명은 1770년대부터 1830년대에 걸쳐서 영국을 중심으로 일어난 생산과 경제의 대변혁을 말한다. 1차 산업혁명은 인간의 육체적 노동을 기계로 대체시켰고, 2차 산업혁명에서는 자동화에 의한 대량생산으로 분업이라는 노동 형태가 나타나기 시작했다. 1, 2차 산업혁명은 인간이 해야만 했던 단순한 육체노동을 기계로 대체함으로써 생산성에서 엄청난 효율성을 가져왔다. 이 과정에서 노동자들이 소외됨에 따라 대규모 실업 사태가 생겨났지만, 기계의 육체노동 대체는 더욱 가속화되었으며, 기업은 공장의 기계화를 통해 생산성의 효율성을 통해 이윤의 극대화를 추구하였다. 그러나 기계가 인간의 육체노동을 대신한다고 해도 그 기계를 작동시키는 것은 여전히 인간이었고, 이에 따라 교육은 보다 숙련된 노동자를 어떻게 양성해 내느냐에 집중하였다고 할 수 있다(류방란 외, 2018).

앨빈 토플러(Alvin Toffler)는 『부의 미래(Revolutionary Wealth)』라는 책에서 근대의 학교 체제를 산업화 시대의 노동력을 양성하는 곳으로 묘사한 바 있다. 근대 국가가 형성되고 산업화가 빨라진 19세기 이후에 선진국들은 전 국민을 대상으로 의무교육을 시작하였고, 이는 토플러의 말처럼 산업혁명이 불러온 새로운 사회구조에 필요한 노동력을 양성해야 했기 때문이었다. 개인적으로 이루어지던 도제식 교육이 학교라는 기관을 통한 '보편교육'으로 바뀌게 되고, 이는 근대 학교제도의 기반이 된 것이다.

산업화 시대에 형성된 학교제도는 특수한 계층이 독점적으로 향유하던 교육의 가치를 모든 국민이 공유하게 하였다는 점에서 교육의 민주주의 실현에 기여하였다고도 할 수 있다(홍선주, 이명진, 최영인, 김진숙, 2016). 보편교육의 실현은 교육받을 권리를 모든 사람에게로 확장하였다는 점에서 의의를 가지지만, 교육 보편화를 위해 교육과 관련된 여러 제도와 내용, 방법 등을 표준화하게 된다. 이 시기 국가가 정한 학제에 의해 모든 학생들이 동일한 교과목을 이수하는 것이 일반적이며, 동일한 내용들을 많은 학생에게 효율적으로 전달하기 위한 방법으로 강의식 수업방법이 획일적으로 학교현장에 적용되기 시작하였다.

2) 현재의 교육

산업화 이후 지금까지의 현재 사회를 특징짓는 개념으로 가장 먼저 생각할 수 있는 것이 지식정보화라는 것이다. 컴퓨터와 인터넷의 발명과 대중화로 시작된 디지털 혁명은 정보에 대한 접근을 용이하게 만들었고, 지식을 기반으로 한 산업들이 자본과 자원을 기반으로 한 산업들을 앞서기 시작했다. 지식정보화 시대에 들어서면서 기존의 자본이나 자원이 아닌, 기술, 정보, 지식 등의 지식 자원이 사회발전의 주요한 원천이 되기 시작한다(Toffler, 1990).

1, 2차 산업혁명 시대에는 누가 독점적으로 자원을 소유할 것이냐가 중요하였고, 이 측면에서 과거 사회는 중앙집권적 · 수직적 사회구조의 특징을 갖는다고 할 수 있다. 하지만 지식에 대한 학습 및 활용을 강조하는 지식정보화 사회에서는 지식 네트워크를 기반으로 한 협력적 업무수행 및 그 결과의 공유가 중요해지면서, 수평적 · 협력적 · 공유적 사회구조가 그 특징으로 대두된다. 따라서 지식 자본을 최대한 활용하기 위해 경쟁보다는 남들과 어울려 작업할 수 있는 능력인 협업 능력이 보다 더 강조되며, 지식의 창출과 관련하여 비판적 사고능력이나 창의적 사고능력이 중요하게 대두되기 시작한다.

구체적으로, 이 시기 복잡하고 많은 정보가 넘쳐나기에 이에 대처할 수 있는 인지적 · 비인지적 능력들이 학교교육에서 강조되기 시작하였다. 앞서 언급한 인지적 능력으로서 비판적 사고능력이나 창의적 사고능력 외에도, 다양하고 복잡한 정보를 이해하고 활용할 수 있는 능력인 정보 문해력(information literacy)이 강조되며, 정보의 원천으로서, 학습을 위한 도구로서, 그리고 다른 사람과의 의사소통과 네트워킹을 위한 도구로서 ICT(Information Communication Technology)를 활용할 수 있는 능력도 강조되고 있다(소경희, 2009).

또한 현대 사회는 습득해야 할 정보와 지식의 양이 폭등하고, 지식과 정보의 생명주기는 계속해서 짧아지는 특징을 갖는다. 따라서 전 생애 주기에 걸쳐 계속적인 능력 개발이 중요해지고, 학교 졸업 후에도 사회생활에 필요한 능력 개발을 위한 지속적인 교육기회가 보장되는 것이 중요해진다. 이와 관련하여 최근 들어 교육의 관점이 제공자 입장을 강조하는 '교육' 패러다임에서, 개별 학습자의 주체적 참여와 기회 보장과 지원을 강조하는 '학습'의 개념이 더 강조되고 있음을 볼 수 있다(김신일,

2005). 이는 교육이 학교교육을 넘어 평생교육으로 그 패러다임의 전환이 시작되었음을 보여 주는 것이라 할 수 있다.

3) 미래의 교육

우리 앞에 다가오고 있는 미래 사회는 인류 역사상 가장 큰 혁신과 발전을 가져올 사회라고 생각할 수 있다. 현재 컴퓨터 및 인터넷을 기반으로 한 ICT 사회 기반은 물리적 공간과 디지털적 공간의 경계를 희미하게 만들었고, 다양한 기술의 융합의 시대를 만들고 있다(조헌국, 2017). 앞으로 다가올 미래 사회는 초연결(Hyper-connectivity), 초지능(Super-intelligence) 사회라고 한다. 인공지능(AI), 사물 인터넷(IoT), 클라우드 컴퓨팅, 빅데이터 등 모든 것이 네트워크로 연결되고 사물이 지능화되는 시대를 우리가 마주하고 있는 것이다(이경호, 2019).

기술 발전의 급속화와 초연결 사회로의 변화로 인해 미래 사회는 급진적인 혁신을 만들어 낼 것이고, 이로 인해 사회의 불확실성이 더욱 가속화될 것이다. 과학기술의 발전 속도가 빨라지면서 기술 및 지식의 생존주기가 짧아지고, 직업에 대한 수요 변동 역시 급격히 이루어질 것으로 예상되며(한국고용정보원, 2017), 이러한 변화와 불확실성을 다룰 수 있는 역량을 키워 주는 것이 미래 교육에서 중요한 과제로 등장할 것으로 예상된다. 한마디로, 미래 사회는 복잡하면서도 예측 불가능한 '변혁의 시대(The Age of Vortex)'라고 할 수 있다(이경호, 2019).

이러한 급속한 사회 및 기술 변화의 핵심에는 인공지능이 자리 잡고 있음을 알 수 있다. 인공지능이 기존에 인간이 수행하던 많은 일들을 대체할 것으로 보이며, 따라서 인공지능과 인간의 경쟁 및 공존이 미래 사회에 중요한 과제로 대두될 것이다. 다양하고 수많은 지식을 스스로 학습하고 이를 기반으로 문제를 해결하는 능력이 뛰어난 인공지능 시대에, 미래 사회에서 인간이 갖추고 있어야 할 고유 역량이 무엇이고, 이를 어떻게 키워 나갈 것인지에 대한 준비를 교육이 시작해 나가야 할 시점인 것이다.

이와 관련하여 미래 사회를 살아갈 다음 세대가 갖추고 있어야 할 역량으로 다양한 제안이 있어 왔다. 미래 인재에게 요구되는 역량으로 가장 많이 언급되고 있는 4C인 비판적 사고력(Critical thinking), 창의적 사고력(Creative thinking), 소통능력

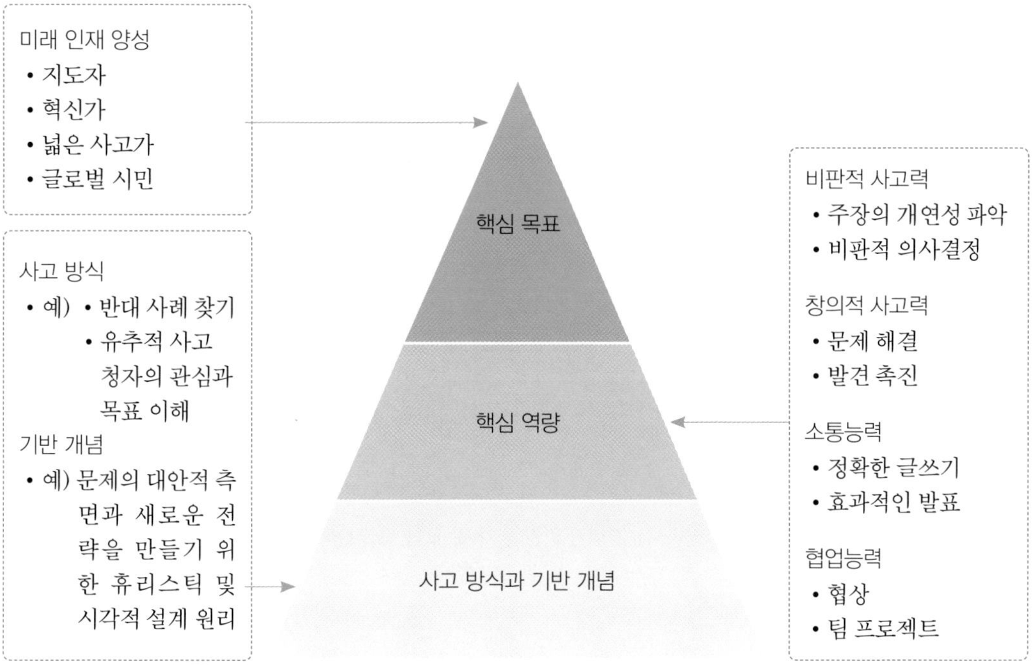

[그림 1-2] 미네르바스쿨 교육 모형

(Communication), 그리고 협업능력(Collaboration)은 현재에도 중요한 역량으로 강조되고 있지만, 앞으로 다가올 사회에서는 더 강조될 것으로 생각할 수 있다. 실제 새로운 교육 시스템을 만들어 이들 역량 계발을 핵심으로 교육활동을 하고 있는 고등교육기관이 바로 미네르바스쿨이고, 이 고등교육기관에서는 4C 역량을 갖춘 미래 인재 양성으로 기존 교육 시스템에 신선한 충격을 준 바 있다([그림 1-2] 참조).

또한 미래 교육에서 강조해야 할 역량으로서 호주 멜버른대학교의 패트릭 그리핀(Patrick Griffin)은 크게 사고역량(Ways of thinking), 업무역량(Ways of working), 업무수행을 위한 도구활용역량(Tools for working), 그리고 세상을 살아가기 위한 삶의 역량(Ways of living in the world)을 제안한 바 있다. [그림 1-3]에서는 이들 4개의 역량 내에 세부적인 하위 역량들이 포함되어 있음을 볼 수 있다.

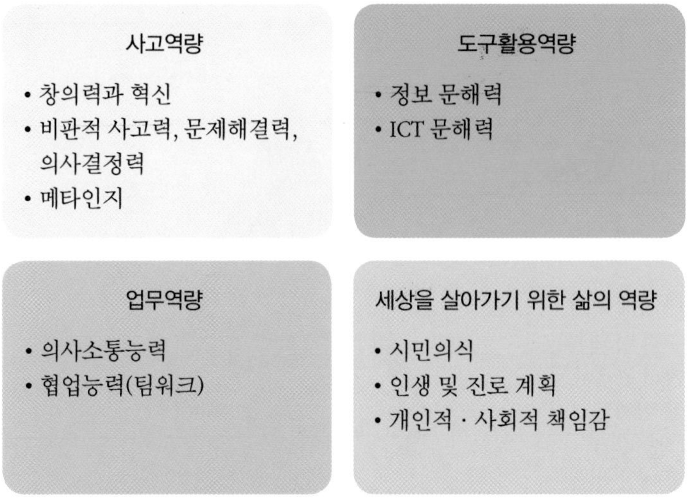

[그림 1-3] 21세기 역량 평가 및 교육 모델(Griffin et al., 2012)

4. 시대 변화에 따라 교육 요소들은 어떻게 달라지고 있는가

1) 교사의 역할 변화

과거 교사들은 '학생들의 지식 소유를 위한 지식 전달자'라고 규정할 수 있다. 전통적인 학교 체제에서 수업 장면을 생각해 보면, 교사는 내용 전문가로서 체계적으로 학습 내용을 조직하고 이를 학습자들에게 효과적 · 효율적으로 전달하기 위해 노력하는 교육전문가라고 할 수 있다(홍선주, 안유민, 최영인, 2019). 혹자는 과거 교사의 역할을 배우(actor)로서 비유하기도 한다(Pineau, 1994). 배우가 가상 상황에서 주어진 대본에 따라 연기하는 것처럼, 과거 교사들은 학습의 구체적인 맥락보다는 짜여진 교육과정에 따라 학생들을 가르치는 역할에 중점을 두었다는 측면을 부각한 비유라고 할 수 있다. 정리하자면, 과거 전통적 교육 패러다임 속 교사는 절대적 지식관을 가지고 학생들의 지식 획득을 목적으로 지식 전달자로서의 역할을 충실히 했다고 할 수 있다(김병찬, 2000).

반면, 현재 교사들의 역할은 이전에 비해 학생들의 학습 촉진자(facilitator)로서의 역할로 변화하고 있음을 볼 수 있다. 과거 전통교육에서 교사는 학생들의 정보 획득을 강조하는 역할을 수행했다면, 현대 교육에서는 학생들이 새로운 것을 스스로 학습할 수 있는 능력과 학습한 지식을 활용하는 능력을 키워 주고, 학생들의 흥미, 필요, 능력 등에 기반해 학생들의 적극적인 학습 참여를 기획, 운영, 평가하는 전문가로서의 교사 역할이 더 커지고 있다고 할 수 있다(허형, 2010).

또한 교사의 역할은 가르치는 것에 국한되지 않고, 학생들의 진로 및 진학에 대한 상담자 또는 컨설턴트로서 확장되고 있음을 볼 수 있다. 단순히 지적 가르침을 담당하는 전문가를 넘어 학생들의 미래 설계를 돕는 역할이 점차 중요해지기 시작한 것이다. 특히 중학교에서의 자유학기제 도입은 교사의 진로 전문가로서의 역할이 중요해지고 있음을 보여 주는 현대 학교교육의 변화라고 할 수 있다. 또한 2025년부터 전면 도입될 고교학점제 시행은 교사의 가르침에 대한 전문성과 진로에 대한 전문성 모두를 요구하는 제도 변화라고 할 수 있다(박균열, 주영효, 이인수, 2019).

한편, 미래 교육은 교사의 개인적 · 집단적 전문성과 함께 인공지능을 활용한 교육환경으로 전환이 이루어질 것으로 기대되기 때문에 교사들에게 새로운 역할을 요구할 것으로 예측된다. 미래 교육에서는 교수-학습활동을 통해 생성되는 다양한 빅데이터가 맞춤형 학생지원시스템을 구현하는 데 활용될 수 있을 것이고, 교사들에게는 빅데이터에 기반한 교수-학습활동을 설계, 운영, 평가할 수 있는 역량과 함께 학생맞춤형 교육지원활동을 기획, 운영할 수 있는 능력들이 요구될 것이다.

이러한 에듀테크 기반 환경에서 맞춤형 교육지원시스템을 기획, 운영하는 것은 지금처럼 교실수업을 책임지는 교사 1인이 하는 것은 불가능하고, 교사들이 팀 단위로 교수-학습활동을 기획, 운영할 때 가능하다. 따라서 어느 때보다 교사들 간의 팀 단위 일을 위한 협력과 소통, 업무수행 능력들이 중요해질 것이며, 교수-학습 팀 단위 운영에 대한 전문성이 미래 교사들에게 더 요구될 것이다. 또한 교육 내용과 방법에 있어서 실제와 밀접하게 연계된 교육경험을 제공하는 것이 더 중요해지기에, 학생들의 실천지식(practical knowledge)과 문제해결력을 향상시킬 수 있는 교육 내용과 방법 설계 능력도 미래 교사들에게는 더욱더 중요하게 요구될 것으로 기대된다.

또한 미래에는 학교 울타리를 넘어 지역사회 기관이나 공동체와 연계하여 교육활동이 확장, 강화되는 변화가 예상된다. 따라서 미래 교사들에게 요구되는 전문성 중에 하나는 학교-지역사회-기관을 연계하여 학생들이 보다 실세계(real world)와 밀접한 교육경험을 갖도록 하는 네크워킹 및 협력 능력이다.

실세계와 연계된 교육경험을 확장, 강화하는 교수자의 역할이 나타나는 대표적 미래지향 혁신 교육 사례가 앞서 언급한 미네르바스쿨이다. 지역공동체나 산업체가 가지고 있는 문제들을 확인하고, 이를 해결하는 과정에서 배움을 경험하도록 하며, 이를 통해 실제 문제를 해결할 수 있는 역량을 키우도록 하는 것이다. 이 과정에서 교수자의 역할은 지식을 지배적으로 전달하던 과거보다 더욱 중요해지며, 학생들이 유용한 교육경험을 할 수 있도록 전체 배움 과정을 모니터링하고 필요한 지원을 제공하는 컨설턴트 또는 안내자로서 역할을 하게 된다.

2) 학생의 역할 변화

시대 변화에 따라 교사의 역할이 변하는 것처럼 학생들의 역할도 변할 수밖에 없다. 점차 교육활동의 중심이 교수(instruction)에서 학습(learning)으로 축이 이전됨에 따라, '외부적 요구에 따라오는 학습자'로서의 관점에서 적극적으로 자신의 역량을 계발하고자 하는 '자기주도적 학습자로서의 역할'이 강조되고 있음을 볼 수 있다.

먼저, 전통적 관점에서 본 학생은 표준화된 지식을 습득하는 수동적 학습자라고 규정할 수 있다. 이 시기 교육은 표준화된 교육내용을 습득하고 기본적인 사회생활에 필요한 업무능력과 책임감, 성실성 등과 같은 조직의 일원으로서의 인성을 갖춘 사람을 키워 내고자 하였고, 학생들의 역할도 표준화된 교육시스템을 통해 개인이 속한 사회가 요구하는 능력과 인성을 갖추는 것이 중요하게 여겨졌다. 따라서 학생들이 자신의 개성을 중심으로 개인화된 교육경험을 갖도록 하는 데에는 아무런 관심을 기울이지 않았다고 할 수 있다.

반면, 현대 사회의 학습자는 수동적으로 표준화된 지식을 받아들이는 존재를 넘어서 자신의 개성을 추구하고, 지식을 최종 결과물이 아닌 도구와 소재로 배우며, 이를 활용해 자신이 직면할 문제들의 해결 역량을 갖추도록 요구된다. 현대 사회를 특징짓는 개념인 지식정보화 사회에서는 학습자가 자신의 관심이나 학습 목적에 맞는 정보를 찾고, 이를 재구성하여 새로운 정보를 생산하는 역할이 강조된다. 또한 지식정보화 사회에서 지식은 끊임없이 재생산되고 확장, 변화하기 때문에 단순히 지식을 획득하는 것은 의미가 없을 수 있으므로, 단순한 지식학습은 '죽은 학습'(dead learning)이라고 비판받기도 한다. 반대 개념인 '살아 있는 학습'은 곧 학교에서 학습하는 지식이 실제 문제해결이나 업무수행에 연결될 수 있는 교육경험을 배움의 과정에서 가질 수 있도록 교육활동이 구성, 운영되는 것을 말한다. 지식학습과 활용능력을 연계하여 학습경험을 가짐으로써 '수행역량학습'이 이루어지도록 해야 하며, 학습자의 역할은 바로 다양한 문제와 과제를 수행하는 데 요구되는 기본 역량을 핵심 지식과 함께 내면화하는 노력을 하는 것이다.

앞서도 언급한 것처럼, 미래 사회 특징을 규정하는 핵심 요소는 인공지능이라고 할 수 있고, 4차 산업혁명은 인공지능에 의한 사고혁명(thinking innovation)이라고 할 수 있다. 인공지능의 지속적 진보는 단순 지식이나 반복 기능의 습득보다는 팀 단위로 문제를 발견하고 소통하고 협력하여 문제를 해결하는 능력과 새로운 결과들을 창출할 수 있는 집단 사고력과 창의력을 보다 더 강조할 것으로 예상된다. 따라서 학습은 개인학습을 넘어 집단학습의 의미로 해석되어야 하며, 개인의 학습역량뿐만 아니라 협력역량, 소통역량 등 집단역량을 개발할 수 있도록 해야 한다. 이러한 측면에서 학습자는 '솔로 플레이어'를 넘어 '팀 플레이어'로서 필요한 역량을 갖추기 위해 노력해야 한다.

2016년에 발간된 한 보고서(서울특별시교육청 서울미래교육준비협의체, 2017)에는 미래학습자에게 필요한 구체적 역량을 제시하고 있다. 〈표 1-1〉에 제시된 미래학습자에게 요구되는 역량을 정리해 보면, 인지역량으로서 기본학습역량, 비판적 사고역량, 창의적 사고역량 등과 더불어 문화예술역량, 행복추구역량, 자기관리역량, 사회참여역량 등이 미래 사회에서 강조되고 있음을 볼 수 있다.

표 1-1 미래학습자에게 요구되는 학습역량

미래학습역량	역량에 대한 설명
기본학습역량	• 학습하는 방법을 알고, 일생 동안 계속해서 학습하는 능력 • 주어진 현상과 지식 및 정보를 분석하고 종합하는 능력 • 인류의 문화유산에 담긴 지혜를 이해하고 해석하는 능력 • 정보통신기술을 활용하여 학습자원을 획득, 생산, 공유하는 능력

비판적 사고역량	• 기존의 사실이나 지식에 대한 비판적 사고력 갖추기 • 이미 알고 있는 사실들을 연결하여 새로운 상황에 적용하고 타인에게 잘 설명하는 능력 • 텍스트 이해 및 해석을 통해 자신의 삶과 연계하는 태도
창의적 사고역량	• 자유로운 상상력을 바탕으로 새로움을 추구하는 창의적 능력 • 집단의 공동 목표 달성을 위해 다양한 아이디어를 개발하고 표현하는 능력 • 자연 및 사회현상에 대한 과학적 이해 및 적용 능력
의사소통역량	• 타인을 존중하며 다양한 방식으로 의사소통하는 능력 • 타인의 감정을 이해하고 공감하는 태도 • 갈등상황을 평화적으로 해결하고 원만하게 대응하는 태도
협업역량	• 새로운 관계를 받아들이고 과감한 협업을 시도할 수 있는 유연한 능력 • 감성 및 공감을 기반으로 팀을 조직하고 협력하여 문제를 해결하는 능력
문화예술역량	• 문화예술을 능동적으로 수용하고 향유하는 능력 • 자신의 생각을 다양한 방법으로 표현하는 문화예술적 능력 • 자연 현상이나 예술적 산물에 대한 심미적 감수성
행복추구역량	• 자신과 주변의 건강과 행복을 추구하고 유지하는 능력 • 신체적 · 정신적 · 사회적 건강 및 안전의 개념을 이해하고 유지하는 능력 • 신체 활동을 통하여 놀이, 학습, 일에 참여하는 능력
자기관리역량	• 자기의 미래를 설계하고 준비하는 능력 • 직업, 창업을 위한 준비를 지속적으로 하는 능력 • 각종 미디어의 오용이나 중독으로부터 자신을 보호하는 태도
사회참여역량	• 민주적 절차와 방법을 활용하여 의사를 결정하고 실행하는 능력 • 정의와 비차별 정신을 바탕으로 공공의 이익을 위해 참여 · 행동하는 태도 • 생태, 평화, 인권에 대한 윤리적 인식을 바탕으로 책임감 있게 참여하려는 태도
다문화역량	• 다문화에 대한 이해를 바탕으로 시대적 가치를 창출하는 능력 • 자기 자신 및 타인의 문화적 세계관에 대하여 알고 존중할 수 있는 태도 • 문화 다양성에 대한 이해를 바탕으로 세계시민과 공감하고 교류하는 태도

3) 교육 내용과 방법의 변화

과거 교육의 특징은 중앙 정부가 교육정책을 독점적으로 기획, 결정하고, 시 · 도 교육청이나 단위 학교가 결정된 사안들을 제대로 운영하고 있는지를 평가, 감독하는 중앙집권적 특징을 갖는다. 따라서 학생들이 학교에서 배우는 교육 내용과 방법은 표준화, 획일화되는 경향을 가질 수밖에 없다. 실제 과거 우리나라의 교육을 보면 국가 전체적으로 결정된 표준화 교육과정을 따르기에, 학교별로 특성을 갖는 교육과정을 자율적으로 운영하기가 거의 불가능한 상황이었다고 할 수 있다. 또한 표준화된 교육과정을 전체 학생들에게 효율적으로 전달하는 것이 중요하였기에 교육방법도 정해진 내용을 대량으로 전달하는 강의식 교수방법이 주를 이룰 수밖에 없었다. 과거 교육은 내용 측면에서는 표준화 또는 획일화, 방법 측면에서는 많은 학생을 대상으로 한 대량 전달식이라는 특징을 갖는다고 말할 수 있다.

표준화 및 대량화 교육이 갖는 문제점이 점차 비판을 받으면서 현재 교육 내용과 방법에 있어 많은 변화가 나타나고 있음을 볼 수 있다. 교육과정의 국가주도에서 나타나는 표준화라는 특징은 여전히 큰 틀에서 존재하지만, 점차 교육과정 구성에 있어 단위학교의 자율성을 허용하는 변화들이 일어나고 있다. 예를 들어, 우리나라는 중학교 1학년을 대상으로 새로운 교육 내용과 방법을 중심으로 학교가 자율적으로 일부 교육과정을 운영하는 자유학기제를 2016년부터 전면 실시하고 있다. 학생들의 꿈과 끼를 발견하고 키워 주기 위한 다양한 진로탐색 프로그램들이 학교에서 계획, 운영되고 있으며, 교사들이 교육과정 구성의 자율성을 가지고 새로운 교육 시도들을 할 수 있도록 허용하고 있다. 이뿐만 아니라 2025년부터 전면 실시되는 고교학점제는 학생들의 교과 선택권을 기반으로 한 탈획일화 교육과정 운영의 획기적 전환점이 될 것으로 기대된다.

교육방법 측면에서도 학생중심 활동들이 교육현장에 많이 도입되고 있음을 볼 수 있다. 문제기반학습(Problem-Based Learning), 프로젝트기반학습(Project-Based Learning), 조사탐구활동, 협동학습 등 다양한 학생참여 수업 모델들이 학교현장에 도입됨에 따라 학생들의 학습 참여와 경험을 수업활동의 중심으로 하는 변화들이 만들어지고 있다. 이러한 관점에서 볼 때 현대 교육은 내용 측면에서 획일화를 벗어나 선택권을 존중하는 단위학교의 자율성으로 전환이 이루어지고 있으며, 방법 측면에서는 대량 강의식 수업 모델을 탈피해 교사와 학생 간, 학생과 학생 간 상호작용을 강조하는 학생중심 수업 모델로 이행되고 있음을 볼 수 있다.

그렇다면 미래 교육의 내용과 방법 측면에서의 변화는 어떻게 진행될까? 내용 측면에서는 미래 사회가 갖는 불확실성의 증가에 학생들이 준비할 수 있도록, 단순한 지식경험 축적을 넘어 창의적 문제해결 경험을 갖도록 학교교육의 변화가 나타날 것이다. 지식학습에서 끝나는 것이 아니라 이를 실제 문제해결이나 과제수행에 연계하는 활동들이 교육의 중심이 될 것이고, 학생들의 개별적 학습보다는 집단적 학습이 더 강화될 것으로 예상된다. 사회의 불확실성이 증가하고 해결해야 할 과제나 문제의 복잡성이 증가함에 따라 혼자 일을 하는 것보다 협력하여 팀으로 일을 하는 것이 일상화되기에, 학교교육에서도 협력을 기반으로 집단적 역량(collective competency)을 키울 수 있도록 교육 내용과 방법의 혁신이 필요하다. 개인 지성과 함께 집단 지성(collective intelligence), 개인 창의성과 함께 집단 창의성(collective creativity)을 계발해 주는 것이 미래교육에서는 더 강조될 수밖에 없을 것이다.

학습과제

1. 과거, 현재, 미래 시점을 고려해 교육을 어떻게 정의할 수 있는지, 그리고 그렇게 정의한 이유는 무엇인지 논의해 보자.
2. 미래 학교에서 교육이라는 활동은 어떻게 달라질 것인가? 교사와 학생의 역할, 가르치고 배우는 내용과 방법 측면에서 논의해 보자.
3. 인공지능을 활용해 맞춤형 교육이 가능해진다고 하면, 학교와 교사의 역할은 어떻게 달라질 것인지 논의해 보자.
4. 사회 변화를 준비할 수 있도록 학교교육이 강화해야 할 미래학습역량에 대한 다양한 제안이 있다. 이들 미래학습역량을 계발하기 위해 교수-학습활동과 평가활동이 어떻게 변화될 필요가 있는지 논의해 보자.
5. 학생들의 성장을 위한 통합교육 시스템 구축을 위해 학교-가정-지역사회 간의 협력 관계는 어떻게 만들어져야 할지 논의해 보자.

참고문헌

강미영(2020. 5. 15.). 한국일보. [우리말 톺아보기] '가르치다'를 생각하며. https://www.hankookilbo.com/News/Read/202005141063341686에서 검색

곽영우(1998). 한국에 있어서의 경제성장과 교육발전과의 관계에 관한 연구. **교육재정경제연구**, 7(2), 271-300.

김병찬(2000). 교사교육의 패러다임 변화. **한국교원교육연구**, 17(3), 113-141.

김신일(2005). **학습 사회의 교육학**. 서울: 학지사.

김호일(1995). 교육. 한국민족문화대백과사전. 한국학중앙연구원. http://encykorea.aks.ac.kr/Contents/Index?contents_id=E0005524에서 검색

두산백과사전(n.d.). Education. https://www.doopedia.co.kr/doopedia/master/master.do?_method=view&MAS_IDX=101013000828392

류방란, 김경애, 이상은, 한효정, 이윤미, 이종태, 최항섭, 이지미(2018). **제4차 산업혁명 시대의 교육: 학교의 미래**. 충북: 한국교육개발원.

박균열, 주영효, 이인수(2019). 고교학점제의 안정적 정착을 위한 학교 구성원의 역할 분석. **고려대학교 교육문제연구소**, 32(4), 87-113.

서울특별시교육청 서울미래교육준비협의체(2017). **서울미래교육의 상상과 모색**. 서울: 서울특별시교육청.

소경희(2009). 역량기반 교육의 교육과정사적 기반 및 자유교육적 성격 탐색. **교육과정연구**, 27(1), 1-20.

신성현(2019. 8. 23.). 대학 및 교육에 대한 국민인식 조사. 한국리서치. https://hrcopinion.co.kr/archives/13604에서 검색

이경호(2019). 4차 산업혁명시대 인재상 분석을 통한 교육과제 탐색. **한국교육학연구**, 25(2), 143-166.

임현묵, 박환보(2018). 지속가능한 사회를 꿈꾸는 교육. 유네스코한국위원회. https://gcedclearinghouse.org/sites/default/files/resources/190080kor.pdf에서 검색

조헌국(2017). 4차 산업혁명에 따른 미래사회와 교육환경의 변화, 그리고 초·중등 과학교육의 과제. **초등과학교육**, 36(3), 286-301.

통계청, 여성가족부(2019). 2019 청소년 통계. http://kostat.go.kr/portal/korea/kor_nw/1/6/1/index.board?bmode=read&aSeq=374490&pageNo=&rowNum=10&amSeq=&sTarget=&sTxt=에서 검색

하연섭(2005). **21세기 한국 메가트렌드 시리즈 Ⅲ: 지식 · 정보화 사회와 교육의 미래**. 충북: 정보통신정책연구원.

한국고용정보원(2017). 2017 한국직업전망. https://www.keis.or.kr/user/extra/main/2108/publication/publicationList/jsp/LayOutPage.do?categoryIdx=125&pubIdx=3243&onlyList=N에서 검색

한국교육개발원(2018). 한국교육개발원 교육여론조사(연구보고 RR 2018-03). https://www.kedi.re.kr/khome/main/research/selectPubForm.do에서 검색

한숭희(2011). **학습사회를 위한 평생교육론**. 서울: 학지사.

허형(2010). 학습촉진자로서의 교사의 역할 변화에 관한 연구. **한국교육학연구, 16**(3), 181-203.

현대경제연구원(2013). 지속가능 성장을 위한 경제주평: 2012 국내 10대 트렌드. **한국경제주평, 472**(1), 1-27.

홍선주, 안유민, 최영인(2019). 미래 학교 교사의 교수학습역량 모델링. **교육문화연구, 25**(3), 265-288.

홍선주, 이명진, 최영인, 김진숙(2016). **지능정보사회 대비학교 교육의 방향 탐색**. 서울: 한국교육과정평가원.

Dewey, J. (1952). *Experience and Education*. New York: Macmillan.

Fukuyama, F. (1997). Social capital and the modern capitalist economy: Creating a high trust workplace. *Stern Business Magazine, 4*(1), 1-16.

Green, A. (2013). *Education and state formation: Europe, East Asia and the USA*. Houndmills: Palgrave Macmillan.

Griffin, P., Care, E., & McGaw, B. (2012). The changing role of education and schools. In *Assessment and teaching of 21st century skills* (pp. 1-15). Springer.

OECD (2001). *What Schools for the Future?* Paris: OECD.

Peters, R. S. (1966). *Ethics and Education*. London: George Allen & Unwin.

Pineau, E. L. (1994). Teaching is performance: Reconceptualizing a problematic metaphor. *American Educational Research Journal, 31*(1), 3-25.

Toffler, A. (1990). *Power Shift*. New York: Bantam Books.

World Bank (1993). *The East Asia Miracle*. New York: Oxford University Press.

제2장

교육의 역사적 기초

이상무(한국학중앙연구원 한국학대학원)

1. 서양교육의 전개
2. 전통시기의 한국교육
3. 근 · 현대 한국교육

학습 개요

이 장에서는 교육의 역사적 전개과정을 서양교육사와 한국교육사로 나누어 살펴본다. 제1절에서는 서양교육사를 시기별로 구분하여, 고대, 중세, 근대로 19세기까지의 서양교육의 흐름을 살펴보고, 오늘날의 교육에 영향을 미친 교육 제도나 교육 방식이 어떠한 배경을 통해 등장하였는지 확인한다. 고대 그리스, 로마의 교육과 중세의 교회학교와 대학의 발달, 근대의 인문주의와 실학주의, 계몽주의, 국가주의에 의한 교육을 살펴본다. 제2절에서는 전통시기의 한국교육사의 전개과정을 사상, 중앙의 교육기관, 지방의 교육기관, 사학, 과거 등으로 분야를 나누어 살펴본다. 사상에서는 주로 유교와 관련된 부분을 중심으로 다루며, 중앙의 교육기관은 고구려 태학에서부터 조선의 성균관에 이르기까지를, 지방의 교육기관은 고구려의 경당에서부터 조선의 향교까지를 소개하며, 사학에서는 사학십이도, 서당, 서원 등을 알아본다. 마지막으로, 고려와 조선의 과거제도에 관해서 간략하게 살펴본다. 그리고 제3절에서는 개화기 이후부터 미군정기까지는 각 시기별로 흐름을 파악한다.

이 장의 내용을 통해서 인류가 교육이라는 이름으로 거쳐 온 여러 활동을 개략적으로 확인할 수 있을 것으로 기대한다.

1. 서양교육의 전개

1) 고대의 교육

(1) 그리스의 교육

서양 문명의 출발은 고대 그리스 문화에서 시작되었다고 할 수 있으며, 서양인의 정신의 무엇인가를 최초로 보여 준 사람은 그리스인이었다. 그리스인은 인간을 우주 안에서 가장 중요한 생물로 간주하고, 인간을 중심으로 문화를 조직했다(성기산, 1993). 그리스 사회는 폴리스(polis)라는 도시국가를 중심으로 구성되었으며, 스파르타와 아테네는 대표적인 도시국가들이었다. 도시국가들이 형성된 이후에 스파르타는 B.C. 8~6세기에 가장 강력한 국가로 성장하였고, 아테네는 B.C. 5세기에 그리스 문명의 중심으로 성장하였다(정규영, 2011).

그리스의 교육은 인문주의적인 특성이 있었다. 그리스인은 사상 처음으로 개인의 가치를 존중하고 개인의 자유로운 발전을 추구한 민족이었다. 이러한 인문주의적 특성은 자유교육(liberal education)의 중시와도 밀접히 관련된다. 그리스의 자유교육은 자유시민으로서 자유를 누리고 선용하는 능력을 기르기 위한 교육이었다. 당시 그리스 사회의 구성상 자유시민은 사회의 다수를 차지하는 노예계급 위에 있는 소수의 특권계급이며, 이러한 자유시민의 특성상 그리스의 자유교육은 귀족주의적인 성격을 띠고 있었다. 또한 그리스의 자유교육은 이성주의 또는 주지주의 특성도 갖고 있었으며, 개인의 전인적 완성을 중시하되 공동체 일원으로서의 개인을 강조하였다(조화태, 박종배, 2010). 여기에서는 그리스의 대표적인 도시국가인 스파르타와 아테네의 교육에 대해서 간략히 살펴보도록 한다.

스파르타는 그리스반도 남동쪽 끝에 위치해 있었다. 스파르타는 지리적으로 고립되어 있어 문화적으로 지체되어 있었으며, 경제적으로도 열악한 편이었다. 경제적인 열악함으로 인해 영토정복에 적극적일 수밖에 없었으며, 지배계층의 비율이 10% 미만이었기 때문에 엄격한 전체주의적인 통치를 시행해야 했다. 이 때문에 군사훈련의 내용이 곧 교육과정이 되었고, 교육에서 지적인 측면이 경시될 수밖에 없었다(한기철 외, 2016). 스파르타의 남자아이들은 7세가 되면 군사훈련을 받기 시작하였으며, 에페보스(ephebos)라고 불리는 17~20세 사이의 청년들은 검술, 승마, 수렵 등 본격적인 군사훈련을 받았다. 30세가 되면 성인으로서 완전한 시민권이 부여되었고, 50세까지 병역의 의무가 부과되었지만, 대부분 공공숙소에 살면서 국가에 봉사하는 생활을 하다가 60세에 되어서야 비로소 자기 생활을 즐길 수 있었다. 스파르타에서 교육이란 개인을 전적으로 국가의 일원으로서 봉사하도록 하는 것이었으며, 국가의 성원은 오직 국가 존속에 헌신함으로써 존재할 수 있었다(조화태, 박종배, 2010). 흔히 엄격하고 강도 높은 교육이나 훈련에 대해 '스파르타식'이라고 표현하는 것은 이러한 스파르타의 분위기와 관련이 있다고 할 수 있다.

이에 반해 아테네의 교육은 스파르타와 완전히 달랐다. 아테네 사회는 스파르타와 달리 자유민들에게는 직접민주주의 체제를 유지하면서 개방적이고 창의적인 분위기가 유지되었다. 스파르타가 가정교육을 전적으로 부정했다면, 아테네는 가정의 중요성을 인정하고, 가정의 교육적 책임을 중요시하였다. 7세까지 아이들은 가정의 책임하에 훈육이 이루어졌고, 그 이후 아이들은 8~9년간 음악학교와 체조학교를 다녔다. 음악학교에서는 음악 이외에도 읽기, 쓰기, 문학적 교육내용을 배웠고, 이 점에서 음악학교는 종합적인 지식을 전달하는 종합학교의 성격을 지니고 있었다. 16세가 되면 김나지움에 들어가 2년 동안 아테네 시민으로서의 삶을 준비하였다. 김나지움에서는 특히 체조가 강조되었고, 음악은 좁은 의미에서의 음악은 물론 드라마, 역사, 웅변, 과학을 두루 포괄하였다. 그 후 청년시민 에페베(ephebes)가 되어 무장을 갖추고 전사로서 선서를 하고 2년간의 군사훈련과 도덕적 · 종교적 훈련을 받았다(손승남, 신창호, 김희봉, 2019). 아테네의 대표적인 사상가로는 소피스트들과 소크라테스(Socrates), 플라톤(Platon), 아리스토텔레스(Aristotle) 등이 있으며, 이들의 사상과 교육에 대한 관점은 오늘날까지 서양 사회 전반에 큰 영향을 미치고 있다.

(2) 로마의 교육

로마는 B.C. 753년부터 서로마제국이 멸망한 A.D. 476년까지 유지된 나라로 정치 제도에 따라 전기와 후기로 나뉜다. 전기는 왕정시대(B.C. 753 ~B.C. 509)와 공화정시대(B.C. 509~ B.C. 27)이며, 후기는 제정시대(B.C. 27~A.D. 476)로 구분한다.

로마 공화정시대의 최고의 교육목적은 국가를 강대하기 위해 용감한 군인과 근면하고 의무감이 강한 시민을 양성하는 것이었다. 이 점에서는 스파르타의 교육적 이상과 비슷하다고 할 수 있다. 그렇지만 조직화된 학교교육은 B.C. 3세기 이전까지는 제대로 갖추어지지 못하였으며, 이 당시까지는 어릴 때는 가정이 교육의 중심이었고, 소년들은 병영, 공회소, 농장, 가게 등이 교육장소로 활용되었고, 소녀들은 가정에서 생활에 필요한 것들을 배웠다. B.C. 3세기가 되면 그리스 문화의 영향을 받아 학교교육이 발달하기 시작하는데, 대표적인 것이 사립 초등학교인 루두스(Ludus)였다. 루두스에서는 어린이들에게 읽기, 쓰기, 셈하기 등의 로마 시민으로서 갖추어야 할 권리와 의무를 규정한 12동판법에 대해서 배웠다.

로마의 제정시대는 로마가 전 지중해를 제패하고 로마의 전성기를 이루는 시기이다. 이전까지의 로마 교육이 그리스의 영향을 받지 않은 순수한 로마의 것이라면, 이 시기에는 로마가 그리스를 정복하면서 본격적으로 그리스 문화가 들어오기 시작하였다. 그리고 로마제국 전역에 학교를 중심으로 하는 동일한 교육형태가 나타났으며, 로마제국이 멸망하는 시기까지 유지되었다. 초등학교인 루두스는 이전과 비슷한 내용을 가르치고 있었으며, 이 시기에 들어 좀 더 많은 지역에 보급되었다. 공화정 말기에 등장한 문법학교(Grammaticus)는 제정시대에 들어와서 크게 확장되었는데, 그 당시 중등교육기관의 역할을 하여 12~16세의 학생들이 수학하였다. 문법학교에서는 라틴어 문법, 시문학, 로마의 역사, 지리 등을 가르쳤다. 무엇보다도 고등교육을 받기 위한 예비과정으로 운영될 경우에는 7자유학과인 3학(문법, 수사학, 논리학)과 4과(산술, 기하, 천문, 음악)를 일반교양과목으로 가르쳤다. 고등교육기관으로는 수사(修辭)학교와 철학학교가 있었는데, 수사학교가 대부분을 차지하였다. 수사학교는 웅변가 양성이 목적이었고, 정치계에서 활동하고자 하는 많은 학생이 수사학교에서 공부하였다. 교육내용은 수사학, 웅변술, 라틴어, 그리스어 문법, 로마법, 자연과학 등을 배웠다. 로마 사회에서는 도덕적 성품과 정치적 지도력을 갖춘 인물을 로마 사회의 이상적 인간상으로 추구하였다. 퀸틸리아누스(M. F. Quintilianus)나 키케로(Cicero)는 이러한 교육목적을 달성하기 위한 자신들만의 교육관을 제시한 대표적인 인물들이었다.

2) 중세의 교육

중세는 종교의 영향력이 압도적인 시대였다. 기독교의 영향력이 강력했으며, 국왕과 신하가 봉토를 매개로 주종관계를 맺는 봉건제도가 탄생하였던 것도 바로 이 시기이다. 봉건제도는 4세기 말부터 9세기까지 점진적으로 발전하였으며, 14세기에 이르기까지 서유럽 사회의 기본적인 체제였다. 그렇지만 11세기 말부터 13세기 말까지 이어진 십자군 전쟁으로 수공업이 발전하고 지역 간 교역이 활발해지면서 봉건제도는 서서히 와해되기 시작하였다. 특히 도시를 중심으로 상공업이 발달하면서 유럽 사회는 점차 근대 사회로 바뀌기 시작하였으며 세속적인 교육도 발달하기 시작하였다.

(1) 기독교와 교육

이 시기에는 기독교가 중심으로 자리 잡으면서 그리스의 자유주의적이고 인문적인 교육, 로마의 실제적이고 사회적인 교육은 모두 사라지고 종교적인 훈련을 중심으로 한 교육이 이루어졌다. 교회학교와 수도원 학교는 바로 이러한 중세의 기독교 교육의 특징을 보여 주는 학교들이다.

교회조직의 세력이 점차 커지면서 교회의 학교 역시 제도화, 세력화되어 갔다. 당시의 교회는 이교도들을 교화하여 기독교도로 만들기 위하여 자체적으로 교육조직을 운영하였으며 이에 등장한 것이 문답학교, 고급문답학교, 본산학교였다. 문답학교(cathechumenal school)는 일명 입문자학교라고도 하며 일반 대중과 이교도들을 기독교화하기 위한 학교였다. 문답학교에서는 기독교에 관한 기본 지식과 하느님, 예수, 구원, 죄, 부활, 심판 등의 기본 교리를 가르쳤다. 고급문답학교(catechetical school)는 일명 문답교사학교라고도 불리는데, 설립 목적은 문답학교의 교사를 양성하는 것이었다. 교육내용은 신학, 철학, 수사학, 천문학, 문학, 역사학 등이었다. 본산학교(cathedral school)는 각 교구의 본산 소재지에 세운 학교이므로 일명 주교학교 또는 감독학교라고 불렸다. 이 학교는 기독교 학교 중에 가장 수준이 높은 학교로 교회의 지도자와 성직자를 양성하기 위한 학교였으며, 신학, 철학, 수학, 문학, 예술 등을 배웠다. 본산학교는 11세기에 전성기를 이루었으며 프랑스 혁명 직후까지도 존속하였다(조화태, 박종배, 2010).

수도원 학교는 수도원 내에 설립된 학교로 수도사 양성이 주된 목적이었다. 그렇지만 수도원 학교의 영향력이 강해지면서 중세 후기에는 일반인들도 가르치게 되었다. 그리하여 수도사들을 양성하기 위한 과정과 일반인을 위한 과정이 분리되어 운영되었다. 수도원의 교육과정은 초등과정과 고등과정으로 나뉘는데, 초등과정에서는 읽기, 쓰기, 셈하기, 음악, 라틴어, 문법 등을 가르쳤으며, 고등과정에서는 7자유학과를 가르쳤다. 수도원 학교는 대단히 엄격하고 금욕적이었으며, 금욕생활을 통한 도덕적 도야를 강조하였다. 또한 수도원 학교와 본산학교는 기숙사에서 생활하며 교사와 학생들은 끊임없이 인격적인 접촉을 통해 교육을 해 나갔다.

중세 후반에는 스콜라 철학이 유행하였다. 스콜라 철학은 특정한 철학이나 이론 체계를 가리키는 것이 아니라 11세기부터 15세기에 이르기까지 유럽의 수도원 학교나 본산학교에서 주로 사용하였던 철학적 방법과 경향성을 가리킨다. 십자군 전쟁의 연이은 실패로 교회의 권위가 훼손되고 사람들의 이성에 대한 관심이 다시금 높아지기 시작하면서, 기독교 교리와 기독교 신앙의 우위와 정당성을 확보하기 위한 학문적인 움직임이 스콜라 철학으로 나타났다. 스콜라 철학은 이전까지의 기독교의 독단적인 신앙을 합리적인 신앙으로 전환하여 기독교의 신앙적인 권위를 회복하고자 하는 운동이었다.

(2) 중세의 세속교육

중세의 세속교육은 크게 기사교육, 일반교육, 대학교육으로 나눌 수 있으며, 여기에서는 기사교육과 일반교육에 대해 살펴본다. 당시 봉건제도에서 국왕이나 영주에게서 땅을 분배받은 무사들은 그들과 주종관계를 맺었는데, 이들을 모두 종신(從臣)이라고 불렀다. '기사'는 왕을 제외한 모든 계층의 종신을 통칭하는 말이었고, '기사도'는 이들의 생활 규범을 의미한다. 중세의 기사계급은 생산 활동에는 참여하지 않고 전쟁 시에 전쟁에만 참여하였는데, 전쟁이 없는 평상시에는 약자를 괴롭히는 일이 잦았다. 이에 소작인과 노예들을 보호하기 위한 교회의 노력이 전개되었고, 12~13세기경 기사들의 규범인 기사도가 확립되었다. 기사교육은 별도의 기사학교가 있었던 것은 아니었고, 생활 속에서 자연스럽게 일정 수준 이상의 표준을 익히는 것이었다. 기사도는 이후에 신사교육의 지표로 간주되었다.

십자군 전쟁으로 인해 도시가 발달하고, 도시가 발달하면서 상공업이 발달하였는데, 상공업에 종사하는 시민들은 조합(guild)을 만들어서 그들의 이익을 보호하고자 하였다. 이들은 자신들이 실생활에 필요한 것들을 가르치기 위해 조합학교를 만들었다. 조합학교에서는 조합원의 자제들이 상공인으로서 필요한 지식과 기능을 갖추도록 교육하였으며, 읽기, 쓰기, 셈하기와 종교적인 내용을 가르쳤다. 한편, 도제교육이 발달하기 시작하였는데, 이전까지는 개별적으로 이루어지던 기술교육이 이 시기에 와서는 조합이 규정하는 과정을 거쳐 승인을 받으면 장인으로 활동할 수 있는 것으로 변화하였다. 보통 도제(apprentice)는 7년 정도 장인(master)의 밑에 들어가 교육을 받으면 직공(journey man)이 되는데, 직공은 장인에게 가서 기술을 더 익힐 수 있으며, 기술이 완성되면 장인이 되기 위한 작품을 만들어 조합의 심사를 받는다. 그리고 조합에서 인정을 받으면 장인으로 인정을 받아 독자적인 점포나 공장을 개설할 수 있었다. 이러한 방식의 교육은 직업교육과 기술교육의 발전에 크게 기여하였으며, 19세기에 근대적인 학교에서 체계적인 직업교육이 등장할 때까지 계속 유지되었다. 시민계급에 필요한 일반적인 교육을 하는 학교들도 이 시기 유럽 각지에서 있었다. 주로 상류층을 교육시키는 기관으로는 독일의 라틴어학교와 영국의 공중학교(public school)가 있었다. 하층계급을 위한 교육기관은 독일에는 독일어학교, 습자학교, 영국에는 조합학교 등이 있었다. 라틴어학교와 공중학교는 사립 중등학교의 전신이 되었으며, 독일어학교와 조합학교는 오늘날 초등교육기관의 전신이 되었다.

(3) 대학교육

중세의 세속교육에서 오늘날에도 가장 큰 영향을 미친 것은 대학교육이었다. 중세 말엽에 들어서면 여러 지역에 대학이 들어서게 되는데, 오늘날 고등교육기관으로서의 대학은 중세의 대학에 그 뿌리를 두고 있다. 대학이 발생하는 배경으로 작용한 것은 도시의 발달로 인한 새로운 시민사회의 출현, 12세기에 나타난 문학, 철학, 과학의 부흥이었다(이광주, 1997). 특히 스콜라 철학으로 인해 지적인 훈련을 통한 지적인 탐구심이 사회 전반으로 확산되었으며, 이러한 배경 속에서 새로운 지식을 배우려는 젊은이 집단과 이를 가르치려는 교사 집단이 형성되었다.

오늘날 대학을 뜻하는 university는 라틴어의 'universitas'에서 유래된다. 원래 중세에는 단순히 다수, 복수, 사람의 집합체를 뜻했으나, 12세기 말, 13세기 초에 이르러 이 말은 교사와 학생들의 조합에 적용되었다(이광주, 2008). 유럽의 각지에서 모인 학생들과 교수들은 자신들을 보호하기 위해 조합의 예를 모방하였다. 그리하여 학생들은 학생조합을 만들어 지역 주민들의 횡포로부터 자신들의 이익을 지키는 방향으로 활동하였고, 교수들에게 맞서 자신들의 요구를 관철시키고자 하였다. 이에 교수들도 교수조합을 만들어 대응하였으며, 시간이 지나면서 교수조합과 학생조합이 결합된 형태로 발전하여 '대학'은 학문 연구를 위한 교수와 학생의 단일 공동체를 의미하게 되었다. 이들 대학이 점차 세력을 얻게 되자 왕이나 교황으로부터 특권을 인정받게 되는데, 대표적인 것이 병역 면제와 세금 면제, 치외법권, 학위수여권이었다. 이 중에서 학위수여권은 오늘날까지 사회에서 인정받는 대학의 고유권한으로 남아 있다.

유명한 초기 대학으로는 볼로냐 대학, 파리 대학, 옥스퍼드 대학, 케임브리지 대학 등이 있었다. 이 당시 완전한 조직을 갖춘 대학은 신학부, 법학부, 의학부와 3개 학부의 예비과정으로의 인문학부 등 4개 과정을 모두 갖추고 있었다. 인문학부에서는 신학부, 법학부, 의학부에 입학할 학생들의 예비교육과 인문학부 교사 양성을 위한 교육을 실시하였으며, 교과내용은 7자유학과였다. 교육방법으로는 강의, 원서강독과 번역, 토론이 주로 이루어졌다.

3) 근대의 교육

역사적으로 근대는 1453년 동로마제국이 멸망하면서 시작되지만, 사상적 측면으로는 15세기에 절정을 이룬 르네상스 운동에서 시작된다. 오랜 기간 동안 서양 사회를 지배하였던 신 중심의 사고에서 벗어나 인간 중심의 인문주의로 돌아가자는 르네상스 운동은 그 당시의 기독교의 타락과 부패를 공격하면서 종교개혁을 촉발시켰다. 그 이후부터 19세기까지 유럽에는 수많은 교육사조와 교육사상가가 등장하였으며, 이 시기에 이성, 감성, 감각에 따른 교육이론과 현실세계의 삶을 중시하는 실용 중심의 교육원리가 제안되었다. 또한 교육학의 체계화, 교육의 의무화, 공교육 제도, 교육방법의 과학화 등이 이루어진 것이 이 시기였다(Boyd, 2008).

(1) 르네상스 시대와 종교개혁기의 교육

르네상스 운동은 15세기에 등장한 고대 그리스와 로마의 고전을 통해 새로운 생활과 문화를 수립하고자 하는 운동이었다. 르네상스 운동은 신 중심의 세계관에서 벗어나 인간본위의 인문주의를 추구하였다. 인문주의 교육은 중세 동안 억제되었던 개인의 사상과 표현의 자유를 보장하고, 창의성을 존중하는 방향으로 이루어졌다. 인문주의의 교육은 신의 세계에서 인간의 세계로, 금욕에서 자연으로, 교회에서 개인으로, 권위에서 이성으로, 억압에서 자유로의 변화를 추구하는 인간상을 이상으로 삼았다. 미적 감각을 갖춘 인간을 양성하기 위해 미적 도야를 강조했으며, 언어적 기능의 숙달도 강조하였다. 인문주의는 개인적 인문주의, 사회적 인문주의, 키케로주의적 인문주의로 나뉜다. 개인적 인문주의 교육은 이탈리아를 중심으로 발달하였는데, 주관적이고 심미적인 개인생활을 추구하고, 사고의 자유, 자기표현과 창작활동이 자유를 실현시키는 데에 교육의 목적이 있었다. 사회적 인문주의 교육은 독일, 네덜란드, 프랑스 등에서 발달하였는데, 개인적 측면보다 사회적 측면을 강조하였다. 키케로주의적 인문주의 교육은 16세기에 유행한 것으로 원래의 목적과는 다르게 그리스와 로마 고전의 형식적인 측면만 모방하여 학습하는 것을 일컫는다. 특히 키케로의 작품이면 가장 훌륭한 것으로 간주하여 무조건 암기하고 그것을 인용해 자신의 의사를 표현하였기 때문에 키케로주의라고 하였다. 이러한 키케로주의에 대한 반발은 17세기 실학주의의 등장에 주요한 배경으로 작용하기도 한다.

종교개혁은 타락한 종교를 바로잡기 위한 운동이었지만, 교육에도 많은 영향을 미쳤다. 특히 신교주의자들은 학교교육을 통해 누구나 성서를 읽을 수 있게 가르쳐야 한다고 주장했기 때문에 이러한 생각은 학교교육의 보급에 큰 기여를 하였다. 종교개혁기에는 초등교육기관으로 모국어학교가 있었으며, 여기에서는 읽기, 쓰기, 노래하기, 체육, 실과와 함께 성서를 배웠다. 그리고 성서학습이 중요하였으므로 이 당시부터 성서는 각국의 언어로 번역되어 영어 성서, 프랑스어 성서, 독일어 성서 등이 출간되었다. 종교개혁으로 인해 대중교육운동이 전개되고, 피교육자를 중시하는 풍토가 조성되었으며, 신교가 여성의 사회적 지위를 인정하였으므로 여교사의 양성을 권고한 것도 이 시기였다.

종교개혁은 보편적 의무교육제도의 형성에 영향을 미쳤는데, 그 결실을 본 것이 「고타교육령」과 「메사추세츠 교육령」이다. 1642년에 독일의 지방 소국 고타에서 반포된「고타교육령」은 취학의 의무와 취학에 대한 부모의 의무를 규정하였다. 같은 해 당시 영국의 식민지였던 메사추세츠 지역에도「메사추세츠 교육령」이 제정되어 공교육제도, 부모의 교육의무, 세금을 재원으로 하는 무상교육의 실시 등을 규정하였다. 95개조의 반박문으로 종교개혁에 앞장 섰던 루터(M. Luther)는 이 시기의 대표적인 사상가이며, 루터의 저작 중에 교육사상이 드러난 글들은 이 시기 교육에도 큰 영향을 주었다.

(2) 자연과학의 발달과 교육사상의 변화

르네상스 이후 인문주의가 유행하였으나 후대로 가면서 형식주의에 빠지자, 17세기 이후 이에 대한 반발로 실학주의가 등장하였다. 또한 과학기술의 발전과 이를 통한 인간의 이성에 대한 긍정은 계몽주의가 발전하는 데에 밑거름이 되었다.

17세기를 지배했던 사상은 실학주의였다. 실학주의는 관념적 사고방식보다는 사물에 대한 직접적인 경험을 중시하고, 고전이나 고전문학보다는 자연과학적 교과를 중시하는 교육사상이다. 실학주의는 인문주의 교육의 언어주의와 고전 중심주의에 대한 반발, 이 시기의 자연과학의 발달과 지리상의 발견, 과학적 탐구정신의 활성화를 배경으로 등장하였다. 실학주의는 인문적 실학주의, 사회적 실학주의, 감각적 실학주의로 구분된다. 인문적 실학주의는 형식주의와 언어주의를 배격하고, 고전을 연구하여 그것을 인간의 실제적인 생활에 이용하고자 하였다. 사회적 실학주의는 고전에 의존한 인문적인 교육을 지양하고 사회생활의 구체적인 경험을 통해 교양 있는 사회인을 양성하고자 하였다. 감각적 실학주의는 자연과학적 지식과 연구방법을 교육에 도입하여 적용하고, 인간에 대한 과학적 탐구를 중시하였으며, 인간에 대한 과학적 이해를 바탕으로 과학적인 교육의 원리를 만들고자 하였다. 감각적 실학주의는 실학주의가 가장 발전한 형태이며, 새로운 근대교육관 형성에 결정적으로 기여한 것으로 평가받는다. 실학주의의 대표적인 사상가로는 밀턴(J. Milton), 베이컨(Francis Bacon), 코메니우스(J. A. Comenius) 등이 있다.

18세기의 대표적인 사상은 계몽주의였다. 계몽주의는 개인의 합리적인 판단을 통해서 사회제도의 불합리성을 깨우치는 것이 사회가 진보할 수 있는 바탕이 된다고 생각하였다. 계몽주의 사상가들은 인간은 교육을 통해서 계몽될 수 있으며, 인간의 계몽을 통해서 사회를 계몽하고, 합리적인 사회로 만들 수 있다고 생각했다. 이는 계몽주의 자체가 교육사상이고 교육운동으로서의 성격을 띠고 있다고 할 수 있다. 계몽주의는 개인주의, 합리주의적 사고, 경험론적 인식론, 자연주의, 실증주의적인 사고와 밀접한 연관이 있다. 보편적이고 천부적인 개인의 권리에 대한 신념에 기초하고 있으며, 전통의 속박에서 벗어나 여러 현상을 이성적으로 비판하고 합리적으로 해결하려는 점에서 비판적인 이성을 중시한다. 또한 계몽주의적인 세계관은 과학적 세계관으로 그 특징을 규정할 수 있으며, 계몽주의의 과학적 세계관은 계몽주의의 실증주의적인 경향에 많은 영향을 미쳤다(조화태, 박종배, 2010). 이 시기에 활동하던 사상가로는 영국 경험론의 대표적인 철학자인 로크(J. Locke)와 아동중심 교육의 대표 사상가인 루소(J. J. Rousseau) 등이 있다. 특히 루소의 아동중심 교육관은 이후의 많은 교육사상가와 교육자에게 큰 영향을 주었다.

(3) 국민교육체제의 성립

19세기는 정치적으로는 국가주의, 사상적으로는 신인문주의가 대두되었다. 국가주의가 주로 교육의 형식에 영향을 주었다면, 신인문주의는 교육의 내용에 영향을 주었다. 19세기에 들어서면서 정치체제로서의 국가가 성립하였다. 19세기 이전까지 세계 언어로서의 라틴어, 세계 종교로서의 기독교, 세계 국가로서의 로마제국은 존재했지만 국민국가는 존재하지 않았다. 그러나 19세기에 와서는 민족적 통일에 따른 국가가 성립하자 새로운 국가사상이 발흥하였으며, 국가의 보존과 번영을 가장 중요시하는 국가지상주의가 왕성해졌다. 이러한 사상을 바탕으로 유럽의 각국들은 부국강병에 힘썼으며, 영토 확장과 식민지 확보를 위해 경쟁하면서 제국주의적 국가를 갖추어 간 것이 이 시기이다(조화태, 박종배, 2010).

신인문주의는 18세기 계몽사조의 지나친 합리주의적·주지주의적·공리주의적·개인주의적 경향에 대한 반동으로 일어난 사상운동이다. 18세기의 지배적인 사상은 계몽사상과 고전주의였는데, 계몽사상은 인류의 보편성을 과신한 나머지, 인간의 개별성과 역사의 특수성을 무시하였으며, 고전주의는 고전적 형식에 치중한 나머지 각 민족의 특유한 민족정신과 전통적 요소를 간과하였다. 계몽사상이 합리성과 공리적 물질문명의 시각에서 인간을 기계적으로 파악한 데에 반하여, 신인문주의는 인간의 정의적 측면을 존중하고 역사와 민족의 의미에 가치를 부여하였다. 신인문주의는 계몽사상의 합리주의, 개인주의, 반역사주의, 사해동포주의, 초

국가주의에 대립하는 정의주의(情意主義), 역사주의, 민족주의, 국가주의를 주장하는 특징이 있었다. 신인문주의 교육사상을 대표하는 학자들에는 오늘날에도 많은 사람들에게 익숙한 페스탈로치, 프뢰벨, 헤르바르트 등이 있다.

독일 지역은 이 시기에 국가주의적인 교육체제를 만들어 간 대표적인 곳이다. 피히테(Johann Gottlieb Fichte, 1762~1814)의 주장은 국가주의 교육의 전형을 보여 준다고 할 수 있다. 원래 그는 사해동포주의자였으나 1806년 나폴레옹의 침략전쟁으로 조국 프로이센이 프랑스에 점령당하자, 사상을 완전히 바꾸어 민족주의자가 되었다. 그는 새로운 국민교육이 갖추어야 할 요건으로 애국적인 독일인을 양성할 것, 교육방법에서 직관과 자기 활동을 위주로 할 것, 공동체 생활을 통한 실생활 준비교육일 것, 계층과 사회적 지위와 관계없이 모든 국민을 대상으로 할 것, 남녀 아동이 함께 양육되어야 할 것 등을 제시하였다. 이러한 피히테의 주장 속에는 국민개학(國民皆學), 교육비의 국가 부담, 기초교육의 공통화, 남녀공학 등의 원리들이 드러나 있었다. 피히테의 영향으로 프로이센은 1808년 국립교육국을 신설하고 교육개혁을 단행하였다. 이때 국립교육국의 최고 책임자는 훔볼트(F. W. von Humboldt)였는데, 훔볼트는 새로운 개념의 대학인 베를린 대학을 창설하여 학문연구 기능을 대학의 본질로 삼았다. 이로 인해 독창적인 학문연구 능력을 기준으로 교수를 충원하고, 학문연구와 교육 등의 대학운영이 외부 간섭을 받지 않도록 대학에 완전한 자유를 부여하였다. 이러한 개혁은 중등교육에도 이어져 이전에 있던 문법학교가 대학 진학을 위한 준비기관인 김나지움(Gymnasium)으로 바뀌어, 라틴어, 그리스어, 독일어, 수학, 과학 등을 가르쳤다. 그리고 기존의 문법학교 교육방식은 고전 작품과 작가의 사상에 대한 이해를 강조하는 수준 높은 문학교육으로 바뀌었다(신차균 외, 2013). 이러한 독일의 교육개혁은 독일이 보불전쟁에서 승리를 거두고 1871년 통일국가를 형성함으로써 어느 정도 결실을 맺었다고 평가할 수 있다.

프랑스의 교육은 근대 교육의 기본 원칙(무상, 의무, 비종교성)을 가장 잘 구현한 것으로 알려지고 있다. 1789년 프랑스혁명 이후에 혁명정신을 충실히 구현하는 근대적 국민국가가 제3공화정(1870~1940)에 이르러 정착된 것처럼, 프랑스의 근대적 공교육제도도 이 시기에 이르러 비로소 실현되었다. 프랑스혁명 초기에 콩도르세(Nicolas de Condorcet, 1743~1794)와 르펠르티에(Louis-Michel Lepeletier, 1760~1793) 등의 교육개혁안은 근대적 공교육의 기본 원리와 제도적인 청사진이 명확하였다.

그러나 약 90년 동안 수많은 법안이 만들어졌지만, 근대적인 공교육의 법제로는 불완전하거나 기간이 오래가지 않았다. 프랑스의 제3공화정이 들어서고 줄 페리(Jules Franais Ferry, 1831~1893)가 교육부 장관이던 시기에 근대 초등교육의 원칙인 무상, 의무, 세속교육의 원칙이 확립되었다. 1881년 공립유치원과 공립초등학교의 수업료가 무료가 되었고, 1882년 만 6세부터 13세까지 남녀 아동에게 초등교육이 의무화되는 것이 법제화되었으며, 초등학교의 교육과정에서 종교교육 대신에 공민교육이 도입되고, 성직자에 의한 공립초등학교의 지도와 감독권이 배제되었다(정규영, 2011).

미국은 19세기 동안 공립학교를 보급하기 위한 노력을 지속하였다. 미국의 3대 대통령인 토머스 제퍼슨(Thomas Jefferson)은 국무장관, 부통령, 그리고 대통령이 될 때까지 계속해서 공립학교 설립 계획을 추진했다. 제퍼슨은 민주주의 사회에서는 사람들이 투표를 통해 자신들의 지도자를 고르기 때문에, 국민들이 어느 정도 기초적인 교육을 배워야 한다고 생각했다. 그렇지만 제퍼슨의 생각은 당시에 매우 급진적인 것으로 받아들여졌으며, 제퍼슨이 생각했던 학교 시스템은 1830~1840년대에 이르러 비로소 자리 잡기 시작했다. 호러스 만(Horace Mann)은 메사추세츠주의 교육감으로 재직하면서 많은 학교를 직접 점검하였고, 이를 통해 대부분의 학교가 매우 열악하다는 것을 파악하게 되었다. 이에 호러스 만은 학교의 질을 최상으로 올리고, 교과의 표준을 주에서 정해서 시행하며, 학생들은 모두 무료로 학교를 다니되, 학교에 들어 가는 자금은 모두 세금으로 제공하고자 하였다. 이러한 호러스 만의 계획은 당시에 큰 논란을 일으켰으나, 결국 미국 북부의 각 주정부에는 교육부가 설치되고, 학교 교사 훈련 프로그램이 운영되었으며, 세금으로 지원되는 무상교육이 실시되었다(Mondale, & patton, 2001).

2. 전통시기의 한국교육

1) 전통시기의 교육사상

우리나라에서 제도를 갖추고 본격적으로 국가적인 차원에서 교육을 실시하기 시작한 것은 삼국시대부터라고 할 수 있다. 삼국시대에 들어서 각 나라들의 중앙집권화가 완성되고 유교를 국가의 기본 통치이념으로 삼았다. 유교가 통치의 기본 원리로 자리 잡으면서 각 나라들은 중앙에 유교식 교육기관을 만들기 시작하였으며, 이를 본따서 지방에도 유교식 교육기관을 만들었다. 이렇게 만들어진 유교식 교육기관들은 후대에도 영향을 미쳐 조선시대까지 중앙과 지방의 유교식 학교체제의 틀이 그대로 이어졌다.

유교는 공자(孔子)의 사상을 바탕으로 한다. 사상의 기본은 수기치인(修己治人), 즉 먼저 자기 자신을 수양한 후 나아가 남을 지도하는 데 있다. 그리고 수기치인의 수양의 핵심은 '인(仁)'에 있다. 인의 의미에 대해서는 여러 해석이 있으나, 넓은 뜻으로 지(智), 인(仁), 용(勇), 의(義), 예(禮), 신(信), 충(忠), 서(恕) 등의 모든 덕(德)을 포괄하며, 좁은 뜻으로는 '사람을 사랑하는 마음'이나 '인간이 인간으로 해야 할 도리'를 뜻한다. 공자는 수양을 통해 인격적으로 완성된 인간을 성인(聖人)이라고 하였다. 성인은 도덕적으로 완성된 인간으로서 '인(仁)'을 실현한 상태의 최고의 인격자를 뜻하며, 공자의 교육목적은 최고의 인격자, 즉 성인이 되는 데 있었다. 그리고 사람은 교육으로 선인이 되고 악인이 되는 것이지, 처음부터 선인과 악인이 구분되어 있는 것이 아니라고 하여, 교육을 통해 인간을 변화시키고 성인 · 군자로 변화시켜 나갈 수 있는 가능성을 말하였다(조화태, 권영민, 2020).

삼국시대에 들어 유교를 국가 통치의 기본 원리로 삼았지만, 이때까지만 해도 하나의 사상이 국가 전체를 완전히 지배했다고 보기 어렵다. 예컨대, 원광(圓光)이 가르친 세속오계는 화랑도의 계율이자 신라인들이 반드시 지켜야 할 도덕률로 받들어졌는데, 이러한 덕목을 만든 사람이 승려라는 점에서 당시 불교의 위상을 짐작할 수 있다. 그런데 세속오계의 다섯 가지 덕목인 사군이충(事君以忠), 사친이효(事親以孝), 교우이신(交友以信), 임전무퇴(臨戰無退), 살생유택(殺生有擇)의 내용을 보면 유교적인 덕목이 대부분인 것을 통해, 유교가 국가 통치의 기본 원리였음을 확인할 수 있다. 또한 일반 백성들은 도교나 민간신앙을 믿고 있는 경우도 많아서 삼국시대까지는 유교, 불교, 도교, 민간신앙이 혼재되어 있다고 볼 수 있다.

고려도 불교를 중시하는 국가였다. 고려는 과거시험에서 승과(僧科)를 설치하여 왕의 고문 역할을 하는 승려를 선발할 정도로 불교의 영향력이 강했으며, 고려에서 불교는 유교와 함께 국가의 중요한 통치 이념이었다.

고려시대에 가장 주목할 만한 사상적인 변화는 성리학의 도입이다. 송나라 때 주희(朱熹)에 의해서 집대성한 성리학은 일종의 철학적 유학으로 훈고학(訓詁學)과 사장학(詞章學)으로 대표되는 한, 당 시기의 유학과는 다른 성격의 유학이었다. 성리학은 '성즉리(性卽理)'를 핵심 원리로 하는 유학으로, '성(性)'과 '이(理)'를 핵심개념으로 하여 존재의 본질을 규명하는 새로운 유학이었다(조화태, 박종배, 2010). 성리학이 고려에 도입된 이후 유학의 성격이 바뀌면서 학교의 교육과정도 기존의 『오경(五經)』 중심의 교육과정에서 『사서(四書)』 중심의 교육과정으로 재편되었다. 고려 말에는 성리학의 영향을 받은 신진사대부가 성장하였으며 그 주축세력이 조선을 건국하였다.

조선은 건국 이후 국가 체제를 정비하면서 성리학적 이상을 구현하고자 지속적으로 노력하였다. 이에 조선 중기에 이르면 이황(李滉)과 이이(李珥) 같은 대유학자들이 등장하고, '주리론(主理論)'과 '주기론(主氣論)' 같은 이론체계가 만들어지며, '사단칠정논쟁(四端七情論爭)'이나 '인물성동이논쟁(人物性同異論爭)'과 같은 논쟁도 이어지면서 성리학과 관련된 논의는 더욱 풍부해지고 깊이를 더해 갔다.

성리학은 교육적 이상을 위기지학(爲己之學)으로 삼았다. 위기지학은 '내면의 자기 완성을 추구하는 공부'로, '성인(聖人)이 되기 위한 공부'라고 할 수 있다. 위기지학의 반대되는 개념은 '위인지학(爲人之學)'인데, 위인지학은 '외적 성공을 좇는 공부' '남에게 보이기 위한 공부', 좀 더 쉽게 말해 '출세를 위한 공부'로 풀이할 수 있다. 성리학자들은 이전 시기의 유학이 위인지학이고 근본을 좇지 않고 말단을 추구한다고 비판하면서, 교육의 목적을 위기지학으로 삼아야 한다고 하였다.

조선 후기에 등장한 실학자들은 조선 후기의 일군의 비판적 유교 지식인들로, 당시 사회적 위기에 대한 비판적인 인식에 기초해서 다양한 개혁논의를 전개하였다. 유형원(柳馨遠), 이익(李瀷), 정약용(丁若鏞), 홍대용(洪大容), 박지원(朴趾源), 박제가(朴齊家) 등의 인물들은 각자의 입장에서 교육개혁론을 내어놓았다. 이들은 주로 당시 교육 현실에 대한 비판과 함께 교육제도의 조직과 운영의 개선, 그리고 과거제도의 개혁에 대한 관심을 보였다. 또한 당시의 성리학적 정통론에서 벗어난 새로운 학문관을 제기하기도 하였다(우용제, 1999).

조선시대에는 중국에서 들어온 교재와 다른 우리 실정에 맞는 교육용 자찬교재들이 등장하였다. 자찬교재들은 중국에서 들어온 교재들이 시대에 뒤떨어지고, 조선의 실정에 부합하지 않는다는 문제의식에서 간행되었다. 또한 아동을 위한 자찬 교재들은 기존의 교재들이 아동이 학습하기 적합하지 않은 체계로 구성되었다고 비판하며 이를 극복하고자 하였다. 대표적인 책으로 조선 전기에는『입학도설(入學圖說)』『동몽선습(童蒙先習)』『훈몽자회(訓蒙字會)』『유합(類合)』 등이 간행되었고, 왕명으로『삼강행실도(三綱行實圖)』를 편찬하였다. 조선 후기에는『하학지남(下學指南)』『사소절(四小節)』『동현학칙(東賢學則)』『아희원람(兒戲原覽)』『아학편(兒學編)』 등이 있었다(조화태, 박종배, 2010).

2) 중앙의 관학

유교의 영향을 받은 한반도의 각 나라들은 유교를 통치의 기본 이념으로 삼고, 중앙에 유교식 교육기관을 만들었다. 각 나라별로 교육기관의 명칭은 조금씩 달랐지만, 중앙의 교육기관들은 국가에서 필요한 인재를 양성하였다. 주로 유교경전과 글짓기가 주된 교육과정이었으며, 학교 교육을 통해 검증받은 인재들은 국가에서 관리로 등용하는 것이 일반적이었다.

우리나라 최초의 유교식 교육기관은 고구려의 태학(太學)이었다. 고구려가 유교를 통치의 기본 원리로 삼으면서 소수림왕 2년에 태학을 설립하고 학생들을 가르쳤다. 조선 말 백과사전류 중에 하나인『증보문헌비고(增補文獻備考)』에 고구려 태학의 설립을 기록한 사관(史官)이 "고구려가 나라를 세운 지 4백여 년인데, 이때에 이르러 비로소 태학을 세워 자제를 가르쳤으니 어찌 그렇게 늦었는가?"라고 기록하였다. 이를 통해 조선시대에는 나라가 생기면 중앙에 태학과 같은 교육기관을 두는 것은 상식으로 받아들였다는 것을 알 수 있다.

신라는 통일 이전에는 중앙 교육기관이 없었으며, 그전까지는 화랑(花郞)이 인재 선발의 역할을 맡았다. 신라가 중앙 교육기관을 세운 것은 682년이었으며, 717년에 당나라에서 공자와 10철, 72제자의 화상을 수입하여 국학에 안치하고 석전의 예를 행하여 교육의 중심으로 삼았다(정규영, 2011). 국학은『주역(周易)』『상서(尙書)』『모시(毛詩)』『예기(禮記)』『춘추좌씨전(春秋左氏傳)』 등 오경(五經) 중심의 유학 교육과정을 채택하였다.

백제는 공식적으로 태학이나 국학과 같은 중앙 교육기관이 있었다는 기록은 없다. 그렇지만 『삼국사기』의 기록을 보면 근초고왕(재위 346~375년) 때 박사 고홍이 역사서인 『서기(書記)』를 편찬하였고, 405년에 박사 왕인이 일본에 『논어』와 『천자문』을 전수하였으며, 6세기에는 여러 오경박사가 일본에 파견되었다는 기록이 등장한다. 이를 통해 학교에 대한 기록은 없지만 백제가 수준 높은 학문을 유지하고 있었다는 점은 확인할 수 있다. 또한 '박사'의 존재는 백제에 중앙 교육기관이 있었을 것이라는 추정을 가능케 한다. '박사'는 한(漢)나라의 오경박사 제도에서 유래한 것으로, 중앙과 지방의 학교에 파견되어 생도를 가르치는 학관(學官)이기 때문이다(조화태, 박종배, 2010).

발해는 중앙 교육기관으로 주자감(胄子監)이 있었다. 주자감은 당의 국자감(國子監)과 구조와 운용 면에서 비슷하였으나, 실정에 맞게 변용하여 운영하였다. 또한 발해의 학문 수준도 상당히 높은 것으로 알려져 있으며, 발해의 우수한 인재들은 당으로 유학을 가서 국자감에서 수학하고 다시 돌아오기도 하였다(권은주, 2014).

고려의 중앙 교육기관은 국자감(國子監)이며, 992년에 창설하였다. 국자감 이전에 개경에 있었던 교육기관에 문묘가 건립되면서 국자감으로 출범하였다. 국자감은 고려 11대 문종(1046~1083)대에 크게 개편되었는데, 이때 국자학, 태학, 사문학의 유학 3학부와 율학, 서학, 산학의 잡학 3학부를 합쳐서 경사육학(京師六學) 체제를 이루었다. 예종(1105~1122) 때는 '국학칠재(國學七齋)'라고 하여 각기 전공하는 분야를 달리하는 7개의 재(齋)를 설치하였다.

국자감의 체제가 완비된 것은 인종(1122~1146)대에 이르렀을 때였으며, 이때 학식(學式)이 제정되어 국자학, 태학, 사문학, 잡학의 입학자격과 입학정원, 교사의 자격, 교육과정 등을 정하였다. 국자학은 문·무관 3품 이상의 자손, 태학은 문·무관 5품 이상의 아들과 손자, 사문학은 문·무관 7품 이상의 아들로 하였으며, 국자학, 태학, 사문학의 학생 수는 각각 300명으로 하였다. 그리고 유학 3학부에는 박사와 조교를 모두 두도록 하였으며, 잡학 3학부는 조교 없이 박사만 두어 교육을 실시하였다.

국자감은 원의 간섭기 이후에 원의 국자감과 동일한 명칭을 쓸 수 없다는 이유로 국학(國學), 성균감(成均監), 성균관(成均館), 국자감(國子監) 등으로 명칭이 바뀌었다가 1362년 이후부터는 성균관(成均館)으로 결정된 후 오늘날까지 이어졌다. 공민왕 때는 사서오경재(四書五經齋)가 설치되면서 성리학적인 교육과정이 도입되었으며,

1389년에는 율학, 산학, 서학이 분리되어 성균관은 유학만을 가르치는 교육기관으로 재편되었다(조화태, 박종배, 2010).

조선의 중앙 교육기관은 성균관이었다. 성균관의 정원은 200명이었으며 조선 후기에는 사정에 따라 약간 줄어들기도 하였다. 성균관에는 원칙적으로 생원시와 진사시에 합격한 유생들이 입학하였으나, 이들로 인원이 차지 않았을 때에는 공신의 자제들이나 사학(四學)의 학생들 중에 일정한 시험을 거쳐 성균관에서 수학하도록 하였다. 성균관은 재학연한이 따로 없었으며, 문과(文科)에 합격하여 벼슬길에 나가게 되면 자연스럽게 졸업을 의미하였다. 성균관의 실질적인 책임자는 정3품 대사성(大司成)이었으며, 사성(司成), 사예(司藝), 직강(直講), 전적(典籍) 등의 학관들이 대사성을 도와 학생들의 교육을 담당하였다.

성균관에서 유생들은 학령(學令)이라고 하는 규칙을 지키면서 생활해야 했으며, 성균관에서 원점(圓點) 300점을 획득하면 문과(文科)의 초시(初試) 중에 성균관 유생들에게만 실시하는 시험인 관시(館試)의 응시자격이 생겼다. 원점은 성균관의 식당에서 아침과 저녁에 식사를 하고 출석을 기록한 것으로 원점 300점을 획득하기 위해서는 성균관에서 300일간 머물러야 했다. 또한 성균관의 유생 교육에 필요한 학비, 기숙비, 학용품비 등을 모두 국가가 비용을 부담하였다. 성균관에서는 여러 특별시험인 과시(課試)에서 성적이 좋은 유생들의 경우 과거에 바로 합격시키거나, 과거시험에서 가산점을 주는 등의 방식으로 유생들의 학업을 장려하였다. 과시는 조선 후기에는 위상이 더욱 확고해졌다(최광만, 2017).

성균관에서는 재회(齋會)라는 자치조직이 있었으며, 장의(掌議), 색장(色掌)과 같은 대표들이 자치활동을 주도하였다. 이들은 자율적으로 학생들의 풍속을 단속하기도 하였으며, 때로는 정치나 사회 문제에 의견을 제시하기도 하였다. 이러한 활동에는 유생들이 상소문을 올렸던 유소(儒疏), 수업을 들어가지 않는 권당(捲堂), 아예 성균관을 비우고 나오는 공관(空館) 등이 있었다(장채천, 2012).

국자감, 성균관, 향교, 서원 등 전통시기 학교의 기본적인 구조는 사당 공간과 공부하는 공간이 함께 있는 묘학제(廟學制)라고 할 수 있다. 성균관과 향교에는 사당 공간에는 대성전(大成殿)과 동무(東廡), 서무(西廡)가 있어 공자를 비롯한 여러 훌륭한 선현(先賢)들의 위패가 봉안되어 있으며, 공부하는 공간에는 강당인 명륜당(明倫堂)과 기숙사인 동재(東齋), 서재(西齋)로 이루어져 있다. 지방의 향교는 구조와 명칭이 성균관과 동일하되 규모가 다소 작은 편이며, 서원은 각 건물의 명칭은 다르지만 사당 공간과 공부하는 공간이 나뉘어 있는 구조로 성균관, 향교와 동일하였다.

3) 지방의 관학

중앙에 유교식 교육기관을 만들었던 각 나라들은 지방에도 비슷한 교육기관을 만들었다. 이를 통해 지역민들에게도 일정 수준의 교육을 제공하였다. 지방의 교육기관은 처음에는 지방의 주요 지역에만 설치되었다가 시대가 지나면서 점차 그 규모가 확대되어 조선시대에는 모든 군현 단위에 학교가 하나씩 설치되면서 각 지역의 인재들을 양성하였다.

고구려는 지방의 교육기관으로 경당(扃堂)이 있었다. 경당과 관련된 여러 기록을 살펴보면 지역의 교육을 담당하였다는 것을 확인할 수 있으나, 설립 주체에 대한 기록이 분명하지 않아 관학인지 사학인지는 확언하기 어렵다. 경당에서는 문과 무를 겸비한 인재들을 양성하였다.

신라에는 지방의 교육기관으로 주학(州學)이 747년에 설치되었다. 당시 신라의 지방 행정체제는 9주 5소경이었으며, 9개 주에 하나씩 주학이 설치된 것이다. 이 시기가 되면 신라는 중앙에는 국학, 지방에는 주학이 설치되어 유교식 학교체제가 전국적으로 기본적인 틀을 갖추었다고 할 수 있다. 백제는 지방에 학교가 있었다는 기록이 현재까지는 발견되지 않고 있다.

고려시대에는 지방의 학교로 향교가 있었다. 고려시대의 향교는 모든 지역에 설치된 것이 아니라 주요 지역에만 설치되었다. 여러 기록을 통해 확인한 바에 따르면, 고려 전기의 향교는 대략 12곳이며, 충선왕(1308~1313)대 이후 고려 말까지 설립된 향교도 17개 정도 확인된다(박찬수, 2001). 지방에 향교가 있었다면 개경에는 이와 비슷한 위상의 학교인 학당(學堂)이 있었다. 강화도로 도읍을 옮겼던 시절인 1261년에 동·서부의 양 학당이 설치되었다. 이후 공민왕대인 1331년 동·서·남·북·중부에 각각 교수관을 두어 5부 학당으로 개편되었다. 이를 통해 고려 말에는 중앙에는 최고 학부인 성균관과 그 하위의 학부인 학당이 있고, 지방에는 향교가 설치되면서 관학체계의 기본적인 틀이 갖추어졌다. 이러한 틀은 조선이 개국한 이후에도 그대로 계승되었다.

조선의 향교는 일읍일교(一邑一校)의 원칙에 따라 조선의 모든 부·목·군·현에 1개소씩 설치되었다. 향교의 정원은 지역의 규모에 따라 90명, 70명, 50명, 30명으로 차이가 있었다. 기본적인 학교체계는 고려에서 이어받았지만, 전국의 모든 지역에 향교가 설치되면서 조선은 전국적인 교육체계를 확립하였다고 할 수 있으며, 그 당시 세계의 여러 나라들과 비교해 보아도 손색이 없는 정도의 수준이라 볼 수 있다.

향교의 구조는 성균관의 구조를 그대로 본따서 만든 묘학제로, 대성전과 명륜당을 중심으로 이루어져 있다. 지역에 따라 대성전이 앞에 오고 명륜당이 뒤에 있는 '전묘후학(前廟後學)'이나 명륜당이 앞에 오고 대성전이 뒤에 있는 '전학후묘(前學後廟)'로 배치가 달라지기도 한다. 각 지역에서 공자의 위패를 안치한 곳은 향교의 대성전 한 곳뿐이었으며, 이는 향교가 지역 교육의 중심이었음을 상징적으로 보여 주는 것이라 할 수 있다.

당시 서울이었던 한성부에 있던 학당은 처음에는 고려시대의 제도를 이어받아 동학, 서학, 남학, 북학, 중학의 5개의 학당으로 운영하였으나, 북학이 제대로 운영되지 않아 설립과 폐지를 반복하다가 결국에는 4개의 학당으로만 운영되었다. 이 4개의 학교를 흔히 사학(四學)이라고 부른다. 사학의 정원은 조선 전기에는 각 100명이었으나, 후대로 가면서 줄어들었다. 사학은 성균관과 밀접한 관련 속에서 운영되었는데, 성균관의 교관들이 사학의 교관을 겸직하거나, 사학의 유생들 중에서 승보시(陞補試)를 통해 성균관에서 수학할 수 있게 한 것들이 바로 그러한 관련성을 보여준다고 할 수 있다. 조선 후기에는 사학의 과시(課試)가 활성화되어 성적이 우수한 유생들에게 과거시험에서 가산점을 부여하거나, 소과(小科)의 초시를 면제해 주는 등의 혜택을 주기도 하였다.

4) 전통시기의 사학

중앙과 지방에 나라에서 세운 학교 이외에도 사적으로 설립된 기관들도 있었다. 사학(私學)들은 관학의 역할을 대신하거나, 관학이 미처 하지 못하는 역할을 담당하였다. 특히 관학의 부진이 두드러질수록 사학의 역할은 더욱 부각되었다.

고려시대에는 최충(崔沖, 984~1068)이 만든 사숙인 9재학당이 유명하였다. 처음에 최충이 사숙을 열자 공부를 하고자 하는 청년들과 과거시험을 준비하고자 하는 청년들이 몰려들었고, 이에 9개의 재로 나누어 학생들을 가르쳤다. 9재의 명칭은 악성재, 대중재, 성명재, 경업재, 조도재, 솔성재, 진덕재, 대화재, 대빙재였으며, 사람들은 이를 두고 9재학당 또는 문헌공도라고 불렀다. 이렇게 최충의 9재학당에 사람들이 몰리자 조정의 공신들도 이를 찬양하였고 다른 학자들도 사숙을 만들어 학생들을 가르쳤는데, 그 수가 최충의 9재학당을 포함해 12개에 이르렀다(서울대학교 교육연구소, 1997). 이에 사람들은 이러한 학당들을 '십이도(十二徒)'라고 불렀다. 또한 고려시대에도 서당류의 교육기관이 있었던 기록이 확인된다. 몇몇 기록에서 조선시대 서당과 유사한 교육기관에 대한 기록이 있으며, 『고려도경』에는 "아래로 군졸들과 아이들에 이르기까지 향선생(鄕先生)에게 글을 배운다."는 기록이 등장한다.

조선시대의 대표적인 사학은 서원(書院)이라고 할 수 있다. 중국에서는 서원이 당·송대 이후 크게 발전하였으나, 우리나라에서는 16세기 중반에 처음 만들어졌다. 서원은 국가적인 지원을 받으며 17세기 이후 크게 발전하였으며, 향교와 함께 지방 교육의 큰 축을 담당하였다. 우리나라 최초의 서원은 풍기 군수 주세붕이 1543년에 세운 백운동서원이었다. 1549년에 당시 풍기 군수로 있던 이황(李滉)이 국가가 백운동서원에 대해서 사액해 줄 것을 요청하였고, 그 요청이 받아들여져서 우리나라 최소의 사액서원인 소수서원(紹修書院)이 되었다. 사액이라고 하는 것은 왕이 서원에 현판을 하사하는 것으로, 국가는 사액서원에 대해 학전(學田), 서책, 노비 등을 지원하였다. 서원의 건립과 사액과정에서의 지방관의 역할이나 사액을 통한 국가의 지원을 감안하면, 서원을 완전히 사적으로 운영된 교육기관으로 보기 어려운 면도 있다. 이렇게 소수서원이 사액을 받게 되자, 다른 지역에서도 서원의 건립과 사액을 위한 노력이 전개되었다. 서원은 충청, 전라, 경상도를 중심으로 주로 설립되었으며 숙종대까지 399개가 설립되어(이수환, 2001), 설립 숫자만 놓고 보면 향교를 능가하는 수준이었다. 이렇게 서원은 조선시대 향교와 함께 지방 교육을 담당했던 중요한 교육기관이었지만, 남설로 인해 여러 가지 문제를 일으킨다는 비판을 받기도 하였다.

서원도 성균관이나 향교와 마찬가지로 제사 지내는 공간과 공부하는 공간이 함께 있는 묘학제의 형태를 취하고 있다. 성균관과 향교가 공자를 비롯한 그 제자들과 나라에서 인정한 선현들의 위패를 봉안했던 반면에, 서원은 그 지역 출신의 훌륭한 인물이나, 서원의 설립과 관련된 세력이 중요하게 생각하는 인물들의 위패를 사당에 봉안한다는 점에서 차이가 있다. 그렇지만 훌륭한 인물의 사당을 세워 덕을 기리고, 그 인물을 모범으로 삼아 학문에 힘쓰는 것은 성균관, 향교, 서원 모두 동일하다고 할 수 있다.

서당은 주로 어린 학생들을 대상으로 하여 초보적인 한자 교육을 실시한 민간의 교육기관을 통칭한다. 특히 서당은 촌락이나 마을 단위에 널리 설립된 기층 교육기관이라는 성격을 갖고 있으며, 이러한 특징을 반영하여 '향촌 서당'이라고 부르기도 한다. 서당은 조선 후기에 이르게 되면 거의 모든 고을에 설립되었고, 이는 조선 후기에 들어서면서 이전에 비해서 교육의 저변이 확대되었음을 의미한다.

5) 과거제도

과거(科擧)는 '과목선거(科目選擧)'의 줄임말로, 특정 과목을 시험 보아 사람을 선발한다는 의미를 담고 있다. 과거제도는 제도 자체만 놓고 보면 관리 임용제도라고 볼 수 있지만, 응시생의 학습에 대한 결과를 바탕으로 관리 임용 여부를 결정하기 때문에 우리나라 전통 교육에 지대한 영향을 미쳤다. 과거제도는 이전의 제도들과 비교하면 능력에 따라 인재를 선발하는 장점도 있지만, 시험에 대한 지나친 경쟁으로 인해, 학교교육이 본래의 목적에 충실하게 운영되지 못하게 되는 요인으로 비판받기도 하였다. 공부와 시험을 중시하는 우리의 교육문화는 과거제도가 남긴 유산이라는 것이 일반적인 평가이다.

신라의 독서삼품과는 788년에 신라의 국학에 도입된 제도로, 과거제도의 전신으로 평가받는다(이성무, 1994). 독서삼품과는 신라의 국학에서 실시되었던 것으로 국학생의 독서 정도에 따라 특품, 상품, 중품, 하품으로 나누어 새롭게 벼슬을 주거나 기존의 직위를 높여 주는 제도였다. 신라의 독서삼품과는 귀족들의 반발로 제대로 운영되지 못하였다는 평가를 받았지만, 인재 선발에서 귀속적 요인보다는 성취적 요인을 중시하는 제도였다는 점에서 큰 의미를 갖는다. 그리고 경서를 읽은 정도에 따라 벼슬을 주었는데, 이를 통해 이 시기에 이르러서는 문무의 겸비보다는 문인의 교양이 더 중요시되었다는 것도 알 수 있다.

우리나라에 과거제도가 처음 도입되어 시행된 것은 고려 광종 때인 958년의 일이다. 당시 후주에서 귀화한 쌍기의 건의를 받아들여 과거제도가 처음 실시되었다. 고려 과거제도는 제술과, 명경과, 잡과, 승과 등으로 이루어졌다. 이 중에서 가장 중요했던 것은 제술과이며 제술과는 글을 잘 짓는 선비를 선발하는 시험이었다. 명경과는 경전에 밝은 선비를 선발하는 시험이며 문장을 잘 끊어 읽고 잘 외우는지를 평가하는 시험이었다. 잡과에서는 기술직 관리를 선발하였으며, 승과는 왕의 고문 역할을 하는 승려들을 선발하였다. 무관을 선발하는 무과는 1390년데 처음 설치되었으므로 고려시대에 무관을 선발하는 주된 통로라고 보기는 어렵다. 그리고 고위직 관리의 자제들은 과거를 통한 방법 이외에도 음서를 통해서 관직으로 진출하기도 하였다.

조선시대에 들어와서 과거제도는 확실하게 정착되었다. 조선시대의 과거제도는 원칙적으로 양인(良人)이면 응시할 수 있었다. 조선시대에 실시한 과거시험은 문과(文科), 소과(小科), 무과(武科), 잡과(雜科)로 나눌 수 있다. 문과는 대과(大科)라고도 불리었는데 문관을 선발하는 시험으로 고위직 관리가 되기 위해서는 일반적으로 문과에 급제해야 했다. 소과(小科)는 생원시(生員試)와 진사시(進士試)로 나뉘는데 생원시는 경전에 능한 선비, 진사시는 글짓기에 능한 선비를 선발하는 시험이었다. 소과에 합격하면 생원 또는 진사라는 호칭이 주어지며 성균관의 입학자격이 주어지는 시험이었다. 또한 소과 합격자 중에 학식과 덕망이 있는 경우 천거를 통해 하급관리로 임용되기도 하였다. 무과는 무관을 선발하는 시험이며, 무예와 무예 관련 경서, 유교 경전 등을 시험 보았다. 잡과는 기술직 관료를 선발하는 시험으로 역과(譯科), 의과(醫科), 율과(律科), 음양과(陰陽科)를 실시하였다. 또한 현직 관료들을 대상으로 10년에 한 번 실시하는 과거시험인 중시(重試)도 있었다.

과거시험을 실시 시기별로 구분하면 3년마다 실시하는 식년시(式年試)와 국가의 큰 경사나 행사가 있을 때 비 정기적으로 실시하는 증광시(增廣試), 별시(別試), 정시(庭試), 춘당대시(春塘臺試), 알성시(謁聖試) 등의 시험이 있었다. 정기적인 시험인 식년시와 비교적 큰 경사가 있을 때 실시하는 증광시는 문과, 무과, 소과, 잡과 모두 실시하였지만, 다른 시험들은 문과와 무과만 실시하였다.

또한 조선시대에는 과거시험 이외에도 음서나 천거를 통해서 하급관리로 임용되기도 하였다. 우리가 음서라고 알고 있는 것은 정확히는 '음자제취재(蔭子弟取才)'인데 음서를 받을 수 있는 자격을 가진 사람들 중에 취재(取才)라는 간단한 시험을 거쳐 관리로 등용되었다. 천거의 경우 학식과 덕망을 갖춘 인재들이 추천을 통해 관리로 임용되는데, 취재를 통해서든 천거를 통해서든 최소한의 능력을 인정받아야 관

표 2-1 우리나라 전통시기의 교육기관과 과거제도

	중앙 관학	지방 관학	사학	과거제도	비고
고구려	태학	경당		–	경당은 관학, 사학 여부가 확실하지 않음
신라	국학	주학	–	독서삼품과 (과거제의 전신으로 평가)	국학과 주학은 삼국 통일 후에 만들어짐. 이전에는 화랑도가 교육 기능을 담당함
백제	–	–	–	–	기록에 등장하는 '박사'들을 통해 중앙의 교육기관이 있었을 것이라 추정
발해	주자감	–	–	–	–
고려	국자감	학당, 향교	사학십이도, 서당	제술과, 명경과, 승과, 잡과, 무과	무과는 1390년에 설치
조선	성균관	학당, 향교	서원, 서당	문과, 소과, 무과, 잡과	–

리로 등용될 수 있었다.

과거제도는 고려 때부터 시작하여 조선시대 내내 실시되다가 1894년 갑오개혁 이후에 문관전고소 시험 등으로 대체되면서 더 이상 실시하지 않게 되었다. 또한 성균관과 향교 등의 유교식 학교체제도 갑오개혁을 기점으로 대대적인 전환점을 맞이하였다.

이상에서 우리나라 전통시기의 교육에 관한 내용을 바탕으로 전통시기의 교육기관과 과거제도에 관해서 정리하면 〈표 2-1〉과 같다.

3. 근 · 현대 한국교육

1) 개화기와 대한제국기의 교육

오랜 기간 동안 유교식 학교를 바탕으로 한 교육체제는 서양 열강들의 영향력이

거세지면서 서양식 교육으로 바뀌어 갔다. 대체적으로 1880년대 이후부터 조선에는 신식 학교들이 하나둘씩 생겨나기 시작하였다. 신식 학교는 설립 주체에 따라 정부가 세운 학교, 민간이 세운 학교, 선교사들이 세운 기독교계 학교 등으로 나눌 수 있다.

정부가 세운 대표적인 신식 학교는 동문학(同文學)과 육영공원(育英公院)이다. 동문학은 통상아문에 소속된 영어 통역관 양성을 위한 학당으로 출발하였으며, 영어 연수 이외에 서적을 간행하고 신문을 발행하는 기능도 있었다. 동문학은 육영공원이 설립되면서 문을 닫았다. 육영공원은 현직관료들과 학생들에게 외국어를 가르쳤던 학교로 1886년에 설립되었으며, 헐버트(H. B. Hulbert), 길모어(G. W. Gilmore), 기포드(D. Gifford) 등이 교사로 활동하였다. 육영공원은 1894년에 문을 닫았으며 그 기능은 관립 외국어학교가 담당하게 되었다.

민간에서 설립한 교육기관에는 원산학사(元山學舍)가 있다. 원산학사는 1883년 함경도 원산에 세운 신식 학교로 당시 지역 주민들과 현지 관리들이 힘을 합쳐서 만든 학교였다. 원산학사는 문예반과 무예반으로 나뉘어 운영되었으며, 덕원과 원산 지역의 어리고 재주 있는 학생들을 입학시켰다. 원산학사는 갑오개혁 이후 문예반만 남아 '원산소학교'로 개편되었으며, 이제 강점기 이후에도 계속 학교가 유지되었다.

기독교계 신식 학교는 1880년대 중반부터 본격적으로 설립되었다. 기독교계의 교육 사업은 선교의 일환으로 추진되었으며, 결과적으로 우리나라에 서구 교육의 제도, 이념, 내용, 방법 등을 전파하여 서양식 학교가 뿌리 내리는 데에 크게 기여하였다. 개신교계 학교들에는 장로교에서 세운 제중원, 언더우드 학당, 정동여학당 등이 있으며, 감리교계 학교는 배재학당과 이화학당이 대표적이다. 기독교계 신식 학교들은 당시 서구의 교육을 직수입하는 통로였으며, 우리나라에 서양식 교육이 도입되고 정착되는 데에 큰 기여를 하였다.

우리나라에서 전통적 유교식 교육을 벗어난 신식 교육은 갑오개혁 이후에 본격적으로 도입되었다. 우선, 이전에 예조가 관장하던 학교와 과거에 관련된 업무는 새롭게 설치된 학무아문(學務衙門)이 담당하게 되었다. 1895년 「홍범14조」와 「교육입국조서」가 반포되고, 새로운 학교체제를 만들기 위한 법령의 제정과 시행이 이루어져, 교원 양성기관인 「한성사범학교관제」, 외국어학교 설립에 관한 「외국어학교관제」, 소학교의 설립과 운영을 관장하는 「소학교령」, 법관을 양성하는 교육기관 운영에 관한 「법관양성소규정」 등이 반포되었다. 그리고 이러한 과정에서 성균관경학과 규칙이 제정되어 전통적인 유교식 교육기관인 성균관에서도 신식 학문을 가르치면서 근대적인 대학의 모습을 갖추기 위한 변화를 시도하였다.

대한제국기(1897~1905)에는 갑오개혁 이후의 교육개혁을 다시 한 번 내실화하기 위한 조치들이 시행되었다. 「중학교관제」 「의학교관제」 「상공학교관제」 「외국어학교규칙」 「광무학교관제」 「농상공학교관제」 등이 차례로 제정 · 공포되었다. 그리고 이러한 관제와 규칙에 따라 학교들이 설립되기 시작하였다. 그리하여 갑오개혁 이후부터 대한제국기까지 근대적인 학교제도를 만들기 위한 일련의 조치들이 진행되었으며, 초-중-고등교육으로 이루어진 근대교육의 기본적인 형식은 어느 정도 갖추어졌다고 할 수 있다.

2) 통감부 시기와 일제강점기의 교육

1905년의 일제의 강압에 의해 을사늑약이 이루어지고, 1906년에 통감부가 설치되면서 일제는 조선의 식민지 지배를 위한 정책들을 조금씩 만들어 가기 시작하였다. 이 과정에서 우리의 전통교육과 갑오개혁 이후의 근대적인 학제 수립을 위한 노력은 왜곡되어 평가되거나 부정되어 가기 시작했다. 이 시기에 「보통학교령」 「사범학교령」 「외국어학교령」 「고등학교령」 「고등여학교령」 「실업학교령」 「사립학교령」 「학회령」 등이 제정 · 공포되었다. 이 중에서 「보통학교령」은 기존의 '소학교'를 '보통학교'로 격을 낮추고 수업연한을 축소시키는 것을 골자로 하고 있다. 소학교는 대학교까지의 연결을 의미하지만, 보통학교는 보통교육으로 종결한다는 의미를 담고 있다는 점에서 이러한 조치는 식민지적 차별의 시작으로 볼 수 있다.

조선총독부는 네 차례에 걸쳐서 「조선교육령」을 공포하였다. 「제1차 조선교육령」은 1911년에 반포되었으며, 조선인에게 일본인과는 다른 차별적인 교육을 실시하는 데에 초점이 맞춰져 있었다. 이 시기에 일본의 학제가 소학교 6년, 중학교 5년, 전문학교 4년, 대학교 6년을 기본으로 하고 있었지만, 조선의 학제는 보통학교 4년, 고등보통학교 4년, 여자고등보통학교 3년, 실업학교 2년 또는 3년, 전문학교 3년 또는 4년으로 규정하였다. 또한 조선에는 대학교를 아예 두지 않았다. 또한 각급 학교의 규칙이 공포되었다. 이 중에서 1918년에 공포된 「서당규칙」은 서당에 대한 통제를 강화함으로써 서당 내의 민족교육을 억제하는 방향으로 작용하였으며, 「서당규칙」의 공포 이후 서당은 1921년을 정점으로 그 수가 줄어들기 시작하였다. 그리하여 1910년대까지 초등교육에서 가장 큰 비중을 차지하던 서당은 1920년대 이후 보통학교에게 그 지위를 넘겨 주게 되었다.

「제2차 조선교육령」은 1922년에 반포되었다. 「제2차 조선교육령」은 '내지연장주의(內地延長主義)'로 정책을 바꾸면서 일본 내의 학제와의 차별을 일부 완화하였다. 그리하여 「조선교육령」에서는 보통학교 6년, 고등보통학교 5년으로 수업연한이 연장되었으나, 조선인이 다니는 학교와 일본인이 다니는 학교는 여전히 보통학교와 소학교로 나뉘어져 있었다. 또한 이 시기에 종합대학인 경성제국대학이 설립되었는데, 1945년까지 조선에 종합대학은 경성제국대학 한 곳뿐이었다. 이 시기 교육의 가장 큰 특징 중에 하나는 보통학교가 크게 팽창한 것이었다. 이 시기에 일제는 '3면 1교' 정책과 '1면 1교' 정책을 통해 보통학교의 수를 늘렸고, 이를 통해 1935년에는 보통학교의 재학생 수가 68만 명 정도에 달했다. 이러한 보통학교의 팽창은 식민지 교육체제를 구축하려는 일제의 의도와 교육기회의 확대를 바라는 조선인의 증설 요구가 결합되어 나타난 현상이라 할 수 있다(오성철, 2000).

「제3차 조선교육령」은 1938년에 반포되었다. 일제는 1937년 중일전쟁을 일으키면서 조선을 대륙 침략을 위한 병참기지로 활용하고자 하였다. 이 때문에 이른바 '황국신민화' 교육을 이 시기에 더욱 강화하였으며, 내지연장주의를 넘어 '내선일체(內鮮一體)' 이념을 더욱 강화하였다. 그리하여 일본인과 조선인이 다니는 학교는 달랐지만, 초등교육기관은 '소학교', 중등교육기관은 '중학교'와 '고등여학교'로 명칭을 통일하였다. 그리고 창씨개명을 강요하고, 기독교계 학교에까지 신사참배를 강요한 것도 이 시기였다.

「제4차 조선교육령」은 1943년에 반포되었다. 기존의 소학교를 '국민학교(國民學校)'로 명칭을 바꾼 것이 바로 이 시기이다. 이때부터 시작된 '국민학교'라는 명칭은 1996년에 이르러 초등학교로 바뀌게 되었다. 또한 조선총독부는 1946년부터 의무교육제도를 실시하고자 하였는데, 이 계획은 조선인의 교육기회 확대보다는 징병제의 강화와 전시 동원에 필요한 교육의 강화를 목적으로 마련되었다는 평가를 받는다.

조선총독부에서 초등교육에 대해 의무교육 실시를 고려할 정도로 일제강점기 말기에는 조선인들의 초등교육 취학률은 상당히 높아졌다. 그렇지만 여전히 일본인들에 비해 조선인들은 중등학교에 취학할 수 있는 기회가 매우 적었기 때문에 식민지적인 차별은 여전했다고 할 수 있다. 또한 일제강점기 때 만들어진 학교의 여러 규율이나 제도들은 오늘날의 학교교육에도 많은 영향을 미쳤으며, 이 때문에 학교교육에서 일제의 잔재를 청산해야 한다는 의견은 꾸준히 제기되고 있다.

3) 미군정기의 교육

해방 이후 미군정기 3년 동안 일제 강점기하의 식민지 교육체제에서 민주적인 교육체제로 가는 발판을 마련하였다. 남한과 북한은 서로 분단이 되면서 각기 다른 방식의 교육체제를 만들어 갔다. 한국에서는 민주적인 교육체제를 구축하는 것이 급선무였고, 반면에 북한은 사회주의적인 교육으로 변모해 가기 시작했다.

남한에서는 해방 이후의 교육활동은 미군이 총독부를 접수하여 교육업무를 인수인계하였던 1945년 9월부터 시작되었다. 해방 직후 민주적 교육체제를 구축하는 일은 주로 조선교육심의회에서 이루어졌다. 조선교육심의회는 1945년 11월 23일부터 1946년 3월 7일까지 활동하면서 교육에 관한 주요 사항을 심의, 의결하였다. 그 과정에서 홍익인간으로 표현된 민주주의 교육이념과 단선형 학제를 기본으로 하는 민주적 교육제도를 제안하였다. 홍익인간은 교육받은 인간의 모습이라 할 수 있으며, '인간의 복리를 증진하기 위해 헌신하는 사람'을 의미하였다.

또한 이 시기에는 일본인들과 일본식 교육이 빠져나간 빈자리를 메우기 위한 노력도 계속되었다. 그동안 사용된 일본어 교과서를 대체할 한글로 된 교과서를 제작하고 보급하는 데에 힘을 기울였다. 그리고 일본인 교원이 빠져나간 자리에 교원 부족 문제를 해결하기 위해 사범학교와 사범대학을 신설하였으나, 역부족인 관계로 사범학교에 강습과 또는 임시초등교사양성과를 부설하여 부족한 교원을 보충하기도 하였다(이종재 외, 2010). 그리고 6-3-3-4 학제의 기본적인 틀을 다진 것도 이 시기였다. 미군정기의 여러 움직임에 대해 논란도 있었고 비판도 많았지만, 오늘날 우리 교육의 기초를 다진 것은 분명하다.

학습과제

1. 아테네와 스파르타의 교육의 차이점을 설명하고, 이것의 교육사적인 의의를 논의해 보자.
2. 근대 공교육이 탄생하게 된 배경을 살펴보고, 이러한 탄생 배경을 갖게 된 공교육의 장점과 한계가 무엇인지 정리해 보자. 그리고 공교육의 장점을 극대화하고, 한계를 극복하기 위한 방안에 대해 논의해 보자.
3. 조선시대의 교육체제를 분야별로 정리해 보고, 오늘날과 비슷한 점과 다른 점이 무엇인지 논의해 보자.
4. 과거제도가 한국 전통교육에 끼친 영향을 긍정적·부정적 측면으로 나누어 정리해 보고 시험을 통한 인재 선발 제도가 존속하는 한, 불가피하게 초래되는 시험 위주 공부(교육)의 문제점을 극복할 수 있는 방안을 제시해 보자.
5. 현대 한국 사회의 교육에서 일제 식민교육의 잔재는 청산되었는가? 만약 청산되지 않았다면 앞으로 우리가 해결해야 할 과제는 무엇인지 정리해 보자.

참고문헌

권은주(2014). 발해의 교육기관과 인재양성. 한국교육사학, 36(4), 1-26.

박찬수(2001). 고려시대 교육제도사 연구. 서울: 경인문화사.

박철홍 외(2013). 현대교육학개론. 서울: 학지사.

서울대학교 교육연구소(1997). 한국교육사. 서울: 교육과학사.

성기산(1993). 서양교육사연구. 서울: 문음사.

손승남, 신창호, 김희봉(2019). 교육철학 및 교육사. 서울: 학지사.

신차균, 유재봉, 안경식(2013). 교육철학 및 교육사의 이해(2판). 서울: 학지사.

오성철(2000). 식민지 초등교육의 형성. 서울: 교육과학사.

우용제(1999). 조선후기 교육개혁론 연구. 서울: 교육과학사.

이광주(1997). 대학사 이념 · 제도 · 구조. 서울: 민음사.

이광주(2008). 대학의 역사. 경기: 살림출판사.

이성무(1994). 한국의 과거제도. 서울: 집문당.

이수환(2001). 조선 후기 서원 연구. 서울: 일조각.

이종재, 김성열, 돈 애덤스 편저(2010). **한국교육 60년**. 서울: 서울대학교출판문화원.

장채천(2012). **조선 성균관 교육 문화**. 경기: 교육과학사.

정규영(2011). **동서양 교육의 역사**. 서울: 학지사.

조화태, 권영민(2020). **교육고전의 이해**. 서울: 한국방송통신대학교출판문화원.

조화태, 박종배(2010). **교육사**. 서울: 한국방송통신대학교출판문화원.

최광만(2017). **조선후기 교육사 탐구**. 대전: 충남대학교출판문화원.

한기철, 조상식, 박종배(2016). **교육철학 및 교육사**. 경기: 교육과학사.

Boyd, W. (2008). **서양교육사**(개정증보판)(*The History of Western Education*). 이홍우, 박재문, 유한구 공역. 경기: 교육과학사. (원저는 1964년에 출판).

Comenius, J. A. (2015). **요한 아모스 코메니우스의 대교수학**(수정판)(*The Great Didactic*). 정일웅 역. 서울: 나눔사. (원저는 1657년에 출판).

Mondale, S., & Patton, S. B (2014). **스쿨: 미국 공교육의 역사 1770~2000**(*School: The story of American Public Education*). 유성상 역. 서울: 학이시습. (원저는 2001년에 출판).

Reble, A. (2002). **서양교육사**(*Geschichte der pädagogik*). 정영근, 임상록, 김미환, 최종인 공역. 경기: 문음사. (원저는 1951년에 출판).

제3장

교육의 철학적 기초

박주병(강원대학교 교육학과)

1. 교육철학이란 무엇인가
2. 오늘날 교육철학의 흐름
3. 교육에 관한 철학하기
4. 교육철학을 더 공부하고 싶다면

학습 개요

이 장에서는 교육에 대한 철학적 탐구가 무엇인지 살펴본다. 철학이라는 말을 들으면 어려운 말장난, 골치 아픈 논쟁, 때로는 알 수 없는 형이상학적 수수께끼를 떠올리며 겁을 먹거나 회피할지 모른다. 그러나 철학을 아주 넓게 보면, 그것은 생각하는 능력을 가진 모든 사람이 삶에 대해서, 세계에 대해서, 자신에 대해서 궁금해하면서 조금 더 깊이 생각하는 활동이다. 철학이 생각하는 사람의 특권이자 의무이듯이 교육철학 역시 인간으로 태어나 계속해서 성장하고 발전하는 사람에게 특권이자 의무이다.

이 장의 제1절에서 교육철학이 무엇인지 간략하게 살펴보고, 제2절에서는 현대 학자들이 교육철학을 어떻게 탐구해 왔는지 그 발자취를 검토하며, 제3절에서는 구체적인 몇 가지의 문제를 놓고 자신의 교육철학을 되돌아보기로 한다.

1. 교육철학이란 무엇인가

그리스 델피에 있었던 아폴론 신전 한쪽 기둥에는 'gnoti seauton(그노티 세아우톤)', 그 유명한 '너 자신을 알라'는 말이 쓰여 있었다고 한다. 절대자 앞에서 자신을 똑바로 보라는 경계의 말이었다. 잘 알려져 있다시피, 이 말은 소크라테스 이후 인간이 추구하는 지혜, 곧 철학의 시금석이 되었다. 나 자신을 안다는 말은 내 키나 성격과 같은 나에 대한 여러 가지 정보를 모으는 일이라기보다 내가 알고 있는 것이 무엇인지, 내가 모르는 것은 무엇인지, 혹시 내가 안다고 생각했는데 실은 제대로 알고 있지 못했던 것은 아닌지, 나의 지식을 검사하는 일이었다. 철학은 곧 내가 아는 것과 모르는 것을 분명히 하는 것이고, 교육철학 역시 교육이라는 행위에 대해서 나의 지식을 검토하는 것이다.

소크라테스

1) 교육철학의 의미

(1) 철학이라는 말의 어원과 정의

철학이라는 말은 고대 그리스의 philosophia(필로소피아)에서 나왔다. 사랑을 뜻하는 philia(필리아)와 지혜를 뜻하는 sophia(소피아)의 합성으로 이루어졌다는 데서 알 수 있듯이, 지혜를 사랑하는 일 그래서 지혜를 추구하는 일을 가리키는 것이었다(Phenix, 1958: 6). 철학이 곧 지혜를 가리킨다기보다 지혜를 사랑하고 지혜를 추구하려고 노력한다는 점이 중요하다. 그래서 철학은 철학가들이 해 놓은 말을 모아 놓은 지식의 체계나 정보의 덩어리가 아니라 철학하는 방법, 더 정확히 말하면 철학적 사고방법을 가리킨다. 가령, 이 장을 읽고 플라톤은 관념론 철학자다, 존 듀이는 경험의 재구성을 교육이라고 보았다 등 이런 식으로 마치 다른 사람이 들려준 철학 이야기를 다시 전하는 것만으로 교육철학을 배웠다고 말할 수 없는 것이다. 설사 관념론이 무엇인지 모르고 듀이가 누구인지 몰라도 자신의 아는 것과 모르는 것을 이해하려는 자세를 가지고 있다면, 오히려 교육철학에 더 가깝다고 할 것이다.

철학하는 방법에 대해서는 곧 이어 소개할 것이다. 그전에 유념해야 할 것은 교육철학이 교수나 박사 등 학자들의 전유물이 아니라는 것이다. 물론 교육철학이라는 학문은 20세기 중반에 들어서 독립한 신생학문이다(한기철 외, 2020: 340). 그러나 철학은 지식 체계나 정보의 덩어리가 아니라 철학하는 방법을 가리키기 때문에 교육철학의 역사도 고대 그리스 사상에서부터 현대의 포스트모더니즘까지 모두 포괄하게 된다. 아주 오래전부터 교육이라는 활동에 종사해 오던 사람들이 자신이 하는 일인 교육에 대해서 깊이 생각하게 되면 그 역시 교육에 관한 철학적 활동을 했다고 볼 수 있기 때문이다.

(2) 여러 가지 교육철학

그래서 교육철학은 다양한 층위를 가지고 분류해 볼 수 있다(신차균 외, 2013).

첫째, 철학이라는 방법을 교육에 응용하거나 연장할 수 있다. 철학적 교육철학이라고 부를 수 있을 텐데, 관념론이나 실재론과 같이 특정한 철학적 유파가 교육에 대해서 논의하는 관념론적 교육철학, 실재론적 교육철학 등이 이 예에 해당한다. 또는 특정 철학학파와 관계없이 철학의 영역에서 교육을 이해하는 시사점을 뽑아내는 교육인식론, 교육형이상학도 있을 수 있다.

둘째, 규범적 교육철학은 루소의 교육사상, 로크의 교육사상, 유대인의 교육철학과 같이 교육의 목적과 내용에 대해서 가지고 있는 일관된 신념과 주장을 가리킨다. 종종 그 교장선생님은 교육철학이 확고하다든가, 정부의 교육철학이 부재하다는 말을 쓸 때, 이상이나 규범에 입각한 교육활동을 잘하기 위해서 그 일을 하는 사람은 명확한 관점, 일관된 신념을 가지고 있어야 한다는 생각을 반영한다.

셋째, 분석적 교육철학은 교육의 개념, 학생, 흥미, 체벌 등 교육과 관련해서 우리가 사용하는 언어들의 의미를 분석하여 그 논리적 가정과 함의를 명확히 하는 것을 말한다. 2절에서 살펴보겠지만, 20세기 후반의 분석적 교육철학은 교육철학을 독자적인 영역을 가진 학문으로 성립시키는 데 큰 공헌을 하였다.

넷째, 실제적 교육철학은 분석적 교육철학이 분석하고자 하는 '교육'이라는 활동이 실천적 활동이라는 문제의식에서 출발한다. 교육은 교사-학생이 벌이는 실천적 활동이다. 따라서 실제적 교육철학 역시 이론적 지식보다 실제 삶의 문제에 관심을 기울여야 하고, 교사-학생이 수업하는 실제에 더 주목할 필요가 있다고 생각한다.

2) 교육철학의 기능 또는 방법

앞에서 철학의 의미가 정보나 지식의 덩어리가 아니라 사고하는 '방법'이라고 말했다. 그렇다면 철학에서 사용하는 방법, 철학이라는 방법은 무엇인가?

(1) 사변

철학이 어렵다고 생각되는 것은 그것이 외부의 대상을 향하는 것이 아니라 우리 자신을 향하는 탐구방법이기 때문이다. 이것을 과학이 사용하는 경험적 방법과 구분해서 사변적 방법이라고 부른다. 좀 더 쉽게 설명하면 경험적 방법은 '교실의 온도가 어떠한가?' '이 온도에서 학생들은 공부가 잘 되는가?'와 같이 조사나 관찰, 측정과 실험에 의해서 확인할 수 있는 질문들에 대답하는 방법이다. 이에 비해서 철학이 다루는 질문은 개념에 관해서 깊이 생각하고 논리적으로 따지는 질문이다. 사변(speculation)이라는 말이 보다, 관찰하다라는 뜻을 가진 specio(스페시오)에서 온 것이지만, 이는 외부 대상을 보는 시선이 아니라 거울의 뜻을 가진 speculum(스페큘럼)에서 나온 것이다. 그래서 사변은 내가 알고 있는 것, 내가 생각하고 있는 것을 되돌아보는 지적 성찰과 사고를 말한다. 가령 우리는 누구나 어른이나 친구를 보면 인사를 한다. 이때 '인사는 왜 하는가?' '도대체 인사란 무엇인가?' 등 그 개념에 관한 질문이 떠오를 수 있다. 별로 인사하고 싶지 않은 상대를 만났을 때일 수도 있고, 아니면 상갓집 조문인사를 건네는 것처럼 도대체 인사를 어떻게 해야 할지 모르는 상황에서 자신의 인사가 적절한지 되돌아보면서 질문이 떠오를 수도 있다. 이런 개념에 관한 질문은 각 나라마다 인사하는 양식을 조사한다고 해서 아는 것도 아니고, 나나 다른 사람의 인사하는 동작을 관찰한다고 해서 알 수 있는 것이 아니다. 인사의 개념은 나를 포함한 사람들이 인사를 어떤 의미로 받아들이고 있는지, 그것과 어울리는 의미(예: 존경, 친분, 정중함 등)는 무엇이고, 그것에 상충하거나 무관한 의미(예: 경멸, 무시, 착각 등)는 무엇인지 내면으로 들어가 되돌아보는 활동으로 알 수 있는 것이다.

(2) 분석

철학의 방법은 경험의 문제를 해결하거나 현실의 즉각적인 개선보다는, 경험 안에서 현실을 떠받치고 반영하고 있는 언어의 의미를 더 명확히 하고자 한다. 이렇게 언어의 의미를 다루는 것을 분석(analysis)이라고 한다. 분석은 문장의 애매모호한 것을 줄이거나 동어반복과 논리적 모순을 가려내어 다듬고, 이를 바탕으로 개념이나 명제의 논리적 가정(presupposition)을 밝히거나 함의(implication)를 도출하는, 두 가지 방향으로 이루어져 있다.

논리적 가정이란 쉽게 설명하면 하나의 명제가 의미를 가지는 데에 필요한 전제, 예컨대 '이 씨의 아들은 천재이다'라는 명제를 받아들이면 함께 받아들이지 않을 수 없는 '이 씨에게 아들이 있다'는 전제를 말한다(이하 논리적, 개념적 관련에 대해서는 이홍우, 2012: 411 이하 참조). 함의는 하나의 명제를 받아들이게 될 경우 자연스럽게 그로부터 따라 나오는 명제, 예컨대 '이 씨는 아버지이다'는 명제에 포함되어 있는 '이 씨는 남자이다'라는 명제 같은 것이다. 이런 분석이 공허해 보일지 모르겠지만, 교육에 대한 온갖 이데올로기나 슬로건으로부터 방향을 명확히 하려면 정확한 의미를 찾으려 노력해야 한다. 가령, 교육이라는 개념에는 동물의 훈련과 달리 학습자의 주체성, 자발성을 존중한다는 의미가 명백히 포함되어 있는데도 불구하고, 누군가 학습자의 주체성, 자발성을 훼손하는 주장을 교육의 이름으로 한다면 이론상으로도 실제상으로도 큰 문제를 일으킬 것이다.

(3) 평가

철학의 사변적, 분석적 기능은 단순히 논리가 그러하다는 데서 그치지 않고 그것이 바람직한지, 가치가 있는지 기준을 두고 판단하게 된다. 이를 평가적 기능이라고 한다. 가령 우리는 '그 사람은 사람도 아니야.'라는 말을 하곤 한다. 논리상으로 보면 말이 안 되지만(A is not A), 우리는 이 말이 무슨 뜻인지 안다. 앞에 쓰인 사람이라는 개념은 호모 사피엔스와 같은 생물학적 종을 가리키지만, 뒤의 사람이라는 말은, 외양이나 신체적 특징에 대한 사실적 판단이 아니라, 행실이나 마음가짐이 인간답다, 인간성을 지니고 있어야 함을 가리킨다.

교육의 개념도 마찬가지이다. 교육의 개념에 대한 사변, 분석을 통해서 의미를 분명히 할수록 우리는 교육이 교육다우려면 갖추어야 할 논리적 조건들에 대해 더 직시할 수 있게 된다. 교사가 수업을 마치고나서, 부모가 아이들을 훈계하고 나서 자신이 한 행위가 정말 교육적 의미를 갖는지 성찰하게 될 때는 물론이고 교육정책이나 교육에 관한 논의가 제대로 방향을 잡은 것인지 검토하고 판단할 때 철학은 큰 기여를 할 것이다.

(4) 통합

마지막으로 의미들 또는 언어들은 단독으로 쓰일 수 없고 서로 맞물려서 우리가 살아가는 세계를 구성한다. 그래서 철학은 곧 현상이나 과정을 조각이나 파편으로 보는 것이 아니라 전체로서 보고자 하는 방법을 말한다. 플라톤은 『국가(Politeia)』에서 철학자를 가리켜 synoptikos(시놉티코스), 즉 지식의 다양한 특수 분야들 사이의 관련을 하나의 관점에서 볼 수 있는 능력을 가지고 있는 자(Nettleship, 2010: 254)라고 한 바 있다. 교육을 잘 이해하는 사람이란 교사의 관점뿐만 아니라 학생, 학부모, 행정가의 관점에서도 수업이나 학생지도를 이해하려고 노력하는 사람이며, 학생을 이해할 때에도 심리적 측면, 사회적 측면, 행정적 측면을 모두 고려할 수 있고, 단지 다양한 관점이 있다는 것을 인지할 뿐만 아니라 그 관점들 사이의 조화와 절충, 나아가 일관성을 추구하는 사람일 것이다.

2. 오늘날 교육철학의 흐름

철학은 철학이라고 이름표를 붙이는 정보나 지식의 덩어리가 아니라 개념을 재료로 삼아 그 의미를 명확히 하고 논리적 정당성을 평가하면서 우리 생각을 최대한 일관되게 하려는 방법이자 그 방법을 쓰는 활동이다. 그럼에도 불구하고 2절에서는 20세기 이후 교육철학의 흐름을 살펴볼 것이다. 유념해야 할 것이 두 가지 있다. 첫째, 방금 말했듯이 이 철학적 사조를 단순히 알아야 할 정보로 머물게 해서는 안 된다. 진보주의에서 구성주의에 이르기까지 각 사조는 내가 기억해야 할 다른 사람의 생각이 아니라 교육에 관해서 있을 수 있는 생각, 나도 교육에 관해서 고민할 때 거쳐 갈 고려사항들을 학술적 형식에 담아서 제시한 것이라고 보면 좋을 것이다. 둘째, 20세기 교육철학이 교육이라는 현상을 놓고 벌인 철학 전부는 아니다. 20세기 이전에 교육철학이라고 부를 만한 것이 없었다고 말할 수는 없다. 플라톤의 관념론적 교육철학, 루소의 아동중심 낭만주의 교육철학, 그리고 근대의 공교육제도를 성립시킨 국가주의 이념이나 조선시대 교육이념의 근간을 이루었던 성리학과 같이 시대마다 교육의 개념에 관한 자기성찰이 있었다. 이 내용은 교육의 역사를 다룬 장에서 일부 다루었기 때문에 이 장에서는 20세기 이후 꼭 알아두어야 할 교육철학 사조들을 다루고자 한다.

1) 20세기 전반의 교육철학 사조

(1) 진보주의

존 듀이

답답한 교실에 가만히 앉아 교사가 하는 말을 열심히 받아 적기만 하는 수업 풍경을 떠올리면 이것이 과연 바람직한 교육인가 한탄할 사람이 많을 것이다. 이와 같은 전통적 교육을 비판하면서 20세기 초 진보주의(progressivism)가 등장하였다. 진보주의의 배경이 되는 철학 사조는, 퍼스(C. Peirce), 제임스(W. James)로 대표되는 프래그머티즘(pragmatism)이다. 일본을 거쳐 우리말로도 '실용주의'라고 번역하지만, pragmata(프라그마타)는 인간들의 행위로 이루어진 세계를 가리킨다. 그러므로 진보주의는 환경에 맞서 행함, 행위를 통해서 사실을 확인하고, 나아가 자신과 세계를 좀 더 나은 세계로 바꾸어 놓으려는 입장이다. 그래서 대표적인 진보주의 교육철학자인 존 듀이(J. Dewey)는 교육을 "경험의 의미를 증가시키고 이어지는 경험의 방향을 지도할 수 있는 능력을 기르는, 경험의 개조, 경험의 재구성"(Dewey, 2010: 89)으로 정의한다. 이 정의에서 알 수 있듯이 진보주의는 경험에 의한 학습을 강조하는데, 이때의 경험은 위로부터나 바깥으로부터 부과되는 것이 아니라 아동 자신이 몸소 부딪히는 활동 속에서의 경험이다. 따라서 진보주의는 교육목적에서는 삶의 준비가 아니라 삶의 체험을, 교육 내용과 방법에서는 자유로운 활동과 경험을 통한 학습을 강조한다.

진보주의 교육의 기본 원리는 다음과 같이 요약할 수 있다(Kneller, 1990).

첫째, 교육은 생활의 준비가 아니라 생활 그 자체이다. 아동은 자신의 연령에 적합하되 성인의 생활에서 겪을 가능성이 높은 학습환경에서 배워야 한다. 둘째, 학습은 아동의 흥미와 직접 관련되어야 한다. 아동은 외부로부터 강요되는 것에 저항하려는 경향이 있는 한편, 자신이 원하고 배워야 할 것을 배우고 싶어 하는 욕구도 가지고 있다. 셋째, 교육방법은 교과내용의 주입보다는 문제해결식 학습이어야 한다. 지식은 경험을 처리하기 위한 도구로서 경험과 결합할 수 있어야 한다. 넷째, 교사의 역할은 지시보다는 조언을 해 주는 일이다. 교사는 교육의 방향을 사전에 결정하는 권위의 유일한 원천이 아니다(Lawrence, 1946: 399). 교사는 '학습환경의 조성자, 안내자, 협력자'로서 중요한 존재이다. 다섯째, 학교는 경쟁보다 협력을 장려해야 한다. 인간은 본래 사회적 존재로서 그의 만족 역시 타인과의 상호관계에서 얻을 수 있기 때문이다. 마지막으로 여섯째, 민주주의만이 참다운 인간 성장에 필요한 인격적 상호작용을 허용하고 촉진한다. 듀이에 의하면 '민주주의는 정치형태 이상으로서 상호협동하는 생활방식, 함께 의사소통하는 경험의 방식'이다.

이상과 같은 기본 원리를 가진 진보주의는 20세기 교육의 개혁과 발전에 큰 기여를 하였다. 수동적이고 무기력해 보이는 이전까지의 학교교육에 활기를 불어넣었다. 그러나 진보주의는 어른들의 가르침, 특히 교사의 역할을 과소평가하고 대신 아동에게 너무 낭만적인 기대를 한다는 비판이 있었다. 3절에서 살펴보겠지만, 아동의 흥미라는 개념은 교육방법에서 학생의 주체성과 개별성을 강조하는 의의를 가지고 있지만, 그 자체만으로 교육과정을 결정하는 요인은 아니다. 또한 경험의 개념에 대해서도 전통적인 교육을 비판하려는 의도 때문에 지나치게 좁게 바라보는 문제가 있다. 교사가 학생들에게 수학문제를 풀어 주거나 만유인력의 개념을 설명해 주는 활동은 죽은 경험이 아니다. 오히려 일상생활에서는 맛볼 수 없고 학문적 이해를 통해서만 보여 줄 수 있는 고차원적 경험일 것이다.

(2) 본질주의

만약 교육에서 중요한 것이 학생의 자발적 활동일 뿐이라면 이제까지 학교에서 가르쳐 온 교과는 왜 필요하고 교사는 무슨 역할을 하는 것인가? 학교에서 아무것이나 학생들에게 가르치지 않고 그래도 장차 어느 직업에 종사하든 꼭 필요한 가치 있는 내용을 가르치려면 무엇을 가르쳐야 하겠는가? 데미아슈케비치(M. Demiashkevich)가 1938년 브리드(F. Breed), 브릭스(T. Briggs), 베이글리(W. C. Bagley), 칸델(I. Kandel)과 함께 본질주의 위원회를 결성하면서 일어난 본질주의의 핵심은 인간의 문화, 사회의 전통 중 가장 기본적이고 본질적인 요소를 조직적인 학교교육을 통해서 다음 세대에 전수하려는 것이다.

본질주의의 기본적인 원리는 다음과 같다(Kneller, 1990).

첫째, 학습은 힘든 수고, 때로는 마음 내키지 않는 노력을 포함한다. 진보주의에서와 마찬가지로 흥미를 중요하게 여기지만, 즉흥적이고 파편적인 흥미가 아니라 수준 높고 지속적인 흥미에 초점을 두고 있고, 이런 흥미는 처음부터 나타나는 것이 아니라 오히려 충동에 대한 개인적인 통제력을 갖출 때 달성되는 것으로 본다. 외국어를 자유자재로 구사하는 일은 오랜 연습과 시행착오가 필요한 일인데, 이것이 학생에게 처음부터 매력있게 다가오는 것은 아니다. 둘째, 교육에서 교사는 주도권을 가질 만큼 중요한 존재이다. 칸델은 그 이유를 이렇게 말한다. "학습자의 능력, 흥미, 목표에 기반을 두지 않고서는 학습이 성공할 수 없다는 원리에 본질주의도 진보주의만큼 관심을 두고 있다. 다만, 학습자의 흥미나 목표는 교과의 논리적 구성을 숙달하고 아동의 성장발달과정도 이해하고 있는 교사에 의해서 조율되어야 한다고 믿는다." 셋째, 교육에서 교과내용을 자기 것으로 소화하는 것이 매우 중요하다. 아이가 잠재가능성을 펼쳐야 할 세계는, 아이가 가진 욕구에 비추어 이렇게 저렇게 해석되는 세계가 아니라 존재하는 그대로의 세계이다. 이 세계는 정교한 지식을 습득할 때에 비로소 정확히 바라볼 수 있는 것이다. 즉, 정교한 지식의 체계, 역사를 통해 검증된 인류의 지혜는 아동의 개인적 경험보다 더 확실한 것이다. 넷째, 교과를 배우는 학습에 있어서도 전통적인 방식의 가치를 정당화한다. 소위 행함에 의한 학습이나 문제해결식 학습은 특정 학생에게, 또는 특정 내용에 한해서 적절할 뿐, 그것을 일반화해서는 안 된다. 가령 나무 심기를 통해서 생물에 대한 이해, 체육활동, 협동심을 기르는 도덕교육, 심지어 나무의 열매로부터 얻을 수 있는 수익을 통해 경제학을 배울 것으로 기대할 법하다. 그러나 교사가 내용을 꼭 집어서 설명해 주거나 지식을 획득하도록 돕지 않으면, 그저 나무 심는 활동만으로 정교한 지식을 습득할 수는 없다.

이와 같이 본질주의는 문화의 정수로 간주되는 학문과 교과를 통해 학생에게 미래 생활을 준비할 능력을 길러 주고자 하였다. 한편으로는 진보주의 운동이 가져왔던 아동중심 교육에 대한 저항과 반동의 분위기도 있었고, 1970년대 국가 간 경쟁이 심해지면서 기초과학에 대한 학문적 수월성을 강조하던 분위기도 맞물려 주목을 받았다. 그러나 전통적인 교육과 마찬가지로 학습자의 인격과 개성을 고려하지 못하고 있다는 한계를 가지고 있다. 또한 대체로 사회에 대한 학문적 기여를 강조하였기 때문에 자연과학에 비해서 인문학과 사회과학에 대해서 초점을 두지 않았다는 비판도 있다. 그리고 본질주의라는 말 뜻 그대로 전통에 대한 회귀를 넘어서 미래에 대한 전망을 제시하는 데 미흡했다는 한계가 있다.

(3) 항존주의

급변하는 사회 속에서 미래를 예측하는 일이 불가능할 경우, 지금까지 우리가 실시해 온 교육에 들어 있는 확고불변한 원리를 복구하는 것은 어떨까? 가령 지금은 열심히 코딩 교육을 실시하고 있지만 5년 후, 10년 후 기계가 코딩을 알아서 해 주는 기술혁명이 일어난다면 지금 우리는 다음 세대에게 무엇을 가르쳐야 할 것인가? 여기에 항존주의(perennialism)는 시대와 사회가 다르더라도 교육은 인간이라면 누구나 가지고 있는 이성적 본성을 계발하는 것이라고 대답한다.

항존주의라는 말 자체가 어렵게 들릴 수 있다. perennial이라는 말은 영원하고 불변한다는 뜻이다. 고대 그리스의 아리스토텔레스, 중세의 토마스 아퀴나스를 거쳐 현대의 토미즘(Thomism)에 이르기까지 인간의 마음과는 독립적으로 객관적이고 영원한 실재가 존재한다는 실재론적 철학을 바탕으로 하고 있다. 허친스(R. M. Hutchins), 아들러(M. J. Adler), 마리탱(J. Maritain) 등이 항존주의의 대표적인 학자들이다. 이들은 1930년대부터 진보주의와 프래그머티즘을 강하게 비판하면서 등장했다. 그 이유는 현실적응과 욕구충족을 강조하는 진보주의 교육이 현대문명의 폐해를 낳았다고 보기 때문이다. 그리하여 이들은 이상으로서 추구할 만한 영원불변하는 교육목표를 찾고자 하였다.

항존주의의 기본 원리는 다음과 같다(Kneller, 1971).

첫째, 시대나 사회가 다르더라도 인간의 본성은 동일하고 따라서 교육도 모든 사람에게 동일하여야 한다. 좀 더 구체적으로 인간은 이성적 동물이라는 점에서 시대와 사회를 막론하고 동일하다. 이어서 이성이 만들어 낸 성과인 지식도 시대와 사회를 막론하고 동일하다. 시대 또는 사회에 따라서 지식이 바뀌는 것이라면 도대체 어떻게 지식으로서 성립하겠는가? 둘째, 이성이 인간의 가장 주된 특징이므로 학생은 이성을 계발하고 이를 통해서 자신의 욕망을 통제하는 법을 배워야 한다. 아동의 욕망은 진짜 아동이 원하는 것이 아닐 수 있을 뿐만 아니라, 아동의 욕망을 충족시키는 역할을 교사가 교육이라는 이름으로 해야 하는 것도 아니다. 셋째, 그렇다면 교사의 임무는 영원불변한 진리에 대한 지식을 밝히는 것이다. 아동은 현실의 세계에 적응하는 것이 아니라 진리의 세계에 거주해야 하며, 이것이 학습의 궁극적 목적이다. 넷째, 교육은 생활의 답습이 아니라 삶의 예비이다. 이때의 삶이란 아동의 눈앞에 놓인 욕망충족의 생활이 아니라 이성의 눈으로 보고 이성적 존재로 살아가는 참다운 삶이다. 다섯째, 따라서 학생은 세계의 영원불변한 특성을 통해 이성을 계발하는 교과를 배워야 한다. 전통적인 읽기, 쓰기, 셈하기는 물론이고 언어, 역사, 수학, 자연과학, 철학, 예술 등의 교양교과들이 이에 해당한다. 직업교육이나 산업교육에서 필요한 직업적 과제는 해당 분야에 종사할 사람들에게 필요한 것이지 모든 사람이 배워할 필요가 있는 것이 아닌 반면, 이러한 교과들은 이성을 가진 사람이라면 누구나 배우지 않으면 안 될 보편적 · 항구적 필요가 있다. 여섯째, 학생들이 문학, 철학, 역사, 과학 교과를 익히기 위해서 각 분야에서 오랜 세월에 걸쳐 인류에게 전해 내려온 위대한 저작(Great Books)을 공부해야 한다. 아들러의 주장대로 "위대한 저작들은 새로운 세대를 선도하는 지식과 지혜, 문화적 전통의 보물창고"이다.

이와 같이 항존주의는 급변한 현대 사회가 자칫 쾌락주의나 물질숭배주의로 흐를 수 있다는 문제의식을 가지고 인간의 이성적 본성을 초점으로 교양교육을 수호하려 했다는 데 의의가 있다. 다만, 기본 원리에서 알 수 있듯이 지나치게 지식이나 이성 위주의 교육, 특히나 엘리트주의 또는 귀족주의 교육이라는 비판을 받았다. 엄격한 학문적 훈련이 과연 모든 인간에게 공통의 필요인지, 그것이 오히려 개인차를 도외시함으로써 올바른 교육에 역행하는 것은 아닌지 하는 의문을 제기할 수 있다. 또한 현실의 문제를 도외시하고 보수적 경향성을 띤다는 한계도 있다.

(4) 재건주의

교육이나 학교는 개인을 위한 것이기도 하지만 국가나 사회를 위해서도 매우 중요하다. 그렇다면 새로운 사회질서를 위해서 교육은 어떤 역할을 해야 할 것인가? 1960년대 진보주의가 점차 힘을 잃어 가면서 브라멜드(T. Brameld), 버크슨(K. B. Berkson) 등을 필두로 교육이 갖는 사회적 책임과 사회개혁을 위한 학교의 역할을 강조하는 주장들이 나타났다. 재건주의(reconstructionism)은 이전의 진보주의, 본질주의, 항존주의에 대한 전반적인 검토와 종합을 시도하였다. 진보주의에 대해서는 행함이나 문제해결과 같이 생각하는 방법도 중요하지만 생각하는 내용도 중요하다는 점을 강조하였고, 본질주의에 대해서는 과거의 신조와 습관에 얽매이기보다 역동적으로 문화를 재창조할 필요성을 제기하였으며, 항존주의에 대해서는 과거로 회귀하지 않는 이상적인 인간상의 실현을 호소하였다.

재건주의는 브라멜드의 주장을 따라 다음과 같이 요약할 수 있다(Brameld, 1950; Kneller, 1990).

첫째, 교육은 문화가 현대 세계의 흐름을 관통하는 사회적 · 경제적 세력과 조화를 이루는 새로운 사회질서로 창조될 수 있도록 현재의 시점에 책임을 다해야 한다. 위기의 시대를 맞아 사회는 변화되어야 하며, 이것은 단순히 정치적인 활동의 문제가 아니라 사회를 이루는 사람들에게 새로운 삶의 전망을 제시하는 교육을 통한 것이어야 한다. 둘째, 새로운 사회는 한마디로 말해서 민주적인 사회여야 하며, 그것을 실현하는 방법 역시 대중의 지지에 의한 민주적인 것이어야 한다. 시민들 마음속에 일어난 변화만큼 근본적이고 지속적인 것이 없기 때문이다. 셋째, 진보주의는 개인의 자유를 강조한 반면, 사회생활의 중요성은 과소평가한 면이 없지 않은데, 교육은 건전한 공동체 활동을 통해서 사회적 자기실현을 도모하는 것이다. 넷째, 교사는 자신의 견해도 제시하지만 학생들이 자신의 주장을 펼치도록 돕고, 그리하여 다수에 의해서 확신이 공유되도록 노력해야 한다. 다섯째, 교육의 목적이나 수단은 행동과학을 따라 이루어져야 한다. 브라멜드에 의하면 행동과학은 "감정적 · 낭만적 · 신비적 · 독단적 이유가 아니라 보편적 가치와 문화통합적 가치에 대한 지식에 기초를 두고 인간의 목적을 설정할 가능성"을 보여 준 것이다. 그리하여 교육과정, 교과목, 교수방법, 교육행정 모두 과학적이고 합리적으로 재조직될 필요가 있다.

이와 같은 재건주의는 교육의 사회적 책임을 일깨우고 당대의 교육철학 사조들을 종합하려고 노력했다는 의의가 있다. 그러나 구체적으로 미래를 어떤 가치관에 입각해서 세울지 분명하지 않았고, 오히려 행동과학에 의존함으로써 복잡하고 다양한 흐름들이 얽혀 있는 사회 변화를 지나치게 단순화하는 한계를 가지고 있다.

2) 20세기 후반의 교육철학 사조

(1) 분석적 교육철학

20세기 전반의 교육사조에서 볼 수 있듯이 이제까지 교육철학을 한다는 것은 교

피터스

육이 어떠해야 한다는 신념 체계를 드러내는 것과 같았다. 20세기 후반에 들어서는 전통철학이 주관과 신념을 마치 절대적인 것으로 주장하면서도 진리 또는 가치의 근거를 밝히지 못하고 있다고 비판하고, 자연과학에서와 같은 객관적이고 보편타당한 분석방법에 의해 사회현상을 탐구하고자 한 실증주의가 등장했다. 실증주의 철학에 의하면, 그 타당성을 경험적 관찰에 의해 확인할 수 없는 형이상학적 진술이나 규범적 진술은 무의미한 진술로서, 철학적 탐구의 대상이 아니다. 그렇다고 해서 철학적 탐구가 과학적 탐구로 다 바뀌어야 하는 것이 아니다. 철학의 탐구대상은 '총각은 미혼의 성인 남자이다'와 같이 개념에 대한 논리적 진술로 한정될 필요가 있다. 이리하여 1960년대에 영국 교육철학자들을 중심으로 분석적이며 체계적인 탐구방법을 동원하여, 개념 논리에 기반을 둔 객관적인 지식체계의 구축을 목표로 하는 분석적 교육철학이 성립하였다. 대표자로 영국의 피터스(R. S. Peters), 허스트(P. H. Hirst), 미국의 셰플러(I. Sheffler)를 꼽을 수 있다.

이들은 교육에 대한 개인적인 신념과 주관적인 주장에 치중했던 교육철학에서 벗어나기 위해 객관적이고 보편타당한 '사실'에 관한 주장, 즉 언어와 논리의 세계만을 분석의 대상으로 삼았다. 언어, 개념을 명료하게 분석하고 그 논리적 관계를 밝힘으로써 개념적 · 논리적 혼란으로 빚어진 문제를 해결하는 것이 철학의 과제라고 보았던 것이다.

그리하여 분석철학은 교수(teaching), 훈육(discipline), 권위(authority), 교화(indoctrination) 등 교육 장면에서 자주 쓰이는 언어들을 명확히 분석하여 우리의 사고를 정교하게 만드는 데 크게 기여하였다. 그리고 교육철학이 하나의 독립적이고 객관적인 학문 분야로 성립하는 데 큰 공헌을 하였다. 특정한 신념이나 이데올로기, 때로는 전통적인 철학이나 사상가의 말을 끌어다 쓰는 관행에서 벗어나 교육철학만이 할 수 있는 역할을 찾은 것이다.

그러나 분석적 교육철학은 과연 분석적 방법론에 전적으로 의존하고 있는가 하는 질문으로부터 양 갈래의 비판을 받는다. 한편으로는 전통철학이 가졌던 사변적 · 규범적 기능을 거부하고 교사나 교육자의 가치관과 무관하게 실증주의적인 의미분석에만 매달렸다고 비판한다. 우리가 사용하는 언어는 가치중립적인 사실이 아니라 어쩌면 계급이나 그 사회의 전통과 역사적 맥락이 반영되어 있을 수 있는 것이다. 그래서 또 한편으로 과연 분석적 교육철학이 가치중립적인 학문적 방법론인가 하는 의문이 제기될 수 있다. 피터스나 허스트가 그랬듯이, 그들이 이미 서구사회의 오래된 교육적 전통인 자유교육과 주지적 교과중심의 입장에 서 있다고 보는 것이다.

(2) 비판적 교육철학

1970년대 비판적 교육철학은, 한편으로는 과학처럼 경험적으로 관찰되고 실험에 의해서 통제되는 사실에만 인간의 관심을 국한하거나 언어와 의미를 논리적으로 연역하는 데에 관심을 기울인 당대의 실증주의 철학에 대해서 문제를 제기한다. 주로 프랑크푸르트 대학교의 사회 연구소를 중심으로 호르크하이머(M. Horkheimer), 아도르노(T. W. Adorno), 마르쿠제(H. Marcuse), 그리고 이어서 등장한 하버마스(J. Harbermas) 등이 이 흐름에 속한다. 이들의 철학은 헤겔과 마르크스에 기원을 두고 있는 철학으로서, 이들의 관점에서 보면 인간의 모든 인식행위에는 가치가 개입되어 있다(가치부하설). 따라서 학문의 가치중립성은 허위이다. 인간의 의식이나 지식이 사회적 · 정치적 · 경제적 제약하에서 형성되므로, 인간의 자유로운 의식 형성을 억압하고 왜곡하는 여러 가지 요인들을 분석하고 비판하는 것을 철학의 과제로 삼았다.

비판적 교육철학은 학문적 방법론이 가치중립적이라는 입장에도 회의적일 뿐만 아니라 교육이라는 활동의 가치중립성에서도 회의적이다. 프레이리(P. Freire), 애플(M. Apple), 보울즈(S. Bowles), 진티스(H. Gintis), 번스타인(B. Bernstein) 등은 학교교육에 사회경제적 불평등이 반영되어 있고, 심지어 학교교육을 통해서 더 확대되고 재생산되는 구조를 가졌다고 주장한다. 다시 말해서 사회적 · 경제적 · 정치적 제약과 억압구조 속에 이루어지는 교육은 억압적이고 왜곡된 의사소통의 과정을 통해 그릇된 신념과 지식(이데올로기)을 형성한다. 이로써 불합리한 사회구조를 재생산해 나가는 사회기구로서의 역할을 수행하고 있는 것이다. 따라서 교육의 나갈 방향은 인간해방을 위해 교육이론이나 현실이 담고 있는 왜곡된 이데올로기를 드러내고 비판하여 의식화하는 것이다.

이와 같은 비판적 교육철학은 학문의 사회적 책임과 교육이라는 실천이 가진 책임을 부각시킨다. 상아탑이나 실험실에 갇혀 현실을 잊고 사는 것이 학자나 교육자의 삶이 아니라 적극적으로 시대와 사회에 자기 몫을 다하려는 책임 위에서 교육을 이해하고 학문에 참여하는 삶이어야 한다. 이들은 이 과정에서 개인의 삶에 미치는 구조적 요인들을 고발하는 데 기여를 하였다. 개인의 삶은 각자의 노력과 능력, 때로는 운에 의해서 좌우되는 개별적인 현상이 아니라 경제적 불평등, 사회적 구조, 문화적 전통의 영향에 의해서 형성된다는 점을 비판적으로 성찰하려는 것이다. 그러나 이와 같은 비판적 교육철학은 비판을 강조한 나머지 학교와 교육의 긍정적 기능을 과소평가하고 있을지 모른다. 나아가 사회적 · 경제적 · 문화적 요소들이 우리 의식과 삶에 미치는 영향을 너무 과장한 나머지 계급이나 이데올로기와 같이 거대담론에 의존하고 있다. 사회 속의 각 개인은 지적 존재로서 계급이나 집단에 의한 영향도 받지만 때로는 그로부터 벗어나 자신이 선택하려고 노력하는 자율적 존재이기도 하다.

(3) 구성주의

구성주의(constructivism)는 오늘날 수업설계의 초점을 학생의 이해에 두면서 등장한 심리학적 배경의 철학이다. 학자에 따라서 장 피아제(Jean Piaget, 1896~1980)를 시조로 보기도 하고 특별한 영향력을 끼친 급진적 구성주의자 글라저펠트(Ernst von Glaserfeld)를 시작점으로 보기도 하고, 아니면 더 거슬러 올라가 철학자 칸트(I. Kant)의 입장을 언급하기도 한다. 이 구성주의 사조가 겨냥하는 핵심은 지식이 인간에 의해 발견되는 것이 아니라 구성된다는 점이다. 구성이라는 말에서 알 수 있듯이, 지식을 획득하는 일에서 학습자의 주체성, 능동성이 매우 강조되며, 지식의 성격에 있어서 구조, 스키마, 통일성이 중요하게 언급된다.

필립스(Phillips, 2013: 23)에 의하면 구성주의는 두 가지 과정으로 구분해서 정리할 수 있다. 우선, 개별 학습자 또는 인식자는 학습되는 자료나 수용되는 자극에 대해서 자신의 인지적 이해를 구성한다. 이것을 '개인 심리' 중심의 구성주의라고 부를 수 있으며, 둘째, 물리, 생물, 역사, 경제와 같이 활용할 수 있는 학문들 혹은 지식체계들이 구성된다. 이것들은 인간의 구성물이지만 인류의 지성사를 통해서 수많은 개인이 기여함으로써 발전된 것이다. 이를 '공적 학문' 중심의 구성주의라고 부를 수 있다.

그러나 이와 같은 두 가지 구성주의는 모두 우리의 능력이나 인지작용에 의해서 구성하는 내용이 우리 외부에 있는 것과 어떻게 대응하는지, 또는 우리가 각자 구성한 것들이 어떻게 서로 소통 가능한 보편성을 갖는지에 대한 의문이 제기될 수 있다. 학생이 구성하는 지식이 교사가 구성하는 지식과 동일한 것이라는 것을 어떻게 보증할 수 있는가, 만약 그것을 보증할 수 없다면 우리는 각자의 세계 속에서 거주할 뿐, 다른 사람의 세계와 진정한 접촉이 불가능하다는 문제점이 있는 것이다.

3. 교육에 관한 철학하기

앞의 2절에서 다룬 여러 교육사조들 속에는 교육이 무엇이고 어떤 내용을 어떻게 가르칠 것인가에 대한 일반적인 생각들이 들어 있음에도 불구하고 '내' 것이 아닌 '다른 사람들'의 철학으로 느꼈을지 모른다. 철학은 지식의 체계나 정보의 덩어리가 아니라 직접 자신의 힘으로 생각하는 일을 말한다. 이하에서는 교육의 목적, 내용, 방법 등의 문제를 놓고 같이 생각해 볼 문제들을 소개하고자 한다.

1) 교육의 목적: 외재적 목적과 내재적 목적

인간이 하는 행위에는 의도가 있고 목적이 있다. 다른 사람을 돕고자 자신이 소유한 물건을 기부하는 행위에는 사회를 좀 더 살 만한 곳으로 만들려는 대의도 있을 수 있고, 때로는 누군가에게 잘 보이려는 숨겨진 의도도 있을 수 있다. 그렇다면 교사가 수업을 하고 학생이 배움을 추구하는 교육이라는 행위의 목적은 무엇일까? 어떤 사람은 교육을 받았을 때 얻게 되는 보상이나 결과 또는 효과를 떠올릴 수 있다. 아주 어린 아이에게 '공부를 왜 하니?' 하고 물어보면 '엄마가 시켜서'라든가, '칭찬받으려고, 원하는 물건을 얻을 수 있기 때문'이라는 대답을 들을 수 있다. 자라서는 '좋은 대학에 들어가기 위해서'라든가 '안정적인 일자리를 얻기 위해서'라는 대답도 심심치 않게 듣게 된다. 이와 같이 교육의 목적을 생각할 때 철학자들은 외재적 목적(extrinsic purpose)과 내재적 목적(intrinsic purpose)을 구분한다.

우선, 외재적 목적은 그 활동의 바깥에서 교육을 수단으로 해서 달성되는 목적을 말한다. 교육의 목적이 경제 발전에 있다거나 사회를 통합시키는 데에 있다고 생각하는 경우는 대체로 교육 외의 더 중요한 목적이 있고, 교육은 그 목적을 달성하기 위한 수단, 방법, 경로가 되는 것이다. 반면, 내재적 목적은 그 활동과 개념상 그리고 논리상 분리할 수 없는 본질적 요소로서의 목적을 말한다. 교육의 목적이 심성함양(이홍우, 2016)에 있다거나 지식의 형식으로의 입문(Peters, 2008)에 있다고 말할 때처럼, 다른 활동과 구분해서 교육이 겨냥하는 그 자체의 목적을 말한다.

좀 더 쉬운 예를 들어 보자. 명절에 세배는 왜 하는가? 어린아이는 세뱃돈을 얻기 위해서라는 대답을 할 수 있다. 그러나 세뱃돈이라는 외적 보상이 주어지지 않으면 세배가 무효가 되는가? 장성한 성인은 연로한 부모님께 세배를 드리면서 오히려 세뱃돈을 드리기도 한다. 세뱃돈을 받든 그렇지 않든 세배에는 명절을 맞아 어른들께 드리는 감사와 존경의 표시가 담겨 있고 이것이 세배의 내재적 목적이 되는 것이다. 따라서 내재적 목적은 그 행위를 성립시키는 본질적 요소, 즉 개념적 준거를 말한다. 간혹 외재적 목적은 낚시를 할 때 잡은 생선을 팔아 얻는 수익 같은 것이고, 내재적 목적은 그 낚시를 할 때의 손맛과 같은 것으로 설명하는 경우가 있지만 아주 적절한 예는 아닌 셈이다. 인사에 상대방에 대한 존경이 빠지게 되면 인사가 인사답지 못하게 되듯이, 내재적 목적은 그 활동의 본질을 이루는 핵심 또는 논리적 기반을 가리킨다.

그렇다면 교육을 교육이게끔 하는 내재적 목적은 무엇인가? 거꾸로, 교육이라고 보이는 현상에서 그 목적을 상실하면 교육이 교육답지 않게 되는 것은 무엇인가? 이렇게 보면 내재적 목적은 다른 것이 아니라 결국 교육의 개념이 무엇인가 하는 질문과 연결될 수밖에 없다. 피터스(2008)가 교육의 개념적 기준에서 밝혔듯이 교육은 마땅히 가치 있는 것을 전수받았다는 규범적 기준, 사물을 전체적으로 조직하는 원리에 관하여 이해를 획득했다는 인지적 기준, 그리고 이 과정이 교육받은 사람의 의식과 자발성을 도외시해서는 안 된다는 과정적 기준을 충족해야 한다. 만약 이 기준 중 하나라도 충족하지 못할 경우, 가령 교육이라고 말하면서 하등 좋은 방향으로 달라진 것이 없다는 말을 쓴다면, 교육을 받았는데도 단편적인 정보의 꾸러미를 획득했다거나 그 기술이 내 삶에서 어떤 의미를 가지는지 통합적 안목을 가지는 데 실패했다면, 그리고 아무리 가치 있고 지적으로 탁월한 내용을 획득했더라도 체벌과 같은 강제적 수단이나 세뇌와 같은 무의식적 수단을 쓴다면, 그것은 교육이라고 말할 수 없다. 교육은 이런 개념적 기준을 충족하는 가운데, 인간으로 누릴 수 있는 가치 있는 것을, 그 사람의 안목으로 자율적이고 자발적인 과정 안에서 형성하는 데 그 목적이 있다.

모든 내재적 목적이 다 그렇겠지만, 교육에서 내재적 목적이 중요한 이유는 인간이 성장하고 발달하는 목적을 다른 데 둘 경우 자칫 비인간화, 수단화가 발생하여 교육의 의미를 훼손할 수 있기 때문이다. 교육의 목적이 오로지 경제 발전에 있다고 한다면 시민으로서 누려야 할 기초소양의 습득이나 자발적인 학습 과정과 같이 교육의 내적 논리를 암암리에 훼손할지도 모른다. 의학이 발전할 이유가 약병제조업의 부흥에 있는 것이 아니듯이, 교육을 통해서 얻는 부수적 효과와 교육을 통해서만 얻을 수 있는 본질적 가치는 구분해야 한다. 물론 외재적 목적이 아닌 내재적 목적만을 고려해도 되는가? 반드시 그렇지는 않다. 한 개인을 두고 보면, 외재적 목적은 동기나 심리적 요인으로 작용하기도 하고, 제도적 활동을 두고 보면, 교육이 아닌 다른 분야의 요구나 기대를 나타내기도 한다. 그러나 활동의 안쪽에 들어와 있는 사람, 즉 교사나 학생, 또는 교육정책을 세우고 집행하는 사람은 적어도 자신의 행위를 받아들일 때 내재적 목적에 관심을 기울여야 한다. 교사가 돈을 벌기 위한 수단으로만 자신의 수업을 바라본다면 그것은 바람직하지 않을뿐더러 참으로 안타까운 일일 것이다.

2) 교육의 내용: 이론과 실제

학교를 다닌 사람이라면 누구라도 '도대체 어디에도 쓰이지 않을 것 같은 이런 지식 위주의 교육을 오랫동안 받아야 하는가?' 하는 질문을 떠올렸을 것이다. 배워서 바로 써먹을 수 있는 지식이 많을 텐데도 학교의 교과들은 왜 이렇게 하나같이 복잡한 사고를 요구하고 집중을 요구하는 소위 '주지교과'뿐인가? 심지어 체육이나 음악, 미술을 배울 때에조차 이론을 배워야 할 때면 이런 의문은 더 강하게 마음을 사로잡을 것이다. 그리하여 교육의 주된 내용, 특히 학교 교과를 선정하고 구성하는 데에 개인과 사회의 실제적 이익이나 효율성을 중요시하려는 생각을 하게 될지 모른다. 그리고 이렇게 학교의 교과들이 현실의 필요에 바로 연결된다면 학교생활도 훨씬 흥미로울지 모른다. 이때 우리는 교육의 내용이 어떤 성격을 갖는가 하는 철학적 질문을 갖게 된다.

지식교육에 대한 비판은 시대와 사회를 막론하고 제기되었다. 아우구스티누스는 자신이 받은 학교생활을 회상하면서 "도대체 어디에 쓰이는지 알 수 없는 것을 공부하면서 조금이라도 게으름을 피면 사정없이 매를 맞았던 기억"을 먼저 떠올리고 있고, 달랑베르(d'Alembert)는 『백과전서』의 「학교」 편에서 청년들이 "죽은 언어로 된 불완전한 지식과 마땅히 잊어야 할 수사학의 가르침, 철학의 원리들만을 손에 쥐고 떠난다. 심지어 도덕적으로 타락하고 건강이 훼손되며 경건하지 못한 태도를 갖게 된다."라고 한탄한다.

그럼에도 불구하고 학교에서 오랜 세월 주지교과를 가르쳐 왔다고 한다면 우리는 생각을 거꾸로 해 볼 필요가 있을 것이다. 도대체 이 교과들은 어떤 가치를 지니고 있기에 오랜 세월 동안 학교에서 가르쳐진 것인가? 잘 알려진 대로, 피터스의 '선험적 정당화(a priori justification)'는 주지교과에 대한 이런 비판에 대해서 이론적 활동을 정당화하는 논리적인 방식이다(Peters, 2008). 쉽게 말해서 '자유교과, 즉 이론적 활동이 가치가 있는가?' 하는 질문은 이미 교과를 배운 사람만이 할 수 있는 질문이고, 그 자체가 이미 교과의 가치, 지식의 가치를 포함하고 있는 질문이라는 것이다. 따라서 이 질문을 심각하게 받아들이는 사람은 결코 이 질문에 '아니요'라고 답할 수 없다는 것이다.

선험적 정당화가 다소 어렵다면, 보는 지식의 가치를 이야기하는 이홍우 교수의 논의가 좋은 참조가 될 것이다. 이홍우 교수(2016)는 우리가 흔히 이론과 실제라고 부르는 것의 그리스어 어원을 살려서 교육내용을 '보는 지식'과 '하는 지식'으로 구분한다. '하는 지식'은 퓨즈를 갈아 끼우는 것과 같이 문제사태를 해결하는 데 동원되는 지식인 반면, '보는 지식'은 빛은 직진한다는 것을 아는 것과 같이 현상을 볼 수 있는 지식을 말한다. 그렇다면 왜 학교에서는 바로 그 지식의 가치를 알 수 있는 '하는 지식' 위주로 가르치지 않고 '보는 지식'을 가르치는가? 간단히 말해서 '하는 지식', 실제적 지식이 가진 가치는 당사자가 배우지 않아도 그 기술이나 지식을 가진 다른 사람의 도움으로 문제가 해소될 수 있는 반면, '보는 지식', 이론적 지식은 자신의 마음의 눈, 개념의 눈으로 직접 보지 않으면 문제사태인 줄도 모르기 때문이다. 가령 지동설을 배우지 않았다면 우리는 늘 해가 동쪽에서 떴다가 서쪽으로 지는 눈에 보이는 그대로의 경험에 얽매였을 것이다. 물이 수소분자 두 개와 산소분자 한 개의 화학적 구조로 이루어졌다는 사실은 물을 섭취하고 화원에 물을 주고 빨래를 하기 위한 실제적 문제해결과 거리가 있지만, 그것을 알아야 비로소 우리는 세상의 물질을 구성하는 눈에 보이지 않는 세계를 알게 될 것이다. 금속에 녹이 슬고 장작이 타고 연기에 질식하는 것이 각각 별개의 현상이 아니라, 과학을 배워 산소와 관련된 현상임을 알게 되는 것이 바로 '보는 지식'이 우리에게 제공하는 가치이다.

3) 교육의 방법: 아동중심 교육

주지교과로 이루어진 학교의 교육내용에 대한 비판은 그것을 가르치는 방법에 대한 비판과 함께 등장한다. 왜 우리는 게임이나 놀이를 통하지 않고 교재에 대한 교사의 설명과 이해, 문제풀이를 통해서 지식을 얻어야 하는가? 체험학습이나 현장학습과 같이 통합적 활동이나 놀이 활동이 학생들의 심리적 욕구에 부합하는데도 그 방법을 모든 교과에 확대할 수 없는 이유는 무엇인가? 이것은 아동중심 성장 모형의 오랜 의문이기도 하다. 이 입장에서는 전통적인 교육방법을 '주입식'이라고 비판하면서 교육은 잠재가능성을 가진 식물의 성장을 돕는 일이라고 제안한다.

사실, 교육을 식물의 성장에 비유하는 것은 매우 오래된 것이다.

> 우리가 규정한 철학자의 성향이 적절한 가르침을 받게 될 경우에, 그것은 제대로 자라서 온갖 '훌륭함'에 이를 것이 필연적이지만, 만약에 적절하지 못한 토양에 그 씨앗이 뿌려지고 심겨져 양육될 경우에는…… 모든 면에서 앞서와는 정반대의 상태에 이를 걸세."(Plato, 「국가」, 492a)

아동의 발견자라고 불리는 루소 이후 본격적으로 쏟아져 나오기 시작한 아동중심 교육사상과 성장 모형 이론은 교육을 획기적으로 전환시켰다. 첫째, 교육에서 아동의 인권에 대한 자각을 가져왔고, 이것은 정말 르네상스 이후에 중요한 사상적 과업이 되었다. 그리하여 그 자각은 둘째, 아동에 대한 교육학적 관심을 촉발했고, 셋째, 아동의 개별적 특성에 맞춘 교수방법의 다양화, 과학화를 가져왔다. 아마도 지금 우리는 그 혜택을 여실하게 누리고 있다고 해야 할 것이다.

그러나 여기에는 몇 가지 주의 깊게 살펴볼 문제들이 있다. 예를 들어, 많은 아동중심 교육사상가가 아동의 흥미를 중시 여기지만, 영어 interest는 흥미로도 번역되고 이익으로도 번역될 수 있다. 만약 흥미와 이익이 서로 상충할 경우에 교사가 중시 여겨야 할 interest는 무엇인가? 아동이 만약 흉기를 만지작거리고 있을 때조차 그 흥미를 존중해 주어야 한다고 말하는 교사는 없을 것이다. 이때 교사가 아동의 이익을 위해서 아동의 흥미를 꺾는다면, 이 교사는 아동의 interest를 존중하는 것인가, 아닌가? 다소 극단적인 예이기는 했지만 분명 교사는 아동의 이익을 고려해서 심리적 흥미를 변별하고 나아가 규제할 필요가 있다.

또한 설사 교육의 장면에서 아동의 흥미를 존중해 주어야 한다손 치더라도 우리가 이제까지 배우고 다듬어 온 교육내용의 대부분은 아동이 '먼저' 흥미를 가질 수 있는 것이 아니라 배워야만 흥미를 가질 수 있는 것이다. 교육은 그래서 어려운 작업이다. 배우기 이전에 그 배우는 교과에 대해서 흥미를 가질 수 있고 가치를 알 수 있으면 좋으련만 배우고 나서 음미하는 과정이 있어야만 비로소 가치와 흥미가 부산물로 얻어지는 그런 활동이다. 성장 모형에서는 아동의 흥미를 중심으로 교육내용을 선택하고 조직하고 실행해야 한다는 주장을 편다. 이 주장 속에는 흥미가 교육내용에 앞서 결정될 수 있다는 가정이 포함되어 있다. 그러나 이것은 잘못된 생각이다. 흥미는 교육내용을 배우고 난 후에 갖는 것이지, 결코 교육내용을 배우기 이전에는 가질 수조차 없는 것이다. 적어도 아이가 무슨 교과이든 경험의 분야이든 흥미를 가지려면 어느 정도의 선수학습과 이해가 필수적이다. 그럼에도 불구하고 흥미 존중의 아이디어는 흥미와 내용의 선후관계를 전도하고 있다.

여기서 한 걸음 더 양보해서, 흥미를 존중한다는 주장이 어느 정도 학습이 이루어진 아동의 상태를 가정하는 것이라고 해 보자. 그렇게 하더라도 여전히 교육에 대한 올바른 주장은 아니다. 예컨대, 고등학교 2, 3학년에 미적분을 배워야 한다고 하자. 미적분을 배우기 위해서는 그전에 2차방정식을 배워야 하고, 다시 그 이전에 사칙연산을 배워야 하고, 다시 그 이전에 수의 개념을 배워야 한다. 이 계열성은 아동의 흥미를 좇아가는 심리적 계열인가? 아니면 교과내용의 논리적 계열인가? 답은 명확하다. 논리적 계열이다. 아무리 신적인 교사라고 하더라도, 수의 개념에 대한 흥미를 기다려서 수의 개념을 가르치고, 그다음에 사칙연산에 대한 흥미가 생기기를 기다렸다가 사칙연산을 가르칠 수 없다. 예를 들어, 이 책을 읽고 하늘이 도와서 교육학에 대한 흥미가 생겼다고 하자. 그래서 집에서 교재를 펼쳤는데 옆에서 재밌는 드라마가 시작되었다면 그 흥미는 어떻게 되겠는가? 당장 TV쪽으로 옮겨 갈 것이다.

어른들조차도 자신의 흥미를 유지하고 통제하기가 쉽지 않은데, 아이들의 흥미를 필수조건으로 삼아서 교과라는 논리적 계열을 쫓아가겠다는 것은, 이론적으로도, 사실적으로도 난센스에 가깝다.

Curriculum이라는 말은 원래 말이 달려가야 할 길에서 나온 단어이다. 즉, 교육과정(敎育課程)이라는 말은, 흥미를 개념적 조건으로 포함하는 것이 아니라, 배워야 할 것, 학습해야 할 과제를 포함하는 말이다. 물론 이렇게 말한다고 해서 재미없는 수업이 더 좋은 수업이라고 말하는 것은 아니다. 학생의 흥미를 존중하는 것은 교과의 깊이 있는 이해를 위한 첫 발걸음으로 매우 유용하다. 그러나 그것이 교육내용을 선정하고 교육방법을 결정하는 교육의 준거는 아니라는 뜻이다.

4) 교육의 운영: 교육의 공공성

최근 대학입시제도 개선과 함께 으레 벌어지는 논쟁은 사교육의 폐해이다. 교육사회학을 다룬 다른 장에서 언급이 되겠지만, 공교육과 사교육은 단지 남들보다 더 좋은 성적을 얻어서 더 좋은 대학에 가고 좋은 직장을 얻기 위해 과외나 학원교육을 받아야 하는가의 문제만은 아니다. 여기에는 모든 국민이 교육의 기회에 평등하게 접근하도록 국가가 주도해서 공교육체제를 구축해 온 역사와 관련이 있다. 서구 사회의 경우, 가내교육과 작업장에서의 도제식 교육 그리고 교회나 수도원을 통한 일부 형식교육이 있었지만, 오늘날처럼 모든 사람을 위한 학교를 세워야 한다는 생각은 16세기 들어서부터 퍼졌다. 종교개혁과 함께 성경 읽기와 문자 습득을 중심으로 했던 종교적 목적의 대중적인 형식교육에 산업혁명을 통한 인력 양성의 필요성, 근대식 민족국가가 세워지면서 군인과 교육받은 국민의 필요성이 더해졌다. 그리하여 "모든 국민에 대한 평등한 교육기회의 제공을 원칙으로 국가에 의해서 관리 · 지원되는 교육체제"(이윤미, 2003: 15)를 구축하는 교육의 공공성 개념이 등장한 것이다. 우리나라 공교육의 경우는, 비록 19세기 말 갑오개혁 이후에서야 보통교육체제를 위한 법제 개편이 이루어졌음에도 불구하고, 매우 이례적인 높은 취학률과 학업성취를 보이며 빠른 속도로 자리를 잡았다. 온 국민에게 제공되는 학교교육을 통해 길러진 능력이나 기술이 높은 개인적 · 사회적 수익을 얻는 데 도움이 되었기 때문이다(김명환, 2015).

그러므로 교육철학은 교육을 운영하는 방식에 대해서도 관심을 가질 필요가 있다. 공교육은 무엇이고 사교육은 무엇인지, 왜 국가는 세금을 많이 들여서라도 평등한 기회를 제공해야 하는지, 왜 사교육이 심해져서 공교육의 기능을 마비시켜서는 안 되는지, 그럼에도 불구하고 사교육을 무조건 금지할 수 없다면 교육의 민간 영역은 어떤 역할을 해야 하는지 토론하고 주장을 정리해야 한다.

교육에서 공공성에 대한 논의와 연구가 활발해지게 된 것은, 1990년대 후반과 2000년대 초반 신자유주의를 반영한 교육정책이 근대 이후 이어져 온 공교육의 가치와 운영방식과 충돌하면서부터라고 볼 수 있다(이종태, 2006: 4). IMF 관리와 세계적인 경제 흐름을 따라서 교육에서도 국가 개입보다 시장경제의 원리를 기본으로 행위주체들의 자율과 경쟁을 강조하는 신자유주의 원리가 도입되었다. 이로 인하여 가뜩이나 역사도 짧고 이념적 기반도 취약한 우리 교육의 공공성을 약화시킬지 모른다는 우려에 부딪혔다. 교육에 시장 원리를 도입하는 것이 공공성을 상실할까 우려하고 그에 맞서 국가가 더 적극적으로 개입하여 불평등을 해소하려는 노력이 있어야 한다는 주장이 있는가 하면, 이러한 접근이 공공성의 개념을 편협하게 보거나 심지어 국가의 개입을 무조건적으로 정당화하는 오류를 범한다는 비판도 있다. 후자의 입장에서는 교육에서의 불평등이 비단 신자유주의만의 문제도 아니고, 오히려 그에 대응하는 공교육강화론도 자칫 정치적으로 편향된 정부와 국가의 과중한 개입을 불러올 수 있다고 보는 것이다.

근대 공교육제도는 불과 500년 정도밖에 되지 않는 새로운 제도이고, 따라서 학교의 존재 의의와 국가의 역할에 대해서 다양한 의견이 있을 수 있다. 교육철학은 이런 의견들을 비판적으로 검토하고 교육을 위해서 최선의 의사결정이 무엇인지, 한 걸음 더 나아가 국가가 관심을 기울여야 할 교육의 본질은 무엇인지 명확히 할 필요가 있다.

5) 교육철학의 성격: 실천철학

지금까지 교육에 관한 철학적 문제를 살펴보았다. 이 밖에도 철학적으로 고찰할 수 있는 다양한 교육문제가 있겠지만 교육철학이 무엇인가 하는 궁극적인 질문을 떠올려 볼 수 있다. 이것은 철학의 중요한 특징이기도 하다. 과학자가 과학적 탐구방법을 써서 과학이란 무엇인가를 탐구하는 것은 어색하지만, 철학은 일차적으로 반성적 활동이기 때문에 철학이 도대체 무엇인가를 물을 수 있는 것이다. 이 장에서 소개한 20세기 흐름을 보아 알 수 있듯이, 교육현상이나 문제에 관한 신념들을 논리적으로 뒷받침하려는 활동을 교육철학이라고 볼 수도 있고, 분석적 교육철학이나 비판적 교육철학에서처럼 우리가 교육에 대해서 가지고 있는 관념이나 교육이라는 이름으로 하는 실천들 이면에 들어 있는 사고체계를 분석하거나 비판적으로 고찰하는 것을 교육철학이라고 할 수 있다. 2000년대에 들어와서 영국의 카(W. Carr)나 던(J. Dunne)을 중심으로 '실천철학(practical philosophy)'으로서 교육철학의 성격을 강조하려는 연구동향이 있다. 이 동향은 인간이 종사하는 일을 신이 세상을 조망하듯이 관조하는 이론적 활동(테오리아, theōriā)과 사람들이 서로 상호작용하면서 벌이는 실천적 활동(프락시스, praxis), 그리고 인간이 대상세계의 재료들을 가지고 제작하고 생산하는 활동(포이에시스, poiesis)으로 구분한 아리스토텔레스의 철학으로부터 시사점을 얻고 있다. 교육은 명백히 교사-학생 또는 기성세대-후속세대가 특정한 맥락과 상황에서 벌이는 행위들 간의 관계이므로 교육철학 역시 "맥락에 토대를 둔 실천적 이성을 개발하고 개선하는 일을 추구하는 철학"(Carr, 2004: 61)이어야 한다는 것이다.

그러나 '교육철학이 실천철학'이라고 말할 때에는 여러 가지 의미가 중첩되어 있다.

- 교육철학은 실천에 관한 철학(educational philosophy about praxis)이다.
- 교육철학은 실천을 위한 철학(educational philosophy for praxis)이다.
- 교육철학은 또 하나의 실천(educational philosophy as a praxis)이다.

그러나 어느 쪽 입장이든 수업이 교사-학생의 상호작용에 의해서 벌어지는 실천적 활동이라고 해서, 교사와 학생이 공동으로 목표로 하고 있는 학생의 '이해', 즉 '교육과정'도 실천적 지식이라고 말하면 범주상 혼동이 벌어질 수도 있다. 물론 교육을 철학적으로 탐구할 때는 반드시 교사-학생 사이의 교류에 관심을 가져야 한다. 실천철학으로서의 교육철학은 이 점을 강조하는 것이다. 그러나 실천을 대상으로 철학적 탐구를 벌인다고 해서 철학이 그 대상과 동일한 수준에서 실천이 되는 것이 아니다. 쉽게 설명하자면 웃음에 관한 이론이 우스갯소리가 되는 것은 아니다.

그렇다면 '교육철학이 실천을 다루고 있다고 해서 여전히 철학은 이론인가? 실천인가?'라는 질문을 생각해 볼 수 있고, 이에 대해서는 아직까지도 치열하게 논쟁을 벌이고 있다.

4. 교육철학을 더 공부하고 싶다면

지금까지 1절에서 교육철학이 무엇인지, 2절에서 오늘날 교육철학의 흐름에는 무엇이 있는지를 살펴보았고, 3절에서 철학적으로 생각해 볼 수 있는 교육의 문제들을 검토했다. 피닉스(Phenix, 1958: 18-19)는 교육철학을 통해서 얻는 유익을 다음과 같이 열거하고 있다. 첫째, 교육에 대한 보다 나은 이해를 가져온다. 교육이라는 활동의 혜택을 보지 않은 사람도 없고 교육에서 벗어나 있는 사람도 없는 만큼 교육을 더 잘 이해하는 일은 정말 중요하다. 둘째, 교육을 전체적으로 보는 안목을 가져다준다. 교육철학은 가능한 한 전체를 아우를 만큼 관련된 개념들의 논리적 관련을 보려고 하는 통합적 기능을 가지고 있기 때문이다. 셋째, 교육에 대한 주장이나 신념에 들어 있는 비일관성과 불일치를 해소할 수 있다. '어제까지 교육대학이나 사범대학에 다닐 때에는 학생의 흥미가 중요하다고 주장하다가 교단에 서자마자 교사의 권위를 강조하는 나의 생각은 과연 납득할 만한 것인가?' '공교육 정상화를 외치면서 일제고사를 통해서 시험 위주의 정책을 펼치는 정부의 기조는 어떻게 받아들여야 하는가?' 등. 교육철학은 교육에 대한 다양한 입장과 생각들에서 일관성을 얻으려고 노력하는 태도를 갖게 할 것이다. 넷째, 교육의 발전에 대한 새로운 전망을 얻을 수 있을 것이다. 교육과 교육 아닌 것을 구분하고, 교육의 본질에 더 집중할수록, 내가 할 수 있는 일, 해야 하는 일이 눈에 들어올 것이다. 가령 암기가 아무리 효과적이라 하더라도, 배움의 본질이 소크라테스의 말처럼 기억이 아니라 회상에 있다면 교사는 어떤 노력을 해야 하는가? 다섯째, 피닉스는 교육철학이 주는 유익으로 질문을 얻는 것을 꼽는다. 소크라테스의 회상설에 비추어 교사의 역할을 고민했듯이, 교육의 개념을 명확히 할수록 우리는 그 본질에 다가서려고 질문하는 태도를 갖지 않을 수 없다. 교육철학은 우리가 당연시 여기던 관행을 깨고, '왜' '도대체 무슨 근거로' '어떤 가정 때문에'와 같은 질문을 준다.

아닌 게 아니라 철학은 개념을 명확히 이해하는 것이라고 했음에도 불구하고 독자들은 이 장을 공부하고 난 후 더 많은 질문이 생겼을 것이다. 당연하다. 영국의 철학자 마이클 오크쇼트(Michael Oakeshott)가 한 말처럼 "이해는 더 많은 아직 이해되지 않은 것을 남기는 일이다."(1975) 가뜩이나 머리가 아픈데 질문을 더 얹어서 무엇하나 하며 귀찮아하지 않기를 바란다. 질문, 비판적 사고, 검사하는 삶을 멈추면 선입견, 관행, 유행이라는 파도가 나를 뒤흔든다.

읽을 만한 참고문헌을 소개하며 이 장을 마치고자 한다. 교육철학이 개념을 소재로 사고하는 방법이므로, 교육의 개념을 명확히 하기 위해서 이홍우 교수의 『교육의 개념』(2011)이 도움이 될 것이다. 정범모, 뒤르켐(Durkheim), 피터스가 제시한 교육의 개념을 소개하고 그 안에 들어 있는 교육학적 상식들을 파헤치고 있다. 이 장에서도 교육철학의 여러 사조를 간략하게 다루었지만, 정훈 교수의 『알기 쉬운 교육철학 이야기』(2020)는 이 사조들을 대조해 보고 풍부하게 이해하는 데에 도움이 될 것이다. 그리고 좀 더 자신이 붙은 학생이라면 교육학의 고전이라고 할 수 있는 플라톤의 『국가』, 루소의 『에밀』, 존 듀이의 『민주주의와 교육』, 피터스의 『윤리학과 교육』을 읽으면서 생각하는 힘을 단련할 수 있을 것이다.

학습과제

1. 자신은 교육을 무엇이라고 보고 있는가? 교사는 어떻게 가르쳐야 하고, 학교에서는 어떤 내용을 배울 수 있어야 하며 학생은 어떤 목적으로 공부를 해야 하는지 등, 교육에 관한 자신의 신념을 정리해 보고, 이를 철학의 기능과 방법을 사용하여 되돌아보자.

2. 이 책에는 고대로부터 현대에 이르기까지 다양한 교육사상, 교육사조가 소개되어 있다. 그 중 하나(또는 둘)를 택하여 그들의 주장을 정리해 보고, 자신의 입장에서 어떤 의의와 한계가 있는지 검토해 보자.

3. 오늘날 교육과 관련된 다양한 현상이나 문제(사교육 의존, 입시위주 교육, 인공지능과 교육, 교육에서의 세계화, 학교의 존재 의의 등) 중 하나를 택해서 어떤 주장과 논쟁이 있는지 소개하고, 자신의 견해를 밝히는 보고서를 작성해 보자.

참고문헌

김명환(2015). 갈림길에 선 한국 고등교육- 정부의 대학 구조조정 정책 비판과 대안의 모색. **경제와 사회, 106**, 115-141.

신차균, 안경식, 유재봉(2013). **교육철학 및 교육사의 이해(2판)**. 서울: 학지사.

양은주 편역(2007). **교사를 일깨우는 사유**. 서울: 문음사.

이윤미(2003). '공공성' 문제를 다시 생각하며. **교육비평, 14**, 65-72.

이종태(2006). 교육의 공공성 개념의 재검토: 공공성 논쟁의 분석과 개념의 명료화를 위한 논의. **한국교육, 33**(3), 3-29.

이홍우(2011). **교육의 개념**. 서울: 문음사.

이홍우(2016). **교육의 목적과 난점(제6판)**. 경기: 교육과학사.

정훈(2020). **알기 쉬운 교육철학 이야기**. 서울: 학지사.

한기철, 서용석, 방진하, 박철홍, 박주병, 권영민, 조상식, 박은주, 곽덕주(2020). **교육의 본질을 찾아서**. 경기: 교육과학사.

Bailey, R., Barrow. R., Carr. D., & MaCarthy. C. (Eds). (2013). **교육철학 1: 이론과 역사**(*The SAGE handbook of philosophy of education.*) 이지헌 역. 서울: 학지사. (원저는 2010년에 출판).

Carr, W. (2004). Philosophy of education. *Journal of Philosophy of Education, Vol. 38*(1), 55-73.

Dewey. J. (2010). **민주주의와 교육**(*Democracy and education: An introduction to the philosophy of education*). 이홍우 역. 경기: 교육과학사. (원저는 1916년에 출판).

Kneller, G. F. (1990). **교육철학이란 무엇인가**(*Introduction to the philosophy of education*). 정희숙 역. 서울: 서광사. (원저는 1971년에 출판).

Lawrence, G. T. (1946). The meaning of progress to progressive education. *Educational Administration and Supervision, 32*(7).

Nettleship. R. L. (2010). **플라톤의 국가론 강의**(*Lectures on the republic of plato*). 김안중, 홍윤경 공역. 경기: 교육과학사. (원저는 1925년에 출판).

Oakeshott, M. (1975). *On Human Conduct*. Oxford: Clarendon Press.

Peters, R. S. (2008). **윤리학과 교육**(*Ethics and education*). 이홍우, 조영태 공역. 경기: 교육과학사. (원서는 1966년에 출판).)

Phenix, P. H. (1958). *Philosophy of Education*. New York: Holt, Rinehart and Winston.

Rousseau, J-J. (2007). **에밀**(*Emile or on Education*). 이용철, 문경자 공역. 경기: 한길사. (원

저는 1972년에 출판).

Schofield, H. (1977). *The philosophy of education: An introduction*. London: George Allen & Unwin.

제4장

교육의 심리학적 기초

도승이(성균관대학교 교육학과)

1. 교육심리학의 이해
2. 발달 관점에서의 학습자
3. 동기와 정서, 학습
4. 학습자 다양성

학습 개요

이 장에서는 교육심리학에서 바라보는 학습의 개념을 시작으로 다양한 학습이론을 역사적으로 살펴본다. 그것은 행동주의, 사회인지이론, 정보처리, 구성주의 순이다. 다음으로, 발달적 관점에서 학습자를 어떻게 바라볼 것인가에 대한 대답으로 학습자의 인지발달, 사회성 발달, 그리고 최근 관심을 받고 있는 사회정서학습에 대해 알아본다. 학습자의 인지발달은 피아제의 인지발달, 비고츠키의 사회문화적 발달이론을 중심으로, 사회성 발달은 에릭슨의 심리사회적 발달을 살펴보며, 사회정서학습과 인성교육 간의 연관성에 대해서도 다룬다. 그 다음으로, 어떻게 하면 학습자가 더 공부하려고 할지 또는 공부를 좋아할지를 알고자 학습자의 동기와 정서에 대해 알아본다. 학습동기에 대한 인본주의적 관점과 인지주의적 관점에서 자기결정이론, 목표지향성이론, 귀인이론을 다루었고, 학습자 정서는 흥미와 불안 등을 다루었다. 마지막으로, 학습자 다양성에서는 지능이론과 영재, 창의성, 특수아에 대해 살펴본다.

1. 교육심리학의 이해

1) 학습의 개념

교육심리학(Educational Psychology)은 학습, 학습자, 가르침(교수)에 대한 연구를 수행하는 사회과학 영역이다. 학습은 교육심리에서 가장 중요한 핵심이며, 학습은 '경험으로 인한 수행이나 수행 잠재력의 지속적 변화'로 정의된다(Driscoll, 2007). 이것은 학습자가 이전에는 할 수 없었던 수행을 학습 후에는 수행할 수 있다는 것을 의미한다. 수행 또는 수행 잠재력에는 행동뿐 아니라 생각(사고)이나 정서도 포함된다. 학습은 경험을 통해 일어나고 의도적인 연습을 통해서도 일어난다. 다만, 자연스러운 성숙으로 인한 행동의 변화는 학습에 포함되지 않는다. 예를 들어, 16세의 아이가 7세의 동생이 들지 못하는 무거운 짐을 들었을 때, 이것은 학습이 아니라 신체적 성숙으로 인한 결과이다.

학습은 평생에 걸쳐 일어난다. 학습의 범위는 단순한 사실을 기억하는 것부터 복잡한 절차와 많은 개념 습득이 필요한 전문적 기술에 이르기까지 다양하다. 학습을 설명하기 위해 심리이론적 접근이 발달되어 왔는데, 학습이론은 그 학습이 일어날 수 있는 조건을 예언하고 학습과 연관된 결과를 설명할 수 있다.

가르침(교수, instruction)은 교사가 학습이론의 지식을 적용하여 학생의 학습을 촉진하는 조건을 제공하는 과정이다. 교사는 다양한 학습이론을 이해하고 현장에 적용하면서 학생의 학습을 증진하기 위해 자신이 무엇을 할 수 있는지 알게 된다. 교사는 학습이론과 학습연구 결과들을 이해하면서 언제 학습이 일어났는지, 학습자에 따라 학습이 어떻게 다르게 일어날지, 이런 학생들을 어떻게 가르쳐야 할지에 대한 지식을 갖추어야 한다. 교사는 특정 교과 내용을 효과적으로 가르치는 교수법에 대한 지식뿐 아니라 학생의 동기와 사회정서역량을 증진하는 교수법에 대한 지식도 가지고 있어야 한다.

2) 학습이론과 수업

특정한 학습과 관련된 특정한 경험을 하게 되면 학습자에게 특정 학습이 일어난다. 학습이론은 특정 학습의 결과와 연관된 조건과 과정을 체계적으로 설명한다. 교사는 학습이론에 대한 지식으로 어떤 경험이 특정 학습에 필수적이고 이 경험이 어떻게 학습을 일으키는지 알 수 있는데, 이에 근거하여 수업에서 학생들에게 어떤 경험을 하도록 할지 계획하고 적절한 교수법을 결정할 수 있다.

학습이론은 역사적으로 행동주의, 사회인지학습, 정보처리, 구성주의 순으로 발전하였고, 각 학습이론은 인간 학습의 다양한 측면으로 접근한다. 따라서 각 학습이론에서 바라보는 학습의 조작적 정의를 익히고 그 학습이론에서 제안한 학습 원리를 이해할 필요가 있다.

(1) 행동주의이론

행동주의에서 학습은 경험의 결과로 발생한 '관찰 가능한 지속적인 행동 변화'로 정의된다. 행동주의에서는 생각이나 통찰 등 학습자의 머릿속에서 일어나는 변화는 고려하지 않고, 오로지 행동상의 변화를 학습으로 바라본다. 행동주의에서는 어떤 자극과 그에 대한 반응이 충분히 자주, 함께 발생하면 연합이 일어나고 이전에는 보이지 않던 행동의 변화가 일어난다. 행동주의에는 고전적 조건화와 조작적 조건화의 두 가지 학습 과정이 제안되었다.

고전적 조건화는 러시아 학자 파블로프(Ivan Pavlov)에 의해 처음으로 설명되었다(1927). 파블로프는 개의 침 분비량을 측정하고자 고기분말을 주는 실험을 진행하고 있었다. 고기분말을 주던 조수가 고기 분말을 들지 않고, 모습을 보이기만 해도 개가 침을 흘리는 모습에 주목하고, 파블로프는 종소리를 울린 후에 고기분말을 개에게 주는 실험을 반복했다. 마침내 개가 종소리만 들어도 침을 흘리는 조건화된 반응이 나타났다. 이전에는 무조건 자극인 고기분말(음식)에만 침을 흘렸다면, 이제는 중립 자극이던 종소리가 고기분말과 연합(association)하여 종소리를 듣자마자 침을 흘리는 조건화된 반응을 보였다. 다시 말해, 파블로프 개가 종소리를 듣고 침을 흘리는 행동이 학습된 것이다. 고전적 조건화를 교육현장에 적용한 예로서, 교실에서 교사가 언제나 웃으면서 학생들을 맞이하면 학생들은 교사의 미소와 교실을 연합하여 중립적이던 교실을 긍정적으로 느끼는 학습을 할 수 있다.

조작적 조건화는 스키너(B. F. Skinner)에 의해 주장되었다(1953). 스키너는 학습은 행동이 일어난 후에 어떤 자극이 제공되는지에 따라 달라진다고 주장했다. 조작적 조건화 학습 과정은 증가했으면 하는 행동을 했을 때 '강화인(reinforcer)'를 제공하여 그 행동을 증가시키고, 감소했으면 하는 행동을 학생이 했을 때에는 '벌인(punisher)'을 제공하여 그 행동을 감소시키거나 없애는 과정이다. 이는 교사나 학부모가 일상에서 많이 사용하는 학습 방법이다.

학습자의 행동 빈도와 강도를 증가시키는 강화인은 정적 강화인과 부적 강화인으로 나뉘고, 행동의 빈도와 강도를 감소시키는 처벌인 역시 수여성 벌과 제거형 벌로 나뉜다. 정적 강화인은 학습자가 얻고 싶은 유쾌한 자극을 제공해 주는 것으로, 음식 등 본능적으로 유쾌한 자극인 1차 강화물과 칭찬, 돈 등과 같은 1차 강화물과 연합된 2차 강화물이 있다. 부적 강화인은 학습자가 불쾌해서 피하고 싶은 자극을 제거함으로서 행동을 증가시킨다. 예를 들어, 안전벨트를 매지 않았을 때 차에서 불쾌한 소리가 나게 하여 운전자가 안전벨트를 매는 행동을 더 하도록 유도한다고 하자. 이 불쾌한 소리는 부적 강화인으로 작용하고 있다.

벌인은 특정 행동을 줄이고자 할 때 제공한다. 수여성 벌은 벌인을 제시받은 결과로 행동이 감소될 때, 제거형 벌은 바람직한 것을 제거하여 행동을 감소시킬 때 사용한다. 예를 들어, 교사가 떠든 학생들에게 벌점을 주는 것은 수여성 벌이고, 학생이 떠들었을 때 이미 준 스티커를 회수하면 제거형 벌이라고 할 수 있다. 강화물과 벌인은 그 자체로 결정되는 것이 아니고 이것을 제공한 후에 목표로 한 행동의 증가와 감소가 실제로 관찰될 때에만 강화물과 벌인이라고 판단할 수 있다. 따라서 교사는 강화물과 벌인을 제공한 후 목표하는 행동이 증가했는지 감소했는지 관찰해야 한다.

(2) 사회인지학습이론

사회인지학습이론은 밴듀라(Albert Bandura)에 의해 제안되었다(1986). 사회인지학습이론은 행동주의를 확장하여 다른 사람을 관찰하는 것이 학습자의 행동 변화, 즉 학습을 일으킨다는 입장이다. 밴듀라는 3세에서 6세의 아동들에게 TV를 시청하도록 했다. 한 그룹에게는 보보인형(넘어져도 일어나는 풍선 인형)을 한 어른이 때리는 TV 장면을 보여 주었고, 다른 그룹은 한 어른이 보보인형을 잘 돌보는 장면을 보여 주었다. TV 시청 후 아이들을 보보인형이 있는 방으로 안내했을 때, 첫 번째 그룹 아동들은 TV에서 본 대로 인형을 때렸고 두 번째 그룹은 인형을 돌보았다. 다른 사람의 행동을 관찰하고 모방하려는 경향을 '모델링'이라고 한다.

사회인지학습이론이 행동주의와 다른 점은 학습에서 학습자 기대와 믿음이 동기의 역할을 하여 학습자가 행동을 변화시킨다고 바라보았다는 점이다. 다른 사람이 강화나 처벌을 받는 것을 보면 학생들도 자기가 비슷한 행동을 했을 때 강화나 처벌을 받을 것이란 것을 기대한다. 이 기대가 행동을 변화, 즉 학습을 일어나게 한다. 예를 들어, 경찰이 다른 차를 속도위반으로 세우는 것을 보면 급하게 운전 속도를 줄이게 된다. 이것은 계속 빨리 달리면 내 차도 세워질 것이라고 기대했기 때문에 자신의 행동을 조절한 것이다.

일상에서 학생은 교사의 행동을 자연스럽게 모방한다. 눈에 보이는 모델의 행동을 모방하는 직접 모델링을 하거나, 책, 영화, TV에 등장하는 주인공들의 행동을 모방하는 상징적 모델링을 한다. 교사는 수업에서 행동 뒤에 있는 생각을 말로 정교하게 표현하고 시범을 보여 주는 '인지적 모델링'을 사용하는 것이 좋다. 이렇게 해서 학생은 교사의 행동과 생각 모두를 모방할 수 있다.

(3) 정보처리이론

20세기 중반 학습의 이론적 접근에서 나타난 가장 큰 변화는 인지주의의 등장이다. 학습을 인간 행동의 변화로 바라보는 행동주의적 관점에서 벗어나 학습을 '내적 사고능력 및 사고 과정의 변화'로 바라보기 시작했다. 이를 '인지혁명'이라고도 일컫는데, 인지주의에서는 학습은 개인의 정신구조의 변화, 즉 사고의 변화이며 행동변화는 이후에 나타난다. 정신구조는 학습자의 머릿속에 있는 신념, 목표, 기대, 도식(또는 스키마) 등이다.

인지주의의 첫 번째 접근은 정보처리이론이다. 정보처리이론은 외부 자극이 어떻게 저장되고 인출되는지, 정보를 어떻게 처리하는지에 대한 접근이다. 다시 말해, 학습자가 정보를 효율적으로 기억하는 방법을 설명한다. 앳킨슨과 시프린(Atkinson & Shiffrin, 1968)은 컴퓨터가 정보를 처리하는 방법과 유사한 '인간 기억 모형'을 제안했다([그림 4-1] 참조). 이 모형이 정보처리이론의 기본 틀로 사용되며 각각에 대한 연구가 진행되었다. 예를 들어, 감각기억 중 시각정보는 1/4초 이내에 처리가 더 이루어지지 않으면 빠르게 사라진다(Sperling, 1960).

인간 기억 모형에는 세 가지 요소가 있다. 정보를 보관하는 정보저장소, 정보를 효율적으로 저장하도록 정보를 옮기는 인지과정, 개인의 인지과정을 스스로 인식하고 이 과정을 통제하는 메타인지가 그것이다. 먼저, 정보저장소에는 감각기억, 작업기억, 장기기억이 있고, 이것은 컴퓨터 주기억 장치와 하드드라이브와 유사하다. 감각기억은 오감, 특히 시각과 청각으로 들어온 정보를 잠시 동안 보관하는 저장소이고, 작업기억은 들어온 정보를 의식적으로 처리하는, 지식을 구성하는 저장소이다. 장기기억은 정보의 영구적인 저장소이며 도식의 형태로 저장된다. 도식은 정보가 통합되고 조직화된 인지 구조 또는 틀을 통칭하는 용어이다.

둘째, 인지과정은 정보를 처리하는 컴퓨터 소프트웨어 프로그램으로 비유되는데, 주의집중, 지각, 시연, 부호화와 인출이 포함된다. 감각기억을 통해 정보가 들어오면, 정보에 의식적으로 초점을 두는 주의집중과 정보에 의미를 부여하는 지각의 과정을 거친다. 주의와 지각 과정에서 처리되지 못한 정보는 빠르게 소실된다. 주의나 지각의 과정을 사람들은 잘 의식하지 못하기 때문에 학습과정이 달라질 수 있다. 교사는 학생 이름을 부르는 호명을 통해 학생의 주의를 끌고 유지할 수 있다. 학습에서 정확한 지각은 중요하므로, 교사는 학생에게 질문하고 대답을 들으면서 학생들이 내용을 어떻게 지각했는지 확인할 필요가 있다.

지각을 통해 들어온 정보를 작업기억에서 의식적으로 처리하고 이 정보들을 장기기억에 부호화(encoding)한다. 작업기억에서 필요할 때 저장한 정보를 장기기억으로부터 인출한다. 어떤 정보를 잘 기억하려면 장기기억에 유의미한 부호화를 해야 한다. 유의미성을 높이기 위해서는 학습하고 있는 정보 간의 연결이 잘 이루어져야 한다. 정보 간 연결을 위해 공부할 때 심상을 활용하고, 유형을 분류하거나, 위계적으로 조직하거나, 예시를 생각해 보는 정교화 전략을 쓸 수 있다.

셋째, 메타인지(metacognition)는 자신의 인지과정에 대한 인식과 통제를 의미한다. 메타인지는 공부를 하는 중에 자신의 인지과정, 즉 주의, 기억 등의 과정을 더 높은 위치에서 생각해 보고 통제하는 과정이라고 할 수 있다. 예를 들어, 공부를 하면서 내가 현재 쓰고 있는 학습전략이 내용을 이해하는 데 도움이 되는지 생각해 보고 도움이 안 된다고 판단되면 다른 전략을 선택할 수 있다.

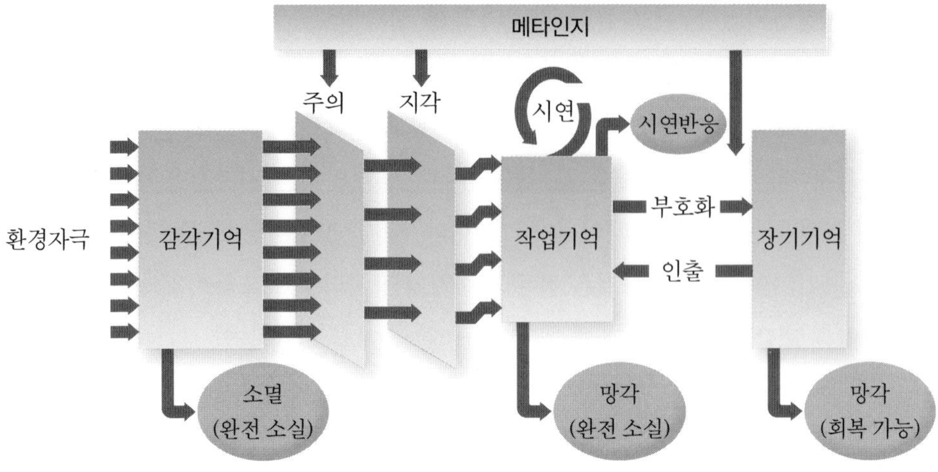

[그림 4-1] 인간 기억 모형

출처: Eggen, P., & Kauchak, D. (2011).

(4) 구성주의이론

학습에 대한 인지주의 관점에서 정보처리이론 이후에 구성주의(Constructivism)이론이 등장했다. 구성주의에서 학습은 학습자가 외부의 정보를 수동적으로 받아들이는 과정이 아니라, '자기의 이해를 스스로 구성하는 과정'이라고 바라본다. 구성주의 관점에서 학습자는 자신이 납득할 수 있도록 이해를 구성하고 지식을 구축한다.

구성주의는 인지적 구성주의와 사회적 구성주의로 나뉜다. 인지적 구성주의의 대표 학자는 피아제이며, 사회적 구성주의의 대표 학자는 비고츠키이다. 인지적 구성주의에 의하면, 학습자는 외부 환경과 상호작용하면서 머릿속에 스키마를 형성하거나, 이미 있는 스키마를 검증하고 수정하면서 지식을 창출하고 재창출한다. 사회적 구성주의에서는 지식은 근본적으로 사회적 맥락 안에서 구성되고 개인이 이를 내면화한다고 주장한다. 피아제와 비고츠키의 이론은 다음 절에서 다룬다.

2. 발달 관점에서의 학습자

교사는 학습자의 발달 상태를 고려하여 학생을 교육할 필요가 있다. 발달은 몇 가지 일반적 원리를 따른다. 발달은 보통 순서가 있으며, 한 능력에서 다른 능력으로 갑자기 점프하지 않고 지속적으로 변화한다. 발달은 유전과 환경 모두에 영향을 받는다. 환경적으로는 경험, 학습, 사회적 상호작용이 발달에 영향을 미치므로 교수자는 교육할 때 이 부분을 고려해야 한다. 발달의 속도에는 개인차가 있다. 현대사회는 과거에 비해 복잡하므로 발달이론에서 제안하는 연령대보다 지연되는 경우가 많다. 따라서 교수자는 학생의 연령보다 학생이 보이는 행동 등을 관찰하여 어느 발달 상태에 있는지를 판단해야 한다. 교사는 학생의 인지발달, 심리사회발달, 사회정서역량 발달을 이해하여 교육 상황에 적용할 필요가 있다.

1) 인지발달

(1) 피아제의 인지발달

장 피아제(Jean Piaget)는 인간은 세상이 어떻게 작동하는지와 자기 존재에 대해 이해하려는 선천적 욕구인 평형화 기제를 가지고 있다고 보았다(1959). '평형화'는 개인이 세상을 이해하고 자신의 경험들 간에 인지적으로 균형을 이룬 상태이다. 우리는 새로운 경험을 이해할 수 있다면 평형상태를 유지한다. 그러나 자신의 경험을 이해하지 못하면 불평형상태가 되고 평형화 상태를 회복하기 위해 우리의 사고를 스스로 바꾼다.

평형화는 동화와 조절이라는 두 가지 과정에 의해 획득된다. 도식 또는 스키마는 피아제가 처음 제안한 것으로, 외부 정보를 받아들이고 해석하는 인지적 시스템 또는 틀이다. 동화(assimilation)는 새로운 정보를 자신의 도식에 통합하여 평형화를 유지한다. 조절(accomodation)은 새로운 정보가 동화되지 못할 때 자신의 기존 도식을 변형하여 평형화를 이룬다. 만약, 개에 대한 도식을 가진 아이가 진돗개를 처음 봤을 때 진돗개를 아이가 가진 개 도식에 통합시킬 때 동화가 일어난다. 아이가 소를 처음 보았을 때 소의 다리가 4개이지만 개와 다른 소리로 우는 것을 관찰하고 다리가 4개인 동물에 대한 새로운 도식을 만들어 낸다면 아이는 조절의 과정을 거치는 것이다. 피아제의 인지발달 단계와 각 단계별로 발달하는 도식에 대한 설명은 〈표 4-1〉에 제시되어 있다.

피아제에 따르면, 구체적인 실제 세계 경험이 학습자의 인지발달에 중요한 영향을 미친다. 이는 학습자가 어떤 단계의 인지발달에 필요한 경험을 충분하게 하지 못하면 다음 단계로 넘어가기 어렵다는 것을 의미한다. 예를 들어, 고등학생은 추상적 사고와 논리적 사고를 할 수 있는 연령대이지만 관련한 구체적 경험을 많이 하지 못하면 추상적 현상과 그 원리를 이해하지 못하고 무조건 암기하게 된다. 교사는 학생들이 추상적 개념이나 원리를 이해하는 데 도움이 되는 구체적 경험을 제공하는 것이 중요하다. 교사는 수업에서 학생들의 인지적 평형화를 깨뜨리는 비평형화 경험을 제공하고 그 이유를 설명하여 학생들이 새로운 학습을 하도록 격려하는 것이 좋다.

표 4-1 피아제의 인지발달 단계와 발달하는 도식

단계	발달하는 도식	설명
감각운동기 (영아기~ 걸음마기)	• 목표지향행동 • 대상영속성	• 아동은 눈과 손의 협응 등 감각과 운동능력을 기반으로 환경과 상호작용하면서 도식을 발달시킨다. 감각운동기 초기에는 반사작용 행동을 주로 하고 물체를 정신적으로 표상하지 못한다. • 감각운동기 말기에는 사물이 자신과 분리되어 존재할 수 있다는 것을 자각하는 대상영속성이 발달한다.
전조작기 (유아기~ 유치원)	• 언어능력의 급격한 성장 • 상징적 사고 • 자기중심성 • 지각에 의해 지배됨	• '조작'은 정신적 활동이다. 고양이, 곰 등 동물의 종류를 분류하는 것은 정신적 조작이라고 할 수 있다. • 자기가 보는 대로 다른 사람이 세상을 본다는 자기중심성을 보인다. • 전조작기 아동은 지각하는 대로 사고한다. 예를 들어, 이 시기 아동은 수도꼭지에서 물이 나온다고 믿는다.
구체적 조작기 (초등학교~ 중학교)	• 분류와 서열화	• 구체적인 대상에 대해 논리적으로 사고한다. • 대상을 길이, 무게, 부피 등을 크거나 작은 순서대로 배열하고, 대상을 공통의 속성을 기반으로 묶을 수 있다.
형식적 조작기 (고등학교~ 대학교)	• 추상적 · 가상적 문제해결 • 체계적 · 조직적 사고 • 가설에 근거한 사고 • 조합적 사고	• 가상의 것 또는 불가능한 것에 대해 논리적으로 사고할 수 있다.

출처: Eggen, P., & Kauchak, D. (2011), p. 74 수정.

(2) 비고츠키의 사회문화발달

비고츠키(Lev Vygotsky)의 사회문화발달이론에서는 문화 맥락 속 사회적 상호작용과 언어가 개인의 지식획득과 인지발달에 미치는 직접적인 영향을 강조한다(1986). 사회문화발달이론에서 언어는 사람들이 의사소통, 문화전달, 자신의 생각에 대한 숙고하기 위한 도구이다. 사회적 상호작용 속에서 습득한 지식을 내면화(internalization)하여 인지발달이 일어나므로, 언어 발달이 잘 이루어질수록 복잡한 개념을 잘 습득한다.

아동은 더 많은 지식을 가진 사람과 상호작용할 때 학습이 일어나고, 이것은 근접발달영역에서 이루어진다. 근접발달영역(Zone of Proximal Development)은 아동이 스스로는 할 수 없지만 자신보다 유능한 타인의 도움을 받으면 수행할 수 있는 과제의 범위를 말한다. 따라서 교육장면에서 학생이 혼자서는 완수할 수는 없어도 과제 내용이 학생의 근접발달영역 속에 있다면, 교사나 부모가 간접적으로 도움을 주는 발판(또는 비계설정)을 제공하여 학생이 과제를 완수하고 학습이 일어나도록 도울 수 있다. 발판에는 인지적, 행동적, 정서적, 사회적 도움 모두 포함된다.

비고츠키 이론을 수업에 적용하기 위해서 교사는 문화적으로 적절한 맥락에서 학생들이 학습하도록 하는 것이 좋다. 학생들이 토론 등으로 서로 사회적 상호작용을 할 수 있도록 하고 학생들이 이해했는지 자신의 언어로 설명하도록 한다. 학습자 근접발달영역 내에서의 학습을 촉진하기 위해 필요한 발판을 제공한다. 교사가 사용할 수 있는 발판은 모델링, 질문, 조언, 힌트 제시 등이 있다.

2) 에릭슨의 심리사회발달

심리사회적 발달은 에릭 에릭슨(Erik Erikson)이 제안하였다(1968). 에릭슨은 프로이트의 이론을 기반으로 하지만, 정체성의 통합과 인간의 사회적이고 다른 사람과 연결되기를 원하는 욕구에 초점을 맞추었다. 심리사회적 발달에서는 각 단계별로 도달해야 할 심리사회적 과제와 위기가 존재한다. 일정 나이가 되면 다음 단계로 이동한다고 보며, 각 단계의 심리사회적 위기를 건강하게 해결하면 다음 단계에서도 문제해결이 건강하게 이루어질 가능성이 높아진다.

표 4-2 에릭슨의 심리사회발달 단계

단계	특징 설명
신뢰감 대 불신감 (출생~18개월)	자신과 타인에 대한 본질적인 신뢰감은 유아가 지속적으로 애정 어린 보살핌을 받을 때 형성된다. 불신감은 어머니나 어머니 역할을 하는 양육자가 비일관적이거나 거부적일 때 생긴다.
자율성 대 회의감 및 수치심 (18개월~만 3세)	자율성은 유아가 걸음마를 하면서 세상을 탐구할 때 발달한다. 부모 또는 양육자는 이 탐구를 격려하고, 도움을 요청하면 언제든지 도움을 제공하면서 자녀의 자율성을 키워 준다. 과잉보호하거나 기다려주지 않고 교정하려 하면 유아는 회의감이나 수치심을 느낀다.
주도성 대 죄책감 (만 3~6세)	아동의 언어와 운동 역량이 증가한다. 주도성은 야망과 책임감에 대한 것으로, 새로운 일을 찾고 도전하려는 아동의 노력을 가족과 성인들이 격려하고 보상할 때 발달한다. 아동을 지나치게 통제하거나 비판하면 아동은 자신의 행동에 대해 죄책감을 느끼게 된다.
근면성 대 열등감 (만 6~12세)	아동은 유치원과 초등학교 입학 등으로 사회가 확장되고 교사와 또래의 중요성이 증가한다. 학교와 가정은 아동이 도전적 과제에서 성공함으로써 유능감을 키울 수 있는 기회를 제공한다. 실패라는 인식이 반복되면 아동은 열등감을 갖게 된다.
정체감 대 역할 혼돈 (만 12~18세)	정체성은 자신이 누구이고, 자신의 존재 의미가 무엇이며, 인생을 통해 무엇을 성취하고자 하는지에 관한 생각이다. 명확하게 규정된 한계 내에서 독립성을 증가시키려는 시도를 하도록 허용될 때 청소년에게 정체감이 발달하게 된다. 지나치게 제한을 가하려는 권위주의적 양육방식 또는 제한을 가하지 않는 허용적인 양육방식은 둘 다 자녀에게 역할 혼돈과 정체감의 혼돈을 초래할 수 있다.
친밀감 대 고립감 (성인 초기)	개인이 명확한 자기 정체성을 확립한 후 자기 자신을 다른 사람과 융합할 수 있을 때 친밀감이 발달한다. 심리사회적 도전을 극복하지 못한 사람은 자유롭게 사랑을 주고받을 수 없어 고립된 감정 상태를 갖게 된다.
생산성 대 침체감 (중년기)	생산적인 성인은 다음 세대를 지도하는 역할을 한다. 즉, 깨끗한 환경, 마약 없는 안전한 세상, 자유와 인간 존중의 원리 고수 등과 같은 사회의 긍정적인 발전을 위해 노력하게 된다. 심리사회적 도전을 건강하게 해결하지 못하면 무관심, 거짓 관계, 자기도취 등이 나타날 수 있다.
자아통합감 대 절망감 (노년기)	최선을 다해 인생을 살아왔고 죽음의 불가피함을 받아들이며, 인생에 대한 후회가 적을 때 자아 통합감이 생긴다. 이와 반대로, 이미 한 일 또는 하지 않은 일에 대한 자책감과 남은 인생이 많지 않다는 느낌을 강하게 갖는 경우 절망으로 이어질 수 있다.

출처: Eggen, P., & Kauchak, D. (2011), p. 118 수정.

이외에도 자기와 관련된 개념으로 자아개념과 자아존중감이 있다. 자아개념은 '자신의 신체적, 사회적, 지적 능력, 가치관 등 자신에 대한 인지적 평가'이다. 예를 들어, 운동을 잘 한다고 생각하는 학생은 긍정적인 신체적 자아개념을 가졌다고 할 수 있다. 자아 개념이 높아질수록 자신은 다른 사람과 구별되는 독특한 존재라는 인식이 높아진다.

자아존중감 또는 자존감은 '자신에 대한 감정적 반응이나 자신에 대해 부여하는 가치'이다. 높은 자존감을 가진 사람은 자신이 본래 가치 있는 사람이라고 생각하며 자신을 좋아한다. 학령기 아동과 청소년들은 학교에서 다른 사람과 비교를 통해 자신을 평가하기 쉽다. 교사는 학생들을 결과로 평가하지 않고 학생 자신에 대해 긍정적으로 생각할 수 있도록 격려할 필요가 있다.

3) 사회정서역량 발달

최근 학교 현장에서는 학생의 문제 행동, 학업스트레스 및 우울 등 학생의 정신건강상의 문제가 증진하면서 이것이 학생의 학업을 위협하고 있다. 사회정서학습(Social and Emotional Learning: SEL)은 안전한 학급의 풍토를 만들어 학생의 사회정서역량을 증진하고, 학생의 문제 행동을 줄이고, 학업에서 성공하도록 돕는 학교 차원의 통합적 과정을 의미한다(도승이, 2015). 사회정서학습의 5가지 핵심 역량은 〈표 4-3〉에 제시되어 있다.

다양화와 세계화, 상호연결성, 정보량이 급증하는 현대 사회에는 상대를 존중하고 배려하면서 소통하고 협력하는 덕목이 어느 때보다 중요하다. 사회정서역량 발달은 각 국가에서 중요한 교육목표로 추가되고 있는 실정이다. 예를 들어, 미국 연방의회는 2011년 「초 · 중등교육법」을 개정하여 「학업적, 사회적, 감성적 능력 함양을 위한 학습법(ASELA: Academic, Social, and Emotional Learning Act)」을 제정하였다(염철현, 2012). 미국 교육현장에 사회정서학습의 시행과 평가에 대한 연구와 자문을 활발히 하는 기관으로 학업 및 사회정서학습 협회(Collaborative for Academic, Social, and Emotional Learning: CASEL)가 있다.

표 4-3 사회정서학습의 5가지 핵심역량

요소	설명	하위 기술 예
자기인식	자신의 정서, 흥미, 가치와, 자신의 강점, 약점을 제대로 파악하고, 그 자신감을 유지하는 능력	• 자신이 느끼고 있는 정서의 이유 및 상황에 대해 이해하기 • 자신의 필요와 가치에 대해 알기
자기관리	자신의 감정을 조절하고 적절하게 표현하며 스트레스를 관리하고 개인적 목표에 대한 계획 설정과 목표달성의 과정을 점검하는 능력	• 개인적 또는 대인관계의 스트레스를 조절하기 • 장단기 목표 설정하기
사회적 인식	다른 사람의 입장과 감정을 알고, 개인, 집단 차이 및 유사점을 이해하는 능력	• 타인에 대한 존중 보여 주기 • 타인의 관점, 견해, 정서를 이해하기
대인관계 기술	타인들과 협력하고 타협하며 다른 사람과의 갈등을 관리하는 능력	• 사회 · 정서적 단서들에 대해 민감성 보이기 • 갈등, 협상, 거절 관리하기
책임 있는 의사결정	개인의 사적 영역에서 유익한 결정을 하고 일상생활 문제를 해결하는 능력	• 개인적 · 도덕적 · 윤리적으로 책임감 있게 행동하기 • 사회적 의사결정과 문제해결 기술을 실행하기

출처: 도승이(2015) 수정.

연구 분석 결과, 사회정서학습을 실시하는 학교에 다니는 학생들의 사회정서역량이 증진되었고 학업성취도가 향상한 것을 나타났다. 구체적으로, 사회정서학습을 하면 학생들은 자신이 어떤 감정을 경험하는지 정확하게 파악하고, 상황에 맞게 자신의 정서를 표현할 수 있고, 대인관계에서 갈등을 효과적으로 해결할 수 있다. 결과적으로, 학생들의 무단결석, 학교폭력, 괴롭힘 등 문제행동이 줄어들었고 학습동기가 부여되어 학업 성적이 향상되었다(CASEL, 2013).

사회정서학습은 인성교육과 연관이 있다. 사회정서학습은 현대적 의미의 인성교육(character education)에서 중요한 개념이다. 교육부(2016)는 제1차 인성교육 종합계획(2016~2020)에서 인성의 핵심역량으로 자기관리역량, 심미적 감성역량, 의사소통역량, 갈등관리역량, 공동체역량을 제안하였다. 제1차 인성교육 종합계획에서는 학생 인성을 가꾸는 학교의 생태계 조성을 강조하고, 교사가 인성교육의 선도적인 주체가 될 필요가 있다고 제안하였다. 2021년부터 2025년까지인 제2차 인성교육 종합계획(2021~2025)에서는 정규 교육과정 내에서의 인성교육을 더 강조하였다(교육부, 2020). 추가적으로 원격수업 등 비대면 소통 공간에서의 인성교육도 강조되었다.

교사는 사회정서학습에 대한 이해와 교수법을 익혀 교과에 접목하여 학교현장에서 가르칠 필요가 있다. 수업 목표에 구체적인 사회정서학습 기술의 사용을 추가하고 수업활동에서 실제로 학생들이 실행해 볼 수 있도록 하는 것이 중요하다. 예를 들어, 교사는 '경청하기' '친구 말 듣고 칭찬하기' 등의 사회적 기술을 수업 목표에 추가하고 수업 중 학생 토론에서 실제로 해 보도록 할 수 있다,

3. 동기와 정서, 학습

동기(motivation)는 어떤 목표를 향해 나아가는 활동이 유발되고 지속되는 과정이다. PISA 국제학업성취도 비교에서 우리나라 학생의 학업성취도는 상위권이지만 학업에 대한 흥미, 자신감 등 동기 영역은 OECD의 하위권을 유지하고 있다(구자옥, 김성숙, 이혜원, 조성민, 박혜영, 2016).

학생의 학습동기는 교육될 수 있는 영역이다. 교사는 학생의 학습동기를 증진하는 교수법을 수업에 포함해야 한다. 행동주의 관점에서는 적절한 강화물 또는 피드백을 제공할 때 이것이 학습자에게 유인가로 작동하여 학습동기가 증진된다고 본다. 동기에 대한 인본주의 관점과 인지주의 관점이 활발히 연구되었다.

1) 동기에 대한 인본주의 관점

동기의 인본주의 관점은 매슬로(Abraham Maslow)가 제안하였다(1968). 매슬로는 학습자를 전인격적으로 바라보았고 인간의 욕구를 반영하는 욕구위계도를 개발하였다. 매슬로는 인간 욕구를 크게 두 가지로 나누어 설명한다. 결핍욕구는 충족되지 않았을 때 그 사람으로 하여금 그것을 채우게 하는 욕구이고, 성장욕구는 최대한 잠재력에 도달하고 자기실현을 위해 확장하는 욕구이다.

매슬로 위계의 1단계는 음식, 물 등의 생물학적 생존 욕구이고, 2단계는 안전한

주거지, 정서적 안정감 등의 안전 욕구이다. 3단계는 가족, 교사, 또래와의 유대를 포함하는 소속과 애정 욕구이며, 4단계는 자신에 대한 가치를 느끼기 위해 주변의 인정과 지지를 추구하는 자아존중 욕구이다. 1단계에서 4단계의 욕구는 결핍욕구에 해당한다.

5단계의 성장 욕구는 세 가지 욕구로 나뉜다. 첫째, 환경과 자신을 알고 이해하고자 하는 지적 욕구가 있다. 둘째, 신체적, 정서적, 영적 균형을 유지하고, 질서, 진실, 아름다움을 추구하는 심미적 욕구이다. 세 번째 성장욕구는 개인의 모든 잠재력에 도달하고자 하는 자아실현 욕구이다.

인본주의 관점에서 교사는 학생을 먼저 전인격적 인간으로서 대해야 한다. 학생의 동기를 높이려면 학생을 배려하고 인정하고 존중해야 한다. 학생이 물리적 · 심리적으로 안전감을 느끼는 수업환경을 제공하고 질서 있는 교실 분위기를 조성할 필요가 있다.

2) 동기에 대한 인지주의 관점

동기에 대한 인지주의 관점은 학습자의 사고와 믿음에 중점을 둔다. 다시 말해, 학습자의 생각이나 믿음의 내용이 무엇인지에 따라 학습동기의 수준이 달라진다. 동기에 대해 인지적으로 접근하면서 다양한 이론이 발전되었다. 인지주의 이론과 연구결과를 기반으로 교사는 학생의 학습동기가 높아질 수 있는 사고와 믿음체계를 수업현장에서 교육할 필요가 있다.

(1) 자기결정이론

자기결정이론(Self-Determination Theory)은 디씨와 라이언(E. Deci & R. Ryan)에 의해 제안되었다(1987). '자기결정'이란 자신과 환경을 통제하고 환경에 어떻게 반응할 것인가를 스스로 결정하고자 하는 욕구이다. 사람들은 자기결정의 내적 동기 때문에 자발적으로 환경을 탐색하고 환경에 익숙해지려고 한다.

자기결정이론에 의하면 사람은 유능성, 자율성, 관계성의 심리적 욕구를 타고난다고 제안한다. 유능성 욕구는 인간이 환경에서 효과적으로 기능하고 유능하다고 느끼고 싶어 하는 욕구를 의미한다. 자율성 욕구는 자신의 행동을 스스로 선택하고 싫어 하는 욕구이며, 관계성 욕구는 다른 사람들과 연결되고 관계를 맺고 싶어 하는 욕구이다. 이 세 가지 욕구가 충족될 때 학생들의 내재동기가 높아진다.

교사는 학생들의 학습동기를 높이기 위해 수업에서 학생의 유능감을 높이는 수업활동을 하고 학생에게 능력이 향상되고 있다는 피드백을 주는 것이 중요하다. 학생들에게 작아도 선택권을 주는 교실 분위기와 자신의 목표를 스스로 설정하도록 격려할 필요가 있다. 교사가 학생을 존중하고 의견을 수용해 주면 학생의 소속감이 높아지고 관계성 욕구가 충족된다.

(2) 목표지향성이론과 성장마인드셋

학생은 공부할 때 다양한 목표지향성을 가진다. 학습목표(learning goal) 또는 숙달목표(mastery goal)는 과제를 이해하거나 과제를 제대로 하는 방법을 익히고 숙달하는데 중점을 둔다. 반면, 수행목표(performance goal)는 다른 사람의 능력과 어떻게 비교되느냐 또는 다른 사람이 나의 능력에 대해 어떻게 평가하는가에 초점을 맞춘다. 다시 말해, 학습목표를 가진 학생은 공부할 때 내용을 배우는 것 자체를 중요시하고, 수행목표를 가진 학생은 공부의 결과가 다른 학생보다 더 나은지, 즉 '몇 등을 해야지'를 중요시한다.

두 목표지향성 중에서 학습목표를 가진 학생이 학습동기가 더 높거나 지속적이다. 첫 번째 이유는 통제의 유무이다. 학생의 목표가 주제를 이해하려는 학습목표일 때 통제가 가능한데, 왜냐하면 학생이 노력을 얼마나 투자하느냐에 이해의 정도가 달라지기 때문이다. 그러나 반에서 몇 등을 하겠다는 수행목표를 가지고 있다면, 다른 학생들의 학습 결과까지 연관되어 있어 학생의 통제가 불가능하다. 다음으로, 실수와 실패를 했을 때에도 학습목표를 가진 학생은 이해와 배움 자체가 목표이므로 더 노력을 기울이거나 다른 전략을 쓰는 등의 방향을 선택한다. 그러나 수행목표를 가진 학생들은 실수나 실패를 했을 때 불안감이 높아지고 무능하게 보이지 않으려고 최소한으로 공부하거나 아예 하지 않기도 한다.

학생들이 학교에 다니면서 자연스럽게 수행목표지향은 증가하지만 학습목표지향은 감소하는 경향이 있다. 교사가 학생들 간 성적을 비교하거나 좋은 대학을 가려면 좋은 점수를 얻어야 한다는 말을 하면 학생들의 수행목표지향성을 더욱 부추기는 행동이다. 교사는 수업에서 학생에게 내용을 이해하고 배우는 것이 중요하다는 점을 의식적으로 강조할 필요가 있다.

목표지향성은 학생이 능력에 대해 어떤 마인드셋을 가졌는지와 관련이 있다. 드웩(Carol Dweck)은 학생이 능력에 대해 어떤 마인드셋을 가지고 있느냐에 따라 학습동기가 달라진다고 하였다(1999). 고정마인드셋을 가진 학생은 능력은 불변하고 통제할 수 없다고 믿는다. 반면, 성장마인드셋을 가진 학생은 노력을 하면 능력을 증진시킬 수 있다고 믿는다. 고정마인드셋을 가진 학생에게 실패는 능력이 없다는 의미이므로 도전을 피하기 쉽다. 성장마인드셋을 가진 학생에게 실패는 좀 더 노력이 필요하다고 받아들여지기 때문에 더 도전적이고 끈기있게 버틴다. 성장마인드셋을 가지고 있을 학생은 학습목표지향을 선택하기 쉽다. 교사는 수업에서 능력과 역량은 노력에 의해 변화될 수 있다고 언급하여 학생의 성장마인드셋을 자극할 필요가 있다.

(3) 귀인이론과 자기효능감

귀인이론(Attribution theory)은 와이너(Bernard Weiner)가 제안했다(1992). 학습자는 어떤 결과를 받았을 때 성공이건 실패건 그 원인을 찾는데, 이것을 귀인이라고 한다. 귀인에는 세 가지 차원이 적용된다. 첫째, 책임소재 또는 원인의 위치인데, 결과가 학습자 자신 이내인지 또는 자신 이외에 있는지 차원이다. 둘째, 통제 유무인데, 학생 자신이 성공과 실패에 대해 통제 가능했는지 또는 불가능했는지 차원이다. 셋째로, 안정성인데, 원인이 변할 수 있는지 아닌지의 차원이다.

일반적으로 학생들이 많이 하는 귀인은 노력(내적, 통제 가능, 불안정), 선천적 능력(내적, 통제 불가능, 안정), 운(외적, 통제 불가능, 불안정), 과제의 난이도(외적, 통제 불가능, 불안정), 공부장소 바꾸기(외적, 통제 가능, 불안정)이다. 학생들이 시험 결과가 좋거나 좋지 않거나 이를 노력의 부족으로 귀인할 때 더 공부하고자 하는 학습동기가 높아진다. 노력은 학습자가 통제할 수 있고 공부에 대한 책임감을 수용하기 때문이다. 시험 결과가 나쁠 때 학생이 통제 불가능한 원인에 귀인하면, 즉 '나는 머리가 나쁘다'고 생각하거나, '운이 나빴다' '시험이 어려웠다'라고 원인을 생각한다면 다음 시험을 위해 공부를 더 하려는 동기가 생기기 어렵다.

내가 노력해도 성공할 수 없다는 감정인 학습된 무력감을 겪는 학생들에게 귀인 훈련이 효과적이다. 학생들에게 노력의 부족과 효과적이지 못한 학습전략 사용에서 원인을 찾도록 해주는 것이 중요하다. 즉, 노력하면 성공할 수 있다고 말해 주고 정보처리이론에서 제안한 효율적인 학습전략을 가르치면 무력감을 극복하는데 효과적이다(Dweck, 1975).

자기효능감(self-efficacy)은 특정 과제를 수행할 때 필요한 행동들을 조직하고 완수하는 자신의 능력에 대한 믿음을 의미한다(Bandura, 1986). 성공에 자신감이 높은, 다시 말해 자기효능감이 높은 학생은 자신의 성공을 믿고 성공을 예상하며, 이 기대감이 동기에 긍정적 영향을 미친다. 높은 자기효능감을 가진 학생은 도전적인 과제를 피하지 않고, 끈기 있게 노력하며, 공부 중 비효과적인 공부 전략이라고 밝혀지면 효과적인 전략으로 바꾸는 융통성을 보인다.

자기효능감에 영향을 미치는 가장 중요한 요인은 과거 유사한 과제에서 성공했던 경험이다. 예를 들어, 지난 중간고사에서 수학에서 점수가 높았던 경험은 기말고사에서의 수학 과목 자기효능감을 높인다. 관련 영역에서 모델이 되는 사람을 관찰하는 것도 학생의 자기효능감을 높인다. 교사처럼 학생에게 중요한 사람이 하는 기대는 학생의 자기효능감을 증진시킨다. 교사는 학생의 자기효능감을 증진하기 위해 학생들이 작은 성공의 경험을 많이 할 수 있도록 하고, 학생들에게 잘 해낼 것이라는 기대를 표현하며, 학습에 대한 모델이 되어 주는 것이 중요하다.

3) 학습에서 흥미와 감정

우리는 '흥미가 있어서' 공부에 집중하기도 한다. 흥미 역시 중요한 동기부여 요소이다. 흥미에는 상황적 흥미와 개인적 흥미가 있다. 개인적 흥미는 개인이 지속적으로 좋아하고, 마음이 끌리고, 영역, 주제에 대한 개인적 선호이다. 상황적 흥미는 환경에 의해 유발된 흥미, 호기심, 만족을 의미한다. 개인적 흥미는 개인 내적 요소라 변화시키기 어렵지만, 상황적 흥미는 환경을 바꿔주면 흥미를 유발할 수 있다. 그러므로 교사는 수업에서 학생의 상황적 흥미를 높이는 교수법을 사용할 필요가 있다.

학생들의 흥미를 높이기 위한 교수법은 실제 세계에 적용하거나, 주제와 삶을 연결하거나, 구체적인 예시를 들어주고, 논리적으로 설명하고, 학생들에게 선택권을 주는 방법이다. 학생들의 시선을 끄는 그림이나 질문 등으로 수업을 시작해도 학생의 흥미가 증진될 수 있다.

학습에서의 불안과 시험불안은 가장 많이 연구된 학습관련 감정이다. 불안은 불확실한 결과에 대한 전반적 걱정이나 긴장감이다. 불안과 성취와의 관계는 거꾸로 U자 곡선의 관계이다. 즉, 어느 정도의 불안은 학습동기와 성취에 도움이 되지만, 불안이나 긴장이 너무 많아도 너무 없어도 동기와 성취에 도움이 되지 않는다. 너무 많이 불안해하는 학생은 과제에 잘 집중하지 못한다. 실패에 대한 걱정으로 불안한 학생들은 걱정하느라 공부의 내용을 제대로 이해하지 못한다. 시험불안이 높은 학생은 공부할 때 단순히 외우는 표면적 전략만을 사용하고 요약하기, 예시 설명하기 등 유의미한 생산적 학습전략을 사용하지 못한다. 교사가 내용과 잘 연결되는 예시, 구체적 피드백, 효과적인 학습전략을 가르쳐서 학생의 내용에 대한 이해를 높일 때 학생의 불안은 줄어든다.

학생의 개별 감정도 최근 활발히 연구되고 있다. 성취정서(achievement emotion)는 페크런(Reinhard Pekrun)에 의해 제안된 것으로, 학업 성취활동 및 성취결과와 직접적으로 연관되는 정서를 의미한다. 그는 통제-가치이론을 개발하였고 학생들과의 심층인터뷰 등을 통하여 학습, 수업, 시험 상황에서 학생들이 경험하는 성취정서를 알아보는 성취정서질문지를 개발하였다(Pekrun, Goetz, Frenzel, Barchfeld, & Perry, 2011). 이 질문지로 알아보는 성취정서는 즐거움, 자부심, 희망, 안도감, 화, 불안, 절망감, 수치심, 지루함이다.

4. 학습자 다양성

학교 현장에는 다양한 학생이 있다. 유능한 교사는 학생의 개인차를 이해한다. 학습자의 다양성을 이해하기 위해 지능, 창의성, 특수아에 대한 지식을 증진할 필요가 있다.

1) 지능

지능은 단일한 특성인지 아니면 복수의 특성인지에 대한 관점을 중심으로 발전해 왔다. 초기 연구자들은 지능이 단일한 특성이라고 믿었다. 스피어만(Spearman)은 지능을 '일반 지능(g)'이라고 하였다(1927). 언어, 수리, 공간, 지각과 같은 지능의 점수들이 서로 높은 상관을 보이므로 지능은 단일 특성이라고 볼 수 있다는 것이다.

현대에는 지능을 더 넓게 정의하며, 지능이 복잡하고 복수의 특성을 가진다고 바라보는데, 다중지능이론과 삼원지능이론이 대표적이다. 다중지능이론은 가드너(Howard Gardner)에 의해 제안되었으며(1983), 가드너는 각 지능이 서로 다른 상징체계를 사용하는 8개 속성으로 구성되어 있다고 하였다(〈표 4-4〉 참조). 가드너는 실존 지능을 9번째 지능으로 추가할지에 대해 연구 중이다. 각 지능은 독립적이지만 특정 영역에서 여러 개의 지능들이 상호 작용할 수 있다. 9개의 지능이 모두 우수한 전지전능한 사람은 없다고 주장한다.

표 4-4 가드너의 다중지능이론

지능	차원	예시
언어적 지능	단어의 의미나 순서, 언어의 다양한 활용에 민감함	시인, 언론인
논리-수학적 지능	일련의 추론을 잘 하거나 이해하며 말의 순서 및 패턴을 인지하는 능력	과학자, 수학자
음악적 지능	피치, 멜로디, 톤에 대한 민감성	작곡가, 바이올린 연주자
공간지능	시공간적 세계를 정확히 지각하고, 개인이 지각한 것을 토대로 시공간적 세계를 재창조, 변형 혹은 수정을 가하는 능력	조각가, 항해사
신체운동적 지능	신체를 능숙하게 사용하고, 사물을 능숙하게 다룰 줄 아는 능력	댄서, 운동선수
대인 지능	사람들을 잘 알아보고 구별하는 능력	심리치료자, 영업사원
개인 내 지능	자신의 정서생활에 대한 접근 능력	자기 각성을 잘하는 개인
자연 지능	물리적 세계에 있어서 차이점과 유사점을 잘 인식하는 능력	자연주의자, 생물학자, 인류학자

출처: Eggen, P., & Kauchak, D. (2011), p. 191.

삼원지능이론은 스턴버그(Robert Sternberg)에 의해 제안되었다(1998). 삼원지능이론에서 메타요소, 수행요소, 지식획득요소의 세 가지 과정이 지적 수행에서 기본적인 과정이며 서로 상호의존적이다. 메타요소는 계획하고 점검하고 평가하는 과정이고, 수행요소는 계획한 것을 실행하는 과정이다. 지식습득요소는 문제해결 방법에 대한 습득이다.

이 세 가지 과정은 분석적 능력, 창의적 능력, 실제적 능력과 관련이 있다. 분석적 능력은 어떤 것이 논리적인지 결정할 때 평가, 비판, 판단을 위해 사용되는 능력이다. 창의적 능력은 발견하고, 상상하고, 창조를 위해 사용되는 능력이다. 실제적 능력은 나의 아이디어를 실생활에 적용하고, 그것을 활용하고 응용하는 데 사용되는 능력이다. 실제적 능력은 실제 환경에 적응하고 새로운 환경을 선택하거나 만들어 내는 기능을 한다. 가드너와 스턴버그는 지능의 개념을 학교나 학습 영역에서 다양한 영역으로 확산하였다.

인지적 능력에 대한 지능의 연구뿐 아니라 정서와 관련된 정서지능에 대한 연구도 활발하다. 정서지능(Emotional Intelligence)은 살로비와 메이어(Salovey, & Mayer)가 제안했는데, 자신의 정서와 타인의 정서를 파악하는 능력을 의미한다(1990). 정서지능은 정서이해 능력, 정서표현 능력, 정서활용 능력, 정서조절 능력의 네 가지 하위 요인으로 구성된다. 정서지능에 대한 연구는 최근에 활발해졌으며, 그 중요성이 매우 크다. 정서지능이 높은 사람들이 실제로 성공할 확률이 높다는 연구 결과가 다수 보고되고 있다(Rosete & Ciarrochi, 2005).

2) 영재, 창의성, 학습장애

영재는 능력의 연속선상에서 상위 끝부분에 위치해 있는 학생들로서, 수학, 과학뿐 아니라 예술, 언어 등 영역에서 우수성을 보이는 경우이다. 영재를 판별하는 세 가지 준거는 영재는 해당 영역에서 평균 이상의 능력을 가지고 있고, 높은 동기 수준과 과제 집착력을 보이고, 과제를 해결할 때 창의적 방식을 사용한다.

영재 학생들의 공통된 특징으로는 동년배보다 더 빠르고, 독립적으로 학습할 수 있는 능력이 있고, 언어, 독해 등 어휘 기술이 앞서 있다. 그 영역에서 고도로 발달된 학습 및 메타인지 전략을 사용하고, 도전적 과제를 대할 때 해 보려는 동기가 높지만 도전감을 느낄 수 없는 과제에는 동기가 낮다. 영재학생은 스스로 성취에 대한 높은 기준을 가지고 있다. 교사는 학교 현장에서 영재 및 우수 학생을 잘 판별하고, 영재 학생의 특징에 맞게 속진이나 심화 교육과정을 제공하는 것이 중요하다.

창의성은 문제에 대한 독창적 다양한 해결책을 생각해 내는 능력을 말한다. 창의성이 높기 위해서 최소한 평균 수준의 지적 능력이 필요하지만, 지능이 창의성의 충분조건이 아니다. 오히려 어떤 문제에 다양하고 독창적인 답변을 낼 수 있는 확산적 사고가 창의성에서 중요하다. 확산적 사고에는 세 차원이 있다. 문제와 관련해 양적으로 많은 아이디어를 만들어 내는 유창성, 기존의 틀에서 벗어나 새로운 관점의 아이디어를 생성해 내는 융통성이 있다. 그리고 다양한 새로운 아이디어들을 만들어 내는 독창성이 그것이다. 학생의 창의성을 측정하기 위한 검사로 토렌스의 TTCT 창의력 검사(Torrance Tests of Creative Thinking)가 있다(Torrance, 1974).

창의성 투자이론(Sternberg & Lubatt, 1999)에서 창의적인 사람의 특성은 새로운 방법으로 문제를 보려 하고, 무언가 만드는 것을 좋아하고, 경험과 모험에 개방적이고, 내적으로 동기화되어 있다. 그리고 창의적인 사람은 자신의 분야에 대해 폭넓은 지식을 가지고 있고, 자신이 창의적 작업을 하도록 지지하는 환경을 찾는다.

학교 현장에서는 특수아동 역시 존재한다. 특수교육은 비장애 아동과 같은 공통성과 특수 아동의 특수성을 고려하여 아동의 가능성을 최대한 신장시키는 데 목표를 둔다. 「장애인 등에 대한 특수교육법」에서는 시각장애, 청각장애, 지적장애, 지체장애, 정서행동장애, 자폐성장애, 의사소통장애, 학습장애, 건강장애, 발달지체, 그 밖의 대통령령으로 정하는 장애로 분류한다.

특수학생 중 학습장애 학생들이 숫자가 가장 많다. 학습장애 학생은 평균이나 그 이상의 지능을 가지고 있지만 학습하는 데 어려움을 겪는 학생을 말한다. 읽기, 쓰기, 추론하기, 듣기, 또는 수학적 능력 등을 습득하고 활용하는 데 어려움을 갖는다. 학습장애는 중추신경계의 문제로 인해 발생하는 것으로 알려져 있다.

학습장애 학생의 일반적 행동 양식은 주의력이 결핍되어 있고, 목적 없이 산만하거나, 한 가지 일을 지속하지 못하고 과제를 끝까지 수행해 내지 못한다. 학습장애 학생은 한 영역에서는 잘 하지만 다른 영역에서는 극단적으로 낮은 수행을 보이고 몸의 균형과 신체기관 간 협응이 잘 이루어지지 않는다(Heward, 2009). 학습장애 학생을 가능한 조기에 이들을 변별해 내는 것이 필요하다. 학습장애를 가진 학생들을 변별해 내는데 핵심적 역할을 담당하는 사람은 교사이다. 학습장애 학생들을 변별하기 위해서 시험을 통해 나타난 점수, 지능검사 등 표준화된 검사점수 간의 차이를 기반으로 변별할 수 있다.

학습과제

1. 행동주의이론, 정보처리이론, 구성주의에서는 학습자를 어떻게 바라보는지 설명해 보자.
2. 심리사회발달에서 청소년기에 가장 중요한 과업을 설명하고, 그 과업을 위해 어떤 경험이 필요할지 생각해 보자.
3. 사회정서학습의 각 하위 역량과 예시를 설명하고, 사회정서학습과 인성교육과의 관계를 설명해 보자.
4. 학교 현장에서 동기가 낮은 학생의 구체적인 예시를 들어보고, 이 학생의 동기를 높일 수 있는 방법을 설명해 보자.
5. 현대적 의미의 지능이론을 설명하고, 각각의 장단점을 논해 보자.

참고문헌

교육부(2016). 인성교육 5개년 종합계획(2016~2020).

교육부(2020). 제 2차 인성교육 종합계획(2021~2025).

구자옥, 김성숙, 이혜원, 조성민, 박혜영(2016). OECD 국제 학업성취도 평가 연구: PISA 2015 결과 보고서. 한국교육과정평가원 RRE 2016-2-2.

도승이(2015). 사회정서학습 측면에서 인성교육과 인성의 측정. **교육심리연구**, 29(4), 719-735.

염철현(2012). 미국 초·중등학생의 '학업적, 사회적, 감성적 능력함양을 위한 학습법' 소개 및 한국교육의 주는 시사점. 한국교육개발원, 현안보고 OR 2012-01-4.

Atkinson, R., & Shiffrin, R. (1968). Human memory: A proposed system and its control processes. In K. Spence & J. Spence (Eds.), *The Psychology of learning and motivation: Advances in research and theory* (Vol. 2). San Diego, CA: Academic Press.

Bandura, A. (1986). *Social foundations of thought and action: A social cognitive theory.* Upper Saddle River, NJ: Prentice Hall.

Collaborative for Academic, Social, and Emotional Learning (2013). Benefits of SEL. http://www.casel.org/

Deci, E. & Ryan, R. (1987). The support of autonomy and the control of behavior. *Journal of Personality and Social Behavior, 53,* 1024-1037.

Dweck, C. (1975). The role of expectations and attributions in the alleviation of learned helplessness. *Journal of Personality and Social Psychology, 31,* 674-685.

Dweck, C. (1999). Self-theories and goals: Their role in motivation, personality, and development. In R. Dienstbier (Ed.), *Perspecives on motivation: Nebraska Symposium on Motivation 1990* (Vol/ 38, pp. 199-325). Lincoln: University of Nebraska Press.

Eggen, P., & Kauchak, D. (2011). 교육심리학: 교육실제를 보는 창(*Educational psychology: Windows on classrooms, 8th ed.*). 신종호, 김동민, 김정섭, 김종백, 도승이, 김지현, 서영석 공역. 서울: 피어슨에듀케이션코리아. (원서는 2010년에 출판).

Gardner, H. (1983). *Frames of mind: The thoery of multiple intelligences.* New York: Basic Books.

Heward, W. (2009). *Exceptional children* (9th ed.). Upper Saddle River, NJ: Merrill/Pearson.

Marcy P. Driscoll (2007). 수업설계를 위한 학습심리학(제3판)(Psychology of learning for instruction, 2nd ed.). 양용칠 역. 서울: 교육과학사.

Maslow, A. (1968). *Toward a psychology of being* (2nd ed.). New York: Van Nostrand.

Pavlov, I. (1927). *Conditional Reflexes* (G. V. Anrep, Trans.). London: Oxford University.

Pekrun, R., Goetz, T., Frenzel, A. C., Barchfeld, P., & Perry, R. P. (2011). Measuring emotions in students' learning and performance: The Achievement Emotions Questionnaire (AEQ). *Contemporary Educational Psychology, 36,* 36-48.

Rosete, D., & Ciarrochi, J. (2005). Emotional intelligence and its relationship to workplace performance outcomes of leadership effectiveness. *Leadership & Organization Development, 26*(5), 388-399.

Salovey, P., & Mayer, J. D. (1990). Emotion Intelligence. *Imagination, Cognition, and Personality, 9*(3), 185-211.

Spearman, C. (1927). *The abilities of man: Their nature and measurement.* New York: Macmillan.

Sperling, G. (1960). The information available in brief visual presentations. *Psychologicla monographs, 74* (Whole No. 498).

Sternberg, R. (1998). Applying the trarchic theory of human intelligence in the classroom. In R. Sternberg & W. Williams (Eds.), *Intelligence, instruction, and assessment* (pp. 1-16). Mahwah, NJ: Erlbaum.

Sternberg, R. J., & Lubatt, T. I. (1999). An investment theory of creativity and its development. *Human Development, 34,* 1-31.

Torrance, E. P. (1974). *Torrance Tests of Creative Thinking: Norms-technical manual.* Lexington, MA: Ginn.

Weiner, B. (1992). *Human Motivation: Metaphors, theories, and research.* Newbury Park, CA: Sage.

제**5**장

교육의 사회학적 기초

성기선(가톨릭대학교 교직과)

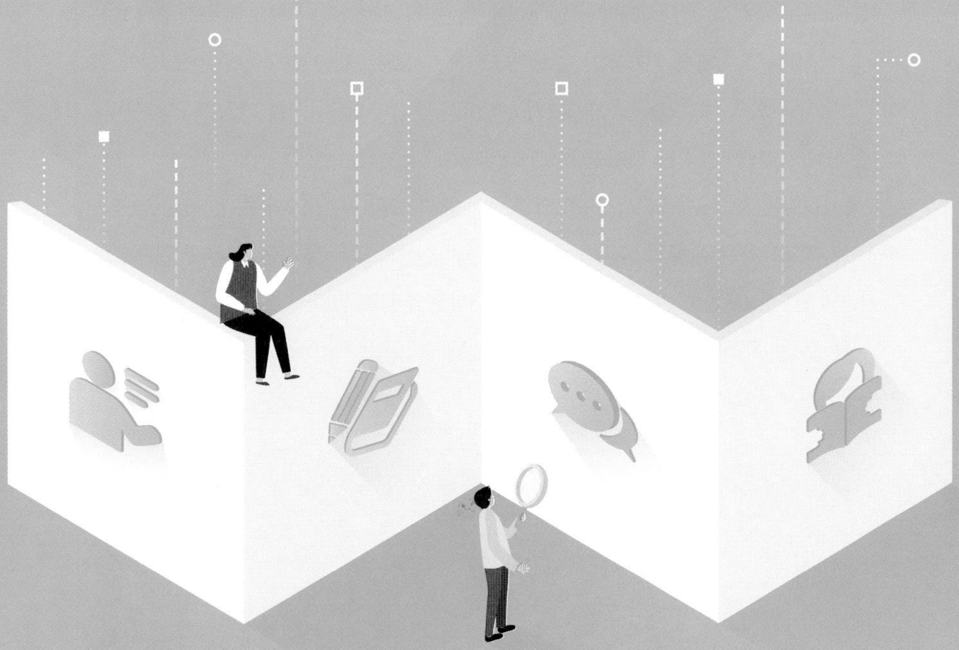

학습 개요

학교교육은 사회적 진공상태에서 일어나지 않는다. 우리나라의 학교교육도 구체적인 역사와 사회적 맥락 속에서 전개되어 왔으며, 다양한 사회 문제와 밀접한 관련을 맺고 있다. 따라서 우리 사회의 학교교육을 이해하기 위해서는 우리 사회가 처한 다양한 역사적 · 사회적 · 문화적 · 경제적 맥락을 이해할 필요가 있다.

교육사회학은 학교교육과 사회구조와의 관계를 이해할 수 있도록 하는 학문 영역이다. 한편으로 학교교육은 사회의 평등화에 기여한다는 주장이 있는가 하면, 다른 한편으로는 기존 사회의 불평등 구조를 반복 재생산, 정당화한다는 주장이 있다.

이 장에서는 우리나라 학교교육이 어떻게 발달되어 왔는지, 어떤 정책적 변화와 특질을 보여 주었는지 검토해 보기로 한다.

1. 학교교육의 확대와 학력상승

우리는 태어나면서부터 죽을 때까지 교육활동 속에서 살아간다. 만약 교육활동이 일어나지 않으면 우리의 사회와 문화는 연속성을 갖지 못할 것이다. 이러한 교육활동은 학교라는 제도가 들어서기 훨씬 이전부터 있어 왔고, 오늘날에도 학교를 포함한 전 사회적 영역에서 교육활동이 일어나고 있다.

학교교육은 교육활동을 전담하는 학교라는 제도의 등장과 함께 시작되었다고 이해할 수 있다. 교육사(教育史)를 통해서 볼 때 오늘날과 같은 대중적인 형태의 학교제도는 산업화와 더불어 등장한 것이다. 그 바탕 위에 각국이 국민교육의 필요에 따라 공교육제도를 확립함으로써 학교제도가 급팽창하여 보편화되기에 이른 것이다.

우리나라 근대 교육 110년의 전개과정을 그래프로 살펴보면 [그림 5-1]과 같다. 이 그림을 보면 20세기 초반부터 최근까지의 110여 년 동안 우리나라의 초·중·고등교육기관의 학생수 변동을 확인할 수 있다. 우리는 여기서 몇 가지 특징을 확인할 수 있다.

먼저, 우리나라의 경우 1930년대부터 초등교육이 확대되기 시작하다가 1960년대 중반에 이르러 보편화 단계에 들어섰다. 이어서 중등교육의 확대가 1970년대 초반부터 시작되어 10여 년 만에 정점에 이르렀다. 이어서 대학교육의 양적 팽창이 1980년대부터 본격화되어 지속적으로 상승하다가 2000년 초반부터 학생수가 점차 감소하는 추세를 보이고 있다. 이 자료를 보면 제도교육의 형성과 발전 그리고 쇠퇴를 한눈에 볼 수 있다. 이러한 팽창은 식민지배 기간 동안의 억압된 교육욕구가 반영된 것이기도 하며, 1950년대 중반부터 1960년대 중반까지 태어난 소위 '베이비부머(baby boomer)' 세대가 학교로 급속도로 들어오게 됨으로 인해 나타난 현상이라고 설명할 수 있다(김신일, 2009). 이들 베이비부머 세대가 초등학교를 입학하기 시작한 시점은 1962년이며 중학교는 이로부터 6년 후인 1968년, 고등학교는 1971년이 된다.

이러한 학생수의 증가는 수많은 문제점을 낳게 되었다. 먼저, 조기선발(早期選拔)로부터 비롯된 문제이다. 1968년도까지는 초등학교에서 중학교를 입학하기 위해서는 중학교별로 치르는 입학시험을 거치도록 하였다. 소위 학교별 선발인 비평준화

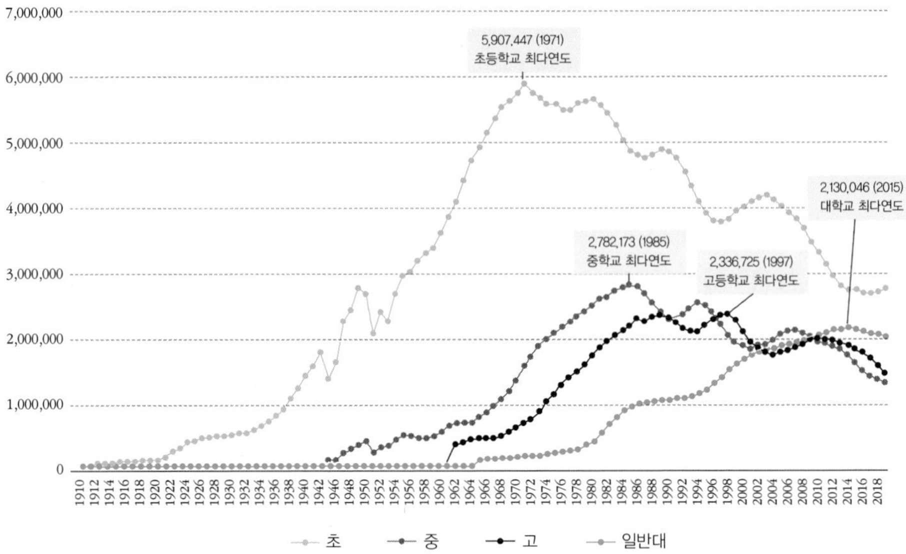

[그림 5-1] 우리나라 근현대 초 · 중 · 고등교육기관의 학생수 변화

제도는 만 13세에 상급학교인 중학교 진학을 위해 입학시험을 준비하도록 한 제도였다. 이는 중등교육제도가 보편화되기 이전에는 엄격한 경쟁시험을 통한 선발, 소수정예만을 위한 교육인 엘리트주의(elitism)를 표방하였기 때문이다. 교육기회가 누구에게나 평등하게, 보편적으로 분배되지 않았던 시대의 제도가 갖는 특징이라고 할 수 있다. 따라서 오늘날 '고3병'과 마찬가지의 현상이 초등학교 6학년에게 나타났으며, 시험 준비로 인한 사교육 문제 등이 심각한 사회적 문제가 되었다. 이 과정에서 이른바 '무즙파동' '창칼파동'[1]과 같은 중학교 입학시험 문제 오답시비와 관련된 사건들이 발생하게 되었다. 그 결과, 1969년부터 중학교 무시험 진학이 결정되기에 이르렀다. 그러나 중학교 진학의 장벽을 헐었다고 하더라도 문제가 그친 것

1) 1964년 중학교 입학시험의 자연 18번 문제 정답에 대한 오답시비로 일어난 사건으로 한국에서 중학교 입시가 사라지는 데 큰 영향을 주었다. 당시 시험문제 중에서 자연 18번 문제는 엿을 만드는 과정에 대한 내용이었으며, 엿기름 대신에 넣어도 좋은 것은 무엇인가라는 질문이었다. 정답은 1번 디아스타제였는데, 4번 무즙을 표시했다 시험에서 떨어진 학생의 학부모들이 무즙으로도 엿을 만들 수 있음을 시연하였다. 창칼파동 역시 입시 오답시비 사건이었다. 이러한 사건 이후 1969학년도부터 중학교 입학시험이 폐지되었다.

은 아니었다. 그 문제는 고스란히 중학교에서 고등학교 진학 단계에서 반복적으로 나타나기 시작했다. 1974년 서울과 부산을 시작으로 고등학교 무시험추첨전형(소위 고등학교 평준화 정책)이 시작됨으로써 상급학교 진학의 욕구를 수용할 수 있는 제도적 장치를 마련할 수 있었다.

그러나 이러한 제도적 변화만으로는 분출하는 교육적 욕구를 모두 수용하기에는 난제가 많았다. 학교 수의 부족, 교육재정의 부족으로 인해 우리나라 중등교육의 팽창은 또 다른 해결과제를 안게 되었다.

학령인구의 증가, 학교수의 부족은 결국 학급당 학생수의 증가로 이어질 수밖에 없었다. 이른바 '콩나물교실'이라고 불렸던 대규모 학급은 1970~1980년대 학교를 다닌 이들이라면 누구나 겪을 수밖에 없었다. 당시만 해도 2부제, 3부제로 운영하던 학교가 태반이었다. 학급당 학생수도 지역별로 약간의 차이는 있었지만 70~80명이 기본이었고, 심한 경우는 100명이 넘는 학교도 많았다. 교육부 통계에 따르면 지난 1970년 초등학교와 중학교의 학급당 평균 인원은 62.1명이었다. 일반계 고등학교도 60.1명에 달했다. 하지만 그러던 것이 매해 조금씩 떨어지기 시작해 2020년 현재에는 30명대에 달했다. 초등학교 30.9명, 중학교, 35.3명, 일반계 고등학교 33.7명이다. 특성화 고등학교는 이보다 적은 29.9명 수준이다(KEDI 통계: https://kess.kedi.re.kr/index).

여하튼 학교 수의 부족을 해결하기 위해 적용한 정책은 다름 아닌 사립학교 설립 활성화였다. 공립학교를 세우기에는 당시 국가의 재정 형편이 좋지 않아 지나치게 많은 사립학교가 이 당시 학생수 과다 현상을 해결하기 위해 동원되었다. 그 결과, 우리나라 공교육체제 내에 있는 사립학교의 비중이 과다하게 되어 다양한 문제점들을 낳게 되었다. 2020년 현재 사립학교의 비율을 보면 초등학교 1.21%, 중학교 19.64%, 고등학교 39.91%, 전문대학 93.38% 및 4년제 대학 81.68%를 차지하고 있다(KEDI 통계: https://kess.kedi.re.kr/index). 미국이나 영국이 중등교육 단계에서 사립학교가 10% 전후를 차지하고 있다는 점을 고려해 보면, 우리나라는 공교육체제 내에 사립학교가 지나치게 높은 비중을 차지하고 있는 점을 확인할 수 있다.

또 다른 정책으로는 '수익자부담원칙'을 들 수 있다. 교육에 드는 경비를 그 혜택을 받는 학생, 학부모가 책임지도록 한다는 원칙으로, 우리나라 중등교육의 팽창은 유상제에 의해 가능할 수 있었다. 중등교육의 유상제를 통해 국민들의 교육적 욕구를 수용할 수 있었으며, 그 결과 중·고등학교의 취학률이 선진국 수준으로 급속히 높아졌다는 것이다. 결국 유상제 중등교육은 두 가지 방식으로 유지되는데, 그 중 하나는 교육비를 '수익자부담원칙' 아래 학부모에게 부담시키는 관행이며, 다른 하나는 학교의 설립과 경영에 소요되는 비용을 민간 부문에 맡기는 사학 진흥 정책이다. 이러한 사학 진흥이나 수익자부담 원칙을 통해서 정부는 재정적 지출 없이 사적인 영역에 공교육을 맡김으로써 교육적 욕구를 수용할 수 있었다(김기석, 1987). 이는 「사립학교법」을 둘러싼 사회적 갈등, 자율형사립고등학교 문제, 과도한 사부담공교육비 등과 같은 지속적인 교육 문제와 쟁점을 낳은 요인이 되고 있다(성기선 외 2012).

우리나라 제도교육의 팽창은 가히 세계사적으로도 유래를 찾아보기 힘든 현상이다. 그렇다면 '왜' 이와 같인 현상이 짧은 기간 안에 전개되었는가에 대해서 이론적인 검토를 해 보기로 한다.

2. 학력주의, 학벌사회, 교육열

근대교육의 전개과정을 보면 대부분의 국가에서는 교육기회를 늘리기 위한 노력을 기울여 왔음을 확인할 수 있다. 그것은 교육을 통한 사회적 평등의 실현이라는 측면과 함께 교육을 통한 사회경제적 발전이라는 효율성의 측면에서 중요한 정책적 도구의 역할을 한다고 믿었기 때문이다. 이러한 학교교육의 팽창은 대부분 초등학교 단계에서부터 시작하여 중등학교로 이어졌으며 최종적인 단계인 고등교육 단계까지 이어짐으로써 전반적인 국민의 학력수준이 향상되는 과정을 밟고 있다.

우리나라 역시 해방 이후 급속한 학교교육의 팽창을 경험하였으며, 이제는 고등교육, 즉 대학 진학률이 75%를 넘어서는 수준까지 이르러 그야말로 과잉학력, 학력인플레이션과 같은 용어가 의미하는 바가 현실로 나타나고 있는 실정이다. 그렇다면 60여 년이라는 짧은 기간 동안 급작스럽게 국민의 학력수준이 상승하게 된 이유는 무엇인가? 이러한 질문에 답하기 위해서는 먼저 학력사회가 갖는 의미가 무엇인지에 대해서 검토해 볼 필요가 있다.

학력사회 또는 학력주의 사회라고 하면 '사회적 지위를 달성하는 수단으로서 무엇보다도 학력이 가장 중요시되는 사회, 다시 말하면 보다 좋은 학력을 가진 사람이

보다 좋은 사회적 지위를 획득할 가능성이 큰 사회이다.'라고『교육학대백과사전』(서울대학교 교육연구소, 1998)에서 정의 내리고 있다. 이 경우 학력(學歷)은 학교교육의 수직적인 위계인 학교교육 연한(years of schooling)을 의미하기도 하면서, 동시에 동일한 학교교육 수준에서도 명망도가 높은 소위 '명문' 학교 또는 '일류' 학교를 의미하기도 한다. 후자의 경우를 '학벌(學閥)'이라고도 표현할 수 있다. 아울러 사회적 지위는 보다 좋은 직업, 보다 좋은 기업, 보다 승진 가능성이 높은 직업을 의미한다. 일상적으로 표현하는 '출세'를 하기 위해서는 더 많은 학교교육을 받아야 되며, 특히 일류학교를 다녀야 한다는 점이 학력주의 사회의 특징이라고 할 수 있다. 요컨대, 개인에게 지위를 배분하고 개인을 평가하는 기준으로서 그 사람의 실력보다는 그가 소유한 형식적 간판으로서의 학력을 더 중요시하는 제도나 관행이 지배하는 사회를 우리는 학력사회라고 부른다.

학력사회에서는 학력이 실력보다 출세의 중요한 조건이 되기 때문에 모든 학부모나 학생들은 상급학교에 진학하려고 하며, 특히 인기대학, 인기학과에 집중하는 경향을 초래하여 치열한 입시경쟁을 유발하게 된다. 그 결과, 사회는 능력과 실력 중심이 아니라 학력과 학벌 중심으로 평가하게 되는 문제점이 심화된다. 따라서 자신의 적성이나 능력과는 관계없이 타인들이 인정하는 '간판'을 따기 위한 경쟁에 더욱 치중함으로써 교육의 본질적 기능은 무시되고 수단적 기능, 외재적 기능이 더욱 강조되는 기현상이 발생하게 된다.

이러한 대학진학에 대한 열풍, 학력과 학벌을 둘러싼 치열한 경쟁의식을 이른바 '교육열'이라고 표현할 수도 있다. 그렇다면 이러한 학력사회에 대한 기존의 이론들의 주장을 정리해 보고, 학력사회를 강화하는 교육적 기대와 열망은 무엇인가에 대해서 살펴보기로 한다.

1) 학력사회를 설명하는 제 이론

학력사회의 도래는 양적 교육규모의 급격한 팽창과 밀접한 관련이 있다. 학력의 상승을 설명하는 이론들에는 학습욕구이론, 인간자본론, 계급통제론, 지위경쟁이론, 선발가설 등이 있다. 이러한 이론들의 기본적인 주장과 그 내용을 살펴봄으로써 학력사회를 가능케 하는 다양한 요인과 설명방식을 살펴보기로 한다.

(1) 학습욕구이론

학습욕구이론은 매슬로(Abraham Maslow, 1954)의 동기이론에 기초하고 있는 이론으로 인간은 누구나 자신이 타고난 가능성과 소질을 실현하려는 욕구와, 사물의 뜻을 알고 이해하려는 욕구, 나아가 아름다움을 추구하려는 욕구를 가지고 있다. 이들 세 가지 욕구는 매슬로의 일곱 가지 기본 욕구 가운데 상위에 속해 있는 것들이다(김신일, 2000).

매슬로는 인간은 생리적 욕구, 안전의 욕구, 소속과 애정의 욕구, 자존의 욕구, 자아실현의 욕구, 알고 이해하려는 욕구, 심미적 욕구와 같은 일곱 가지 욕구를 가지고 있다고 설명하고 있다. 앞의 것일수록 기본적인 욕구에 해당되며 이들이 충족되면 이보다 상위의 욕구들을 추구하려는 동기를 갖는다고 주장한다. 이를테면 자아실현의 욕구, 알고 이해하려는 욕구, 심미적 욕구들은 기본적인 욕구인 생리적 욕구와 안전의 욕구 등이 충족된 이후에 추구될 수 있는 것들이다. 경제적으로 어려운 시절을 지나고 안전에 대한 보장이 되면 그 이후에는 자연스럽게 교육을 받고자 하는 욕망이 증가되며, 그 결과 우리나라의 학력이 상승하는 결과를 초래했다는 식으로 학력상승현상을 설명해 볼 수 있다.

그러나 이러한 학습욕구이론은 학교교육의 본질적인 기능에 대한 비판, 다시 말하면 교수-학습이 상위 학력을 추구하기 위한 수단으로 전락했으며 비인간화된 교육을 실시한다는 비판 등으로 인해 그 설명력이 상당히 낮다고 볼 수 있다.

(2) 인간자본론

인간자본론(human capital theory)은 1950년대 중반에 이르러 노동과 자본을 경제 발전의 투입요인으로 보았던 전통적인 경제 발전론을 비판하고 등장한 이론으로 노동의 질을 향상시키는 훈련, 학교교육, 보건 등 소위 인간자본에의 투자의 중요성을 주장하였다(김영화 외, 1997). 즉, 인간자본론은 노동력의 질적 향상이 경제 발전에서 중요한 변수로 작용을 하며, 노동력의 질적 향상은 교육을 통해 가능하기 때문에 교육을 소비가 아니라 투자의 대상으로 삼도록 주창하고 있다.

인간자본론에 의하면 개인은 미래에 예상되는 금전적 · 비금전적 수익만큼 자신에게 투자한다. 이러한 투자 결정은 개인이 자신을 위해서 내리기도 하며, 사회가 사회 성원을 위해서 내리기도 한다. 투자는 더 많은 학교교육, 훈련, 보건, 취업기회에 대한 정보, 더 높은 수입을 보장하는 직종으로의 이동 등의 형태로 나타난다. 이 모든 결정은 즉각적인 소비의 견지에서가 아니라 장기적인 투자의 관점에서 이루어진다. 즉, 이러한 선택은 합리적이고 계산적이며 의도적이라는 것이다. 인간자본론에 따르면 부족한 교육투자와 저조한 취학률이 저개발국의 저발전의 원인이며, 저소득층이나 저발전 국가의 교육기회를 확대시키면 이들의 빈곤이 해소되고 불평등이 감소될 것이라는 논리가 가능하다.

특히 1960년에는 인간자본에의 투자와 인간 자원은 경제 성장, 국가 발전의 주요 요인으로 간주되었다. 인간자본은 물적 자본이나 기술과 같은 다른 자본과 함께 상품과 서비스의 생산을 증가시키는 것으로 간주되었고 교육은 생산 능력을 향상시키는 수단으로 간주되었다. 교육이 어떻게 생산력을 향상시키는가에 대해서는 논란의 여지가 있지만 인간자본론을 주장하는 학자들은 대체로 지식과 기술과 같은 인지적인 산물을 매개로 한다는 견해에 일치를 보이고 있다(김영화 외, 1997).

이러한 인간자본론에 대한 주장은 몇 가지의 한계점을 가지고 있다. 이를테면 학력이 상승한다고 하더라도 생산성이 증대된다는 가설을 입증할 만한 자료가 없다는 점이다. 교육 수준을 높임으로써 생산성이 올라가고 그 결과 높은 소득을 얻을 수 있다는 측면보다는 오히려 높은 소득을 보장하는 직업에 배치되기 때문에 높은 소득을 얻게 되며, 졸업장은 이러한 직업적인 위계 구조에서 개인을 어떠한 자리에 배치할 것인가를 결정하는 데 작용한다는 것이다. 결국 직업기회가 보장되지 않으면 아무리 높은 학력을 성취하더라도 소득 개선에 직접적으로 연관성을 갖지 않는다고 본다.

또한 과잉학력, 하향취업 등과 같이 전반적인 학력이 상승함으로써 거기에 부합되는 노동시장이 부족하게 됨으로써 나타나는 새로운 현상들 역시 이 이론의 한계로 지적할 수 있다. 직업세계의 각각의 기술 수준은 학교교육 수준과 일치한다는 전제가 실제로는 받아들여지지 않고 있기 때문이다. 직장에서 담당하고 있는 역할이 대학에서 전공하지 않는 분야의 일인 경우가 적지 않고, 직장에서 담당하고 있는 일의 수준이 학력수준에 비하여 낮은 경우도 많이 있다는 사실들도 이 이론의 설명력을 낮추는 요인이 된다.

(3) 계급통제론

계급통제론은 학교교육의 시작과 그 팽창을 불러일으키는 동인은 자본주의 사회구조 자체에 내재해 있으며, 학교는 기존의 자본주의 사회가 유지, 존속되는 데 필요한 교육받은 인력을 공급함으로써, 기존의 불평등한 사회구조를 재생산하는 기능을 수행한다는 네오마르크시스트들의 주장이다.

보울스와 진티스(Bowles & Gintis, 1976)는 『자본주의 미국의 학교교육』이라는 책을 통해서 학교교육은 자본가들의 요구에 의해 시작되고 팽창되었으며, 자본주의 사회를 유지할 수 있는 순치(順治)된 노동력을 양성하는 기능을 수행하고 있다는 비판을 제기한 바 있다. 이러한 주장을 살펴보면, 학교는 학생들에게 특정한 기술, 기능, 훈련 기회만을 제공하는 것이 아니라 자본주의적 사회관계의 유지에 필수적인 규범적 통합기능을 수행하는 기관이며, 교육 팽창은 이러한 사회구조적 역동의 결과이다(김기석, 1994). 즉, 학교 팽창의 원인을 산업화에서 찾고 있으나, 기술기능이론이 직업구조의 변동에 따른 기술 수준의 변화에서 팽창의 원인을 찾는 것과는 달리, 순치된 노동력의 계속적인 공급과 지배계급의 지적・도덕적 우위를 유지하여 자본주의 헤게모니를 장악하기 위한 지배계급의 계급적 통제의 산물로 파악하고 있다.

또한 계급통제론은 과다 교육된 노동력 또는 과잉 자격 노동자들의 양산을 자본주의 사회에서 요구되는 노동예비군(reserved army of labor)을 확보하기 위한 조처로 설명한다. 마르크스주의 경제학에 의하면, 자본가 계급은 생산 장면에서 요구되는 인력 이상으로 노동력을 확보해 둠으로써 노동력의 초과 수요를 언제든지 충족시킬 뿐만 아니라 이 과잉 공급된 노동력을 통해서 현재 취업 중인 노동자들의 임금을 통제하고 해고의 가능성을 시사함으로써 순종적 인간관계를 유지한다. 다시 말해서, 취업 중인 노동자들은 자신들을 대체할 수 있는 노동자들이 실업상태로 대기 중임을 알기 때문에 임금, 근무조건 등에서 요구 수준을 조절할 수밖에 없으며 해고의 위험을 덜기 위해서 복종적인 인간관계를 감수할 수밖에 없다.

계급통제론에 의하면 생산양식이 변화함에 따라 요구되는 노동력이 달라지고 확보해 두어야 할 노동예비군의 기술과 지식 수준도 상승하기 때문에 산업의 발달과 생산과정의 변화에 맞추어 교육과잉도 저급에서 상급으로 전환되었다. 교육의 확대가 초등교육에서 시작하여 점차 상급 교육기관으로 확산된 것은 산업의 발달에 따라 요구된 인력의 자질이 상승되어야 하고, 미리 확보해 두어야 할 노동예비군도 고급화될 필요가 있었기 때문이다. 1960년대 고등교육체제의 급격한 확대의 상당 부분은 고급 기술력을 요구하는 산업들과 직업들의 갑작스러운 증가 때문이었다 (오욱환, 2001: 144-145).

이와 같은 계급통제론적 설명에 따르면 학교교육은 수준별로 각기 서로 다른 이유로 팽창을 경험했다. 초·중등교육의 경우 하급 노동자 양성을 위해 확대되었으며, 고등교육의 경우 자본가나 경영자와 같은 상급 지도자 양성을 위한 조치였다. 그러나 고등교육이 대중화 단계에 접어들면서 더 이상 자본가들의 이해를 반영하지 않고 독자적인 논리로 팽창하게 되는 현상에 대해서는 제대로 설명하지 못하고 있다. 어떻든 교육 팽창, 학력 상승, 학력사회의 문제를 자본가들의 이해의 반영 결과로 해석하기에는 무리가 따른다. 학력사회는 특정 계급의 이해만을 반영하고 있다기보다는 학교교육이 하나의 경쟁의 장(場)이며, 쟁송지대(contested terrain)가 되고 있다는 측면에서 특정 계급의 이해관계를 뛰어넘는다는 특징을 갖고 있다. 다시 말해, 특정 계급의 이해관계만을 반영하여 학교 팽창을 설명하기에는 무리가 따를 수밖에 없다.

(4) 지위경쟁이론

이 이론은 학력이 하나의 신분증과 같은 역할을 수행하며, 이를 수단으로 하여 사회적 지위를 획득할 수 있기 때문에 사람들이 경쟁적으로 학력을 높이려는 노력을 경주함으로써 전반적인 학력수준이 상승한다는 것이 논의의 핵심이다.

근대 사회의 등장과 함께 기존의 계급적 질서, 신분제사회가 무너지고 능력주의, 업적주의(meritocracy)에 기초한 선발이라는 새로운 이념이 등장하게 되었다. 여기서 사회적 선발장치로서의 학교교육의 가치가 더욱 강조되었다. 학교교육은 본질적인 기능과는 별도로 기존의 사회적 계층화 현상을 유지시켜 주기 위한 수단적인 기능인 선발과 배치의 기능을 충실히 수행할 것으로 기대되었다. 학교교육에 대한 수단적 기능의 강조는 졸업장, 즉 학력증명을 개인의 능력과 노력의 수준을 나타내 주는 공인된 '품질증명'으로 치환되도록 한 것이다(김신일, 2000). 결국 학교가 사회적 지위 획득의 중요한 사회적 통로 역할을 수행하기에 이른 것이다.

사회적으로 대접을 받고 높은 직위에 오르려면 이제는 학력증명을 첨부하지 않으면 불가능한 사회, 즉 학력주의 사회가 본격적으로 도래한 것이다. 학력은 취업을 위한 기본 도구일 뿐만 아니라 사회적 교제의 범위, 결혼, 승진 등 거의 모든 사회적 생활 영역에서 중요한 역할을 하게 되었다. 따라서 학력수준이 상대적으로 높아야 하며, 특히 동일한 학력수준이더라도 명문학교, 일류학교 졸업장은 사회적 신분의 상승과 유지를 위한 필수적인 자격이 되었다. 이러한 주장은 한국 사회의 학력주의 특성에 대해서 높은 설명력을 갖고 있는 듯하다.

콜먼이 주장하는 '사회적 자본(social capital)'으로서의 학력에 대한 설명도 학력 상승에 대한 중요한 논리적 근거가 되고 있다(Coleman, 1990). 콜먼은 사회적 자본을 설명하기 위해서 다양한 예를 제시하고 있는데, 한국 대학생의 학생운동을 사례로 제시하면서 한국 사회의 특성을 이해하기 위해서 사회적 자본이라는 개념이 유용하다는 주장을 제시한 바 있다. 이를테면 급진적인 사고를 추구하는 운동권 학생들은 나름대로의 은밀한 '스터디 서클'을 구성하게 되는데, 구성원들은 주로 동일 고등학교이거나 동향(同鄕) 또는 동일 교회의 경험이 있는 사람들로 구성된다고 한다. 이 스터디 서클은 민주화 운동이나 투쟁의 기본 조직이 되는데, 당국의 검거를 피하기 위해서 다른 집단의 구성원들과는 절대 의견교류를 하지 않는다고 한다. 콜먼은 이 예를 제시하면서 두 가지의 사회적 자본을 설명하고 있다. 이를테면 '동일한 고등학교 또는 동향 또는 동일 교회'라는 표현은 학습조직의 사회적 관계를 제공하고 있다는 점에서 사회적 자본이 되고 있으며, 또 다른 하나는 이 학습조직 자체가 다른 사회적 활동의 기초단위가 된다는 점에서 또 다른 유형의 사회적 자본이라는 것이다(Coleman, 1990).

물론 이러한 콜먼의 주장을 있는 그대로 받아들이기에는 한계가 분명히 있기는 하지만, 적어도 한국 사회에서 기존의 권위적 구조를 깨뜨리고 민주화를 주장하는 학생운동에서조차도 이러한 폐쇄적인 연고주의가 강하게 작용하고 있다는 점은 매우 놀랄 만한 설명력을 갖는다고 평가할 수 있다. 더 나아가서 1980년대 학생운동을 경험한 세대가 1990년 이후에는 새로운 정치세력으로 성장하였으며 소위 '386세대론'의 내용에서도 학생운동 경험 여부, 또는 같은 활동을 했거나 같은 학교를 다녔던 사람들에 대한 우호적 태도 등이 관찰되는 것을 보면 콜먼의 사회적 자본론은 한국 사회의 학력 중시, 학벌 중시의 사고방식에 대한 나름대로의 설명력을 갖고 있다고 평가해 볼 수 있다.

콜먼이 주장한 바와 같이 학연, 혈연, 지연과 같은 연고주의가 강한 우리 사회에서는 선천적으로 주어지는 연고성이 아닌 노력을 통해서 얻을 수 있는 연고성, 그것은 다름 아닌 학력과 학벌이며 이를 위한 경쟁은 상대적으로 합리적인 방식의 선발과 지위 획득이 보장되는 여타의 국가와 사회들보다 훨씬 강하게 일어날 것으로 예측해 볼 수 있다. 우리나라의 경우와 같이 지연과 혈연과 함께 학연이 강한 사회에서는 학력을 높이고, 특히 명문학교에 진학함으로써 사회적 출세를 위한 기본적인 자격을 갖추려는 노력을 경쟁적으로 추구할 수밖에 없을 것으로 생각된다. 이러한 사회적 자본의 소유는 능력과 관계없이 모든 사회적 진로결정에 있어서 유리한 고지를 점령한다는 사실은 다른 어떤 사회보다도 학력사회의 특성이 강화될 수밖에 없다는 점을 설명해 줄 수 있을 것이다. 결국 학력은 실력을 갖추기 위한 방편이라기보다는 졸업장을 따기 위한 수단에 불과하다는 생각을 갖게 한다.

도어(Dore, 1976)는 학력 상승의 연쇄적 현상을 '졸업장 병(diploma disease)'이라고 명명하면서 비판을 가하고 있다. 아울러 김신일(2000) 역시 한국 교육은 지위경쟁 수단으로서의 학력경쟁이 지배적이었다고 평가하고, 학습의욕의 증대와 직업 수준의 향상이 작용하지 않은 것은 아니나 지위경쟁이 더 뚜렷하게 작용하였다고 평가하고 있다. 이러한 비판은 학력의 상승이 교육의 질적 수준을 오히려 떨어뜨리는 부작용을 일으켰으며 학교교육의 본질적 기능이 아닌 수단적 기능이 강화되고 교육 인플레이션이 심화됨으로써 이제는 사회 문제로까지 확대되고 있는 현실을 잘 조명해 주고 있다.

이상과 같은 지위경쟁이론은 한국 사회의 학력주의를 설명하는 중요한 이론적 단서를 제공하고 있다. 그러나 '만인 대 만인의 경쟁'을 통해서 교육수준이 향상되고 그 결과 학교 팽창이 일어나는 학력사회가 된다는 주장은 경쟁의 부정적인 측면을 지나치게 강조하고 있다는 점에서 무리가 있다. 성취동기가 부족한 국가나 사회와 비교해 볼 때 교육을 통해서 성취하려는 동기가 강할수록 국가적으로 높은 경쟁력을 확보할 수 있고 지적인 수준을 향상시킬 수 있는 중요한 자산을 갖고 있다고 볼 수 있다. 만약 이러한 경쟁의식이 지나치게 낮게 된다면 교육을 통한 사회 발전이나 국가 발전이라는 정책은 불가능할 것이다. 다만, 이러한 지위경쟁이론이 실제 집단 간의 갈등이 학교교육의 팽창으로 이어진다는 주장을 실증적으로 증명할 수 있는 자료가 부족하다는 단점은 여전히 문제로 남아 있다(김기석, 1994).

(5) 기타 이론

지금까지 학습욕구이론, 인간자본론, 계급통제론, 지위경쟁이론의 이론적 주장의 내용을 간략히 진술해 보았다. 학력사회가 형성되기 위한 기초는 무엇보다도 학력의 상승, 학교교육의 팽창이 가능해야만 한다. 그러한 현상을 설명하는 관점으로 이러한 네 가지 이외에도 몇 가지 더 제시해 볼 수 있다. 이를테면 정치통합론, 세계체제론 및 역사사회학적 접근 방식을 들 수 있다.

정치통합론은 학교 팽창에 대한 기존의 설명 방식들이 주로 경제적인 요인을 거론하고 있는 것에 반해, 정치 단위인 국가의 이데올로기적 작용으로 학교 팽창을 설명하고 있다는 점에서 특색을 지닌다. 즉, 이 이론은 국가의 형성과 이에 따른 국민통합의 필요성 때문에 교육기회가 늘어나고 팽창이 가능해졌다는 설명을 핵심으로 하고 있다. 그러나 이 이론은 현대 국가 건설 초기의 초등교육의 의무화와 중등교육의 확대에 대해서는 어느 정도 설명력을 갖고 있지만, 역시 고등교육의 팽창과 특히 과잉교육의 문제, 학력인플레이션의 문제를 설명하는 데에는 난점이 있다(김신일, 1989).

세계체제론적 접근 방식은 교육이 저절로 팽창하지 않는다는 것을 전제로 경제적·사회적·문화적·정치적 요인과 같은 학교 외적 요인이 학교 팽창을 합리적으로 예측하는 데 적절치 못하며, 교육 팽창 현상이 전 세계적으로 공통적으로 일어나는 현상이라는 점에 착안하고 있다. 1960년대 이후 사회과학계에 등장한 이 이론은 개별 국가의 사회현상도 전 세계적인 맥락하에서 조망되어야 비로소 제대로 된 설명이 가능하다는 전제를 갖고 있다. 하지만 세계체제론은 학교교육의 팽창이 국가 내부의 요인에 의해 설명되지 않을 경우, 학교 내적 특징에 의해 팽창이 주도될 수 있다는 점을 간과하고 있다(김기석, 1994).

교육 팽창 현상은 나라마다 사회마다 특징적인 사회구조적 속성을 배경으로 이루어지며 또한 동일한 사회라 할지라도 역사적 시간의 흐름에 따라 달라질 수 있기 때문에 국가 간의 비교연구와 역사적 연구의 시각에서 더 잘 파악될 수 있다는 점에서 역사사회학적 접근 방식이 등장한다.

교육 팽창에 대한 역사사회학적 접근은 학교가 일정한 정도로 팽창한 후에는 자체의 탄력에 의해 팽창을 지속한다는 점을 주장하고 있다. 따라서 학력사회로의 진행은 초기에 학교교육을 중시하는 풍조가 시작되면서 자체의 관성에 의해 점차 강화되어 나가며 사회구조와 행위자들의 상호작용을 통해서 지속적으로 그 특성이 고착된다는 해석이 가능하다.

학력사회론을 가능케 하는 학교교육의 팽창현상에 대한 이상과 같은 다양한 이론적 관점 중에서 어느 하나의 접근 방식이 절대적으로 우위의 설명력을 가지고 있다고 단언하기에는 힘들다. 특히 한국 사회와 같은 학력사회의 강화현상을 가장 잘 설명할 수 있는 하나의 이론은 불가능하리라 보고, 세계사적 보편성을 뛰어넘는 한국 사회의 독자적 특징을 규명해 보고 학력사회를 둘러싼 다양한 이해관계를 살펴볼 때 보다 근접한 설명이 가능하리라 본다.

2) 학벌사회와 교육열

우리 사회 고유의 교육적 특성을 '교육열'이라는 개념으로 설명하고자 하는 노력도 지속적으로 있어 왔다. 한국 사회의 특성과 교육적 특성을 제대로 설명하기 위해서는 교육열이 무엇이며 교육열 현상이 무엇인가에 대한 탐구를 계속해 보아야 한다는 주장이다(이종각, 2003). 지금까지 논의된 한국의 교육열과 학벌사회의 문제점에 대한 논의들을 간략히 정리해 보기로 한다.

우리나라의 근대 학교교육의 확대 과정을 살펴보면, 그 근간에는 교육열(敎育熱)이 자리하고 있다. 교육열이라는 이름으로 알 수 있듯, 부모가 자녀교육에 쏟는 관심과 열정은 병적이기까지 하다(강창동, 2000). 교육열이 무엇인가에 대한 논의는 다양하게 전개되어 왔지만(김영화, 2000; 오욱환, 2000; 이종각, 2003), 다른 어떤 것보다 자녀의 사회적 출세, 사회이동에 대한 높은 기대의 반영이라고 볼 수 있다. 해방 이후 절대적 빈곤에서 점차 벗어나면서 사회적 상승이동(upward mobility)에 대한 열망이 높아졌으며, 자녀세대에 빈곤을 대물림하지 않겠다는 부모의 의지가 상승작용을 한 결과, 앞서 살펴본 바와 같은 제도교육의 급팽창을 불러일으켰다.

아울러 좋은 직업을 얻으려면 학력 수준이 높아야 할 뿐만 아니라, 대학 중에서도 중심부의 명문대학을 진학해야 한다는 학벌사회의 특징이 강화되면서 대학진학 경쟁은 더욱 치열하게 전개되어 왔다(김상봉, 2004). 한국 사회 중에서도 특히 서울 지역에는 서울대학교를 비롯하여 한국의 수많은 명문대가 자리 잡고 있다. 그리고 각 지방에는 지방 국립대학교와 지방마다 특색을 지닌 내로라하는 사립대학교가 있다. 하지만 수많은 수험생이 서울대학교를 위해 그리고 자신의 지역 내 대학이 아닌 명문대학에 진학하려고 하는 이유는 무엇일까? 근본 원인은 대학 내의 학문 수양, 연구보다는 부와 명예, 권력의 뒷받침이 되는 학력 그 자체에 있기 때문이다.

강준만 역시 『서울대의 나라』(1996)에서 대학진학열풍, 교육열은 다름 아닌 서울대학교를 중심으로 형성되는 학벌로부터 연유한다고 비판하고 있다. 이를테면 서울대학교는 본연의 과제인 학문 분야에서도 한국 최고가 아님에도 불구하고 유독 권력 획득 과정에서 우리가 잘 아는 바와 같이 다른 대학에 비해 강한 독점력을 발휘하고 있다. 사실, 한국 사회는 서울대학교 학벌을 정점으로 하여 그 아래 연세·고려대학교를 비롯하여 다수의 최상위 학벌 집단 그리고 다시 그 아래 차상위 학벌 집단 그리고 다시 그 아래 중위권, 하위권 이런 식으로 학벌에 따라 권력이 차등 분배되고 그에 따라 사회적 차별과 불평등과 계급이 발생하는 사회이다. 그런데 사회적 차별과 불평등은 단순히 권력의 불평등한 배분에서 끝나는 것이 아니다. 학벌 차별은 동시에 경제적 차원에서도 불평등한 분배로 나타난다. 그리하여 학벌은 모든 종류의 권력을 불평등하게 배치하는 기제인 동시에 경제적 불평등을 결정하는 배치 기제의 역할을 한다. 즉, 한국 사회에서 학벌이란 권력뿐만 아니라 부를 차등 분배하는 차별과 불평의 기제라고 간주하면 된다. 더 쉽게 표현하자면, 학벌이 좋을수록 부자가 될 확률이 높아진다는 것이다. 그리고 부자의 자식으로 태어난 자녀들이 학벌이 낮은, 가난한 이의 자녀로 태어난 이보다 좋은 학벌을 얻을 확률이 높아진다.

앞에서 살펴본 바와 같이 공교육을 통해서는 경쟁 사회에서 많은 차이가 나지 않는다. 각자 자신을 위한 사교육, 개인별 교육을 위해서는 이를 지원하기 위한 경제력이 필요하다. 그리하여 부와 상위 학벌은 자연스럽게 맞물려 들어가게 된다. 돈이 학벌을 낳고 다시 학벌이 돈을 낳는 것이다. 권력과 부는 본질적으로 공존한다. 학벌이 권력의 차별적 배분의 기제라면, 그것이 동시에 부의 차별적 배분의 기제라는 것은 너무도 당연하고 자연스러운 일인 것이다(강준만, 1996; 김상봉, 2004).

그러니 자녀교육에 부모의 전 재산과 에너지를 투입하지 않을 수 있겠는가? 우리 사회의 교육열은 곧 자녀의 대학진학열, 상류대학 진학열, SKY 대학진학열, 입시경쟁열이라 할 수 있다. 학벌사회를 해체하려는 다양한 방안을 마련하여, 대학진학의 과도한 경쟁을 완화시키고 누구나 능력에 따라 행복하게 살아갈 수 있는 사회를 만들어야 할 것이다. 대학입시철만 되면 들려오는 청소년 자살 소식이 더 이상 없는 사회가 될 수 있도록 다양한 노력을 기울여 가야 할 것이다.

3. 교육과 사회평등

학교교육은 사회의 평등화에 기여하는가? 아니면 사회평등화와 학교교육은 관련이 없는가? 이러한 질문은 학교교육의 사회적 기능에 대한 매우 중요한 질문이다. 지금까지 학교교육을 통한 사회 개혁에 대한 수많은 정책이 시도되었다. 그러나 그 결과에 대해서는 여전히 의구심을 많이 보일 수밖에 없다. 즉, 교육을 통한 사회평등화는 불가능하며 자본의 세대 간 전수, 계층 간 불평등 심화 등 구조적 문제로 인해 나타나는 문제를 교육을 통해서 개선할 가능성은 매우 희박하다는 생각이 점차 강해지고 있다. 최근 사회양극화와 교육격차 등 교육의 사회적 문제를 비판하는 시각이 강한 것 역시 이러한 생각의 반영이다.

이 장에서는 교육평등에 관한 철학의 변화 과정을 검토하고, 교육평등을 바라보는 관점의 변화와 관련 정책, 사회평등과 교육의 관련성, 그리고 국내외적으로 최근 시행되고 있는 사회적 평등화를 위한 다양한 노력들에 대해서 알아보고자 한다.

1) 교육평등이란

먼저, 교육평등이란 무엇인가에 대해서 생각해 보기로 한다. 교육평등이라고 하면 주장하는 사람에 따라, 교육에 대한 관점에 따라, 시대에 따라 매우 다양하게 해석된다. 이를테면 누구나 동일한 학교, 동일한 내용, 동일한 기간 동안 똑같이 받는 것이 교육평등이라고 주장할 수도 있다. 또한 다른 어떤 이는 개인의 능력과 적성에 따라 교육이 차별적으로 제공되어야만 진정한 교육평등이 실현된다는 주장을 할 수도 있다.

교육평등을 바라보는 관점의 변화를 보면 크게 두 단계로 구분 가능하다. 교육기회의 평등과 교육내용의 평등이다. 여기에 하나를 덧붙이면 사회개혁에 의한 평등관을 들 수 있다(김신일, 2002). 각의 단계별 평등관에 대해서 간략히 제시해 보고자 한다.

(1) 허용적 평등관

교육기회에 대한 허용적 평등관은 법이나 제도상으로 누구에게나 교육의 기회가 허용되어야 한다는 관점이다. 근대 이전의 계급사회에서는 교육기회가 모든 계급에게 열려 있지 않았다. 귀족, 양반계급이 독점하던 시대에 교육기회의 평등은 실현되지 못했다. 법적 · 제도적으로 교육기회가 제한적이었다. 따라서 가장 우선적으로 교육평등에 대한 요구는 이러한 법적 · 제도적 제약조건을 극복하고자 하는 것이었다.

교육에 대한 계급, 성(性), 인종, 민족, 지역 간의 불평등을 없애기 위한 노력의 과정은 순탄하게 진행되지는 않았다. 프랑스혁명 이후 '모든 인간은 평등하다'는 주장이 보편화되면서부터 교육에 대한 접근 기회 제한을 완화하려는 노력이 시작되었다. 그러나 한동안 여성, 흑인 등 사회적 약자에게 법적인 교육에 대한 접근 권리가 쉽게 부여되지는 못하였다.

허용적 평등에 관한 의미 있는 사건은 미국에서 1954년에 일어났다. 대법원에서 '브라운 대 교육위원회 재판(Brown vs. Board of Education)'이라고 부르는 판결을 내리게 되었는데, 이는 미국 교육에서 백인과 흑인이 다니는 학교를 분리하는 것을 정당화하였던 "분리하지만 평등하다!(Separate but Equal)"라는 인종차별을 정당화하였던 기존의 논리를 폐기한 결정적 계기가 되었다. 이 사건은 흑인과 백인을 분리하던 교육정책이 교육기회 평등이라는 법률에 위배된다는 점을 명시함으로써 흑백 인종통합을 가능하게 만들었다는 중요한 의미를 갖고 있다(http://ko.wikipedia.org/).

결국 허용적 평등관은 교육에 대한 접근 기회를 막고 있었던 관행, 법, 제도 등 구조적 장벽을 없애야 한다는 주장을 핵심 내용으로 삼고 있으며, 이는 교육평등에 대한 문제제기의 첫 번째 단계에 해당한다.

(2) 보장적 평등관

학교 취학과 진학을 가로막는 사회적 · 경제적 · 지리적 제반 장애를 제거해 주어 자유로운 취학과 진학이 가능하도록 해야만 진정한 교육평등이 실현될 수 있다는 주장이다. 앞서 제기한 바와 같이 법적 · 제도적 장벽이 철폐되어 누구나 학교를 다닐 수 있게 되었다고는 하지만 그것은 선언에 불과할 수 있다. 실제로 학교를 다니고 싶어도 거주지 근처에 학교가 없거나, 경제적 여건이 어려워 교육에 요구되는 경제적 비용을 부담할 수 없다면 불가능하다. 따라서 교육을 받고자 하는 사람들에게 경제적 · 지리적 제약조건이 없도록 적극적으로 환경을 보장해 주어야만 진정한 교육기회의 평등이 실현될 수 있다. 이를 위해 가장 먼저 도입한 정책은 다름 아닌 무상의무교육이다.

우리나라의 의무교육은 1948년 「헌법」과 「교육법」에 의해 법적 기초가 마련되었으나 실질적인 의미의 초등학교 의무교육은 1954~1959년에 실시되었던 '의무교육 완성 6개년 계획'에 따라 처음으로 구현되기 시작했다. 중학교 의무교육은 지난 1985년 제정된 「중학교 의무교육 실시에 관한 규정」에 의해 도서 · 벽지 중학교 1학년부터 시작됐으며 2002학년도 9년 무상교육이 전면 실시되기 시작했다. 결국 초등 · 중학교 교육 단계까지는 무상의무교육을 통해 누구나 경제적 어려움 없이 교육을 받을 수 있도록 보장하였다. 그러나 이 과정에서도 교육을 받는 데 드는 비용이 여전히 부분적으로 존재하고 있다. 이를테면 육성회비나 학교운영비와 같이 학비는 아니지만 유사한 형태로 일정 부분 학부모에게 비용을 부담시킨 사례가 있었고, 또한 급식비 부담 역시 논쟁의 대상이 되었다. 이른바 선별적 복지와 보편적 복지에 관한 논쟁은 어디까지를 공적인 비용으로 교육을 시켜야 하는가라는 질문에 관련된 것이다. 2021년부터는 고등학교 12년까지 무상교육을 실시하는 정책이 시작되었다. 결국 12년 간의 초 · 중등교육을 무상으로 제공함으로써 경제적 사정과 관계없이 누구나 고등학교까지 마칠 수 있는 체제로 가게 되어 어느 정도 보장적 교육평등은 실현되고 있다는 평가를 내릴 수 있다.

여하튼 교육기회의 보장적 평등은 경제적 · 지리적 · 사회적 장애요인으로 인해 나타나는 교육기회의 불평등을 해소해 나가야 한다는 주장을 핵심 내용으로 담고 있다.

(3) 조건 평등관

취학한 학교가 동일한 질적 수준을 유지하며 동질의 교육프로그램을 학생들에게 제공해야 한다는 관점이다. 앞서 언급한 교육기회의 보장적 평등관의 시각에서 볼 때, 국제중학교 관련 논쟁을 예시해 보자. 의무교육기간인 중학교 수준에서 특수유형의 학교인 국제중학교의 진학기회는 누구에게나 열려 있지 않다. 높은 등록금 수준을 부담할 수 있는 계층에게만 제한적으로 교육기회가 제공된다는 점에서 교육기회의 보장적 평등을 위반한다고 비판할 수 있다. 그런데 더 곰곰이 생각해 보면, 교육기회의 불평등뿐만 아니라 동일한 수준의 중학교교육이지만 국제중학교와 같은 학교가 일반 중학교에 비해 양질의 우수한 교사진, 수준 높은 교육내용과 교육환경 등을 제공하고 있다면 교육조건, 교육내용, 교육과정 등에서 평등하다고 볼 수 없다.

우리나라에서 중학교 무시험 진학은 1969년부터 시작되었다. 이른바 중학교 평준화라 볼 수 있으며, 1974년부터는 서울과 부산부터 고등학교 단계의 평준화 정책이 도입되었다. 이러한 평준화 정책의 핵심은 경쟁선발이 아닌 추첨배정이다. 다시 말하면, 시험을 치지 않고도 진학을 희망하는 학생들은 누구나 거주지 인근의 학교에 배정을 통해 다닐 수 있게 되었다. 이는 학교 간 여건, 시설, 교사진, 교육과정 등에서 차이를 최소화시켜 어떤 학교를 가더라도 균질적인 교육을 받을 수 있도록 하겠다는 취지를 갖고 있었다. 그러나 이 정책은 처음부터 입시제도의 일환으로 입안된 것이기 때문에 교육조건의 평등화보다는 학생들의 학교 간 균등배정에 근본 목적이 있다. 교육조건의 평등화는 학생의 균등배정에 대한 보완책으로 포함된 것일 뿐이다. 그렇기 때문에 평준화 정책은 학생의 균등배정을 강제로 실시하는 일에 중점을 두어 왔고, 교육조건의 평등화를 위해 노력하지 않는 것은 아니나 교육재정의 궁핍 등을 이유로 제대로 시행하지 못하였다. 더욱이 평준화 정책의 근본 목적이 교육조건의 평등화에 있었다면, 상대적으로 교육조건이 양호한 대도시보다는 농촌과 벽지의 학교에서부터 실시했어야 옳으나 실제의 정책시행은 그와는 반대 방향이었다.

그런데 지난 2009년 이명박 정부에서 시작된 이른바 '고교다양화300 프로젝트'는 이러한 평준화의 취지를 훼손하고 있으며 결과적으로 고등학교 수준의 교육조건의 불평등을 심화시키고 있다는 비판이 제기되고 있다. 이를테면 외국어고등학교, 과학고등학교, 자율형사립고등학교, 국제고등학교 등 다양한 유형의 선발형 학교가 들어서면서 교육기회의 불평등뿐만 아니라 교육조건의 불평등이 심화되고 있다. 이들 학교는 등록금 수준이 일반 고등학교에 비해서 높기 때문에 계층적인 불평등을 그대로 반영하고 있으며, 시설이나 교사진의 수준 역시 일반 고등학교와 비교할 때 상대적으로 우위에 놓여 있기 때문이다. 이러한 교육조건의 불평등은 그 자체로도 문제가 될 뿐만 아니라, 그러한 교육과정을 이수한 후 얻게 되는 상위대학 진학과 사회적 진출이 차별적으로 이루어진다면 구조적으로 불평등을 더욱 심화시킬 수 있다는 점에서 매우 문제점이 많은 제도이다. 우리나라의 경우 아직 이러한 교육조건의 평등관에 대해서 누구나 만족할 만한 수준의 평등화가 실현되었다고 보기는 어려운 상황에 놓여 있는 셈이다.

요컨대, 교육조건의 평등관은 동일한 수준의 질적으로 우수한 교육을 누구나가 받을 수 있어야 한다는 점을 강조하고 있다.

(4) 결과 평등관

교육평등관의 마지막 단계라고 할 수 있는 교육결과의 평등관은 교육받은 결과가 동일해야 한다는 생각에서부터 출발한다. 한편으로 보면 불가능할 뿐만 아니라 그 자체가 역차별이라는 논란을 불러일으킬 수 있는 관점이다. 결론적으로 말하자면 현실적으로 결과의 평등은 불가능하지만, 출발 단계에서부터 열악한 수준에 있는 자들에게 상대적으로 더 지원을 해야만 결과적으로 나타날 차이를 줄일 수 있다는 시각이다. 이를 보상주의적 평등관이라고 부르기도 한다. 이를테면 장애를 안고 있는 학생들과 일반학생들이 같은 출발선상에서 출발하도록 하는 것이 공정할 수는 없으며, 시간이 지날수록 격차는 더 벌어질 수밖에 없다. 가정의 사회경제적 배경이 열악한 학생들은 기초학력이 부족할 수밖에 없다. 또한 학교를 다니는 과정에서 가정으로부터의 지원과 관심을 제대로 받지 못하는 경우에는 이러한 격차가 점차 벌어지는 경향을 보인다. 도시에 비해 농산어촌에 거주하는 학생들의 경우에도 교육환경이 열악하여 학업 성취도 수준에서 열등한 위치에 놓일 수밖에 없다.

『정의론』을 쓴 존 롤스(J. Rawls)에 따르면 정의를 위해서는 '차등의 원칙' '기회균등의 원칙'을 지켜야 한다. 기존 사회로부터 최소 수혜자들에게 최대의 이익을 돌릴 수 있도록 분배를 차등화하는 방식, 즉 분배의 정의를 통해 기존의 불평등한 사회관계를 최소화하여야 한다고 주장한다(Rawls, 1971). 이러한 롤스의 주장은 교육결과의 평등을 적극 지지하는 논리가 된다.

서구 사회는 1960년대부터 교육을 통해 사회불평등이 심화되는 것을 완화시키려는 지난한 노력을 해 오고 있다. 이들 국가는 교육을 통한 평등의 실현이 모든 사람에게 교육기회가 허용되고 보장되는 것만으로는 한계가 있으며, 교육 소외 계층에게 교육과정 및 결과의 평등을 보장해 줄 수 있는 인위적인 조치로써의 보상교육을 실시할 필요가 있다고 보았다(류방란 외, 2006).[2] 이에 따라 각 국가들은 교육과정과 교육결과의 격차를 줄이는 일을 교육정책의 중요한 목표로 하고 있다. 영국에서는 1960년대에 교육 낙후 지역에 대한 지역단위 정책의 필요성이 제기되었으며, 프랑스에서는 교육적 실패와 사회경제적 환경 사이의 상관관계에 대한 인정을 바탕으로 교육복지 지원정책을 수행하고 있다.[3] 미국의 사회적 약자 보호를 위한 특별조치인 '소외자 우대정책(affirmative action)' 역시 교육과정상의 불평등에 대한 보상적 의미를 갖는 적극적인 교육평등정책을 대표하는 사례 중 하나이다.[4]

우리나라의 경우 교육평등에 대한 관심이 부족했으며, 특히 결과 평등관에 입각한 보상주의적 정책은 거의 시행되지 못했다. 그것은 교육이 사회적 출세를 위한 개인적 경쟁의 장으로 강하게 인식되어 평등보다는 공정성을 더 중시했기 때문이라고 볼 수도 있고, 다른 한편에서는 사회적 평등과 교육의 관련성에 대한 인식의 발달이 부족했기 때문이라고도 볼 수 있다.

그러다가 2000년대에 들어오면서 빈곤, 양극화, 격차 등과 같은 사회문제에 대응하기 위한 다양한 대책이 개발되고 시행되었는데, 2003년 실시되기 시작한 '교육복지투자우선지역지원사업'(2011년도부터 '교육복지우선지원사업'으로 명칭 변화)이 대표

2) 교육과정에서의 평등에 대한 강조는 학교 시설, 교사의 전문성, 주변 환경 등이 다르다면 학생들의 지적·정의적 측면에서 교육의 효과가 다르게 나타날 수 있기 때문에, 학교에 다니되 모든 사람이 같은 조건의 학교에 다니는 것은 아니라는 문제의식에 기반하고 있다. 한편, 교육과정의 평등에서 한 단계 더 나아가면 교육결과의 평등이 주된 문제가 되는데, 이는 학습에 불리한 학생을 역차별함으로써 교육의 결과를 평등하게 하는 것을 의미한다.

3) 영국의 교육우선지역(Education Action Zone)과 프랑스의 교육우선지역(Zones d'Education Prioritaires)은 선별적 투자를 특성으로 하는 교육복지 지원정책으로 지역에서 나타나는 교육문제의 악순환을 끊기 위해 고안된 정책이다.

4) 사회적 약자보호정책 혹은 차별철폐정책, 소외자 우대정책 등으로 해석되는 Affirmative Action은 1961년 당시 대통령이었던 케네디가 처음 사용한 말로, 소수민족을 우대함으로써 과거의 차별을 시정하고 보상적 의미에서 적극적인 평등정책을 실시하는 것을 의미한다. Affirmative Action은 취업 및 교육 등에서 흑인, 소수민족 출신자, 여성 등 사회적 약자가 소외되지 않게 하기 위한 적극적 의미의 사회적 배려로 사회경제적 불평등이 야기되는 근원을 교육에서부터 찾음으로써 사회적 소수를 위한 대학입학 할당제 등 교육을 통한 사회적 평등을 실현하고자 하는 노력이다. 사회적 약자인 유색인종 및 여성의 학력 향상과 사회 진출에 많은 기여를 하였으며, 특히 전문직 진출의 핵심 과정이라 할 수 있는 대학입학에서의 특별 조치는 이들의 사회적 지위 향상에 많은 기여를 한 것으로 평가받고 있다.

적인 보상적 평등을 위한 교육정책이라 할 수 있다. 이 사업은 교육 장면에서 사회적 불평등을 해소하기 위한 보상적 평등(redemptive equality) 실현을 위한 정책의 일환이라고 볼 수 있다. 가정의 초기 사회화 과정에서의 문제점이 아동의 학업 성취도 격차를 불러일으키며, 이는 누적적으로 학습 결손현상으로 나타나 궁극적으로 계층 불평등의 재생산이 일어난다는 비판적 논의에 영향을 받은 정책이라고 할 수 있다(김신일, 2002). 이러한 정책은 한편으로는 사회적 불평등을 보상한다는 측면을 갖고 있기도 하고, 또 다른 한편에서는 역차별이라는 논란도 불러일으키고 있다.

(5) 사회개혁 평등관

이상에서 살펴본 교육평등관은 자본주의 사회경제구조를 전제한 것들이다. 그러나 자본주의 구조 자체가 갖는 문제점으로 불완전성을 가질 수밖에 없다는 비판들이 있다. 이를테면 계층 간 격차가 엄연히 상존하고, 교육기회 역시 불평등하게 분포할 수밖에 없기 때문이다. 따라서 교육평등을 실현하기 위해서는 자본주의 근본구조의 변화가 먼저 선행되어야 한다는 주장이 가능하다. 마르크스주의적 시각에서 보면 자본주의 체제에서의 불평등은 자본주의 내에서는 개선이 불가능하다. 따라서 자본주의 사회경제구조를 변화시킴으로써 교육평등을 실현할 수 있다는 생각을 하게 된다. 다시 말하면, 교육체제 내에서만 교육평등을 실현하기는 어려우며 사회체제의 변화가 필수적으로 일어나야만 진정한 교육평등이 가능하다고 전제할 수밖에 없다. 이를 사회개혁에 의한 교육평등관이라고 부를 수 있다.

2) 교육평등과 사회평등

일찍이 미국의 교육행정가였던 호러스 만(Horace Mann)은 교육을 '위대한 평등장치(the Great Equalizer)'라고 부른 바 있다(Bowles & Gintis, 1976에서 재인용). 그는 학교교육이 사회구조적 불평등의 세대 간 전수를 끊을 수 있는 대안이라고 주장하면서 19세기 초등의무교육운동을 주도하였다. 이러한 그의 주장은 기본적으로 학교가 사회적 불평등을 해소시킬 수 있는 사회적 기능을 수행한다는 믿음에 근거하고 있었다.

그런데 이러한 믿음은 기본적으로 학교교육이 능력주의 방식으로 작동하고, 누구나 자신의 가정배경이나 출신배경과 관계없이 공정한 기회를 통해 성취를 하고 사회적 지위를 획득할 수 있다는 점을 전제하고 있다. 이러한 전제에 대해서 반론을 몇 가지 생각해 볼 수 있다. 이를테면 순수한 의미의 능력주의(meritocracy)란 과연 구현될 수 있는 이념이나 가치인가? 만약에 이러한 능력주의가 하나의 허구적인 주장이나 가설에 불과하다면 학교교육을 통한 사회평등화는 불가능하지 않는가? 교육평등과 사회평등은 어떤 관계인가? 그래도 우리 사회는 교육을 통한 사회평등화의 가능성이 다른 나라보다 더 많이 열려 있지 않은가? 이와 같이 관련 질문들에 대해서 다양한 해석이 가능하다. 여기서는 교육평등과 사회평등의 관련성에 대한 세 가지 입장, 즉 평등화론, 불평등재생산론, 무관론의 세 관점을 간략히 정리해 보도록 한다.

(1) 평등화론

평등화론의 기본 전제는 교육기회가 늘어나면서 교육기회의 평등화가 실현되고, 그러한 교육이 능력주의적 방식으로 작동하게 된다면 능력에 따른 사회적 상승이동(upward mobility)이 가능해짐으로써 사회적 불평등이 줄어들 것이라는 내용이다.

이러한 관점은 1960년대 후반부터 등장한 몇 가지 연구들에 의해 입증되기 시작했다. 가정배경–학교교육–직업획득으로 이어지는 일련의 과정에 관한 연구를 '지위획득연구(status attainment model)'라고 칭하는데, 1967년 블라우와 던컨(Blau & Duncan, 1967)의 연구로부터 본격적으로 시작되었다.

블라우와 던컨(1967)은 '미국의 직업구조(The American Occupational Structure)'라는 연구를 통해서 세대 간, 세대 내 사회이동 정도를 연구했다. 이 연구의 결과에 의하면 가정배경(부의 직업, 부의 교육)과 능력변인(본인의 교육수준) 중에서 능력변인이 현재의 직업에 상대적으로 큰 영향력을 발휘하고 있었다. 이를 토대로 블라우와 던컨은 "개인이 받은 교육과 첫 직업은 그의 직업적 성공에 큰 영향을 미치며, 이러한 영향력은 배경요인보다 상대적으로 더 강하다."는 결론을 내리고 있다(1967: 402). 다시 말하면, 미국 사회는 귀속주의보다는 능력주의 사회의 특성에 가깝다고 볼 수 있다.

우리나라의 경우 1980년 초에 이러한 교육과 사회이동에 관한 연구가 시작되었다(김병성 외, 1982). 직업지위획득 과정에 관한 한국 자료를 활용한 초기의 연구에서는 우리 사회 역시 능력주의 방식이 강하게 작동하고 있다고 평가한 바 있다. 그러나 초·중등학교뿐만 아니라 고등교육의 양적 확대로 인하여 교육기회의 보편화가 실현되면서 이러한 능력주의 특성이 점차 줄어든다는 결과들이 이후 연구들을 통해서 드러나고 있다. 최근 소위 말하는 '베이비부머세대'인 1956~1965년 출생집단을 대상으로 교육과 사회이동에 대해 수행한 연구에 따르면 기본적으로는 블라우-던컨 모델의 결과와 유사하지만 구체적인 부분에서는 다소 차이 나는 결과들이 보고되고 있다(한국교육개발원, 2009). 이를테면 직업지위획득 기본 경로모형에서는 '아버지 교육-응답자 교육-응답자 첫 직업-응답자 현 직업'이 주된 경로로 나타난다. 그러나 성별 차별성 또한 존재하는데, 여성의 경우 응답자 교육에 대한 아버지 직업지위의 영향력이 보다 뚜렷하게 나타난다. 또한 사교육 경험, 교육지원활동 등의 변인을 추가한 모형에서는 부모의 배경변인이 강한 영향력을 행사한다는 점도 특징적이다. 다시 말하면, 부모의 사회경제적 배경이 사교육, 교육지원활동을 매개로 하여 자녀의 교육수준과 성취도에 영향을 미치는 구조가 나타난다는 점은 능력주의 가설이 제대로 작동하지 않고 배경의 영향력이 여전히 강하게 나타난다는 점을 드러내 주는 것이다.

최근에는 사교육비 지출에 있어서 가구소득 층위별로 큰 격차를 보이며, 그 결과 계층별 학생들의 학업 성취도 격차가 뚜렷해진다는 자료들이 빈번하게 보고되고 있다. 다시 말하면, 교육기회가 확대되었음에도 불구하고 가정배경의 영향력은 오

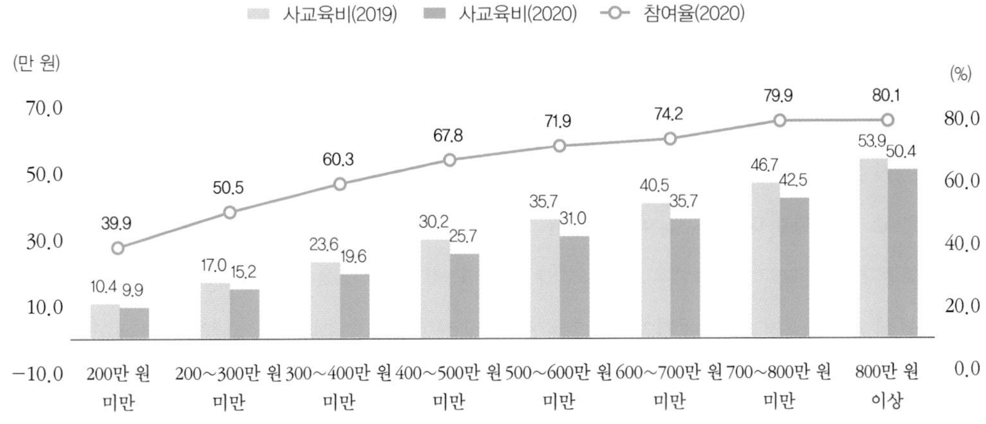

[그림 5-2] 가구 소득수준별 1인당 사교육비 및 참여율(2019~2020년)

자료: 통계청(2021).

히려 더 강하게 학생들의 학업 성취도와 진로에 영향력을 행사하고 있는 셈이다.

요컨대, 평등화론자들은 교육의 기회 확대로 계층 간 불평등이 줄어들며, 사회이동이 능력주의 방식으로 전개된다는 점을 강조하고 있다. 개인의 직업지위획득에 교육수준이 강력한 영향력을 행사한다는 국내외 연구들은 이러한 주장을 뒷받침하는 강력한 증거를 제시하고 있다. 그러나 한편으로 교육의 양적 팽창이 일어났지만 다른 한편으로는 교육을 통한 사회이동의 가능성이 점차 줄어들고 있다는 주장 역시 제시되고 있다. 교육기회 확대가 곧바로 능력주의 사회 구현 방식으로 작동하지 않고 있다는 점이다. 이는 교육기회 평등이 바로 사회평등화로 이어지지 않음을 반증한다.

(2) 불평등재생산론

마르크스주의자들은 자본주의 사회는 근본적인 계급 모순으로 인해 부익부빈익빈 현상이 더욱 심화되며, 궁극에 가서는 계급 갈등이 정점에 이르러 계급혁명이 일어날 수밖에 없다고 주장한다. 기본적으로 이들은 현재의 자본주의 사회는 불평등하다는 전제로부터 논의를 출발하고 있다. 이들에 따르면 궁극적인 사회 변화의 동력은 계급 모순을 해결하기 위한 경제 영역에서부터 나온다고 파악한다. 따라서 교육은 자본주의 불평등 구조를 개선하는 데 무기력할 수밖에 없다. 교육은 기존의 사회적 불평등 구조에 어떠한 변화도 가져오지 못할 뿐만 아니라 좀 더 적극적으로 기존의 불평등을 재생산(reproduction)하며 때로는 불평등을 더욱 심화시킨다는 것이다. 그것은 교육이 지배집단의 이익에 봉사하는 제도이기 때문이다.

(3) 무관론

지금까지 교육을 통한 사회평등화가 가능하다는 주장과 오히려 불평등을 재생산하고 정당화한다는 주장에 대해서 살펴보았다. 교육에 대한 기능주의적 접근과 갈등론적 접근은 설명하는 관점은 다르지만 적어도 교육과 사회평등이 일정한 관련성이 있다는 점을 전제하고 있다는 공통점이 있다. 그러나 또 다른 한편에서는 이러한 전제 자체가 잘못되었다는 주장이 제기되고 있다. 이른바 교육과 사회평등과는 아무런 관련이 없다는 내용이다.

무관론자들의 논리는 분명하다. 교육은 교육의 논리가 있으며, 사회평등화는 다른 논리에 의해 작동한다는 것이다. 이를테면 계층이동과 같은 사회구조의 변화는 교육의 논리와는 관련 없는 다른 사회구조적 요인과 정책들의 영향을 받는다는 것을 전제로 하고 있다. 가장 대표적인 연구성과로 예시할 수 있는 것은 젠크스(Jencks, 1972)가 쓴『불평등(Inequality)』이라는 책이다. 그는 개인 간의 소득의 격차를 다양한 변수를 활용하여 설명하고자 하였다. 다시 말하면, 직업지위나 사회적 지위가 아닌 개인의 수입(income)의 결정과정을 분석하고자 하였다. 그런데 그는 가정배경, 지적 능력, 교육수준, 직업지위 등 사용할 수 있는 변인을 총동원하여 분석해 보아도 개인 간의 소득격차를 제대로 설명하지 못하였다. 이 변인들이 개인 간 소득격차 정도의 12~15%만 설명할 수 있다는 결론을 근거로 그는 '학교는 평등화에 관한 한 아무것도 하지 못한다.'는 결론을 내리고 있다. 더욱 특이할 만한 점은 그가 연구결과에 대해서 부연 설명을 하면서 개인 간 소득격차는 과학적으로 설명하기 어렵고, '운수팔자 소관(Luck!)'이라는 다소 비합리적 방식으로 마무리하고 있다는 사실이다.

사실, 교육을 통한 사회적 빈부격차 해소보다는 세금제도의 혁신, 복지정책의 수립 등 다른 방법을 활용하는 것이 훨씬 직접적이고 효과도 크다. 세금정책의 경우 누진세를 적용하여 수입이 많을수록 과세비율을 높이고, 사회적 약자를 위한 지원금을 늘리며, 다양한 복지정책을 수립하는 등의 방식을 통해서 계층 간 격차를 좁힐 수 있다. 따라서 무관론에서는 교육을 통한 사회적 불평등의 해소는 옳은 접근 방식이 아니라고 평가하고 있다.

4. 교육과정사회학

교육은 과연 정치적으로 중립적인가? 또한 교육과정 역시 보편적인 가치를 지니고 있으며 믿을 만한 지식과 규범으로 조직되어 있는가? 지금까지 우리는 학교에서 배우는 교육내용에 대해서는 절대적인 믿음을 갖고 있었던 것이 사실이다. 가치 있고 규범적이며 세상 이해를 위한 필수적인 지식을 학교에서 배운다고 전제하였다. 그러나 이러한 생각은 1970년대에 와서 심각한 도전을 받았다.

이 장에서는 이러한 교육과정을 둘러싼 새로운 해석과 그러한 시각을 통해서 우리나라 학교교육의 교육내용을 조명해 봄으로써 학교에서 다루는 지식의 의미를 비판적으로 검토해 본다.

1) 교육과정사회학의 전개

교육과정에 대한 사회학적 관심은 특정 교육내용이 어떤 사회적 결과를 낳는가에 집중된다. 그리고 그러한 결과를 낳는 교육내용은 어떻게, 누가, 왜 선정하는가라는 문제를 제기하고 있다. 이런 사회학적 질문이 1970년대 이전에도 전혀 없었던 것은 아니지만, 본격적으로 제기된 것은 1970년 초반부터이다.

왜 영국에서 교육과정사회학이 등장하였는가? 영국에서는 교육을 통해서 사회적 불평등이 일어나는 원인을 제거하기 위해 노력했다. 과거에는 계급사회의 전통, 귀족사회의 전통으로 인해 계층 간 학생들의 진학 유형이 뚜렷이 구별되었다. 조기선발 시험제도인 11+시험(11+exam)을 없애고, 복선제(dual track)를 단선제(single track)로 바꿈으로써 교육불평등을 제거하고 사회평등화를 시도했다. 그럼에도 불구하고, 영국 사회에서 교육불평등은 계속되었다. 그 이유를 연구한 결과, 교육불평등은 교육 그 자체의 속성 때문이 아니라, 전체 사회의 구조적인 불평등이 학교교육에 반영된 것이라고 밝혀졌다.

교육불평등을 제거하기 위한 제도적 변화에도 불구하고 교육불평등이 해결되지 않자, 학자들의 관심은 학교에서 다루고 있는 교육내용으로 기울어졌다. 제도가 아무리 훌륭하여 모든 학생들에게 교육의 기회가 평등하게 주어졌다고 하더라도, 그 기회를 잘 이용하는 사람과 그렇지 않은 사람이 존재하며, 이로 인해 사회적 불평등은 계속된다고 생각했다.

그러한 관심의 핵심에는 학생들의 학업 성취수준이 있다. '왜 잘사는 집의 아이들은 성적이 높고, 못사는 집 아이들은 성적이 낮은가?' 다시 말하면, 가정배경이 열악한 집안의 아동들은 학교교육을 통해서 낮은 성취를 보이고, 그 결과 성인이 되어서도 계층상승을 하지 못하는 불평등의 재생산이 계속 이어진다고 볼 수 있다.

영(M. F. D. Young)이라는 학자는 「사회적으로 조직된 지식」이라는 논문을 통해서 이러한 불평등의 재생산을 설명하려는 시도를 하였다(Young, 1970). 학교가 사람을 처리할 뿐만 아니라 지식을 분류 처리(knowledge processing)하는 기관임을 주장하였다. 이 말의 의미는 학생들이 학교교육을 통해서 사회적 계층을 형성해 나간다는 기존의 사회이동에 대한 관점에 더해서, 학교는 지식을 선별하고 처리하는 기관이라는 뜻이다. 따라서 신교육사회학자들은 교육과정 속에 나타나 있는 '지식과 사회구조와의 역학관계' '지식과 집단 간의 사상적 갈등'을 집중적으로 분석하면서 교육과 사회평등에 관한 문제 논의의 새 지평을 전개하였다.

교육과정사회학은 지식사회학의 관점에서 학교에서 가르치는 지식은 누구에 의해 구성되었으며, 왜, 어떤 이유에서 선택되었고, 어떻게 학생들에게 분배되고 있는가에 관한 문제를 제기하고 있다. 나아가 교사, 학생이 어떻게 조직되고 있으며, 그 준거는 무엇인가에 대해서도 탐구하고 있다. 이러한 문제의 분석을 통하여 교육과정사회학은 교육과정 속에 숨겨져 있는 이데올로기를 분석한다. 학교에서의 세 가지 주요 지식 전달매체인 교육과정, 교수(수업) 그리고 평가를 통해 지식 전달이 이루어지고 있기 때문에 교육 내부의 구체적 과정 속에 나타나는 지식의 문제를 파헤친다.

교육과정사회학은 기능론적 분석에서와는 달리 학교교육에 대한 새로운 이해 방식을 제공해 주었다. 이러한 신교육사회학의 의의는 다음과 같다.

첫째, 지식사회학적 관점을 강조한다. 지식의 사회적 의식의 존재구속성을 지적하면서 지식은 그 지식이 생산된 사회구조를 반영함을 강조한다. 종래의 객관적·보편적·절대적 지식관을 배격하고, 역사적이며 사회적인 구성물로서의 지식임을 강조한다. 교육 조직과 활동에 관여하는 사람들이 구성해 낸 일상적 세계를 자명하거나 당연한 것으로 생각하지 않고, 그에 대한 의문을 제기하고 분석한다. 따라서 교육과정과 학교 내의 상호작용 과정에 대한 연구에 사회학적 시각을 새롭게 부여하였다.

둘째, 지식, 문화, 이데올로기, 규범 등의 지적인 과정을 통한 지배와 억압의 구조를 파헤침으로써 교육과 사회불평등에 대한 이해의 폭을 넓혔다. 개인의 해방(특히 의식의 해방)과 지배구조의 재편성을 통한 평등과 자율이 더욱 보장되는 사회를 이상적인 교육과 사회의 모습으로 가정하고 있다. 여기에는 종래의 수동적인 인간관의 가정으로부터 능동적이고 주체적인 인간관으로의 변화가 포함되어 있다.

셋째, 교육사회학을 교육의 제도와 기능 중심의 교육사회학으로부터 교육 내용과 과정(過程), 학교 내부 현상에 관심을 두는 교육사회학으로 변화시켰다. 그리고 연구방법 면에서도 양적 연구로부터 질적 연구의 필요성과 중요성을 강조하는 방향으로 변화하고 있다.

넷째, 교육과 사회불평등에 관한 연구에서 개인주의적이고 능력주의적인 분석(기능론적 분석)을 비판하고, 역사적이고 구조적인 분석에 비중을 두었다. 또한 종래의 제도적 분석에 인간 의식과 지식적(또는 문화적) 분석을 추가해 주고 있다.

다섯째, 학업 성취와 교육과정에 대해 객관주의적이고 심리적인 분석을 포기하고, 그것을 '합법화된' 학교지식으로 대상화시켜 분석하는 사회 · 정치적 분석을 중요시하였다. 학교지식의 성질, 학교의 조직, 교사의 이데올로기 등 교육에서의 여러 문제를 상대적인 것으로 보고 이때까지 자명하게 생각해 왔던 모든 전제에 의문을 제기하게 해 주었다.

여섯째, 학교와 교실에 대한 통제와 조직에 대해 경영적 · 효율적 · 기술적으로만 접근하는 방법을 비판하고, 그것에 대해 사회적으로 상호작용적이고 문화적인 면을 강조하는 비판적 견해를 중요시하였다. 교육과정사회학이 지식사회학의 입장에서 교사와 학생의 범주를 재정의 · 재구성하려는 노력은 교사와 학생의 의식변혁과 밀접하게 관련되어 있으므로 학교교육 활성화에 미치는 의의가 클 것이다.

2) 교육내용의 사회적 측면

(1) 지배이데올로기와 교육내용

학교의 교육내용은 각 사회집단이 발휘하는 영향력과 사회적 상황에 의해 결정되는 사회적 · 역사적 · 정치적 산물이다. 따라서 교육내용은 현 사회의 지배집단의 이익을 반영하며 이들에게 유리하도록 권력과 사회통제의 기능을 수행하고 있다.

1980년대 후반부터 우리나라에서도 교육과정사회학의 영향을 받으며 교육내용의 체제유지적 성향에 대한 비판적 논의가 활발히 전개된 바 있다. 교육내용에 정치 · 경제적 지배집단의 체제유지 및 재생산을 위한 이데올로기와 가치관이 숨어 있다고 주장하면서, 교육내용을 사회적 조건과 관련시켜 분석하였으며 교과내용은 정치경제구조를 정당화하기 위한 편향된 이데올로기를 담고 있다고 주장하였다. 교육과정의 개정 시기가 주요 정치변동의 시기와 일치한다는 사실을 들어 교과내용이 정권의 정당화 및 유지를 위한 것이라는 주장이 있었고, 교과서 분석을 통해 교과서 안에는 지배집단의 가치관과 이념이 개입되어 있다는 주장, 예컨대 초등학교 6학년 사회과 교과서는 왕과 지배층 중심의 역사 서술과 영웅사관을 담고 있으며, 민중의 삶에 대한 서술은 미약하다고 주장하는 연구들이 제시되었었다.

우리나라의 현대 교육사를 살펴보면, 정권의 정당성을 확보하기 위해 교육내용을 수정하고 강제한 경우를 많이 볼 수 있다. 반공이데올로기, 수출지향적 산업정책과 노동조합 탄압, 민주화에 대한 왜곡 등등을 통해서 교육은 끊임없이 정치적 정당화의 도구로 전락해 왔음을 볼 때, 교육내용은 지배적인 정치집단의 이해를 반영하여 왔다고 볼 수 있다. 이러한 측면은 최근 역사교과서를 둘러싼 이념적 논쟁을 통해서도 확인되고 있다.

(2) 성(性)문화와 남녀평등과 교육내용

교육내용 선정에 있어서 고려해 보아야 할 또 하나의 권력관계는 바로 남녀관계이다. 가부장적 사회의 전통 속에서 남성 중심적 사고방식과 지식교육은 성차별적 구조를 정당화하고, 여성의 사회적 열등성을 정당화하는 요인으로 기능하였다.

이를테면 '여성은 여성으로 태어나는 것이 아니라 여성으로 길러진다'는 말처럼 여성은 남성중심사회에서 남성보다 열등하며 열등된 모습의 성으로서 역할을 행하고 있고, 또 학교에서 그렇게 길들여지고 있다. 예컨대, 학교 교훈에 있어서 남학교와 여학교의 차이가 뚜렷하다는 점을 들 수 있다. 이를 보면 대부분 남학생에게는 진취적이고 건설적인 교훈이 제시되며, 여학생에게는 순결과 인내, 봉사가 주된 지향점으로 제시되고 있다.

교과서 속에 등장하는 인물 중 성별 구분이 불가능한 경우를 제외한 여자 인물의 비율은 초등학교에서 고등학교로 학교 단계가 올라갈수록 줄어들며, 특히 고등학교 단계에서의 여자 인물 출현 비율은 극히 저조하다는 비판이 있었다. 뿐만 아니라 남성은 강하고 진취적이며, 여성은 약하고 방어적이며 보조자로서의 자질을 갖추고 있는 것으로 묘사되고 있었다. 이러한 성차별적 교육과정은 지난 2000년대 초반부터 지속적으로 시정이 되었으며, 양성평등문화 확산을 위한 다양한 노력들이 경주됨으로써 가시적인 차이는 현재 많이 줄어들었다고 볼 수 있다.

(3) 도시지향성과 교육내용

교과서 내용은 도시지향적이고 도시문화를 표준으로 삼고 있다. '큰 뜻을 품고 농촌에서 도시로 나가 성공한 사람이 고향을 뒤돌아본다'.는 것이 하나의 정형이다. 지배이데올로기는 도시중심적 사고방식을 강조한다.

초등학교 도덕 교과서의 내용을 분석한 연구에 따르면, 도덕 교과서의 내용은 도시 지역 성인, 중류계층과 조직인의 생활세계를 반영하고 있으며, 사회적 관계 중 친족관계는 전무한 반면, 제도적 관계가 중심적으로 반영되어 있고, 또한 도시 중류 이상, 조직인을 가치 실현 집단으로 부각시키고 있다.

(4) 국제관계와 교육내용

교육내용에는 국가 간의 경쟁과 문화갈등도 포함되어 있다. 마틴 카노이(M. Carnoy)에 의하면, 학교교육은 주변국의 노동자들에게 중심국 자본가의 필요를 충족시키기 위한 장치이기 때문에 토착 민중을 제국주의적 식민지 구조에 편입시키기 위한 노력의 일부라는 것이다(Carnoy, 1980). 따라서 제3세계의 학교는 현재 서구의 식민종주국가에 대한 수동적인 자세를 요구받게 된다.

우리의 경우 해방 이후 학교교육에서 일본문화가 급속히 사라졌다. 그러나 미국을 비롯한 서양문화가 그 자리를 밀고 들어왔다. 전통적 유교가치관과 규범은 학교교육에서 일찍부터 약화되었고, 1,000년 이상 교육내용의 핵심을 이루었던 유학과 전통문화는 뒷전으로 물러나게 되었다. 예를 들면, 미술은 전통적 한국미술이 아닌 서양미술이 자리를 차지하고, 음악도 국악이 아닌 양악이 주요 내용으로 등장하였다. 학교가 일제 식민지 치하에서는 일본문화의 도입통로였듯이, 해방 후에는 서양문화의 도입통로가 된 것이다.

최근 논의되는 '세계화'라는 것도 다르게 보면, 중심국 중심의 세계질서 재편이라는 점을 갖고 있으며, 제3세계 국가들의 경제적 · 문화적 종속화를 가속화한다는 비판도 심각히 제기되고 있다. 아울러 일본의 역사왜곡 사건과 같은 역사교과서를 둘러싼 논쟁 역시 지식, 교육내용에 대한 국가통제, 국제관계의 반영의 주요 사례가 될 수 있다.

3) 교육과정사회학의 의의와 문제점

(1) 교육과정사회학의 의의

이러한 교육과정사회학이 갖고 있는 의의를 정리해 보면 다음과 같다.

첫째, 사회체제의 현상을 유지하거나 변혁시키는 이념이 교육에 내재되어 있음을 비판케 하는 인식의 준거를 제공한다.

둘째, 학생의 실제 세계와 관련된 교육내용을 제공하기 위한 사회계층 문화에 대한 세심한 연구의 필요성을 제기한다.

셋째, 교육내용 자체를 이미 주어진 것으로 볼 때, 지식 자체에는 특정 계층의 문화와 이념이 내재되어 있기 때문에 이것을 단지 주입시키는 주지주의 교육은 평등화 실현에 모순이라는 것을 지적한다.

넷째, 교육과정을 지식사회학의 관점에서 사회권위, 권력, 계층, 학교조직 간의 연계성 위에서 파악되어야 함을 강조한다.

다섯째, 학교교육의 사회통제와 교육내용의 이데올로기적 성격을 올바르게 이해할 수 있고 이를 토대로 평등사회 실현에 이바지할 수 있는 교육이론 모색의 이론적 기반을 제공한다.

(2) 문제점

교육과정사회학적 관점은 교육내용의 사회적 성격에 대한 안목을 형성시켜 주는 주요한 기능을 수행했다. 뿐만 아니라 학교교육의 문제를 제도적, 거시적으로 파악할 뿐만 아니라 교육내용과 학생문화를 다루는 미시적 분석도 가능하게 했다는 점에서 중요한 기능을 수행하였다. 다만, 신교육사회학적 연구경향에 대해서 다음과 같은 비판이 있으며 이를 토대로 좀 더 나은 변화를 도모해 나가야 할 것이다.

- 문제의식을 던져 주고 연구의 가능성을 명료화해 준 점에 비해, 연구에 비경험적인 요소가 많을 뿐만 아니라 아직 본격적인 연구물이 제시되지 않고 있다는 점에서 문제점이 있다.
- 극단적인 상대주의는 연구의 일관된 전제를 유지하기 어렵게 만든다. 무엇이 가치 있는 지식인가라는 질문에 대한 보다 근본적인 논의와 연구가 필요하다.

- 다양한 질적 연구방법론의 적용을 통하여 교육내용과 학교문화에 대한 보다 심도 깊고 다양한 접근이 필요하다.

4) 맺음말

교육과정사회학은 교육과정 내용과 교육과정의 선정 및 조직의 뒤에 딸려 있는 이데올로기 및 그러한 이데올로기를 떠받치고 있는 사회구조 사이의 관계를 규명하고자 한다. 지식이 가치중립적이며 누구에게나 보편타당하다는 전제를 거부하고, 사회적 권력관계(정치, 경제, 성, 인종, 지역 등)가 그대로 학교교육에 반영되어 있다는 가정을 통해서 학교교육이 기존의 지배구조를 반복 재생산하는 기능을 수행하고 있다는 관점을 전제하고 있다.

그러나 여기서 유념해야 할 측면은 학교교육이 사회의 필요와 요구를 그대로 수용하는 것만은 아니라는 점이다. 이것을 교육의 상대적 자율성(relative autonomy)이라고 하는데, 학교교육은 기존의 지배질서를 유지하는 기능도 하면서 한편으로는 기존 사회의 문제점을 비판하고 새로운 대안을 창출할 수 있는 가능성을 열어 두고 있다. 물론 완전히 새로운 사회를 창출할 수 있다는 것은 아니지만, 학교교육을 통해서 점진적 사회 변화를 기대할 수 있는 것이다.

요컨대, 학교교육은 한계가 많이 있지만 가능성도 열려 있음을 인식해야 한다. 학교교육이 모든 사회적 문제를 해결해 줄 수 있는 장치도 아닐 뿐만 아니라 그렇다고 아무런 기여도 하지 못하는 무의미한 제도도 아니다. 이제 우리는 학교교육의 가능성과 한계를 보다 객관적으로 인식해 나감으로써 교육 문제해결에도 훨씬 가까이 다가갈 수 있을 것이다.

학습과제

1. 해방 후 학력상승의 현상을 설명할 수 있는 다양한 이론적 시각들을 비교해 보자.
2. 우리나라 교육열 현상과 학벌사회의 문제점을 연결하여 구조적 문제점에 대해 설명해 보자.
3. '교육과정은 중립적이지 않다'는 교육과정사회학의 주장을 기초로 해서 한국현대사를 둘러싼 이념적 논쟁을 설명해 보자.

참고문헌

강준만(1996). 서울대의 나라. 서울: 개마고원.

강영혜 외(2004). 교육격차의 실태 및 해소방안 연구. 서울: 한국교육개발원.

김경근(2005). 한국사회 교육격차의 실태 및 결정요인. **교육사회학연구**, 15(3), 1-27.

김기석 편(1994). **교육사회학탐구 2: 역사, 사회 그리고 교육현실**. 서울: 교육과학사.

김기석 외(1996). **한국교육 100년**. 서울대학교 사범대학 교육연구소 한국교육사고.

김상봉(2004). **학벌사회**. 경기: 한길사.

김성식(2007). 중학교 학생의 학업성취에 대한 학교풍토 변인의 영향 분석. **한국교육**, 34(2), 27-49.

김성천, 오재길(2012). **학부모가 알아야 할 혁신학교의 모든 것**. 서울: 맘에드림.

김신일(2009). **교육사회학**. 서울: 교육과학사.

김영화 외(1997). **한국의 교육과 국가발전(1945-1995)**. 서울: 한국교육개발원.

류방란 외(2006). 한국사회 교육복지지표 개발 및 교육격차 분석: 교육복지지표 개발. 충북: 한국교육개발원.

민병철, 박소영(2013). 경기교육종단연구 자료를 활용한 학교효과 연구: 초등학교 데이터를 통한 혁신학교 효과 분석. 경기: 경기도교육연구원.

서울대학교 교육연구소(편)(1998). **교육학대백과사전**. 서울: 하우동설.

성기선(1997). 인문계 고등학교 학교효과 연구. 서울대학교 대학원 박사학위논문.

성기선(2006). 우리나라 중학교의 학교효과에 관한 연구: Creemers의 학교효과 이론모델의 검증. **교육사회학연구**, 16(4), 93-114.

성기선(2008). 학생들의 성취도 변화점수에 기초한 학교효과 평가 모형 개발 연구: 학교책무성 평가를 위한 다양한 접근 방법 비교. **교육사회학연구**, 18(4), 115-139.

성기선 외(2012). **새로운 사회를 여는 교육혁명**. 서울: 살림터.

성기선, 유성상, 이해주(2014). **교육사회학**. 서울: 한국방송통신대학교출판문화원.

신광영(2004). **한국의 계급과 불평등**. 서울: 을유문화사.

오성철(1991). 1930년대 초등교육의 확대와 조선인의 교육요구. **교육이론**, 6(1). 서울대학교 교육학과.

오욱환(2001). **한국사회의 교육열: 기원과 심화**. 서울: 교육과학사.

오천석(1946). **민주주의 교육의 건설**. 국제문화공회.

이인효(1991). 입시위주 수업의 실제. **교육이론**, 6(1). 서울대학교 교육학과.

이인효 외(편역)(1991). **교육과 사회**. 서울: 교육과학사.

이종각(1994). **교육사회학신강**. 서울: 동문사.

이종각(2003). **교육열 올바로 보기: 그 정체는 무엇이며 어떻게 다루어야 하나?** 서울: 원미사.

이혜영 외(2004). 교육복지투자우선지역 학교와 타지역학교의 교육격차 분석 연구. 서울: 한국교육개발원.

최은영(2004). 서울의 거주지 분리 심화와 교육환경의 차별화. 서울대학교 대학원 박사학위 논문.

통계청(2021). 2020년 초 · 중 · 고 사교육비조사 결과.

한국교육개발원, 교육부(2000). **교육통계연보**. 서울: 한국교육개발원.

허경철 외(1998). 학교교육 효과 분석 연구: 민주시민 사회에서 요구되는 태도 및 가치관 형성을 중심으로. 서울: 한국교육개발원.

Bowles, S., & Herbert, G. (1986). **자본주의와 학교교육**(*Schooling in capitalist America: Educational reform and the contradictions of economic life)*. 이규환 역. New York: Basic Books. 전남: 사계절. (원저는 1976년에 출판).

Carnoy, M. (1990). **교육과 문화적 식민주의**(Education as culture imperialism). 김쾌상 역. 서울: 한길사. (원저는 1980년에 출판).

Clark, B. R. (1983). *Higher education system*. The University of California Press.

Clifford, P., & Heath, A. (1984). Selection does make a difference. *Oxford Review of Education, 10*, 85-97.

Coleman, J. S. (1988). Social capital in the creation of human capital. *American Journal of Sociology, 94*, 95-120.

Coleman, J. S., Campbell, E. Q., Hobson, C. J., & McPartland, J. M. (1966). *Equality of educational opportunity*. Washington, D.C.: U. S. Goverment Printing Office.

Dore, R. (1976). *The diploma disease: Education, qualification and development.* Berkeley: University of California Press.

Halsey, A. H., Lauder, H., Brown, P., Karabel, J., Wells, A. S., & Dillabough, J.-A. (2001). **우리 시대를 위한 교육사회학 다시 읽기.** 강순원 편역. 경기: 한울아카데미.

Hauser, R. M., Sewell, W. H., & Alwin, D. F. (1976). High school effects on achievement. In W. H. Sewell, R. M. Hauser, & D. L. Featherman (Eds.)., *Schooling and achievement in American society*. New York: Academic Press.

Hoffe, T., Greeley, A. M., & Coleman, J. S. (1985). Achievement growth in public and catholic schools. *Sociology of Education, 58,* 74-97.

Illich, I. (1978). **탈학교의 사회***(Deschooling society).* 황성모 역. 서울: 삼성미술문화재단. (원저는 1971년에 출판).

Jencks, C. et al. (1972). *Inequality: A reassessment of the effect of family and schooling in America.* New York: Basic Books.

Jencks, C. et al. (1979). *Who gets ahead?: The determinants of economic success in America.* New York: Basic Books.

Jencks, C. S., & Brown, M. D. (1975). Effects of high schools on their students. *Harvard Educational Review, 45,* 273-324.

Karabel, J., & Halsey, A. H. (1977). *Power and ideology in education.* New York Oxford University Press.

Levine, D. U., & Lezotte, L. W. (1990). *Unusually effective schools: A review and analysis of research and practice.* Madison, WI: The National Center for Effective Schools Research and Development.

Maslow, A. H. (1954). *Motivation and personality.* Harper and Row Publishers.

Young, M. F. D. (1971). *Knowledge and control.* London: Collier Macmillan.

제6장

교육과정의 이해와 개발

강현석(경북대학교 교육학과)

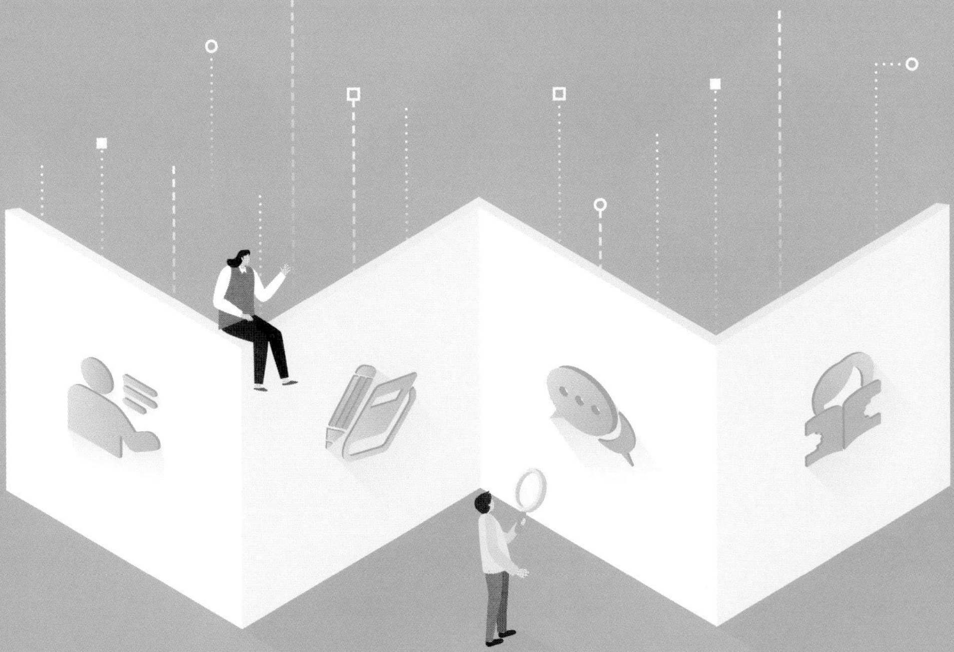

학습 개요

교육을 통하여 기르고자 하는 바람직한 인간상이나 교육목적이 정해지면 우리는 그러한 인간을 어떻게 기를 것인가 하는 문제에 대하여 생각해 보아야 한다. 그것은 어떤 내용을 왜 어떤 방법으로 가르쳐야 바람직한 인간상을 구현할 수 있을 것인가 하는 문제이다. 이 장에서는 이 문제에 대한 기본적인 내용을 탐구할 것이다. 제1절에서는 교육과정의 이해에 주목할 것이다. 여기에서는 교육과정의 개념을 살펴보고 교육 현실에서 작동하는 문서로서의 교육과정 의미와 네 가지 교육과정 개념상의 유형을 살펴본다. 그리고 2절에서는 교육과정에서 가장 중요하게 논의되는 핵심 이슈로서 지식과 경험의 입장에서 바라보는 교육과정 이론을 소개한다. 제3절에서는 바람직한 인간을 기르기 위한 가장 구체적인 활동이 전개되는 교육과정 개발을 살펴볼 것이다. 여기에서는 교육과정 개발이 무엇을 의미하는지, 교육과정 개발 활동이 왜 중요한지를 살펴볼 것이다. 그리고 교육과정 개발이라는 활동을 어떠한 입장에서 접근해야 타당한 교육과정 개발이 가능한지를 알아볼 것이다. 왜냐하면 많은 입장 중에서 어떠한 입장을 취하여 개발을 할 것인지가 중요하기 때문이다. 다음으로 교육과정을 개발하는 모형을 살펴본다. 여기에는 이론적 입장이 상이한 대표적인 네 가지 모형인 타일러(Tyler)의 합리적 목표모형, 워커(Walker)의 숙의모형, 브루너(Bruner)의 지식의 구조모형, 파이너(Pinar)의 쿠레레 모형을 살펴볼 것이다. 마지막으로 교육과정을 개발하는 구체적인 절차를 살펴볼 것이다. 이 장을 공부하는 동안에 학습자는 교육과정에 대한 기본적인 이해를 통하여 교육과정 설계와 개발에 대한 기본적인 지식을 갖게 될 것이다.

1. 교육과정의 이해

우리가 교육을 제대로 이해하기 위해서는 구체적으로 학교 상황에서 일어나는 다양한 문제들을 먼저 생각해 볼 필요가 있다. 교육과정을 모르고서는 학교교육 상황에 대해서 추상적인 이해는 가능하지만 교육활동이 어떻게 전개되고 있는지는 정확하게 이해할 수는 없다. 따라서 교육에 관심을 두고 있는 독자라면 교육과정을 정확하게 이해하는 것이 중요하다. 이 절에서는 교육의 개념과 관련하여 교육과정의 개념을 다양한 측면에서 살펴보고 교육과정의 특성을 탐구한다. 그리고 교육과정의 다양한 유형을 교육과정이 계획되고 전개되는 과정 속에서 살펴본다. 마지막으로 교육과정을 이해하는 데에 중요한 속성인 지식과 경험의 문제를 살펴보기로 한다.

1) 교육과 교육과정의 개념

(1) 교육과 교육과정

교육과정을 생각하기에 앞서 우리는 먼저 교육을 생각해 볼 필요가 있다. 교육이 어떤 조건하에서 성립되는지를 생각하는 데 필요한 범주로는 세 가지 전제 조건이 있다(김호권, 이돈희, 이홍우, 1988: 14-32). 첫째, 교육이란 무엇인가 혹은 무엇이 교육인가 하는 개념적 조건, 둘째, 어떤 것이 좋은 교육인지를 밝히는 규범적 조건, 셋째, 어떤 방식으로 교육이 실현될 수 있는가 하는 문제를 밝히는 가능성의 조건이 그것이다. 교육은 어떤 인간 행동의 변화가 '가능한가(is)'에서 시작하는 것이 아니라, 어떤 변화가 '이루어져야 하는가(should be)'에서 시작하므로 개념적 조건과 규범적 조건은 가능성의 조건에 논리적으로 선행하는 것이다.

흔히 교육이라는 용어는 '인간 행동의 계획적인 변화'라고 정의된다. 현재까지 인간행동에 대한 종합적인 탐구가 지속되고 있으며, 그 행동을 계획적으로 변화시키려는 노력 또한 지난한 일이라는 점에서 볼 때 교육은 매우 힘든 활동임에 틀림없

* 제6장의 내용은 강현석(2011)을 기본으로 재구성한 것임을 밝힌다.

다. 교육과정은 앞의 정의의 표현 중에서 '계획적인'이라는 용어와 가장 긴밀하게 관련되어 있다. 교육과정은 사전에 특정한 의도와 계획을 가지고 출발하는 것이다. 의도나 계획은 흔히 교육목표로 구체화된다. 따라서 교육과정을 만드는 일은 달성해야 할 목적이나 목표를 염두에 두는 의도적이고 목적적인 활동이다.

이와는 다르게 교육을 목적 및 목표-내용-방법-평가라는 다소 도식적인 과정으로 간주하는 경우도 있다. 이 경우 교육과정은 '내용'에 해당되는 협소한 차원으로 이해되기도 한다. 그러나 광의로 보면 교육과정은 이 네 가지 차원을 모두 포함하는 포괄적인 활동으로 설명되기도 한다. 이런 포괄적인 활동으로서 교육과정은 우리나라의 국가 수준의 교육과정 문서 체계를 보면 쉽게 알 수 있다. 왜냐하면 학교에서 가르치는 교과의 교육과정 문서에는 교과의 목표에서 평가에 이르는 전 과정을 제시해 놓고 있기 때문이다.

이와 같이 일반적으로 교육이나 교육과정에 관해서 말할 때 교육의 목적 혹은 목표, 내용, 방법 등의 용어들을 사용한다. 교육과정은 이러한 용어들 중에서 어느 것과 관련되는가? '목적'은 '왜?'라는 질문에 대한 답이라면 '목표'는 '무엇을 얼마나?'에 대한 답이다. 목적이 행위를 정당화하는 근거라면, 목표는 행위가 지향하는 대상이다. 따라서 목적이 목표에 논리적으로 선행한다. 교육의 목적을 진술하는 것은 규범적 조건들을 포괄적으로 나타내는 것이며, 그것은 반드시 교육의 개념적 조건을 논리적으로 내포하거나 상정하고 있어야 한다. 교육목표는 교육활동의 대상과 한계를 나타내는 것이므로 교육활동 그 자체를 특징짓는다. 교육의 내용은 사실상 교육의 목적을 만족시키는 목표들의 체제라고 할 수 있다. 교육내용이란 바로 교육목표를 보다 하위의 단위활동으로 상세화한 결과로 얻어지는 것이다. 교육의 내용은 교육의 목표에 의해서 밝혀진 인간 활동의 판도라고 한다면 내용은 교육의 목적을 만족시키고 목표를 달성할 수 있도록 조직되어야 한다(김호권 외, 1988). 교육의 내용을 조직한다는 것은 한 단위 교육활동의 목표를 논리적으로 세분화하는 일을 포함한다. 교육의 내용만으로 목적이 달성되는 것은 아니므로 교사는 내용을 목적에 연결시키는 원리와 기술을 확보해야 한다. 교육의 방법은 내용과 분리해서 존재할 수 있는 것이 아니므로 교육활동의 내용은 방법의 적용이 가능하도록 조직되어야 한다. 교육방법은 주어진 교육의 목표를 달성하기 위하여 온갖 수단을 동원하고 조직하고 전개하는 원리와 기술을 총칭한 것이다. 목표에서 논리적으로 도출된 교육의 내용과는 구별된다. 그러나 교육에서는 방법의 가능성의 조건이 만족되어야 하므로 방법적 원리는 내용의 조직을 통제하게 된다.

이상의 설명에 의하면 교육과정은 교육의 내용이라고 볼 수 있으며, 그것은 교육의 목적에 비추어 타당하게 선정된 것이며, 교육의 방법적 원리의 적용이 가능하도록 조직된 것이다.

(2) 개념

앞에서 간략하게 살펴본 것처럼 교육과정의 정의를 한마디로 내리기는 어려운 일이다. 하지만 그 용어의 어원과 의미를 살펴보고 그 특성을 제대로 이해해 보도록 하자.

① 교육과정의 어원과 의미

현재 우리가 사용하는 교육과정(敎育課程)이라는 용어는 커리큘럼(curriculum)의 번역어이다. 이 용어는 미국에서는 1820년경부터 사용하였으며, 1856년 노어 웹스터(Noah Webster) 사전에 등장한다고 한다. 이 용어는 라틴어의 쿠로(curro: 나는 달린다) 혹은 쿠레레(currere: 달리는 것)라는 단어에서 유래하였다고 한다. 이 용어가 외연하고 있는 의미는 두 가지가 있다. 첫째는 말이 달리는 경주로(race course)이고, 둘째는 달리는 경주 행위(running)를 의미한다. 경주로라는 의미에서는 학생이 입학해서 졸업할 때까지 달려가는 정해진 코스가 곧 커리큘럼이 되는 것이다. 즉, 어떤 자격(증)이나 조건을 충족시키기 위해서 반드시 이수해야 하는 내용들의 체계적인 묶음으로 대변되고, 경주 행위라는 의미에서는 학생들이 내용을 경험하는 행위에 초점이 모아진다. 이 상반된 의미를 확장해 보면 첫째는 교과내용에, 둘째는 학습 경험이나 과정에 연관되어 있다.

이 두 가지 문제는 더 나아가서 '교과를 무엇으로 볼 것인가?' 하는 내용 대(對) 과정의 논쟁과 관련되어 있다. 이 논쟁은 '지식의 구조'라는 개념의 등장으로 통합되어 나타난다. 왜냐하면 지식의 구조는 후술되겠지만 지식내용과 탐구과정이 통합된 것이기 때문이다. 교과는 내용과 과정의 양면을 지니고 있으며 그것은 분리되지 않는다. 특정 지식이나 원리에 도달케 하는 지적 과정이나 탐구과정을 거치지 않고 그 지식이나 원리를 완전히 이해한다는 것은 불가능하며, 특정 지식내용을 담지 않은 탐구과정이란 있을 수도 없지만, 있다 하여도 무의미한 형식이 되고 말 것이다. 여기에 내용과 과정의 통합이 필요해진다. 따라서 교육내용이라면 지식내용과 탐구방식을 합친 것이 되어야 한다는 주장이 성립하게 된다.

이와 동시에 이 쿠레레라는 용어가 내포하고 있는 함축적 의미를 살펴보면 다음의 세 가지이며(Cremin, 1971), 이는 곧바로 교육과정의 본질을 생각할 때 가장 핵심적인 원리가 된다(이성호, 2009: 14-15). 첫째, 응집(凝集, coherence)이다. 교육과정은 여러 내용을 정합적으로 응집시켜 놓은 것이다. 즉, 교육과정은 많은 것을 줄여서 간결하게 만들어 집약시켜 놓은 것이라는 점이다. 둘째, 교육과정은 순차(順次) 혹은 계열(系列, sequence)의 의미를 내포하고 있는데 이는 교육과정에 그 내용들이 어떤 체계적 순서에 따라 기술되어 있다는 것이다. 셋째, 연계(連繫, articulation)라는 의미가 내포되어 있는데, 이는 그 내용들이 앞뒤가 서로 논리적으로 잘 연결되어 있다는 것이다. 이상의 의미에 따르면 교육과정은 내용을 순서 있게 논리적으로 잘 조직하여 간결하게 집약해 놓은 것으로 볼 수 있다.

② 교육과정 의미의 분류

교육과정에 대해서 우리가 사용하는 용법들은 다양하다. 그 다양한 쓰임새들은 다음의 범주들 중 어느 하나에 해당된다. 첫째, 체제적 교육과정(예: 서울특별시 고등학교 교육과정), 둘째, 교과 교육과정(예: 8학년 사회과 교육과정), 셋째, 특정 학교/기관 교육과정(예: 대구고등학교 교육과정)이 그것이다.

이와 다르게 호스포드(P. L. Hosford)라는 학자는 교육과정의 정의를 ① 일어난 모든 것, ② 제공된 모든 것, ③ 계획된 내용과 방법의 묶음, ④ 계획된 내용의 묶음 등 네 가지로 분류하였다. ①과 ②는 학교에서 일어나거나 제공된 모든 경험 또는 활동을 교육과정이라고 보는 것이어서 가장 광의의 정의이다. 이에 비해 ③과 ④는 교육내용과 방법을 교육과정으로 보느냐, 교육내용만을 교육과정으로 보느냐에 차이인데, 이때의 방법이란 수업에서 일어나는 모든 활동을 나타낸 말이다. 세일러와 알렉산더(Saylor & Alexander)는 교육과정 정의를 ① 교과 및 교재로서의 교육과정, ② 경험으로서의 교육과정, ③ 목표로서의 교육과정, ④ 계획으로서의 교육과정으로 분류하였다.

김호권 등(1988)은 교육과정의 한 개념 모형을 세 가지 수준으로 제시했는데, 즉

표 6-1 교육과정 의미 분석의 준거틀

	교수자	학습자
내용	조직화된 지식의 모음(Ⅰ)	학습경험(Ⅱ)
운용	의도적 계획(Ⅲ)	학습결과(Ⅳ)

① 공약된 목표로서의 교육과정(의도된 교육과정), ② 수업 속에 반영된 교육과정(전개된 교육과정), ③ 학습성과로서의 교육과정(실현된 교육과정) 등이다.

이성호(2009: 16)는 교육과정을 내용과 운용의 측면, 교수자와 학습자의 입장에 비추어 네 가지 요소로 분류하였다. 이를 표로 제시하면 〈표 6-1〉과 같다.

대체로 1890년대부터 교육과정은 학생들이 배우는 교수요목(course of study)으로 이해된다. 이런 고전적 정의(〈표 6-1〉의 I)는 1930년대까지 보편적으로 수용된다. 그러나 이런 정의는 지식의 증가, 학습맥락의 무시 등 많은 문제를 야기한다. 이 고전적 정의는 진보주의 교육철학자들로부터 비판을 받기 시작하였고, 학습자의 입장에서 경험이 교육과정의 실체적 내용이 되어야 한다는 듀이의 사고(Ⅱ)가 등장한다. 1950년대 중엽 일기 시작한 또 다른 변화는 교육과정을 단순히 내용의 측면에서만 볼 것이 아니라 내용을 실제적으로 어떻게 운용할 것인가 하는 측면에서 보면서 교수자의 입장에서 사전 계획(Ⅲ)을 강조해야 한다는 것이다. 1960년대와 1970년대로 접어들면서 교육의 책무성이 강조되면서 교육의 성과나 결과(Ⅳ)를

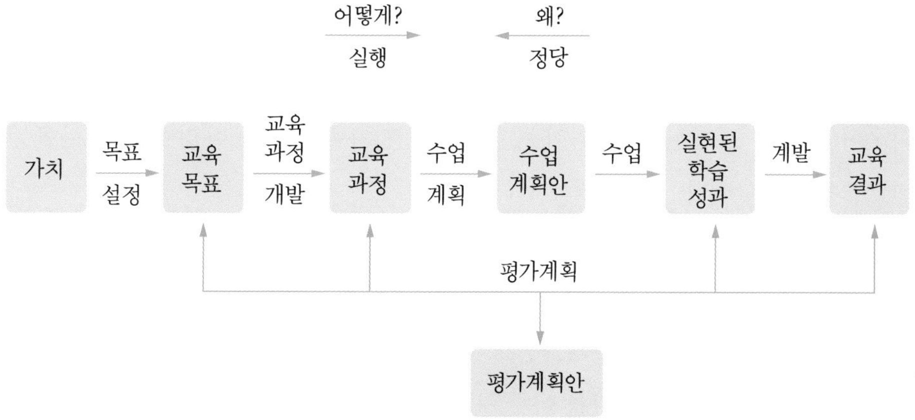

[그림 6-1] 교육과정 수업모형

강조하게 되었다.

한편, 교육과정과 밀접하게 관련된 것 중에 하나가 수업이다. 수업은 교육과정이 전개되는 과정을 말한다. 존슨(Johnson, 1967)은 교육과정과 수업을 [그림 6-1]과 같이 간명하게 제시하고 있다.

이상의 내용을 정리하면 교육과정은 교육목표 실행의 수단이며, 교육과정 개발 과정의 산물이라 할 수 있다. 특정 교육과정이 존재하는 이유(정당성)는 특정 교육목표 때문이며, 수업은 산물이 아니라 하나의 과정이 된다. 왜냐하면 수업계획이라는 과정을 통하여 수업계획안이라는 산물이 만들어지고, 그 계획안이 실행되는 수단이 수업이라는 과정이기 때문이다.

2) 문서로서의 교육과정

현행 우리나라 국가 수준 교육과정에는 교육과정을 구성하는 문서 체계를 성격, 목표, 내용, 교수-학습, 평가로 규정하고 있다. 이런 점에서 보면 교육과정은 이 다섯 가지 요소를 모두 포괄하는 것으로 볼 수 있으며, 각 교과별 교육과정들이 이 요소들을 중심으로 제시되고 있다. 따라서 교육과정은 협소하게 내용만을 지칭하기보다는 내용 이외의 성격과 목표, 교수방법, 평가 등을 포함하는 것으로 이해될 필요가 있다.

한편, 편제(편성체제)상으로 보면 교육과정을 교과, 창의적 체험활동(재량활동과 특별활동 통합)으로 규정하고 있다. 교과는 각급 학교별로 학생들이 이수하게 되는 것으로 여기에는 국어, 도덕, 사회, 수학, 과학, 실과(기술 · 가정), 체육, 음악, 미술, 외국어(영어)가 포함된다. 창의적 체험활동에는 자율활동, 동아리활동, 봉사활동, 진로활동이 포함된다.

교육과정을 문서상에서 보면 그 의미는 의도적 계획을 의미한다. 의도된 계획 문서로서의 교육과정의 본질은 명세성과 명료성, 일관성에 있다. 교육과정은 그것을 누가 어떻게 사용하여야 하는가, 즉 교수자들은 무엇을 어떻게 가르치고, 학습자는 무엇을 어떻게 배워야 하는가를 아주 분명하게 제시하는 명세성(specification)을 지니고 있다. 그리고 교육과정은 그 안에 적은 모든 내용을 체계화시켜야 하며, 또 누구에게든 쉽게 이해되는 명료성(clarity)을 지니고 있다. 마지막으로 교육과정은 그 안에 적은 모든 내용들이 상호 간에 내적 · 외적으로 연계되는 일관성(consistency)을 지니고 있다.

3) 개념상의 유형

(1) 공식적 교육과정

공식적(official) 교육과정이란 형식적인 공적 문서 속에 기술되어 있는 교육계획으로서의 교육과정을 의미한다. 교육의 목적과 목표에 따라 구체적이고 분명하게 의도된 표면적(surface or explicit) 성격을 지닌 것으로서 쓰인(written) 교육과정을 나타낸다. 구체적인 계획을 표현하는 공적 문서에는 국가 교육과정 기준을 담은 국가 수준의 문서(교육부 고시 등), 시 · 도 교육청의 교육과정 편성 · 운영 지침, 지역 교육청의 장학자료, 학교 교육과정 혹은 학교교육계획서 등이 있다. 미시적으로는 교과서를 비롯한 수업용 교재, 교사의 수업계획, 실시된 수업, 창의적 체험활동 등이 여기에 포함될 수 있다.

이와 같은 공식적 교육과정의 의의는 교사들이 단시 수업을 계획하고, 학생들을 평가하기 위한 기반을 제공하고, 행정가들에게는 교사를 감독하고, 실행과 결과에 대해 책임을 지우게 하는 근거를 제공하는 데 있다(김인식 외, 1995: 29). 그런데 이러한 공식적 교육과정은 학생들에게 경험되면서 부수적인 학습을 낳는데, 의도하지 않은 교육과정과 가르쳐지지 않고 소홀하게 다루어지거나 금기시되는 교육과정이 나타나게 된다. 전자는 잠재적 교육과정으로, 후자는 영 교육과정으로 부른다.

(2) 잠재적 교육과정

공식적으로 의도하지 않은 교육과정으로서 표면적이지 않고(implicit), 숨겨져서(hidden) 잠재되어 있는(latent) 교육과정이다. 학교가 공식적 교육과정에서 의도하거나 계획하지 않은 것으로서, 교육과정이 작동되거나 운영되면서 학생들이 은연중에 배우게 되는 가치 · 태도 · 행동양식과 같은 경험된 교육과정이다. 즉, 의도된 교육과정이 제시되는 동안 학생에게 무의도적으로 전달되는 학습을 의미한다.

잠재적 교육과정이라는 개념은 잭슨(Jackson, 1968)에 의해서 처음으로 사용되었으며, 그는 학교의 특성을 군집, 상찬, 평가 등으로 규정하고 그것들이 학생들의 생활에 미치는 영향력을 제시하였다. 제도적 기관으로서 학교는 일련의 규범과 가치들을 구현하고 있다. 특히 성, 계층, 인종, 권위, 학교 지식 등과 관계가 있다. 잠재적 교육과정이 시사하고 있는 내용은 성 역할, 학생에게 적절한 행동, 활동과 놀이의 구분, 어느 어린이가 다양한 종류의 과제에 성공할 수 있으며, 누가 누구를 위한 의사결정을 할 권리가 있고, 어떤 종류의 지식이 합당하다고 생각되는가에 관한 내용을 포함하고 있다(Giroux & Purpel, 1983).

이런 측면에서 브루너(Bruner)는 지하 교육과정(underground curriculum)을 인식할 필요성을 역설한다(1996: 27-28). 학교 교육과정은 매우 선별적이고 선택적이다. 즉, 어떤 능력을 개발해야 할지, 어떤 능력이 기본적인 것이며 어느 교과가 그것과 관련되는 것인지, 필수는 무엇이고 선택은 무엇인지에 대하여 선택적 결정을 해야만 한다. 더욱이 학교 교육과정과 교실 풍토는 분명한 계획뿐만 아니라 모호한 문화적 가치도 반영한다. 그런데 이러한 가치들은 사회계층, 성, 사회 권력의 특권과 분리될 수 없다. 지하 교육과정은 학교가 학생들에 대한 태도, 인종적 태도 및 그 밖의 다른 문제들을 표현하면서 학교 교육과정을 조절하고 변형시키는 방식을 의미한다. 학교는 문화적으로 독립하여 그 자체만으로 존재할 수 없다. 학교가 무엇을 가르치는지, 실제로 어떤 사고방식이나 언어를 가르치고 있는지 하는 것은 학교가 학생들의 삶과 문화에 어떻게 자리하고 있는지 하는 문제와 분리될 수 없는 것이다. 왜냐하면 교육과정은 교과목에 관한 것뿐만이 아니기 때문이다. 문화적으로 보면 학교의 주된 배움거리(교재)는 학교 그 자체인 것이다. 바로 그것이 대부분 학생들이 학교를 경험하는 방식이며, 그 속에서 자신들이 만들어 내는 의미가 어떠한 것인지를 결정하는 것이다.

이런 중요성으로 인해 최근에는 잠재적 교육과정을 공식적 교육과정으로 전환하려는 노력이 이루어지고 있다. 예를 들면, 성 편향의 문제를 성 평등 교육과정으로 변환하고, 문화편견의 문제를 공식적 교육과정에 다문화주의를 포함시키는 경우이다. 이것은 잠재적 교육과정의 학습으로 야기되는 문제점을 해결하는 방식이기도 하다. 그러나 주의할 것은 공식적 교육과정으로 포함시키다 보면 교육과정 범람으로 이어질 수 있다는 것이다. 이 문제는 최근에 국가 수준 교육과정에서 범교과 학습 주제가 급격하게 증가한 것에서 알 수 있다.

(3) 실제적 교육과정

모든 계획은 사전 의도대로 실현되기도 하지만 계획대로 실천에 옮겨지지 않는 경우도 존재한다. 그리고 계획은 실천으로 옮겨져야 그 가치가 있다. 아무리 이상적인 계획이라도 실행에 옮겨지지 않는다면 쓸모가 없다. 그러나 계획과 실행이 일치하면 정상적인 교육과정 운영을 기할 수가 있다. 파행적인 교육과정이라는 말은 공식적 교육과정과 실제적 교육과정과의 격차나 계획과 실행 간의 격차와 관련이 있다.

교실수업에서 실제적으로 운영되고 학생의 학습에 영향을 미치는 교수 내용이나 시험 내용과 같은 것들이 여기에 해당된다. 따라서 교사가 실제로 가르치는 것과 그 중요성을 학생들에게 어떻게 전달하느냐, 즉 학생들이 그것이 중요하다는 것을 어떻게 아느냐 하는 것과 관련이 있기 때문에 ① 교사가 수업에 포함시켰고, 강조했던 내용, 즉 교사가 가르치는 것, ② 학생들이 실제로 책임을 가진 학습성과라는 두 가지 측면을 가지고 있다. 전자는 가르쳐진 교육과정으로 나타나고, 후자는 테스트된 교육과정으로 나타난다. 실제적 교육과정은 교사가 자신의 지식, 신념, 태도를 중심으로 그것을 해석하려는 경향이 있으므로 공식적 교육과정과는 다르다.

(4) 영 교육과정

교육과정이 가르쳐야 할 내용을 선정하는 것이라면 한편으로 가르칠 만한 내용인데 의도적으로 배제되는 내용들이 있을 수 있다. 가르칠 필요가 없는 것을 배제시키는 것은 당연하지만 가르칠 가치가 있는 것인데도 배제되어 버린다면 문제가 생길 수 있다.

영 교육과정(null curriculum)은 가르치지 않는(not to teach) 교육과정으로서 공적 문서 속에는 포함되어 있지 않지만 학생들이 도달해야 할 교육목표나 배워야 할 가치를 지니는 교육내용을 가리킨다. 교육과정이 선택과 배제, 포함과 제외의 산물이기 때문에 영 교육과정은 공식적 교육과정의 필연적 산물이며, 교육과정이라는 동전의 앞뒤 면이라고 볼 수 있다. 즉, 학교에서 소홀히 하거나 공식적으로 가르치지 않는 지식, 사고양식, 가치, 태도, 행동양식, 교과 등을 말한다.

일찍이 아이스너(Eisner, 1994)가 체계적으로 제시한 것으로서 교육적 가치가 있는데도 이러한 것들을 공식적 교육과정에서 의도적으로 배제시켜 버린다면 학교교육의 가치와 의미가 왜곡될 수 있다고 경고하고 있다. 그 예로는 학교에서 논리적 사고만을 강조하고 심미적 사고를 경시하고 문자나 숫자 위주의 표현양식을 강조하는 데 반해 다양한 감각적 경험을 경시하는 것, 일본이 한국 역사 왜곡을 교과서에서 배제시키는 것, 생물 교과에서 창조론을 배제하는 것, 지배계급의 부도덕성을 삭제해 버리는 것 등을 들 수 있다. 이러한 교육과정은 공식적 교육과정에서 중요하고 가치 있는 어떠한 교육내용이나 가치, 태도 등이 배제되고 있는지를 평가하는 데 중요한 단서를 제공해 줄 수 있다는 점에서 가치가 있다.

2. 지식과 경험

우리가 흔히 교육과정을 이해하는 데에 있어서 가장 중요하게 고려해야 하는 측면이 교과 지식과 경험이다. 이 양자는 교육의 역사에서 가장 첨예하게 대립되어 온 문제이다. 인류문화의 유산이 체계적으로 조직된 교과 지식과 학습자의 경험 중 어느 것을 교육에서 중요시할 것인가 하는 것은 교육 전반에 매우 폭넓은 영향을 미친다.

1) 전통적 지식 습득을 대변하는 형식도야이론

왜 우리는 학교교육에서 지식을 가르치고 있는가? 왜 지식교육은 오랜 세월 동안 많은 비판을 받으면서도 역사에서 사라지지 않는 것일까? 왜 우리는 학교에서 특정 교과목들을 가르치는 것을 전형적인 교육활동이라고 간주하는 것일까? 수학을 왜 가르치는 것일까? 역사를 배우면 무엇이 좋은 것일까? 이러한 의문에 어떠한 답변이 가능할까? 아마도 형식도야이론이 그 해답을 가르쳐 줄지 모른다. 내용이 아니라 형식을 갈고 닦는다는 것은 무슨 의미일까?

형식도야이론은 고대 그리스시대부터의 전통적인 철학사상을 바탕으로 하여 자연스럽게 형성된 교육이론이라고 볼 수 있다. 그러나 일반적으로 형식도야이론은 능력심리학을 그 기반으로 하고 있다고 볼 수 있다.

형식도야이론은 몇 가지 가정을 기반으로 한다.

첫째, 인간의 정신 속에는 몇 가지의 일반적인 능력들이 존재한다는 것이다. 이 일반적인 능력들을 신체의 근육에 비유하여 심근이라고 부르기도 한다. 능력들에는 지각, 기억, 상상, 추리 등의 지적인 능력과 감정의 능력과 의지의 능력 등이 있다. 이와 같은 능력들은 그 능력이 작용하는 구체적인 내용과 관련되는 특수적인 능력이기보다는 내용에 종속되지 않는 일반적인 능력을 말하며, 그런 의미에서 형식(form)이라고 부를 수 있다. 즉, 교과의 구체적인 내용보다는 내용을 담고 있는 형식이 중요하다는 것이다. 무엇을 기억하고 추리하는가가 문제가 아니고 기억되고 추리되는 내용이 무엇이든지 간에 그것을 추리하고 기억한다는 점이 중요하다.

둘째, 학습의 전이이론에서 일반적 전이를 가정하고 있다. 즉, 학습을 통하여 도야된 정신능력은 그것이 어떤 구체적 내용을 통하여 학습되었든지 간에 그 정신능력이 필요한 상황에서는 내용에 상관없이 효율적으로 활용될 수 있다는 것이다.

셋째, 인간발달에 대한 전통적인 관점인 양적 접근방법을 택하고 있다. 인간의 정신능력은 서로 구분되는 몇 가지의 능력들로 구분될 수 있으며, 이러한 능력들은 훈련에 의해서 더욱 발달된 형태로 도야될 수 있고, 아동은 정신능력들에 있어서 성인보다 미발달된 상태이므로 교육을 통하여 성인과 같은 정신능력에 도달할 수 있다고 본다는 점이다.

결론적으로 형식도야이론에서 교육의 목적은 심근을 단련시키는 것, 결과는 정신도야, 즉 여섯 가지 능력이고, 방법은 능력의 반복적 연습이다. 훈련의 전이가 자동적으로 보장되기 때문에 소수의 능력만을 학습하는 것으로 훌륭한 인간을 길러 낼 수 있다. 교육의 내용은 심근을 발달시키는 데 효과적인 교과(예: 7 자유학과)로 내용보다는 형식이 중요시된다. 형식도야이론은 간접적으로 능력심리학의 몰락과 직접적으로 듀이의 교육이론의 등장에 의해 상당부분 가치가 상실되었다.

2) 듀이의 경험 교육과정

존 듀이

교과 지식을 강조하는 전통적 이론과는 달리 학습자의 경험을 강조하는 입장이 있다. 이 입장을 가장 체계적으로 살펴보는 데에 도움이 되는 것은 듀이(Dewey)의 철학이다. 듀이의 철학에 붙여진 이름은 다양하다. 실용주의, 도구주의, 실험주의, 경험적 자연주의 등 친숙한 용어들

뿐만 아니라 삶의 과학, 과학과 자유의 철학 등 다양한 이름으로 불리고 있다. 듀이의 교육사상을 지탱하는 그의 철학적 주장 혹은 입장을 정리하면 다음과 같다(박봉목, 2000: 377-386).

첫째, 듀이는 추상적 관념보다는 구체적 경험에 가치를 둔다. 듀이가 사상적으로 터하고 있는 실용주의(pragmatism)는 활동, 실행, 실천의 의미로 해석된다. 내용보다는 방법에 강조를 둔다. 듀이의 반성적 사고는 방법적으로 회의하고 탐구하고 실험하고 가설을 세운다. 철학은 직접적 해결이 아닌 문제에 대한 해결을 위한 방법을 찾는 것이다. 경험은 의식상태보다는 행동, 기능, 적응을 의미한다. 그것은 유기체와 환경 간의 상호작용을 의미한다. 초기에는 생물학적 · 심리학적 상호작용을 강조했지만 점차로 사회적 · 문화적 측면에 관심을 가졌다.

둘째, 이원론을 배격하고 계속 일원화의 원리를 주장한다. 이원론의 배격은 조화의 원리, 균형의 원리를 수반한다. 관념과 실제적 결과 사이의 계속성을 인정하고 목적과 수단 간에는 고정된 상하관계보다는 동적 관계성이 유지되어야 한다. 양자의 균형이나 조화의 문제는 이론적으로 가능하나 실천적으로 용이한 문제가 아니므로 여기에는 단순한 사회적인 제도나 정치적인 형태로서만이 아닌 삶에 대한 태도나 실천으로서의 민주주의가 요청되고 이를 위한 교육이 필요해진다.

셋째, 변화의 개념이 가치관 형성이나 진리관에서 중요한 역할을 한다. 변화는 성장의 조건이다. 그래서 고정된 가치관이나 진리관을 배격하고 사회적 진전에 대해서 도전적이다.

1920년대 진보적 교육의 이름으로 전개된 아동중심 교육은 전통적 교육의 주지적인 관념적 교육에 대하여 생활을 통해서 학습하는 경험주의 · 활동주의 · 행동주의 교육이었다. 그리고 그것은 교사의 활동으로 주도되는 타율적 학습이 아니고 아동의 경험이 중심이 되는 자율적 학습이며, 그것은 지식에만 편중하는 주입식 외적 강요가 아니고 아동 자신의 학습의 동기와 방법상의 흥미가 중심이 된 것이다. 따라서 교육의 내용도 아동의 요구에 순응하는 교과의 이해나 기술의 습득으로 전인적인 인격도야라는 큰 목적 안에 속해야 한다고 생각했다. 진보주의 아동중심 교육사상은 1930~1940년대로 가면서 사회적 생활이나 문화 그리고 지역사회의 일원으로 타인과의 조화를 위한 민주적인 경험을 중시하였다.

듀이의 교육과정 이론은 그의 저서 『민주주의와 교육(Democracy Education)』

(1915)에서 잘 제시되어 있지만, 그 이전의 『아동과 교육과정(The child and the curriculum)』(1902)에서는 아동의 경험과 교과 간의 관계를 역설하고 있으며, 『경험과 교육』(1938)에서는 전통적 교육과 진보주의 교육을 논의하고 교육내용의 점진적인 조직을 언급하고 있다. 특이한 것은 듀이 이론에 비추어 보면 교과는 교육활동의 소재이자 수단이라는 것이다. 우리는 통념적으로 교육을 교과를 가르치는 일로 생각한다. 그러나 듀이에게는 교육활동이 교과를 수단으로 하는 것이다. 따라서 교육의 가치와 교과의 가치는 서로 다르다.

모든 교과는 두 가지 관점에서 고려될 수 있다(Dewey, 1902; Dewey, 2008: 61-63). 하나는 학자의 관점이며, 다른 하나는 교사의 관점이다. 학자에게 있어서 교육내용을 구성하고 있는 지식은 새로운 문제를 찾아내고 구체적으로 연구를 설계하고 연구를 통하여 검증된 결과를 발견하는 데에 이용할 수 있는 지식의 체계이다. 학자들의 입장에서 보면 그가 전공하는 학문의 내용은 그 자체로 독립적인 것이다. 교사는 학문 분야에 대한 새로운 사실을 발견하는 데에 관심이 없다. 교사가 관심을 두는 것은 가르치는 교과의 내용을 학습자의 '경험 발달의 특정 단계에 맞게 해석하는 것'이다. 교사가 해야 할 일은 새로운 지식이 아니라 학습자들로부터 교과에 해당하는 직접적이고 생생한 경험을 이끌어 내는 것이다. 그러므로 교사는 교과가 학습자의 경험이 될 수 있는 방법, 즉 아동의 현재 경험 속에서 교과와 관련하여 이용할 수 있는 것이 무엇인지, 그러한 것들을 어떻게 효과적으로 이용할 수 있는지, 교과에 대한 지식을 학습자의 필요나 활동을 이해하고 해석하는 데에 어떻게 활용할 것인지, 올바른 방향으로 그리고 적절하게 성장시키기 위하여 학습자에게 어떤 환경과 자료를 제공해야 하는지 등등과 같은 문제에 관심이 있다. 이렇게 본다면 교사는 교과 그 자체에 관심이 있는 것이 아니라 보다 넓은 전체적인 조망 속에서 경험의 바람직한 성장을 이룩하는 데에 교과가 어떤 역할을 할 수 있는지에 관심이 있다.

그러므로 교과를 보는 교사의 기본적인 입장은 '교과를 심리화'하는 것이다. 학자의 지식(교과내용)을 학습자에게 제공할 때에 교사와 교육내용은 서로 갈등하게 된다. 교사는 어떤 식으로든지 교육내용을 학습자의 수준에 맞게 변형시키고 수정할 수밖에 없다. 교과가 학습자의 삶의 경험과 아무런 관련을 맺지 못할 때에 교육내용은 추상화되고, 학습자의 학습동기는 약해지고, 학문적 성격은 상실된다. 경험의 입장에서 교과는 일상적인 경험의 범위 안에서 나온 것이다. 전통적 교육은 학습자의 경험 밖에 있는 사실과 진리에서 출발하며, 따라서 학습자의 경험 밖에 있는 사실과 지식을 학습자의 경험 안으로 끌어들일 수 있는 수단과 방법을 찾아야 한다. 그러나 경험 안에서 학습할 내용을 찾아내는 것은 이와는 다르다. 교과내용을 아동과 환경의 상호작용이라는 측면에서 이해해야 한다.

3) 체계화된 지식 습득을 강조하는 브루너의 지식의 구조이론

제롬 브루너

브루너(Bruner, 1960)의 『교육의 과정(The Process of Education)』은 교육내용으로서 지식의 구조를 설명한 최초의 저서이며, 그는 여기에서 교육내용을 규정하는 또 하나의 관점을 제시하고 있다. 지식의 구조의 핵심적 의미는 '학문'과 논리적으로 관련되어 있다. 이 경우 교육내용은 곧 지식의 구조이면서 동시에 '학문하는 일'—그 해당 분야의 학문의 기저를 이루고 있는 일반적인 원리를 발견하고 그 원리를 써서 사물과 현상을 이해하는 학자들의 학문 탐구활동—로서 규정된다.

(1) 지식의 구조의 의미

우선, 브루너는 지식의 구조를 "하나의 아이디어에 다른 요소가 연속적으로 연결되게 만드는 지식의 관련성과 그로 인한 지식의 발생과 생성"(1962: 120)이라 하고 "구조란 서로 관련성을 가지지 않은 여러 누적되는 관찰 사실에 어떤 질서를 부여해 주는 개념적인 발명품이므로 구조는 우리가 배우게 될 것에 의미를 부여해 주고 새로운 경험의 세계를 안내해 줄 수 있게 된다."라고 말하고 있다. 그리고 이 말을 토대로 보면 '어떤 지식 내의 아이디어들을 조직해 주는 구조는 경험의 효율성을 높여 주며 서로 관련을 맺게 해 주는 발명품'이라는 것이다. 이 말은 특정 학문에서 그 학문 현상을 이해하기 위한 개념적 수단이 지식의 구조라는 뜻이다. 예를 들어, 물리학에서 힘, 화학에서 결합, 심리학에서 동기, 문학에서 스타일 같은 개념들이 바로 그것이다. 이와 같이 브루너의 지식의 구조에서는 아이디어나 개념들이 지식이나 학문의 구조를 형성하는 요소들이 된다. 그리고 이렇게 학문에 내재하고 있는 기본적인 아이디어나 개념들을 지식의 표현 양식, 지식의 경제성, 효과적인 힘이라는 방법에 의해서 구조화한 것을 학문이나 지식의 구조로 보고 있다.

(2) 지식의 구조에 대한 설명방식

『교육의 과정』에서 제시된 지식의 구조 의미를 이홍우(1992: 72-82)는 세 가지로 설명하고 있는데, 첫째, '기본 개념과 원리' '일반적 아이디어', 둘째, 사물이나 현상의 관련 방식을 이해하는 사고방식(perspectives), 셋째, 지식의 구조 이점 등이다. 세 가지 설명방식을 이하에서 각각 알아보기로 하자.

① 기본 개념과 원리

첫 번째 설명방식에서는 지식의 구조가 해당 학문의 기저를 이루고 있는 기본 개념과 원리이며, 따라서 특정 교과의 지식의 구조는 그 교과의 해당 '학문'의 성격을 충실히 반영하고 있는 것으로 해석할 수 있다. 그러므로 사실상 특정 교과(교육내용)의 지식의 구조는 그 교과를 나타내는 학문의 가장 근본적인 개념과 원리인 셈이며, 교육활동은 그 교과의 학문 성격과 해당 학자들의 탐구활동 속에서 이루어져야 한다는 것을 시사하고 있다. '2015 개정 교육과정'에서는 주요 아이디어 혹은 빅 아이디어(big idea)에 해당된다고 볼 수 있다.

② 사고방식

두 번째 설명방식에서는 지식의 구조를 사물이나 현상이 관련되어 있는 방식으로 보고 있다. 이것은 지식의 구조가 단지 가르쳐야 할 단편적인 지식이나 토픽이 아니라 현상을 보는 '눈'이며, 사고방식이라는 의미이다. 여기에서는 여러 사실들이 따로 떨어져서 존재하는 것이 아니라 일반적 원리와 관련되어 있으며, 특히 브루너는 이 점을 '일반적 전이가 일어날 수 있는 개념이나 원리'로 설명하고 있다. 이런 점에서 볼 때, 특정 학문의 지식의 구조를 파악한다는 것은 특정 학문의 현상을 이해한다는 것이고, 그것은 곧 일반적 전이가 일어나서 특정 학문의 현상을 이해할 수 있게 해 주는 개념이나 원리를 파악하는 것이다.

'일반적 전이가 일어날 수 있는 개념과 원리'로 지식의 구조를 설명하는 방식에서는 브루너가 지식의 구조의 특징으로 설명하는 표현양식(mode of representation)과

경제성(economy)과도 유관하므로 구조의 조직에서는 이 세 가지 성질—표현양식, 경제성, 생산성—에 비추어서 이루어져야 한다.

③ 지식의 구조 이점

지식의 구조를 네 가지 이점과 관련지어 설명할 수 있다. 즉, 지식의 구조란 기억하기 쉽고, 이해하기 쉽고, 학습사태에서 배운 내용을 학습사태 이외의 사태에 적용하기 쉽고, 초등지식과 고등지식 사이의 간격을 좁힐 수 있는 지식이라는 것이다.

지식의 구조를 네 가지 이점으로 설명하는 방식 중에서, 첫 번째 이점에서는 지식의 구조가 기억이 용이하도록 지식이나 정보들이 상호 관련을 맺을 수 있어야 한다는 점을, 두 번째 이점에서는 기본 개념을 강조하고 있으며, 세 번째 이점에서는 적용가능성이 높은 전이가 보장되어야 한다는 점을 강조하고 있다. 네 번째 이점에서 지식의 구조는 곧 학문 탐구활동이 되며, 내용 선정은 해당 교과(학문)의 성격을 충실히 반영하는 사고방식을 확인하는 일이 된다. 그것은 교육내용이 결국 학문의 탐구방식이므로 단편적으로 분리되어 있는 '토픽'들이 아니라 일반적 원리하에서 관련되어 있는 (관련성) 학문 탐구방식이어야 함을 뜻한다고 볼 수 있다.

이상의 세 가지 설명방식을 통하여 지식의 구조 의미가 매우 복합적이라는 점을 알 수 있다.

브루너는 지식의 구조 외에도 최근에는 내러티브를 강조하였다. 그는 최근에 『교육의 문화』(1996)에서 "마음은 인간 문화 속에서 구성되고 실현된다."(1996: 1)는 문화주의(culturalism)의 전제하에 교육과정에 대한 새로운 입장을 제시하고 있는데, 주요 근거로는 패러다임적 사고에 대비되는 내러티브 사고방식을 주장하고 있다. 내러티브(narrative)란 여러 의미가 있다. 첫째, 내러티브는 서사체를 말하며 하나의 이야기, 즉 시간적 연쇄로 구성된 일련의 사건들을 의미한다. 이야기는 사건들로 구성되며, 그 사건들은 특정의 계열을 이루며 배열된다. 그러므로 내러티브는 사건들의 계열과 사건들이 만들어 내는 이야기에 의해서 특징화된다. 둘째, 사고양식으로서 내러티브이다. 내러티브는 의미를 구성하는 방식이다. 내러티브는 단순히 이야기를 넘어서 이야기를 만들어 내는 사고양식이다. 즉, 이야기 만들기의 인지작용이다. 셋째, 내러티브는 인간 경험을 구조화하는 일종의 틀이다. 따라서 의미구성의 틀로서 작용한다. 왜냐하면 내러티브는 특정 방식으로 인간 경험을 구조화하는 방식이기 때문이다. 이러한 내러티브를 활용한 교육과정 이론을 개발하려는 시도가 최근에 활발하게 진행되고 있다.

3. 교육과정 개발과 모형

1) 교육과정 개발의 의미와 중요성

교육과정 개발이란 학교에서 학생들에게 무엇을 가르칠 것인가를 결정하는 것으로서 매우 중요하면서도 복잡한 과정을 거친다. 교육과정을 무엇으로 보든, 교육과정에 대한 관점을 어떻게 취하든 그것은 현장에서 구체적으로 실천에 옮겨져야 한다. 아무리 이상적인 교육이론이라도 그것이 구체화되지 못한다면 그 가치는 반감될 것이다. 따라서 학생에게 어떠한 교육을 실시할 것인지에 대한 구체적인 작업이 이루어져야 하며, 그 작업은 체계적이고 타당하게 진행되어야 한다는 것은 당연한 일이다.

교육과정 개발은 이러한 점에서 중요한 의의를 지닌다. 그것은 학생에 대한 교육의 방향과 제 가치를 구체화하는 작업이라고 볼 수 있다. 즉, 학생을 교육시키고 어떠한 목적을 달성하기 위하여 취해지는 일련의 계획을 수립하는 것이다. 그리고 구체적으로는 교육계획을 문서의 형태로 만들고 교실수업에서 의도한 목적대로 실천에 옮겨질 수 있도록 여러 가지 요인들을 고려하는 활동이라고 볼 수 있다.

교육과정 개발의 과정은 일반적으로 교육목표의 설정과 진술에서 시작하여, 학습경험과 교육내용을 선정하고 조직하며, 교육목표의 달성도를 확인하는 절차를 밟는다. 흔히 교육과정 개발은 교사 수준에서 보면 단원 개발과 가장 밀접하게 관련된다. 단원을 구성하는 방법에는 여러 가지가 있다. 전통적으로 교수요목이나 내용주제를 개발하는 것에서부터 수업초점을 개발하는 방법, 그리고 의도된 학습성과 중심으로 개발하는 방법들이 가능하다. 그리고 교육과정 개발은 여러 수준에서 이루어진다. 우선, 가장 상위의 수준인 국가수준에서부터 시작하여 지역수준에서 학교수준, 그리고 가장 하위의 교사 수준에 이르기까지 다양하다고 볼 수 있다. 또한 최근에는 단위학교에서 교육과정을 개발하는 일이 매우 중요한 과제로 등장하고 있다. 예비교사로서 학교 교육과정 자율화가 강조되는 추세에서 단위 학교에서의 교육과정 개발 방안을 잘 숙지할 필요가 있다. 장차 교사의 교육과정 전문성이 강화되고 학교교육의 중핵으로서 교육과정 편성과 운영에 대한 지식이 중요시되기 때문이다.

2) 교육과정 개발의 입장

교육과정 개발에 대한 입장은 다양하다. 여러 학자들은 교육과정 개발 과정에 대하여 상이한 생각들을 제안하고 있다. 아이스너(Eisner, 1977, 2006)는 다섯 가지 입장, 즉 인지개발의 과정, 학문중심주의, 개인 관계, 사회재건주의, 기술공학주의 입장을 제시한 바 있다.

첫째, 인지과정 개발의 입장이다. 여기에서 교육과정이란 학교교육에서의 암기력, 창의력, 비판적 사고력 등 사고의 양식이나 정신과정을 개발해야 하며, 학습자의 인지적 조작을 세련되게 할 수 있는 능력을 개발하는 것을 목표로 한다. 근본적으로 과정 중심의 이 입장은 특정한 내용에 관계없이 적합한 지적 도구를 제공해 주면 어떤 학습자든지 어떤 내용도 충분히 이해할 수 있고 또한 인지능력을 잘 발달시킬 수 있는 가능성을 가지고 있다고 본다. 따라서 개발자가 해야 할 일은 학습이 이루어지는 가장 효율적인 인지과정이 어떤 것인가를 확인하여 그 개발을 위한 장과 구조를 제공해 주는 것이다.

둘째, 학문적 합리주의 입장이다. 이 입장에서는 학습자로 하여금 지적 성장을 길러 주는 것이 교육과정 개발의 주요 목표로 보며, 전통적 지식의 불변성을 강조한다. 그리고 교육과정을 통하여 지금까지 인간의 지혜로 이룩해 온 불변의 진리를 학습자들이 깨닫도록 해야 한다고 본다. 이 입장에서 교육받은 사람은 문화유산인 학문적 업적이나 고전을 읽을 수 있고 이해할 수 있는 사람을 의미한다. 허친스(R. M. Hutchins)에 의하면 교육과정의 내용은 사고의 간결성, 일반성 및 능력을 가져오는 데에 필요한 규범을 제시한다. 실제적 경험을 담은 교육과정은 교육의 질을 저하시킴은 물론 학생들에게 인간의 의미 추구 활동이 되는 교과학습의 기회를 박탈하게 되는 것이라고 경고한다. 그래서 이 입장에서는 학교의 교육과정이 인간의 이성을 개발하는 데에 앞장서야 한다고 주장한다.

셋째, 개인적 적합성의 입장이다. 이 입장에서는 개인적 의미의 중요성을 강조하고, 학교가 책임지고 개인적 의미가 충족될 수 있도록 교육과정을 개발하는 것이다. 교육과정 개발은 개인의 목적 내지 개인의 통합을 위한 요구에 관심을 두기 때문에 교육과정이란 개개 학습자에게 개인적으로 만족할 만한 완성적 경험을 제공하는 것으로 이해된다. 따라서 이 입장은 아동중심적이며 성장도모적인 성격을 띠며, 교육을 개인의 자유 신장, 발달을 위한 수단을 제공하는 과정으로 본다. 여기에서 교육과정은 통합된 경험을 제공하여 개인의 잠재능력이 최대한 발휘되도록 하는 것이므로 자아발견을 위한 내용과 도구가 제공되어야 한다. 여기에서 교육이란 개인의 통합된 성장 요구에 맞는 전체적 경험이다. 이런 점에서 교육과정 개발은 개인의 성장과 발달을 강조함으로써 완성적이며 종합적인 경험을 제공하는 것이지만, 사회적 관계를 중시하는 입장으로부터 비판을 받기도 한다.

넷째, 사회재건주의 입장이다. 여기에서는 학교가 봉사하려는 사회를 분석하여 교육과정의 목표와 내용을 도출하고자 한다. 즉, 교육과정 개발에서 사회의 요구를 규명하고 확인된 요구를 해결하는 데에 적절한 프로그램을 제공하는 것을 주요 과제로 삼는다. 교육과정 개발을 통하여 사회개혁을 주도하고 사회문제에 능동적으로 대처하며 인간 사회와 삶을 개선하는 데 중요한 역할을 해야 한다. 이러한 입장을 취하는 학자로 일리히(Illich), 프레이리(Freire), 셰인(Shane) 등이 있다.

다섯째, 기술공학주의 입장이다. 여기에서 교육과정 개발은 목적이 설정되고 나면 목적 달성을 위한 수단을 적절하게 관련시키는 문제로 인식한다. 즉, 공학적 절차로서 교육과정 개발을 본다. 교육과정에 대한 수단-목적의 모형을 전제로 교육계획을 체계화시키며, 목표를 설정하여 계획의 효율성과 능률을 평가하는 기준을 중시한다. 그래서 교육과정이란 사전에 규정된 목적을 달성하기 위한 수단이 된다. 이 입장은 긴 역사를 갖고 있는데, 블룸(Bloom), 보비트(Bobbitt), 타일러(Tyler) 등이 이러한 견해를 주장하였다.

3) 대표적 개발모형

교육과정 개발모형은 다양하고도 상이하다. 일반적으로 모형이란 어떤 사물이나 현상의 일부 또는 전체의 구조나 기능 및 특성을 단순화시켜 이해를 쉽게 하기 위한 표현이다. 따라서 교육과정 모형은 다양한 교육과정 개발의 과정이나 활동들을 비교적 간명하게 제시하는 것을 의미한다. 모형이 필요한 것은 교육과정 개발과정에 게재하는 요인이 많고 다양하며 요인들의 관계도 복잡하다는 점 때문에 관련 요인이나 변인들을 간명하게 처리하기 위함이다.

이하에서는 다양하게 제시되는 개발모형 중에서 대표적인 모형을 중심으로 그 특징들을 제시해 본다.

(1) 합리적 목표모형

우선, 합리적 모형은 종종 목표모형, 고전적 모형, 수단–목적 모형으로 불리는데 이 모형의 가장 핵심적인 특징은 목표로부터 시작하여 내용, 방법, 평가에 이르기까지 하나의 직선적인 절차나 계열에 따라 개발활동이 진행된다는 것이다. 이 모형의 주창자인 타일러는『교육과정과 수업의 기본 원리(Basic Principles of Curriculum and Instruction)』(1949)라는 저서에서 교육과정과 수업을 계획할 때 반드시 고려해야 할 네 가지 문제를 다음의 질문과 같이 표현하였다.

- 학교는 어떤 교육목적을 달성하도록 노력해야 하는가? (교육목표의 설정)
- 이 목표를 달성하는 데 유용한 학습경험을 어떻게 선정할 수 있는가? (학습경험의 선정)

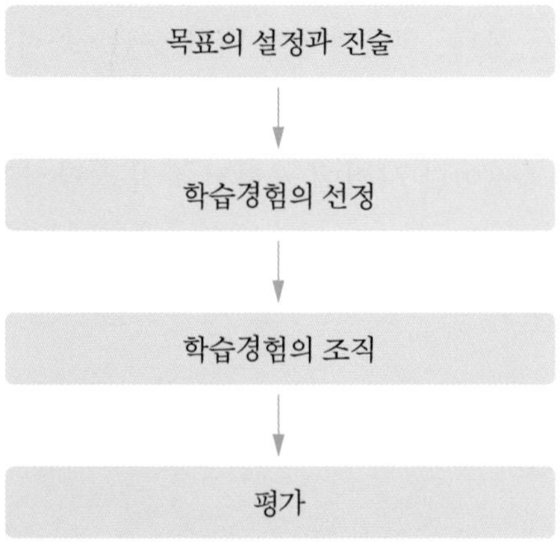

[그림 6-2] 목표모형

• 이러한 교육적 경험들을 어떻게 조직할 수 있는가? (학습경험의 조직)
• 이 교육목적의 달성 여부를 어떻게 결정할 수 있는가? (사정과 평가)

이상의 내용을 요약하면 교육목표의 설정, 학습경험의 선정, 학습경험의 조직, 학습성과의 평가로 요약할 수 있는데, 이는 타일러가 말하는 교육과정의 네 가지 기본 요소를 가리킨다. 타일러가 제시한 교육과정의 네 가지 구성요소와 그들 간의 관계를 그림으로 나타내면 [그림 6-2]와 같다.

[그림 6-2]에서 알 수 있듯이, 타일러의 교육과정 개발모형은 교육목표가 설정되면 이를 토대로 학습경험의 선정과 조직이 이루어지고, 다음에 학습성과에 대한 평가를 실시하며, 평가결과는 다시 교육목표 설정에 피드백이 되어 교육과정을 수정·보완하는 과정으로 진행되어야 한다는 것이다.

최근에는 타일러의 목표모형이 이해중심 교육과정의 동향과 결합되어 백워드 설계(Backward Design) 방식으로 강조되고 있다. 이 방식은 바라는 결과의 설정(목표)—수용 가능한 증거 결정(평가)—학습 경험 및 수업계획이라는 단계로 교육과정이 설계되는 방식으로 단원 설계에 적합하며 이후 수업 실천에 영향을 미치게 된다.

(2) 워커의 숙의(熟議)모형

슈왑(Schwab)의 견해를 계승한 워커(Walker, 1971)는 교육과정 개발과정에 대한 자신의 관찰과 거기에 직접 참가한 사람들의 활동 및 교육과정 개발 자료에 대한 분석을 통해서 학교 교육과정 개발의 과정을 다음과 같이 제시하였다.

첫째, 공통기반을 모색하는 강령 마련의 단계, 둘째, 각 대안으로부터 야기되는 결과들을 추적하여 대안들의 대가나 결과를 비교함으로써 궁극적으로 올바른 대안, 혹은 최고의 대안(그것은 불가능하므로)은 아니나 최선의 대안을 선택해 가는 숙의의 단계, 셋째, 선택한 대안을 실제로 실행할 수 있도록 구체화하는 설계의 단계를 거친다고 보았다. 이러한 개발과정은 인위적으로 처방되어서는 안 된다. 그리고 이상의 과정은 현실적으로 이루어지고 있는 교육과정 개발의 일반적인 모습이며, 이 과정이 실제로 학교현장에서 이루어지는 자연스러운 모습이라는 점에서 자연주의적 모형(naturalistic model)이라고 부른다.

구체적으로 살펴보면 교육과정 개발과정의 개발자들은 처방적 모형을 따르지 않

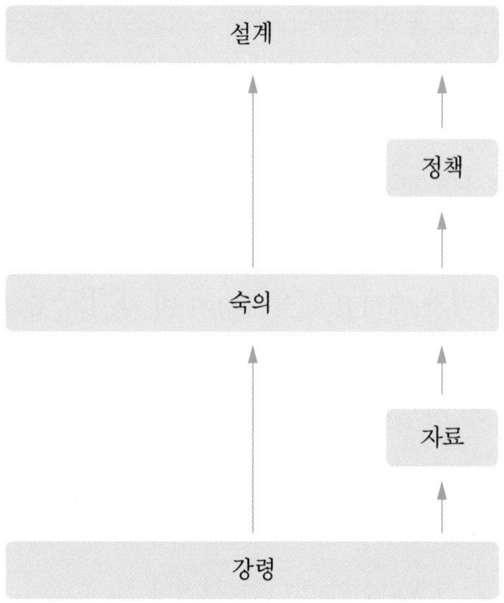

[그림 6-3] 워커의 교육과정 개발과정

으며, 실제로는 자연스럽게 3단계의 과정으로 진행한다. 첫째, 출발점이라고 볼 수 있는 강령(platform)의 단계로서 교육과정 개발이 교육과정에 관하여 개발자들이 품고 있는 신념과 가치 체계에서 시작한다. 둘째, 숙의(deliberation)의 단계는 교육과정에 대한 공통적인 그림을 찾기 위하여 개발자들이 상호작용하는 단계이다. 개발자들은 아이디어를 제시하고 협의한다. 셋째, 설계(design)의 단계는 개발자들이 논의를 통하여 교육과정의 구성요소들을 결정하는 단계이다.

이상의 단계를 그림으로 제시해 보면 [그림 6-3]과 같다.

(3) 지식의 구조론 모형: 브루너

브루너(Bruner)의 개발모형은 1960년대 미국에서 성행한 학문중심 교육과정의 관점에서 이루어진 것을 특징적으로 가리키는 말이다. 이 모형의 가장 큰 특징은 학문적 지식을 학교 교육과정에 반영하려는 것으로 지식의 구조를 중심으로 교육의 과정을 개혁하는 데 있다. 이 당시 학교현장의 교육과정은 학문의 최신 이론과 발달을 반영하지 못하고 많은 격차를 드러내고 있어서 교육적 문제뿐만 아니라 국가적 위기의식과 맞물려 있었다.

이하에서는 브루너가 대표 집필한 『교육의 과정』(1960)에서 제시하고 있는 견해

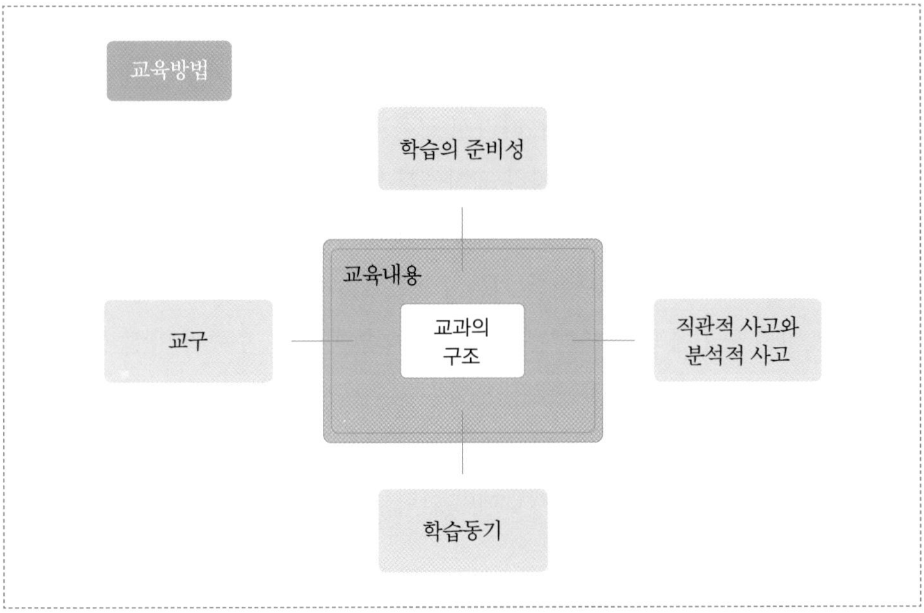

[그림 6-4] 브루너의 교육과정 개발

를 중심으로 개발모형을 제시해 본다.

브루너는 각 교과의 구조를 교육내용으로 하고, 교육방법의 측면에서 학습의 준비성, 사고의 형식(직관적 사고와 분석적 사고), 학습동기, 교구 등을 신중하게 고려하여 교육과정을 개발할 것을 제시하고 있다. 브루너가 그림으로 제시하지는 않았지만 그의 의도를 살려 그림으로 제시해 보면 [그림 6-4]와 같다(김경자, 2000: 348).

이상의 그림에서 제시된 각각의 문제들을 설명해 보면 다음과 같다.

① 교육내용: 지식의 구조의 중요성

어떤 교과든지 그 교과를 특징적으로 그 교과답게 해 주는 골간으로서 구조가 있다. 교과의 구조란 각 교과가 모태로 삼고 있는 학문 분야의 기본적인 아이디어나 개념 및 원리를 의미한다. 이러한 구조는 기본적이고 일반적이므로 단순하고, 어린 나이에도 학습이 가능하며 따라서 새로운 문제에 대한 적용 범위도 넓다. 학습을 통해 획득된 교과의 구조는 한 현상을 어떤 원리의 특수한 사례로 인지할 수 있게 해 주고, 여러 현상들 사이의 관련성과 질서를 파악할 수 있도록 해 준다. 그러므로 교과의 기본 구조를 이해한다는 것은 관련 현상을 파악하는 안목을 획득하는 것일 뿐만 아니라 일반적 전이를 통해 장차 활용에도 유익하다.

한 학문 분야의 기본 구조를 반영할 수 있도록 교육과정을 설계하는 데는 그 분야를 속속들이 이해할 필요가 있으며, 따라서 교육과정 개발에는 그 분야의 유능한 학자가 참여해야 한다. 그러나 개발자나 교사들과 학자들과 협력하여 각 교과의 기본 구조를 마련한다고 하더라도 기본 구조의 학습이 의도하는 바를 실현하기 위하여 해결해야 할 문제가 있다. 한 분야의 기본 구조를 이해하거나 그 아이디어에 통달한다는 것은 기본 구조에 대한 파악뿐만 아니라 학습과 탐구, 추측과 가설 설정에 대한 태도 및 자신감 등을 포함하므로 태도학습을 위해서는 학습의 과정이 발견의 희열을 느끼도록 구성되어야 한다. 학문의 기본 구조를 제시하되 학생들로 하여금 스스로 발견할 수 있도록 그 과정을 개발해야 한다.

② 교육방법: 지식의 구조에 부합하는 방법

브루너는 교과의 지식의 구조를 가르치고자 할 때 고려해야 할 측면들을 학습의 준비성, 직관적 사고와 분석적 사고, 학습동기, 교구 등으로 제시하고 있다.

- 학습의 준비성　브루너가 제시한 대담한 가설(bold hypothesis)—어떤 교과든지 지적으로 올바른 형식으로 표현하면 어떤 발달 단계에 있는 어떤 아동에게도 효과적으로 가르칠 수 있다—은 교육방법과 관련하여 많은 의미를 담고 있다. 기존에는 학습자의 연령이나 발달 단계를 고려하여 특정 내용을 가르치는 시기를 고려하였으나 대담한 가설을 수용한다면 아무리 어려운 내용이라도 학습자의 인지양식에 부합하게 내용을 표현해 주면 가르치는 것이 가능하다는 것이다. 그러므로 수학에서의 미분이나 과학에서의 어려운 개념이라도 학습자가 알아들을 수 있는 형태로 잘 '표현'해 주면 가능하다. 이러한 표현방식에는 작동적 · 도상적 · 상징적 방식이 있다.

- 직관적 사고와 분석적 사고　학습자의 사고과정에는 이 두 유형의 사고가 있는데 교과의 기본 구조를 가르칠 때에 교사는 이 사고과정을 잘 이해하고 그것을 교육적으로 활용해야 한다. 이 두 유형의 사고는 서로 이질적인 것 같지만 직관적 사고를 통하여 분석적 사고가 해결할 수 없는 것을 해결할 수 있을 만큼

상보적이다. 직관적 방법으로 얻은 해답은 하나의 가설로서 존중되어야 하나 가능하다면 분석적 방법으로 다시 점검되어야 한다. 직관적 사고를 잘하는 사람은 분석적 사고를 하는 사람의 힘으로 불가능한 일, 즉 문제를 발명하고 발견하는(invent or discover) 일을 할 수 있으며, 발명되고 발견된 문제에 알맞은 형식(proper formalism)을 부여하는 것은 분석적 사고를 하는 사람들이다. 그런데 학교학습은 형식을 갖춘 내용을 다룬다는 사실 때문에 직관의 중요성이 과소평가되는 결과를 초래한다. 학생들에게 전통적인 연역법과 증명방법을 가르치기에 앞서 급선무가 교육내용을 직관적으로 이해하도록 가르치는 것이다.

• 학습동기　학습활동에 이상적인 최적 동기수준은 학교공부에 대한 무관심과 지나친 광분 사이 어디엔가 존재한다. 일상 학급사태에서 부딪히는 중요한 문제는 수동적 학습 태도이다. 수동적인 관객의 문화권 안에서 능동적이고 자발적인 태도를 기르는 첫 단계는 학교에서 학생들의 학습동기를 일으키는 방법에 있다. 학생들이 공부하려는 동기에는 여러 가지가 섞여 있는데 흥미가 생기는 것과 동시에 세계의 문이 열리는 것이다. 학교의 복잡한 현실 속에서 어떻게 아동의 지식에 대한 동경을 일깨울 수 있을 것인가? 학습내용에 대한 내재적 흥미를 북돋우는 것은 발견의 희열을 느끼도록 하는 것이다. 그것은 가르치려는 내용을 아동의 사고방식에 알맞도록 번역하는 것이며, 이러한 것들은 모두 학습내용에 대한 아동의 흥미를 개발하기 위한 것인 동시에 지적 활동 일반에 대한 올바른 태도와 가치관을 개발하기 위한 것이다.

• 교구　가장 좋은 교구는 교사 자신의 인성으로 연출해 내는 극적인 수업이다. 교구들은 ① 학생들의 경험 범위를 확장하고, ② 학생들의 학습내용에 내재해 있는 구조를 이해하도록 도와주고, ③ 학습내용의 중요성을 극적으로 강조하는 기능, 그리고 ④ 교사의 부담을 덜어 주는 기능을 지니고 있다. 그런데 정작 중요한 것은 이러한 교구들을 하나의 체계 속에서 서로 조화롭게 사용하는 방법이다.

지식의 전달자로서, 학문의 모범으로서, 동일시 대상으로서 교사의 과업은 경험의 폭을 넓히고, 그 경험을 명료화하여 그 경험에 개인적인 의미를 부여하는 여러 가지 교구를 잘 활용함으로써 훨씬 효과적으로 완수될 수 있다. 오직 순간적인 호기심을 자극하는 수단으로서의 영화와 텔레비전, 아무런 내용도 품위도 없는 TV프로그램, 전혀 배울 가치가 없는 내용을 생생하게 그려 내는 그림은 교사에게나 학생에게 아무런 도움을 주지 못한다. 교육과정의 질은 어떤 수업기자재를 구입한다고 해결되는 것은 아니며, 돈과 자료를 얼마나 효과적으로 활용하는가 하는 것은 수업매체 전문가나 제작자의 기술과 유능한 교사의 지혜를 얼마나 잘 통합하느냐에 달려 있다.

최근에 브루너는 1990년대 이후로『교육의 문화(The Culture of Education)』라는 책에서 문화와 내러티브의 중요성을 강조하면서 교육과정에서 지식의 구조 못지않게 내러티브라는 것을 강조하고 있다(강현석, 이자현, 2006). 내러티브는 인간의 사고양식을 의미하는데, 기존에 학교교육에서 강조한 패러다임적인 사고방식, 명제적 사고방식에 대한 대안으로 그 교육적 중요성이 각광을 받고 있다. 앞에서도 지적하였듯이 브루너가 강조하고 있는 내러티브는, 첫째, 사고양식으로서 내러티브, 둘째, 지식 조직의 구조로서 내러티브, 셋째, 교육의 과정 속에서 교과를 가르치는 수단으로서 내러티브로 다층적으로 이해될 수 있다(강현석, 2020: 217-245). 특히 우리는 내러티브를 통하여 학교교육을 새롭게 조망하여 학생들의 경험을 제대로 살피고 그 의미를 복원시켜 주는 일을 해야 한다. 이와 관련하여 최근의 한 연구(Hopkins, 2013)에 따르면 학생의 경험학습과 내러티브를 통해 공교육을 새롭게 구축할 수 있는 계기가 제안되고 있다.

(4) 파이너의 자서전적 모형: 쿠레레 모형

파이너(Pinar)에게 있어서 교육과정 개발은 개인의 실존적 해방을 목표로 하고 있다. 진리는 기본적으로 인식 주체와 인식 대상 간의 변증법적 관계이다. 따라서 파이너는 교육과정이 단순히 교육내용을 설계하고 개발하고 전달하며 그 결과를 평가하는 과정이 되어서는 안 된다고 주장한다. 그는 교육과정이란 교육 속에서 개인들이 갖는 경험의 의미와 성질을 탐구하는 일이며, 나아가 교육에 대한 보다 철저한 이해를 통하여 자신의 실존적 자유를 확대하는 일이어야 한다고 보았다. 그는 이를 위하여 쿠레레 방법을 제안하고 있다.

파이너가 제안한 쿠레레 방법은 인간의 내면 세계에 보다 가까이 다가가기 위해 학생 자신의 전기적 상황에 주목해야 한다고 본다. 교육적 경험을 분석하기 위하여 학생 개인의 전기적 상황을 분석의 자료로 삼아 자서전적 방법을 통하여 그 상황을 밝히는 방법이 교육과정 개발이라고 보았다. 자서전적 방법을 통하여 자신의 경험 속에 내재되어 있던 무의식적 가정들을 밝혀 자신의 교육경험에 영향을 준 요인들을 분석해 냄으로써 진정한 자아의 모습을 되찾을 수 있다고 보았다. 쿠레레 방법은 자서전적 방법에 의한 개인의 전기적 탐구를 통하여 인간의 생각과 행동에 내재되어 있는 무의식적 가정들을 밝혀냄으로써 교육경험의 본질과 그 의미를 이해하는 일이다.

이러한 방법은 교수-학습 과정에도 적용할 수가 있다(정성아, 2006). 쿠레레 방법에서 교수는 지식을 가르치거나 전달하는 활동보다는 학생들이 자신의 교육경험을 이해하고 해석하는 학습활동을 안내하고 학생들이 이러한 학습활동에 적극적으로 임할 수 있도록 조력해 주는 과정이라고 볼 수 있다. 학습은 지식을 습득하는 과정이 아니라 지식을 구성하는 과정이다. 그가 제안한 교수-학습 과정은 회귀(regressive)-전진(progressive)-분석(analysis)-종합(synthesis)이다. 회귀 단계에서는 현재의 자신으로부터 멀어져서 과거로 이동한다. 과거로 돌아가서 그때의 경험을 기록한다. 전진 단계는 회귀 단계와 비교해 보면 보다 밝고 즐거운 측면이 강하다. 미래에 있을 일에 대해 심사숙고하고 바라는 것이 무엇인지에 대해 심사숙고하는 과정이다. 분석 단계에서는 앞의 두 단계를 통해서 자유연상적으로 회상한 것에 대해 비평적으로 반성하는 것이다. 종합 단계는 과거의 명확한 표현과 그것으로부터 해방이 일어나는 단계이다. 상상된 미래에 초점을 둘 때 사람은 자기를 구속한 것들로부터 해방된다. 이와 같이 교육과정 개발은 자아를 붕괴시키는 교육과정이 아니라 자아의 구성을 위한 자료 만들기로서의 교육과정을 주장하면서 자아는 자서전으로서의 스토리텔링에 의해 계획되고 만들어질 수 있다고 본다. 이를 위해서 자서전적 글쓰기, 집단 토의, 현상학적 질문하기, 해석학적 읽기, 개별화 교수전략들이 활용된다.

4) 교육과정 개발의 절차

교육과정 개발은 여러 단계를 거쳐서 이루어진다. 먼저, 참여 기관과 인사가 선정되고, 그들에 의해 프로그램에 담기는 주요 항목들이 결정된다. 대개 그들은 기초

자료의 수집과 분석 및 요구 조사, 교육목표의 설정, 교육내용의 선정과 조직, 학습경험의 선정과 조직, 교육평가의 내용과 방법 등에 관한 주요 항목들을 결정하게 된다. 이러한 결정들은 최종적으로 문서 형태로 출판 · 보급된다. 흔히 최종적인 개발의 산출물은 단원(unit)의 형태로 나타나며 단원—교과—코스나 프로그램과 같은 형태로 개발된다.

새로운 교육과정 개발을 위해서는 종합적인 조사와 객관적인 근거하에서 개발 작업이 이루어져야 한다. 우선, 개발을 위한 기초자료가 체계적으로 수집되고 잘 분석되어야 한다. 기초자료에는 이전 교육과정의 문제나 실행상의 문제, 실태나 각종 정보들이 수집, 분석되어야 한다. 이 활동과는 독립적이라고 보기는 어렵지만 상황분석에서도 마찬가지로 여러 상황과 요인들에 대한 분석이 이루어져야 한다.

(1) 교육목표의 설정과 진술

교육과정을 개발함에 있어서 교육목표를 정하는 것이 가장 중요하면서 최우선적으로 진행된다. 교육목표는 교육과정 개발에서 이루어지는 여러 활동들, 즉 교육내용과 학습경험의 선택과 조직, 교육평가의 방법과 도구의 결정 등의 방향을 잡아 주고 구체화하는 데 도움을 주기 때문이다. 이하에서는 교육목표의 개념, 설정과정, 진술 방식 등을 차례로 소개한다.

① 교육목표의 개념과 수준

교육목표의 위계를 보면 이념(ideals)－목적(aims)－목표(goals)－명세목표(objectives) 등이 있다. 보통 이념과 목적은 교육철학의 영역에서, 목표는 교육과정의 영역에서, 명세목표는 수업의 영역에서 상대적으로 비중 있게 다루어진다. 우리나라의 경우 교육의 이념은 「교육기본법」 제2조에 제시되어 있고, 목적에 해당되는 것으로는 「교육기본법」에 제시된 초 · 중등 교육목적이 있다. 그리고 목표에는 교육과정 문서상에 제시된 각급 학교별 교육목표, 교과목표, 학년목표가 있으며, 구체적 목표에는 단원목표, 수업목표가 있다. 구체적 목표를 명세적인 도달점 목표라고도 부른다.

구체적 명세목표는 교육과정 의도의 명세적인 진술, 즉 학생들이 교육과정과의 상호작용을 통하여 학습해야 할 것을 나타낸다. 변화된 학습자 행동의 입장에서 표

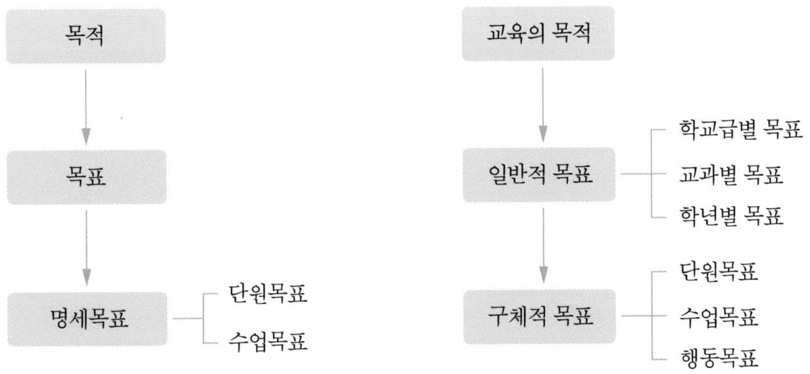

[그림 6-5] 교육의 목적, 일반적 목표, 구체적 명세목표의 관계

현된다. 목적과 목표를 분석해서 도출하였으므로 전문적 용어를 사용하고 행동적 용어로 정확하게 진술한다. 보통 명세목표에는 단원목표, 수업목표, 행동목표 등이 있다. 이상의 구분들은 교육목적을 나타내는 용어들을 적용 범위의 포괄성, 적용 기간의 길이, 수단의 구체화 등에 따라 분류한 것이다. 교육의 목적, 교육의 일반적 목표, 교육의 구체적 목표의 관계를 그림으로 나타내면 [그림 6-5]와 같다.

② 교육목표분류학

교육목표는 교육을 통해 기대되는 성과를 의미하는 것으로서, 교육활동의 기준과 방향을 제시한다. 따라서 교육목표는 구체적일수록 교육활동의 내용과 이를 통해 달성해야 할 것들을 분명히 밝혀 준다고 할 수 있다. 그래서 많은 학자는 교육목표를 구체화 혹은 상세화할 수 있는 방안을 제시하여 왔다. 특히 블룸 등(Bloom et al., 1956)은 행동을 인지적 영역(cognitive domain), 정의적 영역(affective domain), 심동적 영역(psychomotor domain)으로 나눈 다음, 영역마다 각각 교육목표에 진술되어 있는 행동을 분류하는 준거(인지적 영역: 복잡성의 원칙, 정의적 영역: 내면화의 수준, 심동적 영역: 복잡성의 원칙)를 제시했다. 최근에는 블룸의 분류학이 수정 · 제시되고 있다. 최초의 교육목표분류학에서 제시된 세 가지 행동 영역별 구체적인 수준들은 다음과 같다.

- 인지적 영역의 학습: 지식, 이해, 적용, 분석, 종합, 평가

표 6-2 2차원 교육목표분류표

구분	인지과정 차원					
지식 차원	1. 기억하다	2. 이해하다	3. 적용하다	4. 분석하다	5. 평가하다	6. 창안하다
A. 사실적 지식						
B. 개념적 지식						
C. 절차적 지식						
D. 매타인지적 지식						

- 정의적 영역의 학습: 수용, 반응, 가치화, 조직화, 인격화
- 심동적 영역의 학습: 반사적 운동, 초보적 기초동작, 운동지각 능력, 신체적 기능, 숙련된 운동기능, 동작적 의사소통

1956년에 블룸 등이 제시한 교육목표분류학이 여러 측면에서 비판을 받고 있다. 그래서 최근에는 이에 대한 대안적 교육목표분류학들이 제안되고 있다. 그중에서도 대표적인 학자의 분류방식을 소개하면 다음과 같다.

앤더슨과 크래스월(Anderson & Krathwohl, 2001)의 분류방식은 지식 차원과 인지과정 차원으로 분류되는데, 블룸의 분류방식과 다른 점은 인지적 영역에서 '지식' 유목을 명사적 측면과 동사적 측면으로 구분하여 전자는 독립된 지식 차원으로, 후자는 기억(remember)이라는 가장 하위의 인지과정 차원에 포함된다. 또한 이해(comprehension)가 이해(understand)로, 종합이 창안(create)으로 바뀌고 그 위계도 종합과 평가가 뒤바뀐다. 이상의 내용을 표로 제시해 보면 〈표 6-2〉와 같다. 한편, 최근에 강조되는 백워드 설계에서 목표로 강조하는 이해 측면에는 설명, 해석, 적용, 관점, 공감, 자기지식 등 여섯 가지가 있다. 이 측면들은 목표로서 지 · 정 · 의가 통합되어 있다.

이상에서 제시된 새로운 교육목표분류학은 과거 블룸 등의 분류방식보다는 진일보한 것으로서, 향후 교육과정 목표 개발이나 교수-학습의 방식, 수업목표 진술, 평가 방식에 상당한 변화를 초래할 것이며 학교현장에서도 이에 대한 대비가 필요하다고 보겠다.

(2) 교육내용의 선정과 조직

① 교육내용의 선정과 준거

교육내용은 교육목표의 영향을 받는다. 따라서 교육목표와 일관된 내용이 선정되어야 하며, 교육목표를 설정할 때에 고려된 요인들이 내용 선정에서도 마찬가지로 고려되어야 한다. 교사들이 가장 관심을 가지는 것은 당연히 내용이다. 내용을 가르친다는 것이 학교교육의 일상적인 일이기 때문이다. 내용이란 교육과정 목표를 달성하기 위해 학교에서 가르치고 배우는 대상을 가리킨다. 그리고 선정된 교육내용을 체계적으로 조직하는 일은 효율적인 학습을 보장하는 데 필수적인 활동이다.

학교교육의 기간 동안에 학생들에게 가르쳐야 할 내용은 무수히 많다. 이들 중에서 어느 것을 골라 한정된 기간 동안에 가르치는가 하는 문제는 어려운 일이다. 따라서 교육목표 달성을 위해 필요한 내용을 선정하는 일은 매우 중요하며, 일정한 준거에 근거하여 내용을 선정해야 한다. 그 준거들은 다음과 같다.

- 중요성
- 타당성
- 사회적 적절성
- 유용성
- 학습가능성
- 흥미

이상의 준거들은 교육과정 개발자들이 교육과정의 내용 선정 시 적용해야만 한다. 비록 중요성, 타당성과 유용성의 준거에 우선순위가 더 주어져야 하는 것처럼 보이지만 가능하다면 모든 준거를 고려해야만 한다.

② 교육내용의 조직

일단 내용이 선정되면 다음에 해야 할 일은 무엇인가? 선정된 내용은 전체 교육과정의 어디에 배치되는가? 왜 그곳에 배치하는가? 가용한 내용의 방대함과 혼란스러운 배열 때문에 교육과정 개발자들은 학습자들에게 적합한 내용을 배열하는 데 도움이 되는 여러 준거를 사용한다. 교육내용의 조직은 교육목표의 달성을 위하여 교육내용 구성요소들을 효과적으로 배치하는 것을 말한다. 즉, 내용조직은 학습을 목적으로 내용을 체계적으로 조직하는 데 관계되는 제 원리라고 정의할 수 있다.

전통적으로, 지난 수년간 몇 가지 원리가 내용 조직을 위한 준거로서 각광을 받아왔다. 내용 조직의 원리들은 다음과 같다.

- 단순에서 복잡으로 　내용 조직에 대한 이 접근은 전통적으로 과학, 수학, 문법, 음악, 외국어 및 기타 많은 과목에서 발견된다. 이 경우 시퀀스는 단순하고 하위적인 구성요소로부터 복잡한 구조로 진행된다. 예컨대, 우리는 나눗셈을 풀기 위해서는 최소한 곱셈과 뺄셈, 그리고 덧셈을 이해할 필요가 있다. 곱셈을 하려면 최소한 우리는 덧셈을 알아야 한다.

- 주제별 방법 　이 방법은 내용을 여러 단원들로 묶지만, 단원들이 상호 독립적이어서 학습자가 새로운 단원을 학습하기 전에 이전 단원에서 배운 정보를 활용할 필요가 없을 때 사용된다. 예를 들어, 중학교 1학년(7학년) 과학 교과에서 '생물의 구성' 단원과 '지구의 구조' 단원은 서로 관련이 없기 때문에 어떤 것을 먼저 배치해도 상관없다.

- 선행요건적 학습요소 　이 원리는 물리학이나 문법, 기하학과 같이 대개 법칙과 원리들로 구성된 과목들에서 사용된다. 법칙과 원리들을 이해하기 위해서는 선행요건적 학습요소들을 습득해야만 한다. 위계적 학습에 대한 가네(Gagné)의 접근과 일치된다.

- 연대기 　이 원리는 내용을 사건들의 연대나 순서에 따라 기록하는 것을 말한다. 이 원리는 특히 우리가 사건 간의 인과관계를 규명하고 어떤 사건을 이해하기 위해서 그에 선행한 사건을 이해할 필요가 있을 때 특히 중요하다. 역사, 음악, 문학에서 이 접근이 활용되며 과학사와 같이 그 자체의 역사를 검토하는 과목에서 이를 활용한다.

• 전체에서 부분으로 이 원리에 대한 이론적 근거는 전체에 대한 이해가 부분 또는 구성요소 현상의 이해를 가능케 한다는 데 있다. 문학에서는 소설의 구성 부분들을 분석하기 전에 전체를 공부하는 것이 필요하다. 지리에서 흔히 이용되는 이 원리는 우리가 먼저 지구를 살펴보고 난 후 관련된 지구의 개념들을(시간, 계절), 그다음에는 기후와 같은 상세한 주제를 검토할 것을 제안한다. 좀 더 최근에 이러한 지침이 되는 원리들이 확장되어 계열화에 대해 두 가지 접근을 더 포함하게 되었다.

• 추상성의 증가 학습자들은 자신에게 가까이 있거나 의미가 있는 것을 가장 효과적으로 학습한다. 그래서 우리는 내용 조직을 우리 자신의 경험과 가까운 것에서부터 시작해서 좀 더 멀리 떨어져 있는 것으로 진행해 나갈 수 있다. 예컨대, 자기 자신의 가족 단위를 공부하고, 유사한 문화구조들을 공부하고, 상이한 문화권의 사회구조들을 공부하는 순서로 내용을 조직할 수 있다. 이 원리는 종종 초등학교에서 내용을 계열화하는 데 적용된다. 유사한 방식으로, 내용을 구체적인 것에서 추상적인 것으로 계열화할 수 있다. 즉, 추상적이고 관념적이고 이론적인 개념들로 진행되기 전에 구체적인 개념들을 이해하는 것이다. 예컨대, 지리과목에서 척도나 전문적인 제도를 공부하기 전에 지상에서의 거리에 대해 공부를 하는 것이다.

• 발달 단계 학생들은 인지, 정서, 신체 등에서 일정한 단계를 거쳐 발달한다고 생각하고 이 단계에 맞추어 교육내용을 배열한다. 예를 들어, 피아제(Piaget)의 인지발달이론, 에릭슨(Erikson)의 성격발달이론, 해비거스트(Havighurst)의 발달과업이론 등은 교육내용을 배열하는 데 도움을 준다.

• 나선형적 계열화 이 용어는 전체 교육과정 조직과 관련되어 브루너(1965)에 의해서 기술되었는데, 전체 개념 또는 많은 학습요소가 습득될 때까지 학습자들에게 내용의 기본적인 아이디어를 반복적으로 제시하는 것이다.

(3) 학습경험의 선정과 조직

일반적으로 교육과정 분야를 '교육 목표와 내용의 체계'에만 관심을 가지는 것으로 국한한다면 학습경험의 선정과 조직 문제는 부차적인 문제로 볼 수가 있다. 그러나 교육에서 가장 중요한 것이 학생의 학습이라고 본다면 목표달성에 필요한 교육내용을 아무리 잘 선정하고 효과적으로 조직하였다고 하더라도 그것이 학생의 학습으로 연결되지 못하면 의의가 없다. 따라서 목표달성과 직결되고 교육내용과 적절하게 부합되는 학습경험을 선정하고 조직하는 일은 매우 중요한 일이다. 왜냐하면 교육목표 달성 여부는 최종적으로 학생의 학습경험에서 결정되기 때문이다. 그래서 잘 선정되고 조직된 내용을 어떻게 학습자들이 학습할 수 있도록 해 주는가 하는 문제가 중요해진다.

① 학습경험 선정의 일반적 원리

목표달성에 필요한 구체적 학습경험은 목표가 무엇이냐에 따라 다르지만 추구하는 목표가 무엇이든지 간에 공통적으로 적용할 수 있는 일반적인 원리들이 있다 (Tyler, 1949).

- 기회의 원리　어떤 목적을 달성하기 위하여 학생들이 목표달성에 필요한 경험을 할 수 있는 기회가 제공되어야 한다는 것이다. 즉, 문제해결력을 계발하는 것이 목적이라면 학생들에게 문제를 해결해 볼 수 있는 충분한 기회가 주어지지 않고는 불가능하다. 또 독서에 흥미를 갖도록 하는 것이 목표라면 독서를 많이 해 보지 않고는 이 목적이 달성될 수 없다. 이것은 어느 경우나 마찬가지이다. 기본적으로 학생들이 목표를 달성하는 데 필요한 경험을 할 수 있도록 충분한 학습경험이 제공되어야 한다.

- 만족의 원리　학생들이 목표와 관련된 학습을 함에 있어서 만족을 느끼는 경험이 되어야 한다는 것이다. 예를 들어서, 건강 문제를 해결하는 능력을 개발하는 학습경험의 경우에 중요한 것은 이 경험을 통하여 학생들이 건강 문제를 해결할 수 있는 기회를 얻음과 동시에 이 문제를 해결하는 과정에서 만족할 만한 경험을 했다는 사실이다. 만약 그 경험이 만족스럽지 못한 것이거나 불쾌한

것이었다면, 학습은 이루어질 수 없다. 잘못하면 애초의 목표와는 다른 결과를 얻게 될지도 모른다. 독서에 대한 흥미를 개발하는 학습경험의 결정에서도 마찬가지의 논리를 적용할 수 있다. 많은 독서를 할 수 있는 충분한 경험이 제공되어야 하고 아울러 이러한 경험이 만족할 만한 것이어야 효과적인 학습이 이루어졌다고 볼 수 있다. 그렇게 되기 위해서 교사들은 학생들의 흥미나 학생들의 수준 그리고 이러한 경험이 학생들에게 만족을 주는 것인가 아닌가를 판별할 수 있는 충분한 정보를 갖고 있어야 한다.

• 가능성의 원리　학생들의 현재 수준에서 경험 가능한 것이어야 한다는 것이다. 즉, 학습경험이 달성 가능하고, 학생들의 성장에 맞는 것이어야 한다는 것이다. 이것은 '교사는 학생들의 수준에서부터 수업을 시작해야 한다.'는 말을 확인시켜 준다. 만약 학습경험이 학생들이 현재로서는 할 수 없는 것이라면, 그것은 당연히 이루어질 수 없는 수업이 될 것이다. 그러므로 교사는 학생들의 현재 목표, 배경 그리고 수준 등을 정확히 파악하고 있어야 한다.

• 다경험의 원리　교육목표를 달성하는 데 여러 가지 다른 학습경험이 활용될 수 있다는 것이다. 교육경험이 효과적인 학습의 기준에 타당한 것이라면 목표 달성에 유용하게 활용될 수 있다. 어떤 구체적 목표를 달성하는 데는 여러 가지 학습경험이 고려될 수 있다. 그것은 어떤 구체적 학습경험을 설계하는 데 있어서 교사에게 충분한 재량권이 부여될 수 있다는 것을 의미한다. 이것은 또한 한 학교가 교육경험을 설정함에 있어서 하나의 교육목표를 염두에 두고 있지만 학생들이나 교사의 성격을 고려하여 선택의 폭을 넓힐 수도 있다는 것을 의미한다. 교육과정이 어떤 목표를 달성하는 데 필요한 학습경험을 일정하게 제한할 필요는 없다.

• 다성과의 원리　동일한 학습경험을 했더라도 교육의 결과는 달라질 수 있다는 것이다. 예를 들어서, 건강에 관한 문제를 해결하는 동안에 건강에 관한 정보를 학습할 수 있다. 또한 공중보건 절차의 중요성에 대한 어떤 태도가 학습될 수도 있다. 건강 분야에 관한 일에 대해서 흥미를 느끼기도 하고 또는 흥미를

잃어버리게 될 수도 있다. 모든 학습경험은 하나 이상의 학습결과를 얻게 된다. 긍정적으로 보면 이것은 시간을 벌 수 있는 결정적인 이득이 있다. 학습경험이 잘 짜여 있다면 다양한 교육목표를 달성할 수 있기 때문이다. 그러나 부정적인 측면에서 보면 교사는 학습을 통해서 의도하지 않았던 어떤 결과가 나타나지 않나 항상 경계를 해야 되기도 하다.

② 학습경험의 조직과 준거

학습경험의 조직에 있어서 우리는 시간적인 관계와 공간적인 관계를 고려한다. 이러한 두 종류의 관계를 우리는 수평적 또는 수직적 관계라고 부른다. 우리가 5학년과 6학년의 지리 학습내용의 관계를 고려한다면 그것은 수직적인 관계를 보는 것이고, 5학년의 지리와 역사 과목의 관계를 살펴본다면 그것은 수평적인 관계를 고려하는 것이다. 이 두 관계는 교육경험의 누가적인 효과를 나타내는 데 있어서 중요하다. 5학년에서 배운 지리과목의 내용과 6학년에서 배운 지리과목의 내용이 잘 연관되어 있다면 지리의 개념이나 기술 등의 학습이 깊이와 넓이를 더할 수 있을 것이다. 5학년의 지리 교과내용과 역사 교과내용이 서로 연결되어 서로의 지식을 강화시켜 준다면 시야가 통일되고 안목이 넓어져서 훌륭한 교육의 성과를 얻을 수 있을 것이다. 그 반대로, 경험하는 것이 서로 상충되는 것이라면 서로가 그 효과를 상쇄하게 될 것이다. 또 과목 간에 연계성이 없다면 생활 속에서 다루게 되는 일상적인 문제해결과는 관계없는 동떨어진 공부를 하게 될 것이다.

학습경험을 효과적으로 조직하는 준거는 다음과 같이 세 가지가 있다. 즉, 계속성(continuity), 계열성(sequence), 그리고 통합성(integration)이다.

- 계속성　중요한 교육과정 요소를 수직적으로 반복 강조하는 것이다. 만약 사회과의 공부에서 사회과에 관한 자료를 읽는 기술을 개발하는 것이 중요한 목적이라면, 이러한 기술을 연습하고 개발할 수 있는 기회가 계속해서 주어져야 한다. 이것은 동일한 기능이 계속적으로 반복되어야 함을 의미하는 것이다. 따라서 '반복성' 혹은 '연속성'이라고도 한다. 또한 만약 과학 교과에서의 목표가 에너지에 대한 개념을 학습하는 것이라면 과학 교과의 여러 분야에서 이 개념이 자주 취급되어야 한다. 그러므로 계속성이란 수직적인 조직에 있어서 가장

중요한 요소이다.

- 계열성　계속성과 관련이 있지만 계속성 그 이상이다. 중요한 교육과정의 내용이나 학습경험이 단순히 같은 수준에서 반복된다면 이해나 기능 그리고 태도는 발전하지 않을 것이다. 그러므로 계열성이란 학습경험이 단계적으로 깊어지고 넓어져서 경험이 계속적으로 축적되는 것을 의미한다. 예를 들어서, 사회과 독서 기술 개발을 위한 계열성에는 보다 복잡한 사회과 관계 자료를 제공하고, 이러한 자료를 읽는 데 필요한 기술을 확대시키고, 그리고 분석을 깊이 하도록 해서 6학년의 사회과 공부에서는 5학년 사회과 공부에서 학습했던 내용을 되풀이하는 것이 아니라 그것을 보다 확대 및 심화시키도록 하여야 한다. 따라서 자연과학에서 에너지의 개념을 연결시키기 위해서는 매 학년에서 다루는 에너지에 관한 내용이 학생들로 하여금 에너지라는 단어가 갖는 부수적인 의미를 보다 폭넓게 이해하도록 하는 것이 필요하다. 계열성은 반복이 아니라 학습경험을 단계적으로 넓히고 깊게 하는 것이다. 타바(Taba, 1962: 296)는 계열성을 '누적적 학습'이라고 표현하였다.

- 통합성　교육과정의 내용이나 학습경험을 수평적으로 연관시키는 것이다. 이러한 조직은 학생들로 하여금 사물을 종합적으로 보게 하고 학습내용과 행동을 통합시키도록 한다. 예를 들어, 수학의 계산 능력을 학습하는 경우에 이 기능이 사회과 공부나 과학과 공부, 그리고 물건을 살 때 등의 경우에 어떻게 활용될 수 있는가를 고려한다. 그래서 이 기능이 교과공부로서만 끝나는 것이 아니라 일상생활에서 활용할 수 있는 기능이 되도록 한다. 마찬가지로, 사회과의 개념학습에서는 이 개념이 다른 분야의 일과 어떻게 연관되며 그리하여 학생들의 모습이나 기능 또는 태도에 어떻게 반영되는가를 보는 것이다.

(4) 단원의 구성

단원은 교육과정 개발과 구성의 최종 종착점이다. 단원이란 학습내용과 경험을 일정한 학습 집단에서 주어진 시간에 학습할 수 있도록 조직한 학습단위이다. 이런 단원을 개발할 때에도 앞의 동일한 절차를 밟게 된다. 단원 개발 시에 그 초점을 교재, 경험, 학문의 구조 등에 둘 수 있으며, 최근에는 내용이나 주제, 토픽보다는 학습 성과나 수에 초점, 역량 기반으로 구성되기도 한다. 단원을 그 수준으로 보면 코스와 단시수업(lesson)을 매개하기도 한다.

5) 교육과정 개발의 최근 동향

여기에서는 교육과정 개발과 관련하여 국내 · 외적으로 강조되고 있는 최근의 동향 중에서 중요하다고 회자되는 것들을 중심으로 살펴본다. 이하 동향들은 최근 한국의 국가수준 교육과정 개정에도 중요한 영향들을 미치고 있는 것들로 평가받고 있다.

(1) 이해중심 교육과정

최근 교육의 패러다임이 변화하고 있다. 예전에는 학생들에게 많은 지식을 전달하는 것에 초점을 두었다면 이제는 교육의 중점이 단순한 지식의 습득을 넘어 진정한 이해를 통해 무엇인가를 알고 할 수 있는 능력을 기르는 것으로 옮겨 가고 있다. 교육과정의 측면에서 이해력 개발을 강조하는 입장은 늘 존재해 왔으며 특정 교과의 측면에서도 다양한 시도들이 있어 왔다. 예를 들어, TfU(Teaching for Understanding), HPL 이론, 문제중심 학습, 학습양식과 두뇌 반구성 이론을 결합한 4-MAT System 등이 학생들의 이해력을 강조하는 교육적 조치들이다.

위긴스와 맥타이(Wiggins & McTighe, 2005)는 학습자가 습득한 지식을 유의미한 맥락 속에서 의미를 파악하고 새로운 상황에 적용하는 수행을 통해 '심층적인 이해'를 추구하는 것이 학습의 목표가 되어야 한다고 주장하였다. 이러한 주장은 학생들이 자신의 학습을 유의미한 맥락에서 적용해볼 수 있는 다양한 기회를 제공하면서 전이될 수 있는 개념과 과정의 이해를 위해 가르칠 때 학생들의 이해 능력이 향상된다는 신념에 근거를 둔다. 물론 이해에 도달하기 위해 지식과 기능이 전혀 필요 없는 것은 아니다. 하지만 학습에서 단순한 지식과 기능의 습득을 목적이 아닌 수단으로 다룰 때 학생들은 장기적인 관점에서 더 많이 학습하며 의미 구성을 통해 이해하게 되고 이는 더 나아가 배움을 실생활과 연계시킬 수 있는 연결고리가 된다.

이상의 다양한 시도들을 포함하여 이해를 교육의 목적으로 두고 있는 이해중심 교육과정의 주요한 특징들을 간략하게 논의해 보면 다음과 같다.

첫째, 많은 내용을 가르치기보다는 교과에서 주요 아이디어나 핵심 개념으로 구현되는 지식의 구조를 중심으로 내용을 구조화하는 것이다. 교과의 핵심적인 개념이나 원리들인 지식의 구조, 즉 교과의 구조는 학생들에게 영속적인 이해를 가져다주는 것으로서 교수-학습의 초점으로 삼아야 한다는 점이다.

둘째, 교육과정의 실행에서 학생들에게 제대로 된 학습에 주목하는 바, 학생의 진정한 이해능력 개발에 초점을 둔다는 점이다. 피상적 학습의 반복으로 배움의 가치를 인식하지 못하는 학생들에게 내용의 진정한 이해를 통하여 안목을 형성시켜 주고 진정한 삶의 가치를 추구하게 해주는 것을 강조하고 있다.

셋째, 과거 단편적 지식 전달의 문제, 피상적 학습을 극복하기 위하여 많은 내용을 전달하는 방식의 교수 관행에서 탈피하여 정선된 내용의 심층적 학습에 주목해야 한다는 점이다. 심층적 학습은 구조화된 소수의 내용을 통하여 전이 가능한 학습이 이루어질 때 가능하다. 많은 것을 가르치기보다는 연속적인 이해를 가져다주는 전이 가능한 소수의 내용을 심층적으로 가르쳐서 진정한 이해를 제고시켜야 한다는 점이다.

이러한 특징들이 가장 잘 구현되는 방식으로는 이하의 백워드 설계로 알려진 이해기반 교육과정(UbD), 개념기반 탐구 학습, 국제바칼로레아(IB) 교육시스템 등이다. 특히 IB 교육과정은 최근 대구교육청과 제주 교육청에서 혁신적인 시도를 하고 있으며, 그 교육적 시도와 가치, 향후 효과가 학계와 학교 현장의 관심을 모으고 있다.

(2) 교육과정의 백워드 설계

위긴스와 맥타이(2005)가 제안한 백워드 설계는 [그림 6-6]과 같이 3단계로 구성되어 있다. 각 단계별 내용을 살펴보면 다음과 같다.

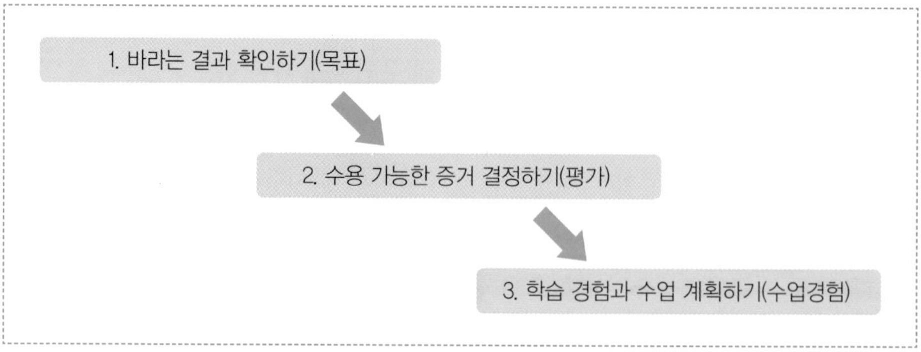

[그림 6-6] 백워드 설계의 단계

① 단계 1: 바라는 결과 확인하기

학생들이 무엇을 알아야 하고, 이해해야 하고, 할 수 있어야 하는가? 어떤 내용이 이해를 위해 가치가 있는 것인가? 어떠한 영구적인 이해가 바람직한 것인가? 우리는 단계 1에서 목표를 고려하고, 설정된 내용 기준을 설명하며, 교육과정의 기대들을 검토한다. 일반적으로 우리는 가능한 시간 안에 합리적으로 다룰 수 있는 것보다 더 많은 내용을 가지고 있기 때문에, 선택을 해야만 한다. 설계과정의 첫 번째 단계에서 우리는 우선순위를 분명하게 할 필요가 있다.

② 단계 2: 수용 가능한 증거 결정하기

만약, 학생들이 바람직한 결과를 성취했다면 당신은 그 사실을 어떻게 알 수 있는가? 학생의 이해와 능숙함에 대한 증거로서 우리는 무엇을 수락할 수 있는가? 백워드 설계에서 지향하는 것은 단순히 일련의 학습활동 혹은 취급해야 할 범위에 포함된 내용을 강조하는 것이기보다는 오히려 문서에서 요구되는 수집된 사정 증거에 의해 우리가 단원이나 코스에 대해 생각하고, 바람직한 학습이 성취되었는지를 입증하기를 제안하는 것이다. 이러한 접근법은 특정한 단원이나 단시수업을 설계하기 전에, 교사와 교육과정 계획자가 우선 '평가자와 같이 생각하기'를 요구한다. 그리고 학생들이 바람직한 이해를 얻었는지를 그들이 어떻게 결정할 수 있는지에 대해 고려하기를 요구한다.

③ 단계 3: 학습경험과 수업 계획하기

다음 단계로는 분명히 입증된 결과들과 적절한 이해에 대한 증거를 염두에 두고, 가장 적절한 수업활동에 대해 충분히 생각해 보는 것이다. 몇 가지 주요 질문들은 백워드 설계의 이 단계에서 고려되어야 한다. 어떤 지식(사실, 개념, 원리들) 그리고 기능(과정, 절차, 전략)들이 바라는 결과를 성취하고 효과적으로 수행하기 위해 학생들에게 요구되는가? 어떠한 활동들이 학생들이 필요로 하는 지식과 기능들에 적합한 것인가? 무엇이 가르쳐질 필요가 있고, 코치되어야 하며, 수행목표에 비추어서 어떻게 가르쳐지는 것이 최상인가? 어떤 자료와 자원들이 이러한 목표들을 성취하는 데 가장 적절한가?

(3) 역량기반 교육과정

최근 들어 학교교육에서 가르쳐야 할 내용과 관련하여 역량(competency)에 대한 논의가 활발하다. 기존의 교과를 중심으로 하는 교육만으로는 변화하는 세계에 능동적으로 대처하기 힘들고, 소위 기존의 전통적인 자유교육에 대한 적합성 문제가 구체적으로 논의되면서 이 문제는 복잡한 양상을 띠는 것처럼 보인다. 종래의 인문적 자유교육만으로는 삶의 구체적 장면에서 필요한 실제적 요구나 직업을 위한 경제적 요구에 대처할 수 없다는 것이다. 이러한 문제점으로 인해 학교에서 가르쳐야 할 주요 내용으로서 교과 지식이 아닌 새로운 차원인 역량을 제안하고 있는 것처럼 보인다. 더욱이 이러한 제안은 생애능력과 직업기초능력을 규명하고 이를 학교에서 가르쳐야 한다는 주장들과 맞물려 매우 타당한 것으로 비쳐지고 있으며 이와 관련된 논의들이 증가하고 있는 실정이다. 몇몇 나라의 경우(예를 들어 호주, 캐나다, 영국 등)는 전체 교육과정을 역량중심으로 개정하는 경우도 생겨나고 있다.

역량의 개념과 그 기원에 대한 논의를 보면 매우 다양한 접근들이 가능하며, 그것들에 대한 논의가 단순히 직업과 관련한 요구만이 아니라 사회적 삶의 맥락 차원에서 정의되면서 그 개념에 대한 논의는 상당 부분 진전되고 있다고 볼 수 있다. 즉, 단순히 기술과 직업적 요구와 관련된 논의로부터 보다 거시적으로 사회적 삶의 맥락 차원으로 역량의 의미를 지속적으로 확대해오고 있다. 따라서 역량은 기존의 지식과 기능, 가치와 태도 등을 통합하는 것으로 그 양과 질에서 상이한 차원을 가리키고 있는 것으로 판단된다. 이러한 개념적 확장과 동시에 문제를 더욱 복잡하게 만드는 것은 역량에 대한 확대된 개념들이 수시로 등장하고 있다는 점이다.

그러나 순수하게 학교교육의 입장에서 보면 역량교육에 대한 흐름은 몇 가지 갈래로 나뉘는 것 같다.

첫째, 기존 지식교육의 문제를 해결하는 하나의 대안적 입장에서 접근하는 것이다. 이 방식은 지식교육의 목표가 블룸(Bloom) 등이 말하는 지식과 이해 수준을 넘어서서 적용–분석–종합–평가의 수준으로 옮아가는 교육을 의미한다.

둘째, 자유교육의 전통에서 접근하는 것이다. 역량이라는 것이 특정 기술이나 협소한 적용능력을 말하는 것이 아니라 진정한 지식을 내면화한 자유인의 정신에서 찾고자 하는 것이다. 이 방식에서 역량교육은 자유 교양인을 기르는 것이며, 특정 기술에 통달하는 마스터를 기르는 것이 아니라는 것이다.

셋째, 단순 지식과 기능의 마스터와 자유 교양인 함양이라는 대립적 구도를 넘어서서 우리가 추구하는 가치의 특정 상태를 전제하고 그 상태를 인간의 성취해야 할 바람직한 기준으로 설정하여 도달하는 교육으로 접근하는 방식이다. 소위 핵심역량, 기본 역량이라고 설정하여 그것들을 특정 방법으로 달성하고자 하는 체제적 접근을 말한다. 현재 한국의 '2015 개정 교육과정'은 이 방식을 염두에 두는 것 같다. '2015 개정 교육과정' 총론에 제시되어 있는 6대 핵심역량, 즉 '자기관리역량' '지식정보처리역량' '창의적 사고역량' '심미적 감성역량' '의사소통역량', '공동체역량'은 교육과정을 통해 학습자들이 함양해야 하는 역량이다. 총론에 명시되어 있는 핵심역량은 개별 교과의 성격이 반영된 교과별 핵심역량을 도출하는 토대가 되며, 교과교육과정의 핵심역량은 단편적인 내용 위주의 지식이 아닌 실제 생활에 필요한 능력으로 규정되어 있다. 차기 '2022 개정 교육과정'에서도 현행 역량기반 교육과정의 문제를 다소간 수정하면서 이어질 것으로 예상한다.

다만, 우리가 유의할 것으로는 역량중심 교육과정에서는 교과 지식을 특정 역량으로 대체하는, 즉 교과 지식 대신에 별도의 역량을 가르치는 식으로 접근해서는 안 되며, 교과 '지식을 다루는 방식'을 역량 중심적 사고로 접근하는 것으로 보아야 한다. 이 경우 지식교육은 기존 방식을 넘어서서 심층적인 이해교육으로 나갈 수밖에 없을 것이다. 지식을 지식답게 가르치지 못한 이유를 탐색하는 과정에서 역량중심 교육을 하나의 대안으로 위치시켜야 하며, 이제 지식교육은 특정 교과 지식 속에 내재한 역량을 드러내는 교육으로 가야 한다. 이러한 방식을 새로운 지식교육, 질 높은 지식교육이라고 부를 수 있을 것이다(강현석, 2021).

(4) 뇌신경과학 기반 교육과정

학생들이 자율적 학습자가 되는 일은 곧 자신의 뇌에 대한 주인 역량 키우는 일이다. 자율적 학습자가 되는 데에 제일 중요한 것은 전이 능력을 개발하는 일이다. 전이 능력은 뇌가 하는 일에서 학습의 차원에서 중요한 영역이다. 우리 뇌에서 전이가 일어나지 않으면 인간 생존도 위협을 받지만, 인간으로서 고등정신 기능 발휘가 불가능하며, 인간 문명 개발이 어려워진다. 뇌 학습만을 살피고 연구하는 일은 뇌신경과학(neuroscience)의 영역이지만, 교육자로서 우리는 한 발 더 나아가서 교육적인 다양한 조치들에 대한 뇌 반응을 탐구하고 학생들의 지식 구성을 잘 도와주어야 한다(강현석, 이지은, 2021).

이러한 기조 속에서 교육신경과학(Neuro-Educational Science)의 장르에 많은 관심을 가지고 연구를 투자해야 할 필요가 있다. 교육신경과학은 심리학-교육학-신경과학이 통합되는 접점이다. 심리학은 인지와 행동의 수행과정을 연구하는 분야이고(인간 마음 연구), 교육학은 교수와 학습과학을 연구하는 분야이며(교육 연구), 신경과학은 뇌의 발달, 구조, 기능을 연구하는 분야(뇌 연구)라고 한다면 이 삼자를 잘 통합하는 일(마음-교육-뇌)이 중요하다고 볼 수 있다. 장차 구체적으로 연구하여 교과 내용(성취기준 혹은 교과별 교수법, 평가 등)에 따라 학습자의 뇌 반응이 어떻게 달라지는가 등에 대한 연구가 '○○과 교육신경과학'이라는 장르로 탄생하고 있다.

더 구체적으로는 동일한 교과 안에서 교과 내용의 수준과 특성에 따라서 뇌 반응이 달라지는 양상, 뇌 주인 역량('Brain-Owner' Power)을 기르기 위해서는 교과를 어떻게 가르치고 평가해야 하는가 하는 문제가 중요하다.

학습과제

1. 다양한 교육과정 의미들 중에서 자신이 선호하는 것을 선택하여 그 이유를 설명해 보고, 한국의 교육과정 문제를 설명하는 데에 이점을 제시해 보자.
2. 교육과정의 문제를 이해하는 데에 있어서 지식과 경험의 관계를 설명하고, 그에 기초하여 한국의 공교육 문제 해결에 주는 시사점을 제시해 보자.
3. 교육과정 개발의 입장을 설명해 보고 여러분의 관점에 따라 현재 한국 교육과정의 문제를 해결하는 데 도움이 되는 입장을 제안해 보자.
4. 교육과정 개발의 절차를 설명해 보고, 단위학교에서 교육과정을 편성하는 절차를 조사해 보자.
5. 최근 교육과정 개발의 동향을 조사하고, 학교 현장에서의 적용 가능성을 논의해 보자.

참고문헌

강현석(2011). **현대교육과정탐구**. 서울: 학지사.

강현석(2020). Bruner의 내러티브 의미의 다층성과 교육이론 형성에의 시사점 탐구. **내러티브와 교육연구**, 8(1), 213-256.

강현석(2021). 2022 국가 교육과정 개정의 방향과 과제: 역량 담론에서 질 높은 지식교육으로의 복귀. 2012 한국교육철학회 학술대회 발표논문.

강현석, 이자현(2006). **브루너 교육의 문화**. 서울: 교육과학사.

강현석, 이지은(2021). 뇌신경과학 기반의 백워드 설계방안과 사례 개발: UbD가 뇌신경과학을 만나다. **창의력교육연구**, 21(1), 37-59.

강현석, 이지은, 배은미(2019). **최신 백워드 교육과정과 수업 설계의 미래**. 경기: 교육과학사.

강현석, 이지은, 유제순(2021). **이해중심 교육과정을 백워드 설계의 이론과 실천: 교실 혁명**(2판). 서울: 학지사.

김경자(2000). **학교 교육과정론**. 서울: 교육과학사.

김인식, 박영무, 최호성(1995). **교육과정 이론과 분석**. 서울: 교육과학사.

김인식, 최호성(1990). **교육과정 및 평가**. 서울: 교육과학사.

김호권, 이돈희, 이홍우(1988). **현대교육과정론**. 서울: 교육과학사

박봉목(2000). **위대한 교육사상가들 IV**. 서울: 교육과학사.

이경섭, 이홍우, 김순택(1982). **교육과정: 이론, 개발, 관리**. 서울: 교육과학사.

이성호(2009). **교육과정론**. 경기: 양서원.

이홍우(1992). **교육과정 탐구**(증보). 서울: 박영사.

정성아(2006). 쿠레레 방법의 도덕과 수업 적용에 관한 연구. 부산대학교 대학원 박사학위논문.

홍후조(2002). **교육과정의 이해와 개발**. 서울: 문음사.

Anderson, L. W., & Krathwohl, D. R. (Eds.) (2001). *A Taxonomy for learning, Teaching and assessing: A Revison of Bloom's Taxonomy of Educational Objectives.* New York: Longman.

Bloom, B. S. et al. (1956, 1964). *Taxonomy of Educational Objectives, I. Cognitive Domain, II. Affective Domain.* New York: David Mckay.

Bruner, J. S. (1960). *The Process of Education.* Cambridge. Mass: Harvard University Press.

Bruner, J. S.(1962). *On knowing: Essays for the left hand.* NY: Harvard Univ. Press.

Bruner, J. S. (1966). *Toward a theory of instruction.* New York: W. W. Norton.

Bruner J. S. (1996). The culture of education. Cambridge, Mass.: Harvard Univ. Press.

Dewey, J. (1902). *The child and the curriculum.* Chicago: University of Chicago Press.

Dewey, J. (1916). *Democracy and Education: An introduction to the philosophy of education.* New York: Macmillan.

Dewey, J. (2002). **아동과 교육과정/ 경험과 교육**(*Child and the curriculum. Experience and education*). 박철홍 역. 서울: 문음사. (원저는 1902/1938년에 출판).

Eisner, E. W. (1994). *The Educational Imagination.* New York: Macmillan.

Giroux, H. A., & Purpel, D. (1982). *The Hidden Curriculum and Moral Education: Illusion or Insight.* Berkeley: McCutchen.

Harrow, A. (1972). *A Taxonomy of the psychomotor domain: A guide for developing behavioral objectives.* New York: David McKay.

Hauenstein, A. D. (1998). *Conceptual Framework for Educational Objectives: A Holistic Approach to Traditional Taxonomies.* Lanham, MD: University Press of America.

Hauenstein, A. D. (2004). **신 교육목표분류학**(*Conceptual framework for educational objectives: A holistic approaches to traditional taxonomies*). 김인식, 박영무, 이원희, 최호성, 강현석, 박창언, 박찬혁 공역. 경기: 교육과학사. (원저는 1998년에 출판).

Hewitson, M. (1982). *The Hidden Curriculum.* St Lucia, Queensland: Published by the

Author.

Hopkins, R. L. (2013). 내러티브, 학교교육을 다시 디자인하다(*Narrative schooling: Experiential learning and the transformation of american education*). 강현석, 홍은숙, 장사형, 허희옥, 조인숙 공역. 서울: 창지사. (원저는 1994년에 출판).

Jackson, E. W. (1968). *Life in Classrooms*. New York: Holt, Rineholt & Winston.

Johnson, M. (1967). Definitions and Models in Curriculum Theory. *Educaional Theory, 17*(2), 127-140.

Kliebard, H. M. (1986). *The Struggle for the American Curriculum 1893-1958*. Boston: RKP.

Krathwohl, D. R., Bloom, B. S., & Masia, B. B. (1964). *Taxonomy of Educational Objectives, Handbook II: Affective Domain*. New York: David Mckay.

Marzano, R. J. (2001). *Designing A New Taxonomy of Educational Objectives*. Thousand Oaks California: Corwin Press.

McNeil, J. D. (2006). *Curriculum: A Comprehensive Introduction* (6th ed.). Boston: Harper Collins College Publishers.

Taba, H. (1962). *Curriculum development: theory and practice*. New York: Haracout Brace Jovanvich Inc.

Tyler, R. (1949). *Basic Principles of Curriculum and Instruction*. Chicago: University of Chicago Press.

Walker, D. F. (1971). A Naturalistic Model for Curriculum Development. *School Review, 80*(1).

Walker, D. F. (1990). *Fundamentals of Curriculum*. San Diego: Harcourt Brace Jovannovich, Publishers.

Wiggins, G., & McTighe, J. (2005). *Understanding by design* (2nd ed.). Alexandria, VA: Association for Supervision and Curriculum Development.

제7장

교수-학습이론

김회수(전남대학교 교육학과)

학습 개요

이 장에서 설명하는 교수–학습이론은 학습자가 무엇을 학습하도록 어떻게 도울 것인가에 관한 이론들이다. 교수–학습이론을 분류하고 설명하는 방식은 다양하다. 이 장에서는 교수–학습이론들이 공유하고 있는 교육목적에 따라 재분류하여 설명하고자 한다. 교수–학습이론들이 성취하고자 하는 목적을 '지식이나 기능 습득' '학습자의 지식 구성' '문화역사적 발달' 그리고 '학습자의 공동체 참여'로 구분할 수 있다. 이러한 네 가지 교육목적에 따라 지금까지 연구된 교수–학습이론을 분류하고, 각각 대표적인 교수–학습이론을 설명한다.

1. 교수-학습이론이란

초·중등학교, 대학, 평생교육기관 등 모든 교육기관에서 가르치고 배우는 일은 핵심적인 활동이다. 학습자가 배워야 할 것을 잘 배울 수 있도록 돕는 것을 목적으로 교사와 학습자가 함께 하는 교육활동을 교수-학습활동이라고 하고, 이에 관한 이론을 교수-학습이론이라고 한다. 일반적으로 교수-학습이론을 학습이론(learning theory)과 교수이론(instruction theory)으로 구분하여 논의하기도 한다. 학습이론은 교사와 같은 외부 도움 없이 학습자들이 어떤 과정이나 활동을 거쳐 어떤 학습내용을 학습하는가를 설명하는 이론, 즉 학습자 편에서 일어나는 학습 현상을 기술하는 이론이다. 반면에 교수이론은 학습자의 현재 상태를 진단하고 학습자가 학습목표를 보다 효과적이고 효율적으로 달성할 수 있도록 교사가 어떻게 도울 것인가를 제안하는 이론이다. 그러나 학습자를 가르치는 교수활동(또는 수업활동으로도 불림)이 학습자의 학습을 보장하기 위해서는 교수활동과 학습활동이 함께 이루어져야 한다. 학교와 같은 교육기관에서는 주로 교수활동을 통해서 학습이 이루어지는 데에 초점을 맞추기 때문에 교수활동과 학습활동은 불가분의 관계가 있고, 따라서 양자에 관한 교수이론과 학습이론은 별개로 논의될 것이 아니라 '교수-학습이론'으로 함께 통합되어 검토되어야 한다.

학습자 스스로가 배울 것을 찾아서 계획을 세우고 학습을 진행할 수 있지만, 교사의 도움이나 개입이 있을 때 학습의 효과가 더 크게 나타날 수 있고, 학습이 더 효율적으로 이루어질 수도 있다. 그렇다면 무엇을 어떻게 해야 학습이 잘 이루어질 수 있게 할 수 있는가? 우리 사회가 가치 있다고 인정한 지식이나 기능을 잘 습득하도록 하는 것이 잘 가르치는 것인가, 학습자가 중요하다고 생각하는 자신의 문제를 해결하면서 필요한 지식을 만들어 가도록 돕는 것이 잘 가르치는 것인가, 인류가 만들어 온 개념, 지식, 법칙, 이론 등을 학습자가 도구로 사용하여 과제를 해결하는 자발적 생각을 하도록 하는 것이 좋은 것인가, 아니면 우리 사회의 다양한 공동체의 활동에 참여하는 구성원이 되도록 돕는 것이 잘 가르치는 것인가 등과 같이 가르치고 배우는 일에 관한 핵심적인 질문에 대해 경험이나 과학적 연구를 기반으로 답하려고 하는 체계화된 주장들이 교수-학습이론이다.

2. 교수-학습이론의 분류

일반적으로 교수-학습이론을 분류할 때, 그 이론이 기반을 두고 있는 학습이론들에 따라 해당 이론을 분류하는 경우도 있다. 예컨대, 행동주의 학습이론, 인지주의 학습이론, 구성주의 학습이론 등을 고려하고, 각각에 따라 교수-학습이론을 구분하여 검토하는 것이다. 그러나 어떤 교수이론은 특정 학습이론에만 정확히 기반을 두고 있다고 보기 어려운 경우가 많다. 그렇기 때문에 특정 학습이론에 따라 어떤 교수이론을 분류하여 설명하는 것은 교수이론을 개발한 이론가의 근본적 취지나 이론적 토대를 왜곡하는 것일 수 있다. 오히려 교수이론들이 강조하는 몇 가지 교수 목적에 따라 이들을 몇 가지로 분류하고, 이와 관련된 학습이론을 함께 설명함으로써 독자의 교수-학습이론에 관한 이해를 도울 수 있을 것이다. 이 장에서는 첫째, '지식, 기능 등의 습득(acquisition)'을 촉진하고자 하는 교수-학습이론을 '습득 관점 교수-학습이론'이라 하고, 둘째, '학습자가 직접 지식을 만들도록 하여 발달을 촉진하고자' 하는 교수-학습이론을 '구성주의 관점의 교수-학습이론', 셋째, '학습자가 인류 문화역사에서 만들어진 개념, 지식 등을 도구로 사용하여 과제를 해결할 수 있게 고등사고력을 발달시키려는' 교수-학습이론을 '문화역사적 관점의 교수-학습이론'으로 분류하고, 넷째, '학습자가 특정 공동체의 구성원으로 참여할 수 있도록 하고자' 하는 교수-학습이론을 '참여 관점의 교수-학습이론'으로 구분하여 설명한다(Fenwick, 2006; Sfard, 1998).

1) 습득 관점의 교수-학습이론

습득 관점의 교수-학습이론으로 분류되는 이론들은 학습자가 학습을 통해 지식, 기능 등을 '습득'한다고 보는 학습이론에 기반을 두고, 이러한 습득을 촉진하고자 하는 방법, 절차, 활동 등을 제안한다(Nafukho, Hairston, & Brooks, 2004). 엥겔맨(Engelmann)이나 로젠샤인(Rosenshine, B. V.)의 직접교수이론, 가네(Gagné, R. M.)의 교수-학습이론이 대표적이다. 이 습득 관점의 교수-학습이론들은 대개 행동주의 학습이론이나 인지주의 학습이론에 기반을 두고 개발되었다.

습득 관점의 교수-학습이론에는 몇 가지 공통적인 주장이 담겨 있다. 첫째, 교수의 목표를 학습자가 지식이나 기능을 효과적이고 효율적으로 습득하게 하는 것이라고 본다(Sfard, 1998). 가네의 교수-학습이론에서 학습자들이 지적 기능, 언어정보, 인지전략, 태도, 운동기능 등을 습득하도록 하는 교수-학습활동을 해야 한다고 강조하는 것이 이에 해당된다. 둘째, 교수-학습활동을 통해 학습자의 낮은 수준의 능력을 높은 수준의 능력으로 끌어올려야 한다고 주장한다. 예컨대, 가네의 수업이론이 교수-학습활동을 통해서 학습자들이 지적 기능, 인지전략 등을 새로 습득하거나 낮은 단계의 능력(출발점 단계의 능력)을 높은 수준으로 향상시키는 것을 강조한다(Gagné et al., 2005). 셋째, 집단이나 공동체의 학습보다는 개인 차원의 학습, 즉 개인의 지식과 기능 습득을 학습목표로 강조한다(Engeström & Sannino, 2010). 스키너(B. F. Skinner)의 프로그램 교수, 로젠샤인의 직접교수, 가네의 교수이론 등은 모두 집단보다는 개인의 지식과 기능 습득에 초점을 맞추고 있다(Borich, 2000). 넷째, 학습자가 습득해야 할 지식과 기능이 교수-학습활동을 시작하기 이전에 이미 결정되어 있다는 것을 인정한다. 이 이론들은 대개 객관주의 인식론에 기반을 두고 있어서 교수-학습활동 계획을 통해 가르쳐야 할 지식이 이미 결정되어 있다고 보고, 무엇을 왜 가르쳐야 하는가보다는 어떻게 가르쳐야 하는가에만 초점을 맞춘다(Engeström & Sannino, 2010; Fenwick, 2006). 객관주의 인식론이란 지식이 상황이나 시간과 관계없이 객관적으로 존재한다고 가정하는 관점을 말한다.

(1) 직접교수이론

습득 관점의 교수-학습이론의 대표적인 예로 볼 수 있는 직접교수이론은, 교사가 중심이 되어 모든 학생이 최소의 시간에 학습내용을 학습하도록 하기 위한 목적으로 개발되었다. 직접교수이론이나 모형을 강의식 수업과 혼동해서는 안 된다(Freiberg & Driscoll, 2000). 왜냐하면 강의식 수업이 교사의 일방적인 강의 형태의 수업을 일컫는 것이라면, 직접교수는 교사와 학생 간의 상호작용에 초점을 맞춘 수업모형이기 때문이다. 조이스, 베일과 칼훈(Joyce, Weil, & Calhoun, 2000)은 직접교수의 핵심적인 특징이 모델링(modeling), 강화(reinforcement), 피드백(feedback) 및 점진적 접근(successive approximations)이라고 본다. 이들의 관점에 따르면 교사가 학생들에게 학습과제 수행에 관한 모델 역할을 하고(모델링), 학생이 학습과제를 잘 수행하면 칭찬이나 보상을 하며(강화), 학생의 학습과제 수행 결과에 대해 왜 맞았는지 또는 틀렸는지, 어떤 점을 어떻게 고쳐야 하는지를 알려 주고(피드백), 작은 단위의

표 7-1 로젠샤인의 명시적 교수 모형

1단계: 일일 점검, 전일 학습에 대한 점검, 필요시 재교수
- 숙제를 점검한다.
- 학습자가 실수를 하는 내용에 대해 다시 가르친다.

2단계: 새로 학습할 내용 제시
- 학습을 개관한다.
- 작은 단계로 나누어 빠르게 진행한다.
- 상세한 수업 또는 추가 수업이나 설명을 한다.
- 이전에 학습한 기능이 완전학습되었을 때 새로운 기능 학습을 시작하게 한다.

3단계: 안내된 연습
- 구체적인 답을 요구하는 질문과, 어떻게 답을 얻게 되었는가를 설명하게 하는 질문을 자주 하고, 연습하게 한다.
- 학습 초기 단계에 언어적으로 또는 비언어적으로 정답을 유도하는 단서나 힌트와 같은 프롬프트(prompt)를 제시한다.
- 모든 학습자가 질문에 대답하고 피드백을 받을 수 있게 한다.
- 학습자 반응을 평가하여 이해 정도를 점검한다.
- 학습자가 빠르고 자신 있게 응답을 할 때까지 연습을 계속한다.
- 초기 단계 학습에서 성공률이 80% 이상 되어야 한다.

4단계: 피드백과 교정(필요시 교수과정의 반복)
- 학습자의 반응에 대해 피드백한다. 특히 학습자가 정답을 알고 있지만 주저하거나 지체된 반응을 할 때 피드백을 한다.
- 질문을 간단하게 하고, 단서를 제공하며, 단계별로 설명하고, 또는 마지막 단계를 다시 가르침으로써 잘못된 학습을 교정한다.
- 필요시 더 작은 단계로 나누어 다시 가르친다.

5단계: 학습자가 자신 있게 학습과제를 해결하고 자동화하도록 독립적인 연습
- 자기 자리에서 학습자가 독립적으로 연습하게 한다.
- 분리된 기능들을 하나로 묶어 연습하고 (과진학습이 될 때까지 연습하여) 자동화한다.
- 학습자의 정답률이 95% 이상 되어야 한다.

6단계: 주별 및 월별로 학습한 내용 재검토
- 필요시 다시 가르친다.

출처: Rosenshine(1983)의 내용을 재구성한 것임.

학습과제 해결에서 시작하여 점차 큰 단위의 학습과제를 해결하여 최종적으로 목표로 설정한 학습과제를 수행하도록 교육(점진적 접근)하는 것이 직접교수의 특징이다. 이처럼 직접교수는 교사가 일방적으로 학습할 지식이나 기능을 설명하기만 하는 강의식 수업과는 구분되는 것이다. 직접교수이론에 속하는 로젠샤인의 명시적 교수 모형은 〈표 7-1〉에 제시된 것처럼 6단계로 구성된다.

보리치(Borich, 2000)는 직접교수모형을 적용하는 것이 적합한 교육목표나 교육내용을 몇 가지로 나누어 제시한다. 첫째, 학습자가 한번에 이해하기에는 학습할 내용이 너무 커서 잘게 나누어 제공해야 할 필요가 있을 때 직접교수가 효과적이다. 둘째, 교육내용에 대한 학습자의 흥미를 유발하고 강화하고자 할 때 직접교수가 적절하다. 셋째, 추후 학습에 필수적인 기본적 사실, 개념, 규칙 및 행동절차를 완전학습하거나 과진학습(overlearning)해야 할 필요가 있을 때 직접교수가 적절하다. 그러나 학습자들에게 분석력, 종합력 및 평가력과 같은 고차적 인지능력을 학습시키고자 하는 학습목표를 가진 복잡한 내용일 때는 직접교수가 적절하지 못하다. 또한 학습내용이 단기간이 아니라 장기간에 거쳐 점진적으로 학습되어야 할 내용일 때도 직접교수가 적합하지 않다. 그리고 문제해결, 비판적 사고 및 의사결정과 같은 보다 실제적인 학습목표를 성취하는 데에 필요한 기초적인 지식을 학습자가 이미 완전학습했다면 직접교수는 적합하지 않다.

(2) 가네의 교수-학습이론

가네의 교수-학습이론(Gagné, 1985; Gagné, Wager, Golas, & Keller, 2005)에서는 교수-학습활동을 통해서 학습자가 지적 기능(변별력, 개념, 원리와 규칙, 문제해결력의 하위 능력으로 구성), 언어정보, 인지전략, 태도, 운동기능의 다섯 가지 학습결과를 습득하게 된다고 가정한다(Gagné, 1985). 이 이론에 따르면 다섯 가지 학습결과를 학습자가 효과적으로 습득하도록 하기 위해서 학습자의 인지적 정보처리 과정에 일대일로 대응하여 학습을 돕기 위한 교수활동이 단계별로 이루어져야 한다. 가네는 외부에서 정보가 감각기관을 통해서 뇌로 입력되었을 때부터 그 정보에 대한 반응 행동이 학습자에게서 외부로 표출될 때까지 학습자의 정보처리 과정, 즉 학습의 과정을 구조화하고([그림 7-1] 참조), 이 과정의 각 단계를 촉진하기 위한 교수과정을 모형화하였다(Driscoll, 2000; Gagné, 1985; Gagné, et al., 2005; 〈표 7-2〉 참조). [그

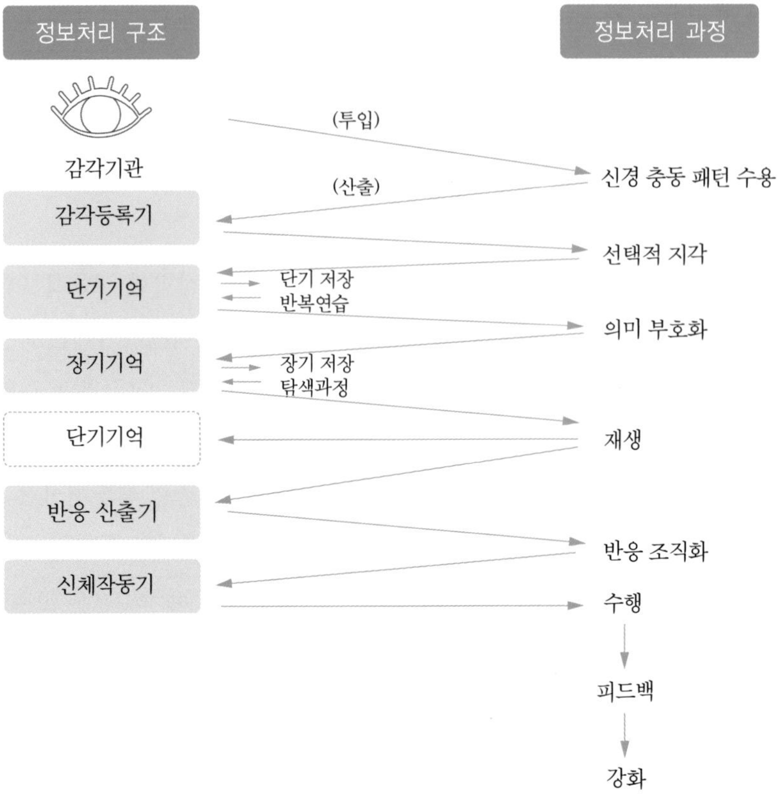

[그림 7-1] 인지학습이론이 가정하는 정보처리 구조와 과정

림 7-1]에 제시된 학습자의 정보처리 과정은 대략 다음과 같다.

- 학습자의 감각기관에 영향을 주는 자극이 감각등록기(sensory registers)에 의해 간략하게 등록되는 신경 충동의 패턴들이 만들어진다.
- 감각등록기에 의해 감각기억에 등록된 정보는 단기기억(short-term memory)에 등록될 수 있는 형식으로 변화되고, 단기기억에는 원래 자극의 뚜렷한 특징들이 저장된다. 단기기억에 저장될 수 있는 정보의 수와 저장시간에는 한계가 있다. 주의집중이 이루어진 정보만이 선택적으로 단기기억으로 이동하게 된다. 단기기억에 저장된 정보가 두뇌 내부에서 반복연습될 수 있고, 이렇게 해서 단기기억에서 사라지지 않고 유지될 수 있다.
- 정보가 장기기억에 들어오기 전에 의미 부호화(semantic encoding)라고 하는 중

요한 전환이 이루어진다. 의미 부호화란 단기기억에 들어온 정보가 기억하기 쉬운 형태의 이미지로 전환되거나, 정보들이 조직화되거나, 또는 기존에 알고 있는 내용과 통합되는 정교화(elaboration)가 이루어지는 것을 일컫는다. 즉, 의미 부호화는 정보가 그 의미에 따라 저장되는 것이다.

- 학습자가 어떤 과제를 수행할 때 장기기억에서 저장된 정보나 기능을 탐색하여 단기기억으로 재생한다.
- 단기기억으로 재생된 정보나 기능은 반응 산출기에 의해 곧바로 활동으로 전환되기도 한다.
- 재생된 정보는 단기기억(또는 작동기억 또는 작업기억이라고도 함)으로 회상되고, 이 정보는 새로 들어온 정보와 통합되어 새로 학습한 능력을 부호화하게 된다.
- 학습자의 수행에 따라 강화를 포함한 외부 피드백이 시작된다.
- 인지학습이론에서는 이상의 학습과정, 즉 정보처리 과정에 추가적으로 메타인지적 통제 과정(metacognitive control processes)이 이루어진다고 본다. 메타인지적 통제과정은 학습자 스스로 학습과 기억에 적절한 인지전략을 선택하고, 그 전략을 실행하는 과정이다. 예컨대, 메타인지적 통제과정에서 학습자는 단기기억 내용을 지속적으로 연습하는 전략을 선택하기도 하고, 학습할 문장들에 관한 이미지를 만드는 인지전략을 선택하기도 한다. 메타인지적 통제과정에는 주의집중, 새로 들어온 정보의 부호화 및 저장된 정보의 재생 통제가 포함되기도 한다.

앞에서 살펴본 정보처리 과정 또는 학습 과정은 [그림 7-1]에서 지적된 것처럼 대부분 인지 내부, 즉 두뇌 내부에서 일어나는 것이고, 전 단계의 정보처리 결과는 다음 단계 정보처리에 투입이 된다. 그러나 이러한 정보처리 과정은 또한 외부 사태의 영향을 받을 수도 있다. 이러한 이유 때문에 학습자의 정보처리 과정(학습과정)을 촉진할 수 있는 교수활동이 필요하게 된다. 예컨대, 학습자가 사진이나 글의 특정 부분에 선택적 주의를 집중하도록 그 부분을 강조하거나, 글자체를 굵게 제시하거나, 밑줄을 긋거나, 다른 시각적 방법을 첨가하는 등의 외적 자극을 제공할 수 있다. 이러한 관점에서 "학습의 내적 과정을 지원하도록 설계된 일련의 외적 사태를 '교수(instruction)'라고 정의할 수 있다."(Gagné et al., 2005: 194) 교수사태, 즉 교수활동은 정보처리 과정을 활성화시키거나, 그 과정을 지원하기 위해서 설계된다.

〈표 7-2〉에 제시된 9단계 교수사태는 정보처리 과정으로서의 학습과정에서 학습을 지원하기 위해서 이루어지는 일련의 교수활동이다. 첫 번째 교수사태인 '주의집중 획득'은 자극과 자극이 만들어 내는 신경 충동 패턴을 받아들이는 학습사태를 지원하기 위한 것이다. 학습자가 주의집중을 하도록 하기 위해서 교사는 여러 가지 활동을 할 수 있는데, 가장 기본적인 방법은 애니메이션 제시, 시범 보이기 또는 예측하지 못한 활동을 포함해서 학습자가 신기하게 생각할 수 있는 활동을 하는 것, 즉 신기성(novelty) 효과를 이용하는 것이다. 또한 학습자에게 학습내용과 관련된 특이한 질문을 하여 학습자의 호기심을 자극함으로써 주의집중을 유도할 수도 있다. 이 외에도 교사는 창의적인 다양한 방법으로 학습자의 주의집중을 유도할 수 있다.

두 번째 교수사태는 '학습목표 제시'이다. 이 단계에서 교사는 학습자가 어떤 지식이나 기능을 수행하도록 기대하는지, 즉 학습목표를 학습자에게 전달한다. 그렇

표 7-2 가네의 9단계 교수사태 모형과 관련된 학습과정

학습과정(정보처리)	교수과정(교수사태)	교수활동
1. 수용	1. 주의집중 획득	자극을 특이하게 변화시켜 활용한다.
2. 기대	2. 학습목표 제시	학습자들에게 학습이 끝났을 때 무엇을 할 수 있어야 하는지를 말한다.
3. 작동기억으로의 재생	3. 사전 학습 능력 재생 촉진	학습자에게 이전에 학습한 지식이나 기능을 재생하게 한다.
4. 선택적 지각	4. 자극물 제시	특징적인 요점을 지적하면서 학습내용을 제시한다.
5. 의미의 부호화	5. 학습안내 제시	어떻게 학습내용을 의미 있게 조직화할 것인지 제안한다.
6. 반응	6. 수행유도	학습자에게 연습문제를 제시하고, 새로 학습한 지식이나 기능을 사용하여 수행하게 한다.
7. 강화	7. 피드백 제공	정보 제시적 피드백(informative feedback)을 제공한다.
8. 재생 및 강화	8. 수행평가	학습자에게 추가적인 과제를 수행하게 하고, 이에 대해 피드백한다.
9. 재생 및 일반화	9. 파지 및 전이 촉진	학습자에게 다양한 연습기회를 주고, 주별 또는 월별로 일정한 간격을 두고 학습한 내용을 재점검한다.

게 함으로써 학습자가 목표로 하는 지식이나 기능에 초점을 맞추도록 도와준다. 교사가 학습목표를 제시하지 않고 학습자가 스스로 학습목표를 설정하게 할 수도 있지만, 이렇게 하면 학습자가 설정한 목표가 교사의 의도와 일관되지 못하고 학습에 대한 오개념을 갖게 하는 문제가 발생할 수 있다(Gagné et al., 2005: 196). 학습목표를 제시하는 것은 시간이 거의 소요되지 않으면서도 학습자가 학습할 지식이나 기능으로부터 이탈하지 않도록 막는 방법이다.

세 번째 교수사태는 이전에 학습한 지식이나 능력을 재생하도록 촉진하는 것이다. 거의 모든 학습은 이전에 우리가 이미 알고 있는 것 위에서 이루어진다. 예컨대, 수학학습에서 수에 관한 학습이 먼저 이루어져야 그다음에 수에 관한 법칙이 학습될 수 있다. 새로운 지식이나 능력을 학습할 때 학습자가 이전에 학습한 지식이나 능력을 장기기억으로부터 쉽게 회상할 수 있어야 한다. 학습자가 그렇게 하기 위해서 교사는 회상을 도와주는 질문을 학습자에게 할 수 있다. 또는 수업 초기에 학생들이 관련된 사전 지식이나 능력을 회상하도록 하기 위해서 간단한 퀴즈 시험을 보거나, 교사가 관련된 선수학습 내용을 재검토해 줄 수 있다.

네 번째 교수사태는 자극물을 제시하는 것이다. 교수-학습활동에서 자극물이란 학습목표 달성과 관련된 학습내용을 담고 있는 학습자료를 뜻한다. 예컨대, 학습자가 역사적 사건이 일어난 사건의 순서를 알아야 한다면, 교사는 말로 설명하거나, 인쇄물, 사진자료, 멀티미디어 자료 등을 이용하여 역사적 사실들을 학습자에게 제시해야 한다. 학습자료를 제시할 때, 인쇄물의 경우 학습자가 중요한 부분에 선택적 주의집중을 하도록 해당 부분을 이탤릭체로 하거나, 밑줄을 그어 제시할 수 있다. 그림이나 사진자료는 중요 부분에 화살표를 하거나, 시각적으로 두드러지게 표시를 하여 학습자가 해당 부분에 주의를 기울이게 유도해야 한다. 학습내용을 제시할 때는 다양한 예를 제시할 필요가 있지만, 학습자들이 쉽게 실수할 수 있는 개념, 원리, 문제해결 등에 대해서는 그 내용이 적용될 수 있는 예뿐만 아니라 적용해서는 안 되는 비예(non-examples)도 제시해야 한다.

다섯 번째 교수사태는 학습을 안내하는 것이다. 학습을 안내하기 위한 교수활동의 핵심은 학습자가 이미 알고 있는 것과 학습하고 있는 것을 연결하도록 지원하는 것이다. 교사는 학습자들이 사전 학습내용을 장기기억으로부터 인출하도록, 학습하고 있는 내용의 요소들 간의 관계를 추론하고 조직화하도록, 또는 사전지식과 학습하고 있는 내용을 연결하도록 질문을 할 수도 있고 힌트나 단서를 제공할 수도 있다. 학습안내의 방법이나 양은 학습내용과 학습자의 특성에 따라 다를 수 있다.

여섯 번째 교수사태는 학습자에게 연습과제를 주어 방금 학습한 지식이나 능력을 활용하여 수행을 하도록 하는 것이다. 교사는 대개 학습자가 학습한 내용을 회상하여 그대로 적용할 수 있는 과제를 주어 수행하게 하고, 그다음 새로운 과제를 주어 학습한 지식이나 능력을 적용하게 한다. 이러한 교수–학습활동 과정에서 학습자가 학습한 지식이나 능력을 발휘해야 하는 활동을 수행하게 함으로써 학습한 지식이나 능력을 장기기억으로부터 단기기억으로 재생하게 하고, 또한 학습자가 이해한 것이 정확하고 충분한지를 확인하고 피드백 할 수 있게 된다.

일곱 번째 교수사태는 학습자가 연습과제를 수행했을 때, 그 결과에 대해 옳은지 그른지, 어떤 오류가 있는지를 알려 주는 피드백을 제공하는 것이다. 교사는 학습자의 수행에 대해서 그 정확성과 정확한 정도를 확인하는 피드백을 해야 한다. 또한 학습자의 수행이 올바르지 않을 때는 오류의 원인을 분석하여 교정해 주는 교정적 피드백(corrective feedback)을 해야 한다.

여덟 번째 교수사태는 학습자가 학습목표를 달성했는지를 평가하는 수행평가이다. 학습자가 학습목표, 즉 기대하는 지식이나 기능을 습득했는지를 확인하기 위해서 수행평가를 실시한다.

아홉 번째 교수사태는 학습한 지식과 기능을 오랫동안 기억하게 하고 새로운 상황에 적용할 수 있게 지원하는 파지 및 전이의 촉진 단계이다. 이미 목표로 하는 지식이나 기능이 학습되었기 때문에 교사가 다음에 할 일은 학습자가 학습한 지식이나 기능을 망각하지 않도록 돕고, 필요할 때 그 지식이나 기능을 재생할 수 있는 학습자의 능력을 높이는 것이다. 이를 돕기 위해서 교사는 학습할 지식이나 기능을 의미 있는 상황 속에서 제시해야 한다. 그래야 그 상황이 다시 나타나면, 그 지식이나 기능이 다시 활용될 수 있게 된다. 학습한 지식과 기능의 전이를 촉진하기 위해서 학습한 것을 학습할 때 사용된 상황과는 다른 상황에서 적용하도록 하는 다양한 과제를 수행할 기회를 학습자에게 주어야 한다. 학습의 전이를 촉진하기 위해 새로운 응용 상황들을 다양하게 설계하는 데에는 교사에게 창의력이 요구된다.

2) 구성주의 관점의 교수-학습이론

구성주의 관점의 교수-학습이론은 학습자에게 지식이나 기능을 습득시키기보다는 학습자가 직접 지식을 만들도록 하여 발달을 촉진하고자 하는 교수-학습이론이다. 폭스(Fox, 2001)는 개인적 구성주의와 사회적 구성주의 교수-학습이론의 핵심적인 주장을 일곱 가지로 요약하고 있다. "첫째, 학습은 능동적 과정이다. 둘째, 지식은 선천적으로 타고나거나 수동적으로 흡수되는 것이 아니라 구성된다. 셋째, 지식은 발견되는 것이 아니라 만들어진다. 넷째, 모든 지식은 개인적이고 개별적이다. 다섯째, 모든 지식은 사회적으로 구성된다. 여섯째, 학습은 본질적으로 세상에 대해 의미를 만드는 과정이다. 일곱째, 효과적 학습을 위해 학습자가 해결해야 하는 의미 있고, 개방적이고, 도전적인 문제가 필요하다."(p. 24) 이러한 교수-학습이론은 개인 학습자가 지식을 만들어 가는 학습활동 과정에서 지적 발달이 이루진다고 보고, 개인을 발달시키는 데에 초점을 맞춘다(Jacobs & Washington, 2003).

학습자가 스스로 지식을 구성하도록 하여 발달을 촉진하고자 하는 구성주의 관점의 교수-학습이론은 피아제의 인지발달이론에 주로 의존한다. 발달 패러다임의 이론적 기초 중 하나인 피아제의 인지발달이론에서는 학습자가 자신이 구축하고 있는 인지구조로 환경에 적응하기 어려운 지적 불균형(또는 비평형, disequilibrium) 상태가 초래되면, 이를 해소하기 위해 인지구조를 변화시키는 동화와 조절을 통해서 해결책을 탐색하여 인지적 균형을 이루려고 한다고 가정한다(Piaget, 1977). 마치 인간이 갈증을 느끼거나 배고픔을 느낄 때처럼 생물학적으로 불균형 상태가 오면 해결책을 찾아 실행함으로써 갈증과 배고픔을 해소하여 생물학적 균형을 유지하는 것과 같다. 피아제 인지발달이론의 교수원리에 관한 시사점은 다음과 같이 요약할 수 있다(Driscoll, 2000). 첫째, 학습환경이 학습자의 활동을 지원해야 한다. 학습자의 활동이 지적 발달에 가장 중요하기 때문에 학습자가 외부 사물이나 사태에 대해 활동을 할 수 있어야 하고, 이 활동에 대한 피드백을 받을 수 있어야 한다. 둘째, 동료와의 상호작용을 통해서 학습자가 지적 비평형을 경험할 수 있게 하는 수업전략이 중요하다. 이러한 상호작용 과정을 통해서 아동의 객관성이 발달된다. 학습자의 인지발달을 촉진하기 위해서는 탐구를 통해서 자신들의 기존 아이디어가 부정확한 것이라는 점을 깨닫게 하고, 이것을 해결하도록 요구하는 상황이 주어져야 한다. 예컨대, 아동이 논리–수학적 사고를 할 때 자기중심적 개념화를 하면, 이것이 잘못이라는 것을 깨닫도록 비평형을 경험하게 해야 하는데, 이를 위해 동료와의 상호작용이 중요하다. 이러한 맥락에서, 예컨대 발견학습 방법은 학습자에게 지적 비평형을 경험할 수 있는 기회를 많이 줄 수 있기 때문에 학습자의 지적 발달을 촉진할 수 있다(Bruning et al., 2011). 구성주의 관점의 교수–학습이론에 속하는 것으로는 문제해결학습이론, 프로젝트 중심학습, 사례기반학습, 소크라테스식 세미나, 정착 교수 등이 있다.

(1) 소크라테스식 세미나 모형

그루버와 보네치(Gruber & Voneche, 1995)는 소크라테스식 세미나 모형(〈표 7–3〉참조)이 오개념을 가지고 있거나 잘못된 사고를 하는 학습자에게 질문을 함으로써 학습자가 지적 비평형을 경험할 수 있게 해 주기 때문에 학습자의 지적 발달을 촉진할 수 있다고 지적한다. 따라서 소크라테스식 세미나 모형은 대표적인 구성주의 관점의 교수–학습이론이라고 할 수 있으며, 그 핵심적인 과정은 다음과 같다(Estes,

표 7–3 소크라테스식 세미나 모형

1단계: 토론할 텍스트 선택
- 학습자들의 아이디어를 명료화하게 하거나 고등사고를 하게 하거나, 문제해결을 하도록 하려는 학습목표에 적합한 시각, 청각, 문자 텍스트를 선택한다.

2단계: 학습자에게 다양한 인지적 요구를 하는 질문 작성 및 분류
- 명료화를 요구하는 질문, 가정을 묻는 질문, 이유와 증거를 묻는 질문, 관점에 관한 질문, 시사점과 결론을 묻는 질문 등, 학습자에게 다양한 수준의 인지적 활동을 요구하는 질문을 마련하고 범주별로 분류한다.

3단계: 학습자에게 소크라테스식 세미나 모형 소개
- 소크라테스식 세미나가 동료와의 지적 상호작용을 통해서 스스로 사고하는 법을 배우도록 돕기 위한 것이라는 점을 학습자에게 설명한다.
- 교수자와 학습자가 개방적으로 아이디어를 나누고, 동료와 대화를 통해 텍스트를 분석한 후에 판단을 하며, 막연한 신념과 추론을 토대로 주장하는 것은 최종으로 방어할 수 없다는 것을 대화를 통해 깨달으며, 다른 사람의 타당한 관점을 수용하고, 함께 그 근거를 찾아보는 연습을 하는 것이 중요함을 설명한다.

4단계: 토론

- 교수자가 토론을 이끌 때 추가적인 질문을 하면서 학습자에게 자신의 생각을 소리 내어 말하게 한다.
- 질문을 한 다음에는 학습자가 충분히 답을 생각할 수 있도록 시간을 주어야 하며, 다른 질문을 하기 전에 여러 명의 학습자 의견을 들어야 한다.
- 학습자의 대답이 타당하지 않다고 생각될 때에는 학습자에게 텍스트의 어느 부분이 자신의 의견을 뒷받침하는 것인지 묻는다.
- 학습자가 자신의 의견이 타당하지 않다는 것을 알지 못하더라도 교수자는 어떤 부분이 잘못되었는지 지적하기보다는 추가 질문을 하는 것이 좋다.
- 교수자의 모든 질문은 개방형으로 한다. 토론의 초점은 학습자가 구체적인 결론에 이르게 하는 것에 있는 것이 아니라 비판적 사고력을 발달시키는 데에 있다.

5단계: 토론 리뷰와 요약

- 토론이 끝나면 학습자들이 토론에서 다시 듣거나 관찰한 것을 공유한다. 토론과정을 어떻게 느꼈는지 토론하면서 자신의 사고에 대해서도 되짚어 보도록 하는 것이 필요하다. 또한 토론한 주제나 이미지를 일반화해 보도록 하는 활동을 한다.

6단계: 설정된 기준에 따른 토론 평가

- 학습자의 토론 준비와 참여에 초점을 맞추어 평가기준표(rubric)를 활용하여 평가한다.

Mints, & Gunter, 2011; Mangrum, 2010).

(2) 정착 교수 이론

학습자가 직접 문제를 해결하는 과정을 통해 지식을 만들도록 하는 구성주의 관점의 교수-학습이론의 또 다른 예로 정착 교수(anchored instruction)를 들 수 있다. 이 이론은 미국 벤더빌트 대학의 인지 및 공학집단(Cognition and Technology Group at Vanderbilt)이 상황학습 이론을 구현하기 위해서 소개한 아이디어이다. 이들은 현실에서 접할 수 있는 문제를 관련된 풍부한 정보와 함께 극적인 비디오디스크로 제작하여 제공하고, 학습자가 이 비디오 영상에서 제시된 상황을 기반으로 사고를 시작하여 문제를 해결하도록 한다. 이처럼 실제 상황에 사고를 정착시키고 문제를 해결한다는 의미에서 정착 교수라고 명명하였다. 이 연구 집단이 개발한 비디오들은 〈제스퍼의 모험〉이라는 시리즈로 개발되었다. 한 예를 들면, 학생들에게 먼저 문제 상황을 설명하는 비디오가 제시된다. 주인공 제스퍼가 숲속에서 다친 독수리를 발견하고, 동물보호소에 데려가서 치료하기로 하면서부터 학습과제가 시작된다. 숲속이어서 초경량 비행기로 곧바로 갈 수 없고, 자동차로 가기에는 시간이 너무 많이 소요될 것으로 판단되어서, 제스퍼는 자신이 조종할 수 있는 초경량 경비행기와 자동차를 함께 이용하여 독수리를 구출하기로 결정하여, 비행기에 탑재해야 할 연료량을 거리와의 관계 속에서 파악하고자 한다. 여기까지 비디오를 학습자들에게 제시하고 나서 학습자들은 제스퍼의 관점에서 개인별로 또는 협동적으로 과제를 해결하는 활동을 한다. 이 연구 집단은 이렇게 실제 상황을 극적으로 구성한 비디오를 활용하여 문제해결학습이 실제 상황에 정착하도록 하고자 하였다. 마지막에는 학습자들이 자신들이 만들어 낸 해결책, 즉 지식과 비디오에서 제시하는 해결책을 비교하여 자신들이 구성한 지식을 반성적으로 검토한다.

3) 문화역사적 관점의 교수-학습이론

학습자가 인류 문화역사에서 만들어진 개념, 지식 등을 도구로 사용하여 직면한 과제를 해결할 수 있도록 함으로써 그의 고등사고력을 발달시키려는 교수-학습이론을 '문화역사적 관점의 교수-학습이론'으로 분류할 수 있다. 이 이론은 비고츠키(Vygotsky)와 동료 학자들이 주장하는 이론이다. 이 관점에 따르면 동물과 인간이 자연환경에 적응하고 살아가기 위해서 소리, 모양, 움직임 등과 같은 신호를 이해하고 사용한다는 공통점이 있지만, 인간은 동물과 다르게 도구를 만들어 자연환경에 사용하여 적응한다. 인간은 또한 기호, 상징, 개념, 지식을 만들어 도구로 사용하는 고차적 사고(higher-order thinking)를 한다. 즉, 인간은 문제를 해결하기 위해서 전화기, 자동차, 컴퓨터 등과 같은 물리적 도구뿐만 아니라 기호, 상징, 개념, 지식과 같은 심리적 도구(psychological tools)를 만들어 사용하고 있다. 예컨대, 수학과 관련된 심리적 도구, 즉 수학적 기호, 개념, 법칙 등을 사용하여 자신의 사고를 확장하고 통제하여 직면한 문제를 해결한다는 것은 인간만이 할 수 있는 고차적 사고이며, 인간에게 일어나는 인지적 발달이다. 이러한 고차적 사고 발달을 촉진하는 교수-학습활동이 이루어져야 한다는 것이 비고츠키의 주장이다. 인간이 사용하는 물리적 도구와 마찬가지로, 심리적 도구도 모두 인류 문화와 역사 속에서 만들어진 것들이라는 점에서 문화역사적 인공물이다. 인류가 사용하는 기호, 상징, 개념, 지식 등의 심리적 도구들은 학습자가 직접 현장에서 만드는 것이 아니라 인류의 오랜 역사를 통해 만들어진 것이다. 이러한 의미에서 비고츠키는 학습자가 경험을 통해 스스로 만든 개념이나 지식을 '자발적 개념(spontaneous concepts)' 또는 '일상적 개념(everyday concepts)'이라고 하고, 문화와 역사를 통해 발전된 개념이나 지식을 '과학적 개념(scientific concepts)이라고 하여 구분한다(Vygotsky, 1987). 비고츠키는 문화역사적 산물인 기호, 상징, 개념, 지식과 같은 심리적 도구를 학습자가 사용하여 사고를 하도록 도와주는 것이 교수-학습활동이며, 이것이 곧 학습자의 고차적 사고가 발달하게 하는 것이라고 본다. 교수-학습활동의 결과로 학습자의 사고가 발달하는 것이다(Vygotsky, 1997). 이러한 관점에서 보면 교수-학습활동은 문화역사적인 중개 과정이라고 할 수 있다.

특정 학습 영역에서 저차적 사고(lower-order thinking)를 하는 학습자가 고차적 사고를 할 수 있게 되려면 어떤 절차를 거쳐야 할까? 비고츠키에 의하면, 두 단계의 상호작용, 즉 개인 간 상호작용(interpsychological interaction)과 개인 내적 상호작용(intrapsychological interaction)이 이루어져야 한다. 첫 번째 단계인 개인 간 상호작용은 교사와 학습자 간 상호작용이다. 교수-학습활동 첫 단계에 교사는 언어적 대화를 통해 학습자의 현재 발달 수준을 파악하여 학습자에게 인간의 생각을 확장하고 통제하기 위해서 해당 영역의 심리적 도구가 문화역사적으로 어떻게 만들어지고 이용되는지 시범도 보이고, 설명도 하고, 예를 드는 등의 다양한 상호작용을 해야 한다. 이 단계에서 학습자는 교사의 도움을 받아 관련된 기호, 상징, 개념, 지식을 활용하여 자신의 생각을 확장하고 통제하여 과제를 해결하는 활동을 하게 된다. 이때 교사와 학생은 상호작용을 위한 사회적 언어(social speech) 또는 외적 언어(external speech)를 사용하게 된다. 두 번째 단계인 개인 내적 상호작용 단계에서는 교사 없이 또는 교사의 도움이 없이 학습자가 자신에게 교사가 하듯이 사적 언어(private speech)로, 즉 소리 내어 자신에게 말함으로써 심리적 도구들을 이용하여 생각을 하게 하는 과정이 이루어져야 하고, 그다음에는 소리를 내지 않는 내적 언어(inner speech)로 심리적 도구를 사용하는 사고 활동이 이루어져야 한다. 이러한 과정이 고차적 사고가 발달하는 과정이다. 바꾸어 말하면, 학습자의 고차적 사고가 발달하게 하려면 교사와의 외적 언어를 사용하는 사회적 상호작용이 먼저 있어야 하고, 그다음 학습자 스스로 사적 언어를 사용하는 개인 내적 상호작용과 내적 언어를 사용하는 개인 내적 상호작용이 뒤따르도록 교수–학습활동이 이루어져야 한다. 이러한 과정을 거쳐야 특정 영역에서 저차적 사고를 하던 학습자를 교수–학습활동을 통해서 고차적 사고를 하는 단계로 발달시킬 수 있다. 이렇게 학습자가 저차적 사고를 하는 현재 발달 수준과, 교사의 도움으로 고차적 사고를 할 수 있는 발달 수준과의 차이를 근접발달 영역(Zone of Proximal Development: ZPD)이라고 한다.

(1) 워치의 고차적 사고발달 교수–학습 모형

ZPD에서 학습자와 성인 간의 상호작용이 이루어져도 성인의 발달된 사고체제가 학습자에게 자동으로 내면화 되는 것은 아니다. 워치(Wertsch, 1979)에 의하면 네 단계에 거쳐 성인의 발달된 사고체제가 학습자에게 내면화된다. 첫 번째 단계는 학습자가 성인의 사고체제를 이해하지 못하는 단계로, 성인으로부터의 명확한 설명과 모델링(modeling)이 필요하다. 두 번째 단계는 학습자가 성인의 사고체제를 부분적으로 이해하는 단계인데, 추가적인 토론뿐만 아니라 학습자의 이해를 높이기 위해 성인으로부터 지시와 통제와 같은 명확한 규제(other regulation)가 이루어져야 한다. 세 번째 단계는 학습자와 성인이 함께 학습자의 내적 사고와 이해를 '상호 규제'(co-regulation)할 수 있을 정도로 학습자가 성인의 사고체제를 충분히 이해하는 단계이다. 이상의 세 단계는 ZPD에서 이루어진다. 그다음, 학습자는 내면화된 자기 주도적 문제해결(self-regulated problem solving)을 하는 네 번째 단계에 이르게 된다. 이처럼 ZPD에서 성인과의 상호작용을 거치면서 학습자의 고등사고력이 발달하게 된다.

(2) 갤리모어와 샤르프의 ZPD 교수–학습활동 모형

갤리모어와 샤르프(Gallimore & Tharp, 1990)는 비고츠키의 이론과 위에서 살펴본 워치(1979)의 견해를 수용하여 ZPD에서의 4단계 발달 모형과 이에 따른 교수활동을 제안한다([그림 7–2] 참조).

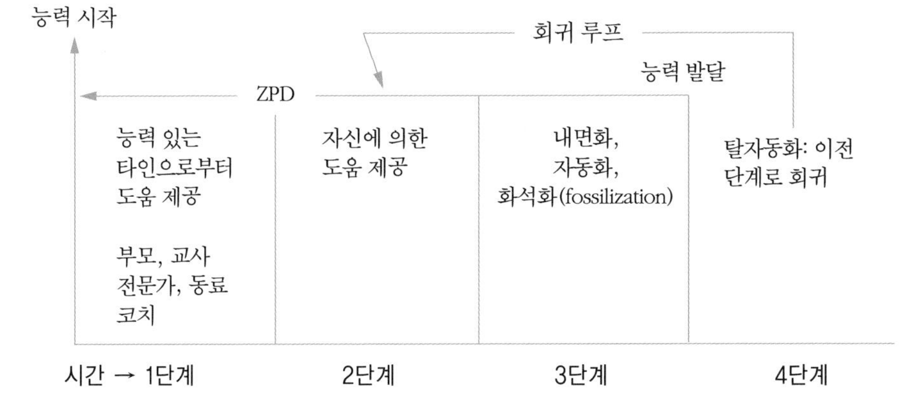

[그림 7-2] 수행능력의 발달 4단계

출처: Gallimore & Tharp (1990: 185).

① 1단계: 능력 있는 타인의 도움을 받아 수행을 하는 단계

아동이 독립적으로 수행을 할 수 있기 전에는 과제 수행을 위한 통제를 받기 위해 성인이나 보다 능력 있는 동료에게 의존할 필요가 있다. 아동에게 필요한 타인 통제의 양과 종류는 아동의 나이와 과제의 특성에 따라 달라진다. ZPD 초기에는 아동이 상황, 과제 또는 목표에 대해 제한적으로 이해하고 있을 수 있다. 이 단계에서는 부모, 교사, 또는 보다 능력 있는 동료가 과제 수행에 관한 지시를 해 주거나 수행에 대한 모델 역할을 해야 한다. 아동이 점차 과제의 각 부분이 서로 연결되어 있다는 것과 과제 수행의 의미를 이해하게 된다. 이러한 과제에 대한 이해는 과제를 수행하는 동안에 대화를 통해서 발달한다. 이때 성인으로부터의 질문, 피드백과 인지적 구조화에 관한 추가적인 도움이 필요하다. 과제 수행, 도움의 조절, 도움의 양도(타인의 도움에서 자기 도움으로 전환) 등에 대한 책임이 성인에게서 아동에게 넘어가게 되면 1단계에서 2단계로 전환된다.

② 2단계: 과제 수행에 대한 도움을 자기 자신에게서 받는 단계

이 단계에서는 아동들이 타인의 도움 없이 자기 스스로 과제를 수행하기 시작한다. 그러나 이것은 아동들이 과제를 수행할 수 있을 정도로 충분히 발달했거나 과제 수행이 자동화되었다는 것을 의미하지는 않는다. 성인에 의한 과제 수행 통제권이 아동에게 이양되지만, 여전히 자기지시적인 말(self-directed speech)로 아동 스

스로가 소리 내어 자신을 통제한다. 자기지시적 말이 자기안내(self-guidance)를 하게 된다. 즉, 이 단계에서 외적 언어로 하는 통제는 이루어지지만, 내적 언어(inner speech)로 하는 내면적인 통제는 아직 이루어지지는 않는다. 이렇게 ZPD에서 타인에 의한 통제에서 자기 자신의 통제로 바뀌는 것은 아동의 학습에서만 이루어지는 것이 아니라 성인의 학습에서도 나타난다.

③ 3단계: 과제 수행능력이 발달하고, 자동화 및 화석화되는 단계

자기지시적 말에 의한 자기통제가 사라지게 되면 아동들은 해당 ZPD를 넘어서게 된다. 이 단계에서는 학습자의 과제 수행이 부드러워지고 통합된다. 과제 수행이 내면화되고 자동화된다. 또한 타인이나 자신으로부터의 도움이 더 이상 필요하지 않게 된다. 이 단계는 자기통제나 사회적 통제를 넘어선 단계이다. 이 단계에서 타인의 도움이 계속 주어지면 수행에 방해가 되고 학습자에게 짜증을 유발하게 된다. 수행능력이 이미 발달되었기 때문에 더 이상 발달이 이루어지지 않는다. 비고츠키는 이것을 발달의 열매라고 했다. 또한 이러한 수행은 더 이상 사회적 또는 개인의 정신적 영향에 의해 변화되지 않고 화석화, 즉 고정된다.

④ 4단계: 수행의 탈자동화에 의한 해당 ZPD로의 회귀 단계

한 개인은 타인의 조력으로부터 시작해서 자신의 조력, 자동화하는 ZPD의 순서를 거치면서 평생학습을 한다. 또한 한 아동이 어떤 인지전략을 마스터하게 되면 내적인 조정에 의존할 필요가 없다. 그러나 예컨대, 어떤 사람이 무엇을 잃어버리고 그것을 찾는 데 어려움이 있을 때 타인의 도움을 청할 수 있다. 마찬가지로, 어떤 아동이 익숙했던 일을 다시 수행하는 데에 어려움이 있을 때 더 능력 있는 사람으로부터 그 수행을 통제하는 구두 지시를 해 주도록 요청할 수 있을 것이다. 어른도 마찬가지로 어떤 정보를 망각했을 때 다른 사람의 도움으로 그 정보를 다시 기억해 낼 수 있다. 이처럼 능력 있는 성인도 수행을 향상시키고 유지하기 위해서는 자신의 통제만으로 부족할 때가 있기 때문에 다시 타인의 통제를 구하기도 한다. 이와 같이 과거에 자동화되었던 수행이 탈자동화되고 다시 해당 ZPD로 회귀가 되는 현상이 네 번째 단계에서 일어난다. 따라서 학습자가 이미 학습한 것을 다음 수업에서 교사가 반복해 주는 것이 중요해진다.

4) 참여 관점의 교수-학습이론

네 번째 참여 관점의 교수-학습이론은 교육목적을 '공동체에의 참여'로 보고, 교수활동이 이를 촉진하는 것이라고 주장한다. 스파드(Sfard, 1998)는 참여 관점에 속하는 교수-학습이론의 특징을 습득 관점의 교수-학습이론과 비교하여 몇 가지로 지적한다. 첫째, 습득 관점에서는 학습의 목적을 지식과 능력 습득을 통한 개인적인 풍요(enrichment)라고 보는 반면, 참여 관점에서는 학습의 목적을 공동체 구축이라고 본다. 둘째, 습득 관점에서 학습은 지식이나 능력 등을 습득하는 것이지만, 참여 관점에서 학습은 공동체의 참여자가 되는 것이다. 셋째, 습득 관점에서 학습자는 지식의 수용자(소비자)나 지식의 구성자 또는 재구성자이지만, 참여 관점의 교수-학습에서 학습자는 주변적 참여자(peripheral participant) 또는 견습생(apprentice)이다. 넷째, 습득 관점의 교수-학습활동에서 교사는 지식 제공자, 학습 촉진자 또는 학습 중재자이지만, 참여 관점에서 교사는 전문적 참여자 또는 실제(practice)나 담론(discourse)의 보존자라고 본다. 다섯째, 습득 관점에서 지식이나 개념은 개인 또는 공공이 소유하게 되는 자산이나 상품이지만, 참여 관점에서 지식이나 개념은 실제, 담론 또는 활동의 한 부분이다. 여섯째, 습득 관점에서 안다는 것(knowing)은 지식, 능력이나 개념을 갖게 되는 것이지만, 참여 관점에서 안다는 것은 소속하는 것, 참여하는 것, 또는 의사소통하는 것이다.

참여 관점에 속하는 교수-학습이론이나 모형은 상황인지 이론, 실천 공동체(community of practice) 이론, 사회적 분산인지 이론, 참여로서의 학습을 강조하는 비고츠키 등의 문화역사적 발달이론 등, 다양한 이론에 기반을 두고 있다. 첫째, 상황인지 이론의 핵심적인 아이디어는 지식이 오직 상황 속에서 만들어지고, 따라서 그 상황을 떠나서는 신뢰롭게 사용될 수 없다는 것이다. 클랜시(Clancey, 1997)는 지식이 개인의 마음에 있는 것이 아니라 상황 속에서 표현되면서 나타나게 된다고 주장한다. 인간의 인지는 모든 일상 활동에 반영되기 때문에, 어떤 인지적 과정을 마치 실험실에서 실험을 하듯이 상황과 분리시키게 되면, 인간 인지과정의 풍부한 내용을 상실하게 된다. 따라서 상황인지 이론에 따르면, 학습은 실제 상황을 떠나서는 의미가 없기 때문에, 모든 학습은 실제 상황에서 이루어지는 상황학습이 되어야 한다.

둘째, 실천 공동체 이론은 상황학습과 연관된 것으로 레이브와 웽거(Lave &

Wenger, 1991)의 학습으로서의 참여에 관한 연구에서 촉발된 것이다. 레이브와 웽거는 전통적인 학습이론들이 학습의 사회적 성격을 고려하지 않고 있으며, 공식적인 교육의 과정을 거치치지 않고서도 새로운 활동, 지식 및 기능을 학습자가 학습하는 것을 설명하지 못한다는 점을 비판한다. 레이브와 체이킨(Lave & Chaikin, 1993)은 학습이론이 사람, 활동 및 상황과의 관계를 다루어야 한다고 강조한다. 레이브와 웽거(Lave & Wenger, 1991)는 도제학습에 대한 인류학적 관찰 자료 수집과 분석을 통해서 학습자를 독립된 개인으로 보는 전통적 학습이론 관점으로부터 학습을 사회 참여로 보는 관점으로, 또한 학습을 인지적 과정으로 보는 전통적 관점으로부터 학습을 사회적 실천으로 보는 보다 포괄적인 관점으로 전환하게 된다(p. 43). 상황인지 관점에서 학습은 생성적인 사회적 실천(generative social practice)의 일부분이다(Lave & Wenger, 1991: 35). 따라서 사회적 실천, 즉 실천 공동체에 참여하는 것은 필연적으로 학습을 포함하게 된다. 사회적 실천에 참여하는 것은 곧 공동체에 소속되는 한 가지 방법이다. 사회적 실천에 참여하려면 공동체의 구성원이 되어야 하고, 그 공동체의 사회적 실천과정에서 학습이 이루어지게 되는 것이다. "실천 공동체는 사람, 활동 및 세상 간 관계의 집합이고, 지속되며, 다른 실천 공동체와 연관을 맺고 있다."(Lave & Wenger, 1991: 98) 학습자가 맨 처음에는 실천 공동체에 '조건부 주변적 참여자(legitimate peripheral participant)'로 참여하지만, 경험이 증가함에 따라 참여자의 정체성이 바뀌면서 완전한 참여자(full participant)가 된다(Lave & Wenger, 1991). 따라서 학습은 개인적인 사태가 아니라 사람, 시간, 장소 및 활동에 분산되는 하나의 과정이 된다(O'Donnell & Tobbell, 2007). 즉, 사람, 시간, 장소 및 활동으로 구성된 공동체에 참여하는 것이 학습이기 때문에, 학습은 개인적인 일이 아니라 공동체 전체의 사태이며, 곧 공동체 속에서 실천하는 참여활동이다.

셋째, 분산인지 이론의 기본 가정은 '어떤 누구도 어떤 과제나 문제를 해결하는 데에 필요한 모든 정보를 소유하지 못한다'는 것이다(Hutchins, 1996; Winn, 2002). 이 관점에서는 지식이 사람들과 그들이 사용하는 도구에 분산되어 있다고 본다(Stahl, 2005). 허친스(Hutchins, 1995)는 큰 배가 항구로 입항할 때의 상황을 예로 들어 분산인지를 설명한다. 큰 배가 항구로 들어갈 때, 그 배의 양측에 있는 선원들은 망원경을 가지고 시간별로 배의 회전 나침반을 이용하여 랜드마크들(landmarks)의 상대적 각도를 기록한다. 이 기록은 배의 전화로 항해사에게 전달되고, 항해사는 배의 위치와 방위각을 차트에 기록한다. 그다음, 항해사는 선장에게 배의 속도와 방향을 알리고, 선장은 이를 조정한다. 이처럼 배가 항구에 잘 입항하기 위해서는 많은 선원과 많은 장비들이 동원되어 함께 일해야 한다. 이러한 과정은 복잡할 뿐만 아니라 어떤 개인도 혼자서 관리할 수 없다. 따라서 이 과제는 여러 사람이 여러 도구들을 사용하여 특정 조건하에서 구체적인 의도를 가지고 모두가 하나의 시스템으로 조율되고 분산되어 수행된다(Schwartz, 2008). 즉, 배를 항구에 입항시키는 지식은 선원들과, 그들이 사용한 도구들에 분산되어 있는 것이다. 이처럼 분산인지 이론에 따르면 지식은 인간 공동체, 그들이 사용하는 물리적 도구와 심리적 도구에 분산된다. 여기서 심리적 도구란 사고와 의사소통을 위해서 사용하는 기호, 언어, 개념, 가치 등의 정신적 요소를 의미한다.

넷째, 앞에서 살펴본 바와 같이 비고츠키의 문화역사적 발달이론 중에는 학습을 아동의 고차적 사고발달로 보는 데에 초점을 맞춘 교수-학습이론들이 있는 반면, 비고츠키가 강조한 사회문화적 실제와 도구에 익숙한 성인과 함께 아동이 사회문화적 활동에 지속적으로 참여해야 한다는 점에 초점을 맞춘 참여 관점의 교수-학습이론도 있다. 비고츠키는 개인의 사회문화적 발달 과정에서 개인과 사회환경이 상호작용을 한다고 본다. 즉, 개인, 개인의 사회적 파트너, 역사적 전통과 물질, 이들의 변혁 등이 관련된 활동에 각 개인이 능동적이고 역동적으로 참여함으로써 자신과 사회문화적 환경 간의 관계가 재구성된다. 이 중 그 어떤 요소도 분리되어 존재하지 않는다(Rogoff, 1995). 넓은 의미에서 이러한 문화역사적 참여 학습에서는 사람들과 도구에 분산된 인지, 확산된 지식(distributed knowledge)과 협력이 개인의 ZPD에서 비계(scaffolds)로 작동하게 된다.

(1) 인지적 도제학습 이론

콜린스(Collins)와 그 동료들(Brown, Collins, & Duguid, 1989; Collins, 2006)은 상황학습이론, 상보적 교수이론, 실천 공동체 이론, 비고츠키의 문화역사적 발달이론 등을 고려하여 인지적 도제학습(cognitive apprenticeship) 모형을 제안한다. 콜린스는 전통적인 도제제도와 인지적 도제학습이 두 가지 점에서 차이가 있다고 지적한다. 첫째, 전통적인 도제제도는 일터에서 이루어지기 때문에 학습자, 즉 견습생에게 주어진 학습 문제와 과제가 교육적 관심에서가 아니라 일터의 관심으로부터 만들어진다.

그러나 인지적 도제학습에서는 학습 문제와 과제가, 그것을 해결하는 특정 기법이나 방법의 힘을 설명하고, 학습자에게 이 방법들을 다양한 상황에 적용하는 연습기회를 주며, 과제의 복잡성을 점진적으로 증대시키기 위해서 선정된다. 이렇게 함으로써 요소 기능과 모형들이 하나로 통합될 수 있다. 둘째, 전통적 도제제도에서는 가르치는 기술을 강조하지만, 인지적 도제제도에서는 지식의 일반화를 강조하여 그 지식이 다른 여러 상황에서 활용될 수 있도록 한다(Collins, 2006).

콜린스의 인지적 도제학습은 모든 학습환경을 구성하는 네 가지 차원, 즉 내용(content), 방법(method), 순서(sequencing) 및 사회학(sociology)에 초점을 둔다(Collins, Hawkins, & Carver, 1991; Collins, 2006).

- 내용 차원: 전문지식으로 습득해야 할 지식유형을 의미하는데, 여기에는 특정 교과의 개념, 사실, 절차를 포함한 영역 지식(domain knowledge)과, 이러한 영역 지식을 실세계 문제를 해결할 때 활용하는 전략적 지식(strategic knowledge)이 포함된다. 전략적 지식은 다시 ㉮ 과제를 성취하는 데 효과적인 기법이나 접근방법으로서의 발견적 전략(heuristic strategies), ㉯ 과제를 수행하는 과정을 통제하는 통제 전략(control strategies) 또는 메타인지적 전략(metacognitive strategies), ㉰ 영역 지식, 발견 전략 및 통제 전략을 학습하기 위한 학습전략(learning strategies)으로 나뉜다.
- 방법 차원: 내용 차원의 전문지식 발달을 촉진하기 위한 방법을 의미한다. 이것은 인지적 도제학습으로 6단계로 구성된다. ㉮ 모델링(modeling): 학습자가 관찰할 수 있도록 교사가 과제 수행 시범을 보인다. ㉯ 코칭(coaching): 학습자가 과제를 수행하는 동안 교사가 관찰하고 수행을 촉진한다. ㉰ 비계 제공(scaffolding): 학습자가 과제를 수행하도록 돕기 위한 지원을 한다. ㉱ 발화(articulation): 교사는 학습자가 자신들의 지식과 생각을 말하도록 격려한다. ㉲ 반성(reflection): 학습자가 자신의 수행과 다른 사람의 수행을 비교하게 한다. ㉳ 탐구(exploration): 학습자가 자신의 문제를 제시하고 해결할 수 있게 한다.
- 순서 차원: 학습활동의 순서를 결정하는 데 필요한 핵심 원리로, ㉮ 과제의 난이도를 점차 증가시키는 '복잡성 증대' 원리, ㉯ 폭넓은 적용을 강조하기 위해 다양한 상황에서 연습을 하게 하는 '다양성 증대' 원리, ㉰ 과제의 세부 부분을

수행하기 전에 전체 과제에 대한 개념화를 하도록 하는 '전체에서 부분 기능으로의' 원리가 포함된다.

- 사회학 차원: 학습환경의 사회적 특성을 의미하는데, 학습자의 학습과제 수행, 동기유발, 자신감, 과제에 대한 성향 등에 긍정적인 영향을 미칠 수 있도록 학습환경이 갖추어야 할 사회학적 특성으로 상황학습, 실천 공동체, 내재적 동기유발 및 협력이 포함된다.

(2) 로고프의 문화역사적 참여 교수-학습이론

로고프(Rogoff, 1990, 1995)는 비고츠키의 문화역사적 발달이론, 레이브와 웽거의 상황학습과 실천 공동체 이론을 수용하여 학습을 문화역사적 참여로 보는 교수-학습이론을 제안한다. 로고프(Rogoff, 1995)는 개인 활동과 개인 간의 활동(action, 공동체와 독립적인 개인들의 활동)이 일어나는 문화적 활동(activity, 공동체의 활동)을 고려하지 않고 개인적 발달과 사회적 상호작용 간의 관계를 파악하려고 하는 것은 불완전하다고 주장한다. 또한 학습자가 사회적 활동에 참여할 때 학습자 차원의 발달은 이루어지지만, 다른 동료나 그들의 문화 공동체 차원의 발달은 이루어지지 않을 것이라고 가정하는 것도 불안전하다고 지적한다. 로고프는 사회문화적 활동을 이해하기 위해서 분리할 수 없는 세 가지 차원, 즉 공동체와 제도 차원, 개인간 차원 및 개인 차원을 고려해야 한다고 보고, 도제학습(apprenticeship), 안내된 참여(guided participation) 및 참여적 원용(participatory appropriation)의 개념을 중심으로 문화역사적 참여 교수-학습활동을 설명한다.

① 도제학습

보통 도제학습을 초보자와 전문가 사이에 이루어지는 학습활동으로 이해하여 실제 활동에 초보자가 전문가의 도움을 받아 참여함으로써 초보자가 전문가로 발달하게 된다고 도제학습을 개념화하는 것은 잘못된 것이라고 로고프는 지적한다. 이처럼 도제학습에 전문가의 도움을 받는 초보자의 발달 측면도 있지만, 도제학습은 문화적으로 조직된 활동에서 여러 개인의 참여와 조정이 이루어지는 체제에 초점을 맞추어야 하고, 이 문화적 활동 속에서 초보자를 '책임 있는 참여자'가 되게 해야 한다. 따라서 도제학습은 초보자와 전문가라는 개인 간 차원을 넘어서 공동체 차원에서 고려되어야 한다. 공동체 차원에 초점을 맞춘 도제학습이 잘 이루어지도록 하기 위해서는, 예컨대 학교나 직장과 같은 공동체에서 이루어지는 지적 활동에 관한 제도적 구조와 문화적 테크놀로지를 검토해야 한다. 즉, 문화역사적 공동체에서 도제학습이 효과적으로 이루어지도록 하기 위해서는 학습자가 참여하는 구체적인 사회문화 활동뿐만 아니라, 그 활동이 이루어지는 공동체의 경제적, 정치적, 정신적 및 물질적 실제와 제도가 고려되어야 하고, 이러한 차원에서 도제학습이 실시되어야 한다.

② 안내된 참여

안내된 참여는 문화역사적 활동에 개인 간 차원의 참여와 조정에 적용되는 용어이다. 안내된 참여에서는 개인 학습자와 그들의 사회적 파트너의 상호 참여를 강조하는데, 개인과 사회적 파트너들은 문화적으로 구조화된 집단 활동에 참여할 때, 대면으로든 아니면 비대면으로든 자신들의 참여에 대해 서로 이야기하고 조정하는 활동을 한다. 학습자는 직접 활동을 하며 참여할 수도 있지만, 관찰만을 하는 수준의 참여를 할 수도 있다. 그런데 이러한 문화적 집단 활동에 참여하고 조정을 할 때, 같이 참여하는 다른 사람에 의해서 지시나 안내를 받을 수도 있고, 그 공동체의 문화적 · 사회적 가치에 의해 안내될 수도 있다. 예컨대, 보고서를 작성하는 아동이 교사, 동료, 가족, 도서관 사서, 저자, 출판사 등의 안내를 받아 보고서 작성 작업을 할 수 있다. 이러한 사회문화적 활동은 아동이 보고서 작성 계획을 수립하고, 사용할 자료와 접근방법을 결정하는 데에 도움이 된다. 여기서 아동과 참여자들은 의사소통을 하면서 자신의 역할을 조정하고, 때로는 안내를 하기도 하고 그렇지 않기도 하면서 상황을 구조화해 간다. 이 과정에서 아동을 위한 안내자들의 직접적인 지시와 안내도 있지만, 이들 구성원들이 속한 공동체의 가치에 따른 지시와 안내도 이루어진다. 이러한 사회문화적 참여활동은 아동을 변화시키기도 하지만, 참여자들의 공동체 실천 활동도 변화시킨다.

③ 참여적 원용

참여적 원용이라는 용어는 개인이 특정 활동에서 얻게 된 이해나 그 활동에서 했던 책임을 다른 활동에 변형하여 적용하는 것을 의미한다. 참여적 원용은 문화적 활동에 참여하는 개인 차원에서 이루어지는 것으로 도제학습 및 안내된 참여와 분리할 수 없는 개념이다. 그것은 참여를 통해서 개인이 변화되고, 그 과정에서 유사한 다음 활동에 참여할 준비가 되기 때문이다. 따라서 참여가 곧 원용의 과정이 되는 것이다.

학습과제

1. 네 가지 교수-학습 관점에서의 교수-학습활동을 정의해 보자.
2. 네 가지 교수-학습 관점의 수업 특징을 비교해 보자.
3. 네 가지 교수-학습 관점에서 교사와 학습자의 역할을 각각 설명하고 비교해 보자.

참고문헌

Bereiter, C., & Engelmann, S. (1966). *Teaching disadvantaged children in the preschool.* Englewood Cliffs, NJ: Prentice-Hall.

Borich, G. D. (2000). *Effective teaching methods* (4th ed.). Upper Saddle River, NJ: Printice Hall.

Brown, J. S., Collins, A., & Duguid, P. (1989). Situated cognition and the culture of learning. *Educational Researcher, 18*(1), 32-42.

Brown, A. L., Ash, D., Rutherford, M., Nakagawa, K., Gordon, A., & Campione. J. C. (1993). Distributed expertise in the classroom. In G. Salomn (Ed.), *Distributed cognition*. New York: Cambridge University Press.

Bruner, J. S. (1999). Culture, mind and education. In. B. Moon & P. Murphy (Eds.), *Curriculum in context*. London: Paul Chapman Publishing and The Open University.

Bruning, R. H., Schraw, G. J., & Norby, M. M. (2011). *Cognitive psychology and instruction* (5th ed.). Boston, MA: Pearson.

Clancey, W. J. (1997). *Situated cognition: On human knowledge and computer representations*. New York: Cambridge University Press.

Collins, A. (2006). Cognitive apprenticeship. In R. K. Sawyer (Ed.), *The Cambridge handbook of the learning science* (pp. 47-60). New York: Cambridge University Press.

Cobb, P. (1996). Where is mind? Coordination of sociocultural and cognitive constructivist perspectives. In C. T. Fosnot (Ed.), *Constructivism: Theory, perspectives, and practice* (pp. 34-52). New York: Teachers College Press.

Driscoll, M. P. (2000). *Psychology of learning for instruction* (2nd ed.). Needham Heights, MA: Allyn & Bacon.

Duffy, T. M., & Jonassen, D. H. (1992). Constructivism: New implications for instructional technology. In T. M. Duffy & D. H. Jonassen (Eds.), *Constructivism and the technology of instruction: A conversation* (pp. 1-16). Hillsdale, NJ: Lawrence Erlbaum Associates, Publishers.

Engeström, Y. (2010). Activity theory and learning at work. In M. Malloch, L. Cairns, K. Evans, & B. N. O'Connor (Eds.), *The SAGE Handbook of workplace learning* (pp. 74-89). London: SAGE Publications Ltd.

Engeström, Y., & Sannino, A. (2010). Studies of expansive learning: Foundations, findings and future challenges. *Educational Research Review, 5*(1), 1-24.

Estes, T. H., Mintz, S. L., & Gunter, M. A. (2011). *Instruction: A models approach* (6th ed.). New York: Pearson.

Fenwick, T. (2006). Toward enriched conceptions of work learning: Participation, expansion, and translation among individuals with/in activity. *Human Resource Development Review, 5*(3), 285-302

Fox, R. (2001). Constructivism examined. *Oxford Review of Education, 27*(1), 23-35.

Gagné, R. M. (1985). *The conditions of learning* (4th ed.). New York: Holt, Rinehart and Winston.

Gagné, R. M., Wager, W. W., Golas, K. C., & Keller, J. M. (2005). *Principles of instructional design*. Belmont, CA: Wadsworth/Thomson Learning.

Gallimore, R., & Tharp, R. (1990). Teaching mind in society: Teaching, schooling, and literate discourse. In L. C. Moll (Ed.), *Vygotsky and education: Instructional implications and applications of sociohistorical psychology* (pp. 175-205). New York: Cambridge University Press.

Gredler, M. E. (2012). Understanding Vygotsky for the classroom: Is it too late? *Educational*

Psychology Review, 24, 113-131.

Gruber, H. E., & Voneche, J. J. (Eds.) (1995). *The essential Piaget.* Northvale, N. J.: J. Aronson.

Hutchins, E. (1995). *Cognition in the wild.* Bradford: MIT Press.

Hutchins, E. (1996). *Cognition in the wild.* Boston: MIT Press.

Jacobs, R. L., & Washington, C. (2003). Employee development and organizational performance: A review of literature and directions for future research. *Human Resource Development International, 6*(3), 343-354.

Lave, J., & Chaiklin, S. (Eds.) (1993). *Understanding practice: Perspectives on activity and context. Cambridge:* Cambridge University Press.

Lave, J., & Wenger, E. (1991). *Situated learning: Legitimate peripheral participation.* New York: Cambridge University Press.

Mangrum, J. R. (2010). Sharing Practice Through Socratic Seminars. *Phi Delta Kappan, 91*(7), 40-43.

Merrill, M. D. (1992). Constructivism and instructional design. In T. M. Duffy & D. H. Jonassen (Eds.), *Constructivism and the technology of instruction: A conversation* (pp. 99-114). Hillsdale, NJ: Lawrence Erlbaum Associates, Publishers.

O'Donnell, V. L., & Tobbell, J. (2007). The transition of adult students to higher education: Legitimate peripheral participation in a community of practice. *Adult Education Quarterly, 57*(4), 312-328.

Piaget, J. (1977). *Equilibration of cognitive structures.* New York: Viking.

Polanyi, M. (1966), *The tacit dimension.* Chicago: University of Chicago Press.

Rogoff, B. (1995). Observing sociocultural activity on three planes: Participatory appropriation, guided participation, and apprenticeship. In J. V. Wertsch, P. del Río, & A. Alvarez (Eds.), *Sociocultural studies of mind* (pp. 139-164). Cambridge University Press.

Rosenshine, B. (1983). Teaching functions in instructional programs. *The Elementary School Journal, 83*(4), 335-351.

Rosenshine, B. (1986). Synthesis of research on explicit teaching. *Educational Readership, 43*(7), 60-69.

Schwartz, N. H. (2008). Exploiting the use of technology to teach: The value of distributed cognition. *Journal of Research on Technology in Education, 40*(3), 389-404.

Sfard, A. (1998). On two metaphors of learning and the dangers of choosing just one. *Educational Researcher, 27*(2), 4-13.

Sharan, Y., & Sharan, S. (1999). Group investigation in the cooperative classroom. In S. Sharan (Ed.), *Handbook of cooperative learning methods* (pp. 97-114). Westport, CT: Praeger Publishers.

Skinner, B. F. (1958). Reinforcement today. *American Psychologist, 13*, 94-99.

Slavin, R. (2003). *Educational psychology: Theory and practice* (7th ed.). Boston, MA: Allyn & Bacon.

Stahl, G. (2005). Group cognition in computer-assisted collaborative learning. *Journal of Computer Assisted Learning, 21*(2), 79-90.

Subero, D., Llopart, M., Siqués, C., & Esteban-Guitart, M. (2018). The mediation of teaching and learning processes through identity artefacts. A Vygotskian perspective. *Oxford Review of Education, 44*(2), 156-170.

von Glasersfeld, E. (1996). Introduction: Aspects of constructivism. In C. T. Fosnot (Ed.), *Constructivism: Theory, perspectives, and practice* (pp. 1-7). New York: Teachers College Press.

Vygotsky, L. S. (1962). *Thought and language*. Cambridge, MA: The MIT Press.

Vygotsky, L. S. (1987). The development of scientific concepts in childhood. In R. W. Rieber & A. S. Carton (Eds.), *Collected works of L. S. Vygotsky (Vol. 1): Problems of general psychology* (pp. 167-241). New York: Plenum.

Vygotsky, L. S. (1997). Research method. In R. W. Rieber (Ed.), *Collected works of L. S. Vygotsky (Vol. 4): The history of the development of higher mental functions* (pp. 27-63). New York: Plenum.

Vygotsky, L. S. (1978). *Mind in society*. Cambridge, MA: Harvard University Press.

Wenger, E. (1998). *Communities of practice: Learning, meaning and identity*. Cambridge: Cambridge University Press.

Wertsch, J. V. (1979). From social interaction to higher psychological processes: A clarification and application of Vygotsky's theory. *Human Development, 22*, 1-22.

Winn, W. (2002). Research into practice: Current trends in educational technology research: The study of learning environments. *Educational Psychology Review 14*, 331-351.

제8장

교육평가

김석우(부산대학교 교육학과)

1. 교육평가의 기초
2. 교육평가의 유형
3. 검사도구의 양호도
4. 과정중심평가

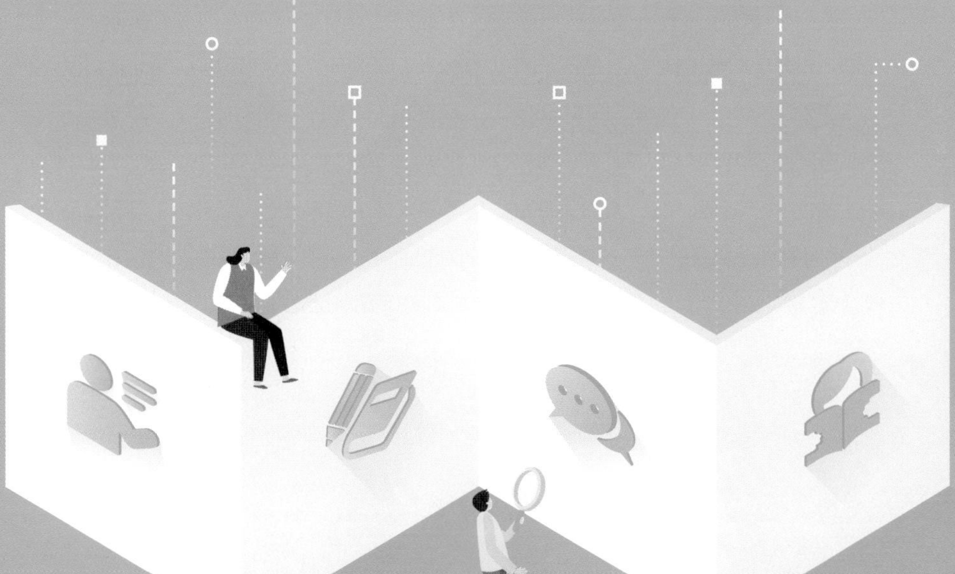

학습 개요

교육평가에 대한 일반인의 인식은 단지 교육현장에서 실시되는 중간고사나 기말고사 혹은 입학시험에서 학생 선발이나 분류를 위한 활동으로 국한되는 경향이 있다. 그러나 이것은 교육평가의 극히 일부분에 지나지 않는다. 교육평가란 학생들의 학업성적을 점수화하는 것으로 끝나는 것이 아니라 교육목표의 타당성 여부, 교육과정, 교육 프로그램, 수업, 교사, 교육의 제반 여건, 단위 학교 · 대학 · 교육청 등의 교육과 관련된 모든 측면을 그 대상으로 한다. 이 장에서는 교육평가의 성격을 종합적으로 이해하기 위해 교육평가의 기초, 교육평가의 유형, 검사도구의 양호도, 과정중심평가 등에 대하여 알아보고자 한다.

1. 교육평가의 기초

1) 교육평가의 개념

인간 행동의 바람직한 변화는 교육 자체가 가지는 교육의 목적이고, 이러한 교육의 목적에 대한 달성 정도를 판단하기 위해 일정한 준거와 기준을 마련하고 이를 통해 제반 교육활동에 대한 가치를 체계적으로 조사하고 판단하여 교육적 의사결정을 내리는 과정을 교육평가라 할 수 있다. 이러한 입장에서 볼 때 광의의 의미에서 교육평가의 대상은 비단 학교교육만이 아니라 교육이 행해지는 인간의 삶 전 영역에서 그 교육적 가치를 판단하는 행위라고 말할 수 있을 것이다.

평가대상의 가치를 판단하는 활동으로서 교육평가는 크게 두 가지 의미로 사용되고 있다(Worthen, Borg, & White, 1993). 넓은 의미에서 교육평가는 평가대상(프로그램, 조직, 수업, 프로젝트, 교육과정 등)의 가치, 질, 효과, 유용성을 판단하는 과정을 뜻한다. 교육평가의 대상은 학생은 물론 교사, 수업, 교육과정, 교육정책, 교육환경 등 교육에 관련된 모든 것을 망라한다. 교육평가에서는 평가하려고 하는 대상의 가치와 질을 판단하는 데 주안점을 둔다. 좁은 의미에서 교육평가는 학생들의 학업성취 혹은 상태에 관해 질적인 판단을 내리는 과정을 의미한다. 학교현장에서 교사나 학생들은 교육평가를 이러한 의미로 사용하고 있다. 즉, 학교현장에서 교육평가는 주로 학생들의 학업성취도를 질적으로 판단하여 성적을 평가하는 행위를 뜻한다. 학업성취도를 판단하기 위한 교육평가의 목적은 학생들의 학업성취도를 단순히 기술하는 데 그치는 것이 아니라 학업성취도가 어느 정도 우수한지, 수업을 어느 정도 이해했는지를 질적으로 판단하는 데 있다.

2) 교육평가의 가정

교육평가는 교수 프로그램에 관한 의사결정을 위해 학습자의 행동 변화 및 학습과정에 관한 정보를 수집 · 이용하여 교육적 의사결정을 하는 데 도움을 주는, 혹은 의사결정을 하는 과정 그 자체라 할 수 있다. 이에 새로운 시각에서의 교육평가는 인간 이해를 위해 존재하는 것이지 인간 규정을 위해 존재하는 것이 아니라는 명제를 제기할 수 있다. 이러한 새로운 시각에서 교육평가가 지녀야 할 구체적인 가정은 다음과 같다(김대현, 김석우, 2020; 황정규, 1998).

첫째, 교육평가는 인간의 무한한 잠재능력의 개발 가능성을 전제해야 한다. 인간은 현재의 주어진 조건보다 개발할 수 있는 잠재적 가능성이 무한하다. 즉, 현재 능력보다 개발 가능성이 있는 미래의 능력에 더 큰 의미를 부여할 때 인간 이해의 평가가 이루어질 수 있다. 그러나 이러한 가능성을 부인하고 현실에 집착할 때, 인간을 판단하고 범주화하는 인간 규정으로서의 평가가 되고 말 것이다. 평가의 기능이나 역할이 점차 형식화, 정형화되면서 평가의 실천적 기능은 학생과 교사의 인간화에 기여하기보다 점차 비인간화, 소외를 촉진하는 역작용을 가속화하는 결과를 가져오게 된다. 따라서 교육평가가 본래의 목적을 이루기 위해서는 무엇보다 인간의 무한한 잠재능력의 개발 가능성을 전제해야 하는 것이다.

둘째, 교육평가는 계속적인 과정이어야 한다. 여기서 계속성(continuity)이란 어떤 특수한 장면이나 시간에 국한되는 것이 아니라 언제나 모든 장면에서 평가가 이루어져야 한다는 것이다. 예컨대, 교육평가는 시험을 볼 때마다, 수업을 할 때마다, 대화를 나눌 때마다 평가의 기능이 발휘되어야 한다.

셋째, 교육평가는 종합적인 과정이어야 한다. 종합성(comprehensiveness)이란 평가가 학습자의 특정한 행동특성보다는 전체적인 행동의 넓은 영역에서 이루어져야 한다는 것이다. 예를 들어, 학습자의 학업성적뿐만 아니라 생활태도, 성격, 신체발달 등의 전인적 영역을 평가과정에서 고려해야 한다는 의미이다. 지필검사에 국한하던 평가방법에서 벗어나 관찰, 면접, 수행평가 등 다양한 평가방법을 동원하여 평가를 실시하여야 한다.

넷째, 교육평가의 자료는 다양하다. 예컨대, 학습자가 남겨 놓은 그림 한 장, 일기 한 줄, 대화 한마디 등이 모두 평가 자료가 될 수 있다. 이와 같은 다양한 자료를 교육평가에 활용하기 위해서는 교사의 역할이 매우 중요하다. 이를 위해 교사는 교과 전문가이기에 앞서 인간 이해자가 되어야 한다.

다섯째, 교육평가는 교육활동에 도움을 주어야 한다. 교육평가는 더 나은 교육을 하기 위한 수단이지 평가 자체에 목적을 두지 않는다. 교육평가는 교육의 대상이 각자의 재능과 잠재력을 최대로 개발하고 발휘할 수 있도록 돕는 노력의 일환으로 인식되어야 한다. 이를 위해서는 교육평가의 결과가 다시 교육활동과 연결되어야 한다. 교육평가의 결과가 학습자에게는 학습활동에 대한 교정적 정보를 제공해 주고, 교사에게는 교수활동에서 생길 수 있는 오류를 교정해 줌으로써 끊임없는 자기성찰과 반성의 기회를 가질 수 있게 하는 것이다.

3) 교육평가의 기능

교육평가의 기능을 바라보는 시각은 다양하다. 스크리븐(Scriven, 1967)의 경우는 평가의 역할에 따라 평가의 기능을 형성평가(formative evaluation)와 총괄평가(summative evaluation)로 구분하였다. 형성평가는 현재 진행 중인 교육활동이나 프로그램을 개선하거나 보완하는 데 필요한 정보를 수집하여 제공하는 기능을 하며, 총괄평가는 특정 프로그램이 종료된 후에 그 효과를 최종적으로 판단하는 역할로서 성취도 판정, 책무성 판단, 자격부여, 선발 등의 기능을 한다. 학교 교육활동과 관련지어 교육평가가 지니고 있는 기능을 살펴보면 다음과 같다.

첫째, 학습자의 학업성취도를 평가하는 일이다(박도순, 홍후조, 2006). 즉, 교육이 목표지향적 행위의 활동이라면 목표가 어느 정도 달성되었는가는 학습자의 학업성취도를 확인함으로써 가능하다. 목표의 성취란 결국 교육과정에서 명시한 목표가 학생의 행동으로 실현되는 상황을 의미한다. 그러므로 교육목표의 달성도에 관한 증거와 정보를 수집하는 것은 교육평가의 중요한 기능이라 할 수 있다.

둘째, 학습자 개인의 학습방법을 개선하는 데 도움을 주며, 학습결과에 대한 피드백을 제공함으로써 학습을 촉진한다. 교육평가의 목적이 교육 본래의 목적을 달성하도록 하는 데 있다고 할 때, 학생 개개인의 학습 장애요인을 진단하고 치료함으로써 학습방법을 개선하고 학습을 촉진할 수 있도록 하는 일은 교육평가의 중요한 기능 중 하나가 될 것이다. 따라서 교육평가는 측정치에 의해 학생을 판단하는 일보다는 그 원인을 분석하고 치료하는 일이 더 중요하다고 할 수 있다. 학습결과에 대한 피드백을 제공함으로써 자신의 강점과 약점을 파악하고 학습실패의 원인을 진단하여 치료하고 개선함으로써 새로운 학습동기가 유발될 수 있다. 교육활동에서 이루어지는 평가에 의해 학습자 스스로 평가의 기능을 올바르게 이해하게 되고, 평가결과를 스스로의 향상을 위해 수용하게 되면 학습촉진뿐 아니라 자기 진보를 향한 동기가 되는 것이다.

셋째, 학습자의 진로지도를 위한 정보를 제공하는 일이다. 교육평가의 또 다른 기능은 학습자의 장래 진로지도를 위한 자료를 제공해 줄 수 있다는 점이다. 예를 들어, 학교현장에서 진로지도를 하기 위해서는 학습자의 학업능력, 정서, 흥미, 성격은 물론이고 학습자를 둘러싸고 있는 가정 · 학급 · 사회 환경에 대한 광범위하고 정확한 이해가 필수적이다. 이러한 평가 자료는 학습자를 이해할 수 있는 계기가 될 수 있고 진로지도 자료나 생활지도의 기초 자료로 활용될 수 있다. 또한 학습자 개인에게 자기 적성에 대한 이해를 도울 수 있는 기회를 제공한다.

넷째, 교수-학습 방법을 개선하고 수업의 질을 높이는 일이다. 특히 학생평가의 경우 학습자를 위한 평가로만 활용되는 것이 아니라, 그 결과는 교사의 교수-학습 방법, 교육과정 및 수업활동 등을 평가할 수 있는 자료로 활용될 수 있다. 학습목표의 도달 정도가 낮다면 그 이유가 무엇인지, 학습자 간의 학력 개인차가 크다면 그 이유가 무엇인지, 학급 간의 성적 차이가 크다면 그 이유가 무엇인지, 학생들의 학습활동에 대한 준비도가 낮다면 그 이유가 어디에 있는지 등을 다양한 정보 수집을 통해 분석함으로써 교사 스스로 수업의 질을 높일 수 있는 자료로 활용할 수 있다.

다섯째, 교육 프로그램의 교육적 효과를 평가하는 일이다. 교육 프로그램이란 교육과정, 수업, 수업자료, 학급조직 등이 통합된 매우 복합적인 개념이다. 이러한 교육 프로그램에 의해 결과가 발생하고, 그 결과는 교육 프로그램의 질을 나타내는 것이 된다. 따라서 교육평가의 중요한 영역 중 하나는 교육활동의 결과를 분석하고 그 결과를 확인하여 프로그램의 교육적 효과를 가늠하는 일이다.

여섯째, 교육의 제반 문제를 이해하고 올바른 교육정책을 수립하는 데 도움을 주는 일이다. 전국 성취도 평가나 국제 간 학력 비교 연구 등을 통해 전체 학습자 또는 국민이 반드시 습득해야 할 기본 능력이 어느 정도인가를 확인할 수 있는데, 이는 교육정책의 방향을 수립하는 데 도움을 줄 수 있다. 제7차 교육과정에서부터 국민공통기본교육과정을 도입하여 1학년부터 10학년까지 10개 교과의 성취기준을 정하여 모든 학습자가 도달해야 할 기준으로 제시하였다. 만일 성취도 평가를 실시한 결과, 이러한 성취기준에 도달하지 못한 학생 수가 많다면 차기 교육과정에서 이러한 문제가 개선의 주안점으로 부각될 것이다. 또한 최근 우리나라 대학이 전 세계 우수 대학의 대열에 들지 못하여 자성의 목소리가 높다. 이러한 문제를 분석하여 대학교육정책을 수립하는 데 도움을 주는 일이 바로 교육평가의 기능이라 할 수 있다.

2. 교육평가의 유형

1) 준거참조평가와 규준참조평가

(1) 준거참조평가

준거참조평가(criterion-referenced evaluation)는 절대평가로 불리며, 학습자의 현재 성취수준이나 행동목표의 도달 정도를 알아보기 위한 평가방법이다. 즉, 다른 학습자와 상대적인 비교를 하는 것이 아니라 교육목표에 비추어 평가하는 것이다. 이런 면에서 준거참조평가를 목표지향평가라고도 하며, 교육목표 또는 학습목표를 설정해 놓고 이 목표에 비추어 학습자 개개인의 학업성취 정도를 따지려는 것이다. 다시 말해서, 준거참조평가란 학습자가 무엇을 얼마만큼 알고 있는지를 재는 평가 또는 학습자가 정해진 준거나 목표에 도달하였는지를 판단하는 평가로서, 여기서의 무엇이라 함은 학습자가 성취해야 할 과제나 행위의 영역 혹은 분야를 의미한다. 영역은 교육내용으로서 평가내용이 되고, 준거란 교육목표를 설정할 때 도달해야 하는 최저 기준(minimum competency level)이라 할 수 있다. 준거참조평가는 일반적으로 자격증을 부여할 때 사용되는데, 예를 들면 의사자격이나 교사자격을 부여하는 데 있어서 상대적 서열보다는 관련된 일을 성공적으로 할 수 있다고 판단되는 기준에 도달한 사람에게 자격을 부여하는 경우를 말한다.

준거참조평가는 발달적 교육관에 바탕을 두고 학습자의 개인차에 관심을 가지고 있다. 그러므로 선발이 목적이 아니라 가능한 한 모든 학습자가 의도하는 바의 수업목표를 달성할 수 있도록 적절한 학습방법을 제공하고 배치를 위한 평가를 하는 것이다. 그리고 학습 후의 학습결과에 대한 평가에서도 학습자 간의 개인차보다는 수업목표를 어느 정도 달성하였는지에 관심을 둔다.

준거참조평가의 특징으로는, 첫째, 검사의 타당도를 강조한다. 왜냐하면 원래 측정하려고 계획했던 수업목표를 얼마나 충실하게 측정하고 있느냐에 중점을 두기 때문이다. 둘째, 검사 점수의 부적 편포를 기대한다. 즉, 모든 학습자가 설정된 교육목표를 달성하기를 바라기 때문에 검사 점수의 분포가 오른쪽으로 치우친, 정상분포에서 벗어난 부적 편포를 기대한다. 셋째, 학습자 개개인에 적합한 교수-학습의 기회를 제공함으로써 주어진 학습목표에 도달할 수 있다는 발달적 교육관에 바탕을 두고 있다.

준거참조평가의 장점으로는, 첫째, 교수-학습이론에 적합하다는 점이다. 즉, 무엇을 알고 무엇을 모르는지의 정보를 직접적으로 제공해 주기 때문에 무엇을 어떻게 가르쳐야 할 것인지에 대한 시사점을 제시해 준다. 둘째, 교육목표, 교육과정, 교수방법 등의 개선에 용이하다. 셋째, 상대평가에 치중하지 않으므로 이해, 비교, 분석, 종합 등의 고등 정신능력을 배양할 수 있다.

준거참조평가의 단점으로는, 첫째, 개인차의 변별이 쉽지 않다는 점이다. 즉, 준거참조평가는 학습자 개인 간의 비교 및 우열을 판정하기가 어렵다. 둘째, 준거의 설정 기준이 문제가 될 수 있다는 점이다. 다시 말해서, 교육에서의 절대 기준은 교수목표이지만, 이러한 교수목표를 누가 정하느냐 혹은 어떻게 정하느냐는 고도의 전문성이 요구되기 때문이다. 셋째, 검사 점수의 통계적 활용이 불가능하다. 준거참조평가에서는 검사 점수의 정상분포를 부정하기 때문에 점수를 통계적으로 활용하기가 어렵다는 의미이다.

(2) 규준참조평가

규준참조평가(norm-referenced evaluation)는 상대평가로 불리며, 학습자의 평가결과를 그가 속해 있는 집단의 규준에 비추어 상대적인 위치를 밝혀 보는 평가방법이다. 즉, 어떤 학습자의 성취수준을 규준을 이용하여 그가 속해 있는 집단(학급, 학교 등)에서의 상대적인 위치에 비추어 해석한다. 따라서 학습자의 상대적인 능력이나 기술을 비교해 보고, 그것에 대한 어떤 결정을 내리는 학습자 선발 기능이나 우열을 가려내는 기능이 크게 강조되는 평가방법이다.

규준참조평가는 선발적 교육관에 바탕을 두고 있는데, 이는 교육을 통하여 달성하고자 하는 목표나 수준에 도달할 수 있는 사람은 어떤 방법을 사용하든 소수에 지나지 않는다는 것이다. 즉, 준거나 목표의 도달 여부에는 관심이 없고 서열이나 상대적 위치를 부여하여 분류하는 작업에 치중한다. 따라서 규준참조평가에서는 학습자가 무엇을 얼마만큼 알고 있느냐보다는 개인의 성취수준을 비교 집단의 규준에 비추어 상대적 서열을 판단하는 것에 관심을 둔다. 즉, 어떤 학습자의 성취수준이 상위에 있는지 혹은 하위에 있는지에 관심을 두므로 등위나 표준점수로 표시한다. 예컨대, 대학수학능력시험에서 사용되는 백분위나 T점수 등을 들 수 있다.

규준참조평가에서 규준이란 원점수의 상대적 위치를 설명하기 위하여 쓰이는 척도로서, 좋은 규준이 완성되기 위해서는 모집단에서 추출된 표본이 모집단의 특성을 제대로 대표하고 있어야 하며, 이러한 표본에서 산출된 평균과 표준편차로 만들어진다.

규준참조평가의 특징으로는, 첫째, 검사의 신뢰도를 강조한다. 즉, 규준참조평가에서는 학습자의 개인차를 얼마나 오차 없이 정확하게 측정하였는가에 중점을 두고 있다. 둘째, 검사 점수의 정상분포를 기대한다. 셋째, 학습자의 개인차를 극대화시키는 선발 기능을 강조한다.

규준참조평가의 장점으로는, 첫째, 규준참조평가는 개인차의 변별이 가능하다. 여러 개인의 상대적인 비교를 기초로 하는 객관성을 강조하고 엄밀한 성적 표시 방법을 채택함으로써 개인차를 변별할 수 있다. 둘째, 객관적인 검사의 제작 기술을 통해 성적을 표시하고 있기 때문에 교사의 편견을 배제할 수 있다. 셋째, 규준참조평가는 학습자의 경쟁을 통하여 동기를 유발하는 데 유리하다. 특히 등급이나 시험의 당락을 결정하는 평가의 경우 더욱 강력한 동기유발을 촉진시킬 수 있다.

규준참조평가의 단점으로는, 첫째, 교수-학습이론에 부적절하다. 즉, 무엇을 얼마만큼 알고 있는지에 관심을 두지 않기 때문에 무엇을 가르치고 배워야 하는지에 대한 정보가 적다. 둘째, 규준참조평가에서는 참다운 의미에서의 학력평가가 불가능하다. 예컨대, 학습자의 성취도가 집단 내에서의 상대적 비교로만 판정되기 때문에 학습 내용을 완전히 이해한 학습자라도 집단 전체가 우수하다면 학업성취도가 낮은 것으로 분석될 수 있다. 셋째, 학습자 간에 학력의 상대적 위치 또는 순위를 결정하기 때문에 과다한 경쟁 심리가 조장되며, 이로 인해 인성교육을 방해할 우려가 있다.

2) 진단평가, 형성평가, 총괄평가

(1) 진단평가

진단평가(diagnostic evaluation)는 교수활동이 시작되는 초기 단계에서 수업전략을 위한 기초 자료를 얻고, 어떤 교수-학습 방법이 적절한지를 결정하기 위하여 학습자의 기초 능력을 진단하는 평가라 할 수 있다. 진단평가의 예로는 수업시간 전에 쪽지시험 또는 퀴즈를 실시한다든지, 수업을 실시하기 전에 복습 여부를 묻는 질문, 전학년도 성적표나 생활기록부를 토대로 학습자의 특성을 파악하여 교사가 간단히 제작한 질문 혹은 시험 등을 들 수 있다. 특히 진단평가에서는 준비도 검사, 적성검사, 자기보고서 그리고 관찰법 등의 다양한 평가도구가 사용될 수 있다. 진단평가의 기능을 구체적으로 살펴보면 다음과 같다.

첫째, 학습의 예진적 기능을 들 수 있다. 예진적 기능이란 학습자의 기본적인 학습능력, 학습동기, 선수학습의 정도를 확인하는 것을 말한다. 다시 말해서, 학교 교육현장에서 새로운 단원에 대한 수업을 진행할 때, 학급 내 개개 학습자의 선수학습과 사전학습 정도를 정확하게 파악하여 이를 학습지도에 이용할 수 있다.

둘째, 학습 실패의 교육 외적 원인의 파악을 들 수 있다. 학습 실패의 교육 외적 원인의 파악이란 수업과 직접적인 관련성이 없으면서도 학습 실패의 원인이 되고 있는 여러 가지 학습장애 요인을 밝히는 것을 의미한다. 즉, 학습자가 학습에서 나타내는 지속적인 학습장애의 원인과 학습자의 학습환경에 관한 정보를 수집하여 적절한 의사결정을 할 수 있다. 이런 요인은 대체로 신체적 · 정서적 · 환경적인 것으로 분류된다. 신체적 요인으로는 건강 상태의 이상, 운동 · 감각 기능의 장애 등이 있으며, 정서적 요인으로는 심리적 갈등이 주가 된다. 그리고 환경적 요인에는 물질적 · 경제적 빈곤에서 문화 실조에 이르기까지 다양한 요인이 있을 수 있다.

(2) 형성평가

형성평가(formative evaluation)는 수업이 진행되고 있는 유동적인 상태에서 교수활동이 계획한 대로 진행되고 있는지를 확인하는 평가이다. 즉, 교수-학습 과정 중에 가르치고 배우는 내용을 학습자가 얼마나 잘 이해하고 있는지를 수시로 점검하고, 학습자의 수업능력, 태도, 학습방법 등을 확인함으로써 교육과정을 개선하고 교재의 적절성을 확인할 수 있다. 따라서 형성평가는 학습 및 교수가 진행되고 있는 도중에 학습의 진전 상황에 관한 정보를 수집 · 분석하여 그 수업 및 학습을 개선하기 위해 실시하는 활동이다. 이와 같이 형성평가는 수업 중이나 단원을 학습하는 도중에 수시로 실시할 수 있으며, 교사가 제작한 검사를 주로 이용하지만 교육전문기관에서 제작한 검사를 이용할 수도 있다.

스크리븐(1967)은 형성평가를 통하여, 학습 및 교수가 진행되는 도중 학습자에게 피드백을 줄 수 있으며, 교육과정을 개선하고 수업방법을 개선할 수 있다고 본다.

형성평가의 주된 기능은 다음의 네 가지로 제시할 수 있다.

첫째, 형성평가는 학습자의 학습 진행 속도를 조절한다. 즉, 교과내용의 분량이 많거나 학습내용이 일정한 앞뒤 관계에 의하여 조직되어 있을 때, 적절한 횟수로 형성평가를 실시함으로써 학습 진행 속도를 조절할 수 있다.

둘째, 형성평가는 학습자의 학습에 대한 강화의 역할을 한다. 형성평가를 통해서 설정된 학습목표를 거의 달성하였다는 사실을 학습자가 확인함으로써, 그 뒤에 이어지는 학습을 용이하게 해 줄 뿐 아니라 학습동기를 유발시킬 수 있다.

셋째, 형성평가는 학습 곤란을 진단하고 교정한다. 즉, 형성평가는 학습자에게 교수목표에 비추어 무엇을 성취했고 무엇을 더 학습해야 하는지를 구체적으로 알려 주는 장점을 가지고 있기 때문에, 학습자는 자신의 학습 곤란을 스스로 발견하며 그것을 제거해 나가게 된다.

넷째, 형성평가는 학습지도 방법의 개선에 이바지할 수 있다. 형성평가를 통하여 교사는 자신이 가르친 학습자에 대한 교수방법의 단점을 구체적으로 분석하고 개선할 수 있다.

(3) 총괄평가

총괄평가(summative evaluation)란 교수–학습이 끝난 다음, 교수목표의 달성, 성취 여부를 종합적으로 판정하는 평가 형태로 종합평가라고도 한다. 즉, 총괄평가는 한 과목, 학기, 그리고 교육 프로그램이 끝나는 시점에서 실시하는 평가로 성취 혹은 숙달 정도와 교육목표 달성 여부를 결정하는 활동으로 정의할 수 있다. 따라서 총괄평가는 학습자가 도달하도록 의도된 교육목표를 어느 정도 성취하였는지에 주된 관심이 있다. 총괄평가를 위한 평가도구는 교육목표의 성격에 의해 결정되며, 교사제작검사, 표준화검사, 작품평가방법 등이 사용된다. 총괄평가의 구체적인 기능은 다음과 같다.

첫째, 총괄평가는 학습자의 성적을 결정한다. 즉, 전체 과목이나 중요한 학습내용에 대한 교수의 효과가 어느 정도인지를 판단하고, 그 결과에 의해 성적을 내고 평점을 주며 서열을 결정한다.

둘째, 총괄평가를 통한 평가결과는 학습자의 미래의 학업 성적을 예측하는 데 도움을 준다. 일반적으로 현재의 학업 성적은 미래의 학업 성적과 높은 상관관계를 가지고 있기 때문에, 현재의 성적을 평가함으로써 학습자 개개인의 미래의 성적을 쉽게 예측할 수 있다.

셋째, 총괄평가는 집단 간의 성적을 비교할 수 있는 정보를 제공해 준다. 학습자 집단 간의 종합적인 학습성과를 교수방법의 유형이나 학습 자료의 종류 등과 관련시켜 비교·분석함으로써 학습성과에 대한 정보를 수집할 수 있다.

넷째, 총괄평가는 학습자의 자격을 인정하는 판단의 역할을 한다. 즉, 학습자가 지닌 기능이나 능력, 지식이 요구하는 정도의 자격에 부합하는지를 인정하기 위한 판단을 할 경우에 총괄평가의 결과는 크게 도움이 된다.

3) 능력참조평가와 성장참조평가

(1) 능력참조평가

능력참조평가(ability-referenced evaluation)는 학생이 지니고 있는 능력을 기준으로 하여 얼마나 최선을 다하였는지(maximum performance)에 초점을 두는 평가방법으로, 개인의 능력 정도와 수행결과를 비교하여 그 학생이 지니고 있는 능력이 최대한 발휘된 것인지를 살펴본다. 우스터호프(Oosterhof, 2001)에 따르면 개인의 능력 정도와 수행결과를 비교하는 평가에서 다음의 두 가지 질문이 고려될 수 있다. 하나는 '학생이 지니고 있는 능력을 최대한 발휘한 것인가?'이며 또 다른 질문은 '충분한 시간이 부여되었을 때 더 잘할 수 있었는가?'라는 것이다.

능력참조평가의 특징은 학생 개인이 지니고 있는 능력을 얼마나 발휘하였는지에 관심을 두므로 개인을 위주로 하는 평가방법이라는 것이다. 예를 들어, 우수한 능력을 지녔을지라도 최선을 다하지 않은 학생과 능력이 낮더라도 최선을 다한 학생이 있을 때 후자의 성취수준이 낮더라도 더 좋은 평가결과를 얻을 수 있다. 이와 같이 능력참조평가는 각 학생의 능력과 노력에 따라 평가되며, 이는 교육의 예에서 '노력상'을 들 수 있다.

능력참조평가의 장점은 개별 학생의 파악된 능력수준에서 그들의 최선을 인정해 주고 학습에 기울인 노력 정도에 대한 피드백이 가능하다는 점이다. 이를 통해 능력참조평가는 학생 개개인의 수준을 고려해 이루어지는 개별화된 평가로 교수-학습 과정에서 유용하게 활용된다. 반면에 단점으로는, 첫째, 능력참조평가를 하려면 학생이 지니고 있는 능력에 대해 정확히 추정해야 하는데, 능력수준을 정확하게 추정하기가 매우 어렵다는 문제가 있다. 둘째, 정확한 정보가 없을 경우 능력참조평가를 실시하기 어렵기 때문에 특정 기능과 관련된 능력의 정확한 측정치에 의존하게 되므로, 해당 능력에 국한해 학습자의 수행을 해석하게 되는 한계가 있다.

(2) 성장참조평가

성장참조평가(growth-referenced evaluation)는 교육과정을 통하여 얼마나 성장하였는지에 관심을 두는 평가방법으로, 개인의 초기 능력수준에 비추어 얼마만큼 능력의 향상을 보였는지를 평가한다. 즉, 최종 성취수준 자체보다 사전 능력수준과 평가시점에 측정된 능력수준 간의 차이에 관심을 두는 평가로, 과거 교육의 예에서 '진보상'을 들 수 있다. 성장참조평가는 학생들이 과거에 비해 어느 정도 성장하고 진보했는지를 파악하고자 할 때 유용하다.

우스터호프(2001)에 따르면, 성장참조평가 결과가 타당하기 위해서는 다음의 세 가지 조건이 충족되어야 한다. 첫째, 사전에 측정한 점수가 신뢰성이 있어야 한다. 둘째, 현재 측정한 측정치가 신뢰성이 있어야 한다. 이처럼 만약 사전에 측정한 점수나 현재 측정한 점수가 신뢰성이 없다면 능력의 변화를 제대로 파악할 수 없을 것이다. 그러므로 능력의 변화를 측정하는 검사도구의 신뢰도가 고려되어야 한다. 셋째, 사전에 측정한 점수와 현재 측정한 점수는 상관이 낮아야 한다. 만약 사전에 측정한 점수나 현재 측정한 점수가 본질적으로 상관이 높다면, 이는 학생들의 성장에 의한 것이 아니라 관계에 의한 당연한 결과라고 볼 수 있다. 그러므로 측정된 두 점수 간에는 상관이 낮아야 한다.

성장참조평가는 능력의 변화 과정과 성장 정도까지 고려하므로 학습자는 물론 교수자에게 더 많은 정보를 제공해 줄 수 있고, 이를 통해 개별화 교육을 촉진할 수 있다는 점에서 교육적으로 중요한 의미를 지닌다. 하지만 일반적으로 사람들은 성적을 성취수준과 동일시하고 있으므로 진보나 향상 정도를 평가기준으로 평가할 경우 성적의 의미를 왜곡할 가능성도 있다. 이러한 평가방식을 채택하면 학생들이 사전검사에서 일부러 틀릴 가능성도 있다. 따라서 성장참조평가는 형성평가와 같이 비교적 영향력이 적은 평가에 국한해서 사용하고 규준참조평가나 준거참조평가의 보조도구로 활용하는 것이 좋다. 영향력이 큰 평가에서는 규준참조평가나 준거참조평가를 사용하는 것이 바람직하다.

4) 준거참조평가 기반 성취평가제

(1) 성취평가제의 의미

우리나라 성취평가제 도입은 학교교육의 평가방법이 학생들 간 서열 중심의 평가(상대평가)에서 학생들이 성취해야 할 목표(성취기준) 중심의 평가(절대평가)로 전환되었음을 의미한다. 교육의 본질적 가치를 구현하기 위해 도입된 성취평가제는 국가에서 제공한 성취기준과 성취수준을 바탕으로 학생들이 성취기준에 어느 정도 도달했는지를 측정하는 평가제도이다(박은아 외, 2013). 즉, 성취평가제는 상대적 서열에 따라 '누가 더 잘했는지'를 평가하는 것이 아니라 '학생이 무엇을 어느 정도 성취했는지'를 평가하는 제도이다. 그러므로 성취평가제는 기본적으로 학생의 학업성취도를 준거참조평가에 기반을 둔 절대적인 기준에 의해서 평가하려는 제도라 할 수 있다. 절대적인 기준에 의하여 학생을 평가한다는 점에서는 절대평가로 볼 수 있다. 하지만 학업성취도를 판단하는 기준이 단위 학교에 의해 임의적으로 결정되는 것이 아니라 국가 교육과정에서 제시하고 있는 교과목별 성취기준을 적용하고 있다는 점에서 기존의 절대평가와 구분할 필요가 있다. 이에 따라 성취평가제는 국가 수준의 교육과정에 제시하고 있는 교과목별 '성취기준'에 따라 학생이 도달한 '성취수준'을 평가한다는 것을 강조하기 위해 절대평가라는 용어 대신에 성취평가제를 사용하였다(지은림, 2012).

성취평가제에서는 개별 학생을 독립적인 학습자로 간주한다. 학생들은 사전에 설정된 성취기준에 따라 학습하고, 교사들은 다양한 평가과제를 부여하여 학생들의 성공적인 학습을 안내하고 도와준다. 성취평가제는 개별 학생의 능력에 대한 정확한 진단과 향상을 목표로 국가 수준의 교육과정에 근거하여 개발된 교과목별 성취기준을 준거로 하여 교수–학습활동이 이루어지고, 이에 대해 학생들이 어느 정도 성취했는가를 A–B–C–D–E(또는 A–B–C /P)로 평가하는 제도이다. 이러한 관

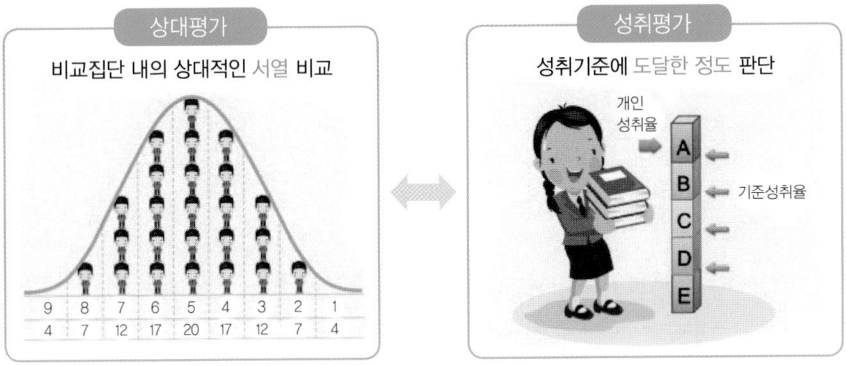

[그림 8-1] 성취평가제의 의미(한국교육과정평가원, 2013)

계를 나타내면 [그림 8-1]과 같다.

(2) 성취도 산출

학교현장에서 준거란 교육목표를 설정할 때 도달하여야 하는 최저기준이라고 할 수 있다. 교육장면에서 준거는 주로 학습목표이기 때문에 성취평가제에서 준거란 성취기준으로 볼 수 있지만, 실질적으로 성취평가제에서 성취 정도는 성취기준에 대한 도달 여부가 아닌 5수준(A/B/C/D/E) 또는 3수준(A/B/C)으로 구분하여 나누어지므로, 평가의 내용인 성취기준뿐만 아니라 성취수준의 구분까지 포함하는 것이 준거라고 할 수 있다. 각 성취수준은 기준성취율에 의하여 나누어지고, 그 기준성취율이 성취수준의 준거로 표현된다. 기준성취율은 학생들이 성취목표에 도달한 정도에 따라 성취도를 구분하기 위한 기준이다. 예를 들면, 평가결과 기준성취율이

일반 교과	
성취율 (원점수)	성취도
90% 이상	A
80% 이상 ~ 90% 미만	B
70% 이상 ~ 80% 미만	C
60% 이상 ~ 70% 미만	D
60% 미만	E

체육, 예술 교과	
성취율 (원점수)	성취도
80% 이상 ~ 100%	A
60% 이상 ~ 80% 미만	B
60% 미만	C

[그림 8-2] 교과목별 기준성취율(교육부, 2019. 12. 17.)

90% 이상 도달한 학생은 성취수준 A로, 기준성취율이 80% 이상 90% 미만에 머문 학생은 성취수준 B로 평정이 이루어진다. 기준성취율과 원점수에 따라 평정하는 과목별 성취도는 [그림 8-2]와 같다.

(3) 성취기준과 성취수준

성취기준(achievement standard)은 각 교과목에서 학생들이 학습을 통해 성취해야 할 지식, 기능, 태도의 특성을 진술한 것으로 교육내용의 범위와 수준을 결정한다. 학생 입장에서는 무엇을 공부하고 성취해야 하는지, 교사 입장에서는 무엇을 가르치고 평가해야 하는지에 대한 판단의 기준이 된다. 성취기준은 국가수준에서 제공하는 성취기준을 참고하여 설정해야 하며, 국가수준에서 제공하는 성취기준을 활용할 수 없는 경우 교육과정의 교과목별 목표 및 내용을 토대로 개발해야 한다. 성취수준(achievement level)은 학생들이 교과별 성취기준에 도달한 정도를 몇 개의 수준으로 구분하고, 각 수준에 속한 학생들이 무엇을 알고 할 수 있는지를 나타낸 것이다. 성취수준은 성적을 판정하는 잣대가 되며, 학생이 성취기준에 도달한 정도에 따라 성적을 A, B, C, D, E로 표기한다. 학교에서는 한 학기 동안 특정 과목을 학습한 이후 각 수준별 학생들이 보일 전형적인 특성을 기술해야 한다. 즉, 'A-B-C-D-E'의 성취수준이 학생들에게 부여될 때 그것이 가진 의미를 자세하게 설명할 필

표 8-1 성취수준에 대한 일반적 특성

성취수준	성취수준 기술
A	한 학기 동안 학생들이 충실한 교수-학습 과정을 통해 성취하기를 기대하는 전체 성취기준에 대한 이해와 수행이 매우 우수한 수준
B	한 학기 동안 학생들이 충실한 교수-학습 과정을 통해 성취하기를 기대하는 전체 성취기준에 대한 이해와 수행이 우수한 수준
C	한 학기 동안 학생들이 충실한 교수-학습 과정을 통해 성취하기를 기대하는 전체 성취기준에 대한 이해와 수행이 보통 수준
D	한 학기 동안 학생들이 충실한 교수-학습 과정을 통해 성취하기를 기대하는 전체 성취기준에 대한 이해와 수행이 다소 미흡한 수준
E	한 학기 동안 학생들이 충실한 교수-학습 과정을 통해 성취하기를 기대하는 전체 성취기준에 대한 이해와 수행이 미흡한 수준

요가 있다. 각 성취수준에 대한 일반적인 특성은 〈표 8-1〉과 같다(한국교육과정평가원, 2013).

학교에서는 교과별 협의회를 통해 국가 교육과정에서 제시하고 있는 교과목별 성취기준과 성취수준을 검토하고, 이를 그대로 사용하거나 학교 및 교육과정 운영 특성에 맞도록 재구성하여 사용할 수 있다. 재구성 시 교육과정의 내용과 범위를 벗어날 수 없음에 유의한다.

3. 검사도구의 양호도

1) 타당도

(1) 타당도의 의미

타당도(validity)란 검사 또는 측정 도구가 본래 측정하고자 하였던 것을 충실히 측정하고 있는가라는 문제와 관련된다. 즉, 타당도에 관한 질문은 '이 검사가 무엇을 재고 있느냐?'로 표현될 수 있으며, '무엇'에 해당하는 것은 준거(criterion)로서 평가에 있어 틀의 역할을 한다. 예를 들어, 인간의 지능을 측정하기 위하여 지능검사를, 적성을 측정하기 위하여 적성검사를, 인성을 측정하기 위하여 인성검사를 사용할 때, 이러한 검사를 타당한 검사라 한다. 그론룬드와 린(Gronlund & Linn, 1990)은 타당도를 이해하기 위해 주의할 점으로 다음의 네 가지를 제시하고 있다.

첫째, 타당도는 피험자 집단에 사용된 측정도구나 검사에 의하여 얻은 검사결과의 해석에 대한 적합성이지 검사 자체와 관련된 것은 아니다. 즉, 검사의 타당도라는 표현을 사용하기는 하지만, 엄밀하게 말하면 검사결과에 따라 만들어진 해석에 대한 타당성을 말하는 것이다. 둘째, 타당도는 정도의 문제이다. 타당도가 있다 혹은 없다고 말하는 것이 아니라 낮다, 적절하다, 높다 등으로 표현해야 한다. 셋째, 타당도는 특별한 목적이나 해석에 제한된다. 즉, 한 검사가 모든 목적에 부합될 수 없으므로, '이 검사는 무엇을 측정하는 데 타당하다.'라고 표현해야만 한다. 넷째, 타당도는 단일한 개념이다. 타당한 개념을 다양한 종류로 구분하기보다는 다양한 종류의 근거에 기초한 단일한 개념으로 해석하고 있다.

(2) 타당도의 종류

타당도는 여러 가지 방법으로 확인될 수 있다. 교육 및 심리 검사의 표준으로 프렌치와 마이클(French & Michael, 1966)의 제안에 따르면, 내용타당도, 예언타당도, 공인타당도, 구인타당도로 나뉜다.

첫째, 내용타당도(content validity)는 검사내용에 기초한 근거(evidence based on test content)라고 불리는 타당도로 논리적 사고에 입각하여 판단하는 주관적인 타당도를 의미한다. 즉, 검사가 측정하고자 하는 속성을 제대로 측정하였는지를 검사 전문가가 주관적으로 판단한다. 검사 전문가의 전문지식에 의해 검증되므로 객관적 자료보다 주관적 판단에 의하며, 검사내용에 대해 다른 정의를 가지고 있는 전문가들은 각자 다르게 내용타당도를 판단할 수 있기 때문에 내용타당도에 의한 검사도구의 타당성 입증은 논란이 따를 수 있다. 그러나 내용타당도는 검사 개발에서 중심 관건이며, 전문가의 전문적 판단이 측정 내용의 편집, 내용 선택, 문항유형 선택, 점수화 등의 의사결정에 중요한 역할을 하기 때문에 계량화되지 않는다는 단점이 있다고 해도 과학성이 상실되었다고 볼 수는 없다.

둘째, 예언타당도(predictive validity)란 어떤 평가도구가 목적으로 하는 준거를 얼마나 정확하게 예언하고 있는지를 의미한다. 이때의 준거는 미래의 행동특성이 된다. 즉, 검사 점수가 미래의 행동을 얼마나 잘 예측하느냐의 문제이다. 예언타당도의 장점은 검사도구가 미래의 행동을 예측해 주기 때문에 예언타당도가 높으면 선발, 채용, 배치 등의 목적을 위하여 검사를 사용할 수 있다는 것이다. 반면에 미래의 행동이 측정되어야 하는데 동시 측정이 불가능하기 때문에 검사의 타당성을 인정받는 데 시간이 오래 걸린다는 단점이 있다. 또 일정 시간이 지난 뒤에 측정 행동과 검사 점수와의 상관을 계산해야 하기 때문에 검사 실시 후 인간의 특성이 변화되지 않았다는 것을 보장하기 어렵다.

셋째, 공인타당도(concurrent validity)는 새로운 검사의 타당도를 기존의 타당성을 인정받고 있는 검사와의 유사성 혹은 연관성에 의하여 타당성을 검증하는 방법으로 예언타당도와는 달리 검사 그 자체와 준거가 동시에 측정되면서 검증되는 타당도이다. 공인타당도의 추정방법은 새로 제작된 검사를 실시한 다음, 동일 집단에게 현재 타당성을 인정받고 있는 검사를 실시한 후 두 검사 간의 상관계수를 추정하는 것이다. 공인타당도는 계량화되어 타당도에 대한 객관적인 정보를 제공한다는 장점이 있는 반면, 기존의 타당성을 인정받고 있는 검사가 없을 경우 공인타당도를 추정할 수 없다는 단점이 있다.

넷째, 구인타당도(construct validity)란 내적 구조에 기초한 근거라고도 하며, 그 검사가 측정하고자 하는 어떤 특성의 개념이나 이론과 관련된다. 구인(construct)이란 검사도구에 반영되어 있다고 가정하는 인간의 어떤 행동특성을 의미한다. 그러므로 구인타당도에서는 '이 특성을 가진 사람은 X라는 상황에서 Y의 행동을 보일 것이다.'라는 법칙의 성립이 매우 중요하다. 예를 들어, 도덕성 발달 검사를 실시한다고 할 때, 도덕성을 측정할 수 있는 구인은 한 개인의 도덕적 판단 능력이라고 추정한다. 만일 이러한 추정이 옳다면, 이 검사에서 점수가 높은 사람은 점수가 낮은 사람보다 실제로 더 많은 도덕적 행동을 보일 것이라는 추리가 가능해진다. 따라서 검사도구가 구인들을 제대로 측정하고 있는지를 밝히는 것이 구인타당도를 검증하는 것이다. 따라서 구인타당도는 측정하고자 하는 특성의 구성 요인을 얼마나 충실하게 이론적으로 설명하여 경험적으로 측정하느냐의 문제이다.

2) 신뢰도

(1) 신뢰도의 의미

검사도구의 타당성이 입증되었다면 신뢰도를 고려하여야 한다. 앞서 타당도가 무엇(what)을 측정하고 있느냐의 문제임에 반해, 신뢰도는 어떻게(how) 재고 있느냐의 문제라고 할 수 있다. 신뢰도(reliability)란 측정하려는 것을 안정적이고 일관성 있게, 그리고 오차 없이 측정하는가의 문제이다. 검사도구가 인간의 어떤 행동특성을 측정할 때마다 같은 점수를 얻는다면, 이 검사도구는 신뢰할 만한 검사이다. 예를 들어, 신체검사에서 학생들의 키를 측정하는데, 동일한 신장계로 두 번을 재었을 때, 첫 번째는 170cm로 측정되었고, 두 번째는 175cm로 측정되었다면, 이 신장계는 믿을 만하다고 할 수 없다. 즉, 신뢰도가 낮다고 할 수 있다.

신뢰도의 추정방법은 두 검사 점수의 상관계수로 추정하는 관점과 측정의 오차개념으로 추정하는 방법이 있는데, 상관계수로 추정하는 방법은 동일한 검사를 두 번 실시하거나 하나의 검사와 동형검사 점수와의 상관계수를 사용하는 것이다. 또 측정의 오차개념으로 추정하는 방법은 진점수와 관찰점수의 비율을 사용하는 것으로, 즉 관찰점수의 분산에서 진점수 분산이 차지하는 비율이 높고 오차점수의 분산이 작다면 신뢰도가 높아지게 된다. 신뢰도 검증 방법에는 여러 가지가 있으나 대표적인 방법으로는 재검사 신뢰도, 동형검사 신뢰도, 반분검사 신뢰도, 문항내적 일관성 신뢰도, 크론바흐 α계수를 들 수 있다.

(2) 신뢰도 증가에 영향을 주는 요인

첫째, 양질의 문항 수가 많아야 한다. 인간의 속성을 측정할 때 적은 수의 문항보다 많은 수의 문항으로 검사를 실시할 때 측정의 오차를 줄일 수 있다. 양질의 문항 수를 증가시키면 신뢰도계수는 계속 선형적으로 증가하는 것이 아니라 곡선형적으로 증가한다(Ebel & Frisble, 1991).

둘째, 개별 문항의 문항난이도를 중간으로 맞추려고 노력하는 것보다 개별 문항으로 구성된 전체 검사의 난이도가 중간 정도가 되도록 검사를 구성하는 것이 바람직하다. 트로브(Traub, 1994)는 중간 정도의 문항난이도로 검사를 구성하는 것이 검사 신뢰도를 높이기 위한 충분조건이 아니라고 하였다. 따라서 검사가 너무 어렵거나 쉬우면 검사 불안과 부주의로 인해 일관성 있게 응답하지 못하므로 신뢰도가 낮아진다.

셋째, 문항의 변별도가 높아야 한다. 변별도가 높은 문항은 능력이 높은 피험자와 능력이 낮은 피험자를 구분해 줄 수 있는 정도를 의미하므로, 문항변별도가 높을수록 검사의 신뢰도가 높아진다.

넷째, 검사도구의 측정내용이 보다 좁은 범위의 내용이어야 한다. 이는 검사내용의 범위가 좁을 때 문항 간의 동질성을 유지하기가 쉽기 때문이다. 만약 한국사 시험의 경우 검사내용의 범위가 근대사로 제한된다면 전체 내용을 포함하는 검사보다 신뢰도가 높을 것이다.

다섯째, 검사시간이 충분하여야 한다. 피험자들은 검사시간이 충분할 때 안정적으로 응답하고 자신의 능력을 제대로 발휘할 수 있다. 이는 문항 수와 관계되는 문제이기도 하다. 그러므로 신뢰도는 속도검사에는 적절하지 않다.

여섯째, 피험자들이 검사에 대한 흥미가 높고 일정 정도의 성취동기가 높으면 신뢰도는 증가한다.

일곱째, 피험자 집단이 이질적일 때 신뢰도는 증가한다. 신뢰도는 진점수 분산 대

관찰점수 분산으로 정의되므로, 진점수 분산이 작다면 오차요인이 더 크게 작용하게 되어 신뢰도는 상대적으로 작아진다. 따라서 동일 검사라도 집단이 동질적일 경우 신뢰도가 상대적으로 작을 수 있다.

(3) 타당도와 신뢰도의 관계

타당도와 신뢰도의 관계에 대해 살펴보면, 타당도와 신뢰도는 다른 개념이라 할지라도 연관성이 있다. 검사도구에서 관찰된 점수는 진점수와 오차점수로 구분되며, 진점수는 타당한 진점수와 타당하지 않은 진점수로 구분된다. 이때 진점수는 신뢰도에 해당하는 부분이며, 타당한 진점수는 타당도가 된다. 이를 그림으로 표현하면 [그림 8-3]과 같다.

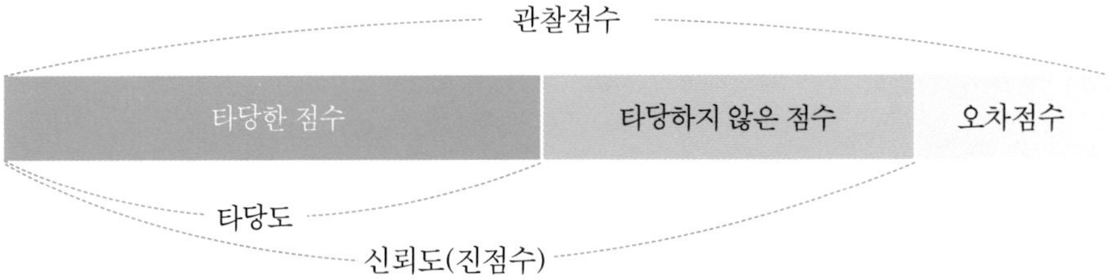

[그림 8-3] 타당도와 신뢰도의 관계(성태제, 2005)

따라서 타당도가 높기 위해서는 신뢰도가 높아야 하지만 신뢰도가 높다고 반드시 타당도가 높은 것은 아니다. 즉, 신뢰도와 타당도의 관계에서 신뢰도는 타당도를 위한 필요조건이지만 충분조건은 아니다. 즉, 적정 난이도와 높은 변별력이 있는 좋은 문항으로 구성된 검사는 신뢰도가 높을 가능성이 많으며, 이는 타당도가 높기 위한 필요조건이 되는 것이다.

3) 객관도

객관도(objectivity)란 평가자 신뢰도라고 할 수 있는데, 검사의 채점자가 주관적 편견 없이 얼마나 공정하게 채점하느냐의 문제이다. 즉, 객관도 혹은 평가자 신뢰도는 평가자의 평가가 얼마나 신뢰성 있고 일관성이 있느냐로 평가자에 따라 결정되는 신뢰도인 것이다. 객관도는 평가자가 주관적인 편견을 얼마나 배제하였느냐를 보는 것이다. 한 평가자가 다른 평가자와 얼마나 유사하게 평가하였느냐의 문제와 한 평가자가 많은 측정대상에 대하여 계속적으로 일관성 있게 측정하였느냐의 문제로, 전자를 평가자 간 신뢰도, 후자를 평가자 내 신뢰도라고 한다. 평가의 결과가 등급으로 주어진다면 평정자 간 신뢰도 또는 평정자 내 신뢰도란 용어를 사용하고, 평가의 결과가 점수로 주어진다면 채점자 간 신뢰도 또는 채점자 내 신뢰도, 또 관찰에 의한 결과라면 관찰자 간 신뢰도 또는 관찰자 내 신뢰도라는 용어를 사용한다. 자연과학 분야의 측정에서는 객관도가 별로 심각한 문제가 되지 않지만 교육현상 또는 사회현상의 측정에서는 평가자에 따라 그리고 동일한 평가자라 하더라도 평가시점에 따라 평정(채점, 관찰) 결과가 다를 수 있으므로 연구나 평가에 있어 객관도의 확보는 중요하다.

4) 실용도

검사도구의 실용도란 검사도구의 이론적 측면에 반대되는 개념으로 검사도구의 목적과 관련하여 실제적 활용도를 의미한다. 즉, 한 검사도구가 문항제작, 평가실시, 채점상의 비용, 시간, 노력 등을 최소화하고 소기의 목적을 달성할 수 있는 정도를 말한다. 실용도는 평정자의 입장에서 검사의 목표를 달성하는 데 검사도구의 준비에서 결과 산출에 이르기까지 얼마나 신속한지와 사용하기에 얼마나 편리한지를 측정하는 것이다. 전자는 검사도구의 내적 실용도, 후자를 외적 실용도라고 할 수 있다. 내적 실용도는 검사에 사용되는 시간과 도구의 사용범위가 가장 중요한 요인으로 신속성과 활용성을 판단하는 것인 데 반하여, 외적 실용도는 검사에 투입되는 평정자의 노력이 가장 중요한 판단기준으로 도구의 편의성을 의미한다.

4. 과정중심평가

1) 과정중심평가의 의미와 특징

(1) 과정중심평가의 의미

과정중심평가는 '2015년 개정 교육과정'이 도입되면서 새로운 평가의 방향으로 제시된 것으로서 학문적 개념이 아닌 정책적 성격을 지닌 용어이다. 즉, 평가와 연계된 교육과정에 대한 새로운 관점과 방향을 제시하는 넓은 의미의 용어이다. 과정중심평가는 학생평가의 패러다임 변화에 따라 기존의 학생평가 운영방식을 개선하고자 도입된 정책 용어로, 새롭게 도입된 평가체제나 평가방법이라기보다는 기존에 사용되어 오던 다양한 유형의 평가가 가지는 기능들이 융합된 개념으로 볼 수 있다. 과정중심평가는 교육과정의 성취기준에 기반한 평가계획에 따라 교수 · 학습과정에서 학생의 변화와 성장에 대한 자료를 다각도로 수집하여 적절한 피드백을 제공하는 평가이다(한국교육과정평가원, 2017).

(2) 과정중심평가의 특징

과정중심평가는 학생이 갖추어야 할 지식, 기능, 태도 등을 종합한 성취기준을 준거로 평가하고, 평가결과가 학생의 성장과 발달을 돕는 데 사용되어야 함을 의미한다. 과정중심평가의 특징은 다음 세 가지로 요약할 수 있다(김석우 외, 2021).

첫째, 과정중심평가는 평가의 패러다임 확장이다. 평가의 패러다임 확장은 수업과정에서 평가를 교사와 학생, 학생과 학생 간의 교수-학습활동으로 활용할 수 있다는 것을 의미한다. 평가의 패러다임을 확장함으로써 평가결과를 활용할 수 있는 범위도 넓어진다. 과거에는 평가의 결과를 성적을 산출하는 등 제한적으로 활용하였지만, 과정중심평가에서는 평가의 결과를 학생의 성장과 발달을 위한 피드백으로 활용할 수 있다. 따라서 평가 패러다임과 결과의 확장은 기존의 평가가 '학습에 대한 평가(assessment of learning)'의 역할에서 학습의 주요 도구로 사용되는 '학습을 위한 평가(assessment for learning)'와 '학습으로서의 평가(assessment as learning)'로 확장됨을 의미한다.

둘째, 과정중심평가는 결과와 함께 과정을 중시하는 평가이다. 과정중심평가는 학생이 지식을 알고 있는지 여부를 평가하는 결과중심평가와 대비되어 학생의 문제해결과정에 중점을 둔다. 또한 도착점에서 정답만을 평가하는 것이 아니라 정답이 나오는 과정을 중시하고, 이 과정에서 나타나는 학생의 인지적 · 정의적 능력과 핵심 역량을 모두 평가대상으로 본다.

셋째, 과정중심평가는 교육과정-수업-평가의 연계를 추구한다. 시간적 연계로서 평가를 수업의 한 부분으로 포함하여 수업과정에서 평가가 함께 이루어진다. 내용적 연계로서 수업과정을 평가하기 위해 차시 및 단원의 내용을 재구성하는 교육과정 재구성이 이루어진다. 이를 통해 수업과 평가의 연계가 이루어져 수업 중 가르친 내용을 단순히 점검만 하는 것이 아니라, 학생에게 맞춤형 피드백을 제공함으로써 학생의 성장과 발달을 돕는다.

2) 과정중심평가로서의 수행평가

(1) 수행평가의 의미

일반적으로 수행이란 구체적인 상황에서 실제로 행동을 하는 과정이나 그 결과를 의미한다. 교육현장에서 기존의 교육평가체제의 새로운 대안으로 제시되고 있는 수행평가(performance assessment)는 학생 스스로가 자신의 지식이나 기능을 나타낼 수 있도록 산출물을 만들거나 행동으로 나타내거나 답을 구성하도록 요구하는 평가방식이라고 정의할 수 있다.

수행평가는 비교적 폭넓은 용어로서 학생들에게 답이나 산출물을 만들어 내게 함으로써 그들의 지식이나 능력을 입증하도록 요구하는 다양한 전략이 있다. 이러한 수행평가는 다양한 접근방식 때문에 여러 가지 용어와 혼용되고 있다. 구체적으로 수행평가는 전통적인 선택형 문항 중심의 지필평가와 구별된다는 점에서 대안적 평가로, 수행 과제들이 실생활의 문제와 직접적으로 관련된다는 점에서 실제적 평가로 사용된다. 또한 장기간에 걸쳐 수집된 자료인 학생의 작품집이나 결과물 등을 이용하여 평가한다는 점에서 포트폴리오 평가로, 학생의 능력과 기술에 대한 증거를 관찰이나 면접에 의하여 직접적인 측정치로 확보한다는 점에서 직접평가로 사용되기도 한다.

수행평가에서는 근본적으로 학습자가 수행한 모든 자료를 평가자료로 활용할 수 있다. 현재 널리 사용되고 있는 수행평가의 방법으로는 논술형 검사, 구술시험, 토론, 실기시험, 실험 · 실습, 면접, 관찰, 자기평가 및 동료평가 보고서, 연구보고서, 포트폴리오 등이 있다. 이러한 방법들은 새로 개발된 것이 아니라 과거에도 있었던 것이다. 그러나 학습 과정에서 기존 지식이나 가치관의 수동적인 수용보다는 자기 나름의 세계를 재창조해 가는 과정에서 창의성이나 문제해결력 등 고등사고기능을 강조하는 최근의 경향에 따라 새롭게 수행평가 방법이 각광받고 있다.

(2) 수행평가의 특징

세계화 · 정보화 시대를 맞이하고 있는 오늘날의 교육 추세는 단순히 지식을 기억하고 재생하는 능력보다는 학습자의 다양한 개성을 존중하고 인성 및 창의성을 조장하는 새로운 교육평가 체제를 요구하고 있다. 이러한 요구에 대한 대안으로 제시되고 있는 것이 수행평가이다. 수행평가의 특징은 다음과 같다(한국교육과정평가원, 2017).

첫째, 성장 과정에 대한 지속적인 평가이다. 수행평가는 단편적 영역에 대해 일회적으로 평가하기보다는 학생 개개인의 변화와 발달 과정을 종합적으로 평가하기 위하여 지속적으로 이루어지는 것을 강조한다. 둘째, 과정과 결과를 함께 평가하는 것이다. 수행평가는 교수-학습의 결과뿐만 아니라 과정도 중시하는 평가로, 학생의 성장과 발달을 중시한다. 셋째, 의사소통, 협업 등의 능력을 강화한다. 수행평가는 모둠활동 등을 통하여 의사소통과 협업 등의 능력을 강화시킬 수 있다. 넷째, 실제 상황과 유사한 맥락에서의 평가이다. 수행평가는 실제 발생할 수 있는 문제 상황과 유사한 형태로 구성되어야 한다. 다섯째, 능동적 학습활동을 유도한다. 수행평가는 학생들이 문제의 정답을 선택하는 것이 아니라, 스스로 답을 구성하거나 행동으로 나타냄으로써 능동적인 학습활동을 유도한다. 여섯째, 정의적 특성 평가를 통한 전인교육을 추구한다. 수행평가는 학생의 인지적인 영역뿐만 아니라 정의적인 영역에 대한 종합적이고 전인적인 평가를 중시한다.

3) 과정중심평가로서의 형성평가

(1) 형성평가의 의미

형성평가는 언제 어떻게 학습 증거를 수집할 것인지에 대한 것이며, 학생의 학습과 동기에 영향을 미치는 다양한 요인들로 구성되어 있다. 형성평가는 교사가 활용할 수 있는 가장 중요한 평가활동이며, 교사의 교수활동을 완전히 혁신할 수 있다. 형성평가는 학습 증거를 수집하고, 학생에게 피드백을 주며, 성취도 향상을 위해 교수전략을 수정하는 과정이라 할 수 있다(McMillan, 2017). 형성평가의 의도는 학습을 촉진하는 방법을 설정하여 학생이 알아야 하는 것과 현재 학생 수준과의 간극을 좁히는 것이다(Furtak, 2009). 따라서 형성평가는 수업과 평가를 연계시키는 가장 명확하고 유력한 방법이다.

최근 국내 학자들도 미래 사회에서 요구되는 핵심 역량을 제시한 '2015 개정 교육과정'을 통해 형성평가에 대한 재정의를 다양하게 시도하였다. 이 중 김성숙 등(2015)은 "형성평가는 학습을 극대화시키기 위해 교수-학습 장면에서 학생의 자료를 다각적으로 수집하고, 교사는 이에 근거하여 학생에게 피드백을 제공하는 일련의 계획된 과정이다. 학생은 교사의 형성평가를 통해 스스로 성찰하고 자신의 성취를 향상할 수 있는 기회를 갖게 된다. 또한 교사는 형성평가를 통해 의도한 목표를 달성할 수 있도록 교수전략을 조정하게 된다."라고 하였다. 형성평가의 목적은 학생의 동기와 성취를 증진시키는 것이라 할 수 있다.

(2) 형성평가의 특징

형성평가는 결과지향적 평가(assessment of learning)가 아니라, 교수, 학습, 평가의 통합된 활동을 이루는 학습지향적 평가(assessment for learning)로 부각되고 있다. 실제에서 다양한 형태의 형성평가가 사용될 수 있으며, 어떤 평가라도 학습증진을 위한 정보를 제공한다면 형성적으로 사용된다고 할 수 있다. 이러한 관점에서의 형성평가 특징은 다음과 같다(김성숙 외, 2015).

- 형성평가는 특정 시험이 아니라 일련의 과정이다.
- 형성평가는 교사만 활용하는 것이 아니라 교사와 학생 모두가 활용한다.

- 형성평가는 교수–학습장면에서 발생한다.
- 형성평가는 교사와 학생에게 제공되는 평가 기반 피드백이다.
- 형성평가는 추후 학습에 대한 정보 제공을 그 목적으로 한다.

4) 과정중심평가에서의 피드백

(1) 피드백의 의미

학생들은 학습목표가 자신의 수행과 비교하여 어떠했는지 알아야 하고, 학습목표와 자신의 수행 사이의 차이를 줄이기 위해서 무엇을 할 수 있어야 하는지, 언제 오류를 범하는지를 알아야 한다. 피드백은 과정중심평가를 통해서 드러난 학생의 현재 수준과 학생이 도달해야 할 수행수준 간의 차이를 자세하게 알려 줌으로써 학생의 학습과 성장을 지원하고, 교사의 수업과 평가의 질을 개선하는 과정이라 할 수 있다(한국교육과정평가원, 2017). 학생의 요구와 특성, 성향 등을 상세하게 파악하여 피드백을 한 내용을 다음 수업에 반영하고, 개선된 교수–학습이 또다시 학생들의 성장과 발달로 이어지는 '선순환의 과정'을 만들 수 있다.

(2) 피드백의 방법

피드백은 학생들이 더 많은 학습을 할 수 있도록 하는 것이어야 한다. 적절한 준거 등이 갖추어져 있다면 교사뿐만 아니라 동료 학생, 학생 스스로가 피드백의 주체가 될 수 있다. 적절한 피드백이 효과적인 교수와 학습에 핵심적이다. 브룩하트(Brookhart, 2008)를 참고하여 과정중심평가에서 효과적인 피드백 방법은 다음과 같다(김석우 외, 2021).

첫째, 학습 결과뿐만 아니라 학습 과정에 대한 피드백을 함께 제공해야 한다. 결과가 나오기까지 일련의 과정과 결과가 나온 원인에 대한 피드백이 함께 이루어져야 한다. 과정에 대한 피드백을 통해 학생들은 자신의 성향, 학습수준, 부족한 부분 등에 대하여 구체적으로 확인할 수 있고, 이에 따른 학습전략을 수립하는 데에도 효과적일 수 있다.

둘째, 인지적 측면뿐만 아니라 정의적 측면에 대한 피드백도 함께 제공해야 한다. 학습의 성공과 실패의 원인에는 인지적 요인뿐만 아니라 정의적 요인도 작용하므로,

학생의 정의적 측면에 대한 피드백도 함께 제공해야 한다. 학습 과정에서 어떠한 문제가 있었는지, 발생한 문제점들에 대해서 학생이 문제를 적극적으로 해결하였는지, 동기나 효능감이 낮지는 않았는지 등 다면적인 측면에서 피드백을 제공하여야 한다.

셋째, 모든 학생에게 맞춤형 피드백을 제공해야 한다. 하위 수준뿐만 아니라 중위 수준, 상위 수준 학생 모두에게 피드백을 제공해야 한다. 하위 수준의 학생에게는 부족한 점을 채워 주고, 중위 수준의 학생에게 상위 수준으로 도약하기 위한 학습과제를 제공해 주며, 상위 수준의 학생에게는 우수한 점을 심화·발전시키는 기회를 제공하여 수준에 맞는 피드백을 해야 한다. 이러한 과정을 통하여 성공 경험이 누적될 때 학생들이 점차 학습에 흥미를 느끼고 성취도가 향상될 수 있다.

넷째, 최대한 평가 장면과 가까운 시간 안에 피드백을 해야 한다. 학생의 학습결손에 대한 진단과 처방은 최대한 그 즉시 이루어져야 학생의 성장·발달을 도울 수 있다. 과정중심평가에서는 평가가 이루어지는 수업 안에서 피드백을 함께 제공해야 한다.

다섯째, 학생의 성장을 위한 구체적인 정보를 제공해야 한다. 즉, 학습에서 개선점에 주목하여 학생에게 피드백을 제공하고, 그다음 단계에서 할 수 있는 과제를 제시해야 한다. 학생의 수준에 따라 지금보다 한 단계 도약하기 위한 학습내용, 학생의 성향에 맞는 학습방법을 꼼꼼하고 구체적으로 제시함으로써 학생의 성장과 발달이 이루어질 수 있도록 한다.

학습과제

1. 교육평가의 개념과 기능을 설명해 보자.
2. 교육평가의 유형별 의미와 특징을 비교하여 설명해 보자.
3. 성취평가제의 의미와 성취도 산출 방법을 설명해 보자.
4. 타당도와 신뢰도의 의미를 약술하고, 타당도와 신뢰도의 관계를 설명해 보자.
5. 최근에 과정중심평가에 대한 관심이 증가하고 있는 이유를 교육평가의 목적과 관련하여 설명해 보자.

참고문헌

김대현, 김석우(2020). **교육과정 및 교육평가**(5판). 서울: 학지사.

김석우, 원효헌, 김경수, 김윤용, 구경호, 장재혁(2021). **교육평가의 이론과 실제**. 서울: 학지사.

김성숙, 김희경, 서민희, 성태제(2015). **교수 · 학습과 하나되는 형성평가**. 서울: 학지사.

박도순, 홍후조(2006). **교육과정과 교육평가**(3판). 서울: 문음사.

박은아, 박선화, 손민정, 이채희, 서민희, 김지영(2013). 성취평가제의 고등학교 적용 방안. 한국교육과정평가원 연구보고 RRE 2013-9.

성태제(2005). **현대교육평가**(개정판). 서울: 학지사.

지은림(2012). 성취평가제의 목적과 교육적 지향. 중등학교 성취평가제의 적용 과제. **제19회 KICE 교육과정 · 평가 정책포럼 자료집**. 한국교육과정평가원 연구자료 ORM 2012-113.

한국교육과정평가원(2013). 고교 보통교과 성취평가제 2013학년도 시범학교 운영 자료집-사회과-. 연구자료 ORM 2013-16-4.

한국교육과정평가원(2017). 과정을 중시하는 수행평가 어떻게 할까요?(중등). 한국교육과정평가원연구자료 ORM 2017-19-2.

황정규(1998). **학교학습과 교육평가**(개정판). 서울: 교육과학사.

Brookhart, S. M. (2008). *How to give effective feedback to your students*. Alexandria, VA: Association for Supervision and Curriculum Development.

Ebel, R. L. & Frisble, D. A. (1991). *Essential of educational measurement* (5th ed.). Englewood Cliffs, NJ: Prentice-Hall.

French, J. W., & Michael, W. B. (1966). *Standards for educational an psychological tests and manuals*. Washington, D.C.: American Psychological Association.

Furtak, E. M. (2009). *Formative assessment for secondary science teachers*. Thousand Oaks, CA: Corwin Press.

Gronlund, N. E., & Linn, R. L. (1990). *Measurement and evaluation in teaching* (7th ed.). NY.: Mamicllan.

McMillan, J. H. (2017). **교실평가의 원리와 실제: 기준참조수업과의 연계**(*Classroom assessment: Principles and practice for effective standards-based instruction*). 손원숙, 박정, 강성우, 박찬호, 김경희 공역. 경기: 교육과학사. (원저는 2007년에 출판).

Oosterhof, A. (2001). *Classroom applications of educational measurement* (3th ed.). NJ: Prentice-Hall, Inc.

Scriven, M. S. (1967). *The methodology of evaluation*. In R. W. Tyler, R. Gagné, & M.

Scriven (Eds.), *Perspectives on curriculum evaluation, AERA monograph series on curriculum evaluation, No. 1.* (pp. 39-83). Chicago: Rand McNally.

Traub, R. E. (1994). *Reliability for the social sciences: Theory and applications*. Thousand Oaks, CA: Sage.

Worthen, B. R., Borg, W. R., & White, K. R. (1993). *Measurement and evaluation in the schools*. N.Y.: Longman.

제9장

교육공학의 이해

박인우(고려대학교 교육학과)

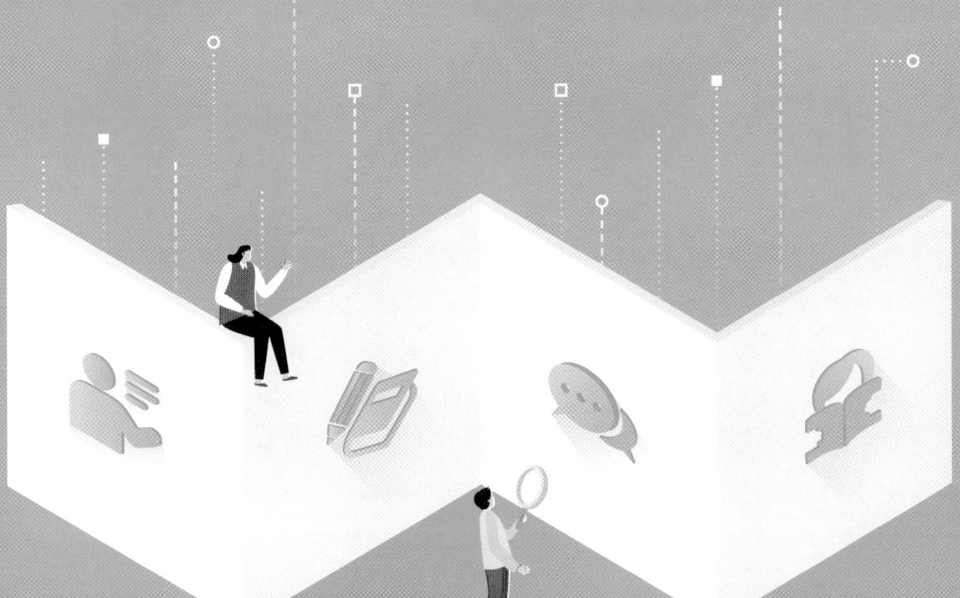

학습 개요

정보기술의 발전에 의해 4차 산업혁명이 도래함에 따라 교육공학은 교육학의 세부 영역 중에서 가장 주목을 받고 있다. 특히 정보기술에 의해 교육이 물리적 공간에서 가상 공간으로 확대되고, 가상현실과 인공지능의 확장으로 물리적 환경에 국한되었던 교육이 이전에는 경험해 보지 못했던 환경을 경험하고 있다. 신기술에 의한 급격한 변화는 교육공학을 활성화하는 면도 있지만, 한편으로 교육공학에 대해 오해하도록 하기도 한다.

교육공학은 오랫동안 교육에서의 매체에 관해 연구하고, 활용 방안을 제시하는 것으로 인식되어 왔다. 활동사진기가 등장한 이래로, OHP, 라디오, 텔레비전, 컴퓨터, 인터넷, 디지털 교수-학습 자료, 그리고 가상현실, 인공지능 등은 교육공학의 핵심 주제들이었다. 이러한 이유에서 교육공학은 교육매체와 동일하게 인식되기도 한다. 교육공학은 교육에 대한 공학이다. 교육은 학습을 목표로 한다. 교육공학은 교육의 공학, 즉 보다 효과적 및 효율적 학습을 위한 방안을 탐구하는 영역이다. 이 장에서는 교육공학의 두 가지 시각인 교육의 공학인 수업설계, 그리고 교육에서의 공학인 교육매체에 대해 소개한다.

우리 사회의 선진화, 그리고 인터넷의 발전에 의한 이러닝(e-Learning), 비대면 교육이 주목을 받으면서, 교육공학에 대한 관심이 크게 늘었다. 이러닝으로 불려온 비대면 교육은 기업체뿐만 아니라 학교 및 공공 단체 등에서도 활발히 활용되고 왔다. 이러한 기관에서는 교육공학을 전공한 인재를 찾아 채용함으로써 교육공학의 활성화에 일조하고 있다. 특히 2020년에 발생한 COVID-19로 인해 모든 교육기관에서 비대면 교육이 불가피하게 되었고, 그 결과 물리적 상호작용이 제한된 환경에서의 교수-학습활동과 그 설계에 대한 관심이 크게 증가하였다.

일반적으로 교육공학 하면 교육에서 사용되는 각종 매체를 떠올리게 된다. 교육공학자는, 예컨대 OHP, 컴퓨터, 인터넷, 디지털 교과서 등을 교육에서 어떻게 사용하여야 하는지에 대한 전문적인 지식을 갖추고 있고, 그것들을 아주 능숙하게 잘 다룰 것으로 기대한다. 교육공학자들이 다른 영역의 전문가에 비해 이러한 매체들을 잘 다루고, 이에 대한 연구를 많이 하기는 하지만, 그렇다고 이것이 교육공학의 핵심은 아니다. 이러닝에서 핵심은 학습 콘텐츠라고 한다. 콘텐츠는 문자, 동영상, 그림, 소리 등의 멀티미디어 정보가 통합되어 있다. 이러한 콘텐츠를 제작하는 것도 중요하지만, 그보다 더 중요한 것은 콘텐츠를 설계하는 것이다. 대면수업에서도 실제 수업을 수행하기 위해서는 수업이 효과적으로 설계되어야 한다. 교육공학은 이 두 가지 모두와 관련되어 있으며, 특히 콘텐츠의 설계와 밀접하게 관련되어 있다. 이 장에서는 교육공학의 두 가지 영역인 효과적 및 효율적 학습을 위한 수업설계와 매체의 활용에 관하여 소개하였다.

1. 교육공학의 두 가지 시각과 정의

교육공학은 '교육'과 '공학'으로 구성되어 있다. 이 두 가지를 어떻게 조합하느냐에 따라 교육공학에 대한 시각이 크게 달라진다. 대표적인 조합으로는 '교육에서의 공학'과 '교육의 공학'이 있다. 교육공학은 이 두 가지 조합을 통해 이해될 수 있다. 다음에서는 이 두 가지에 대해 설명하였다.

1) 교육에서의 공학

교육에서의 공학(technologies in education)이란 교육을 위해 공학적 매체를 활용하는 것을 말한다. 예컨대, 우리는 수업에서 OHP, 컴퓨터, 가상현실, 인공지능, 비디오, 칠판 등의 수업매체를 활용한다. 이러한 매체는 수업의 효과를 높이려는 의도에서 적극적으로 활용되거나 활용을 권유하고 있다. 교육공학은 이러한 매체를 수업에서 어떻게 활용하는 것이 효과적인지, 또 이 매체에서 사용되는 다양한 자료들을 어떻게 제작하는지 등에 대해서 연구하는 분야이다. 교육공학을 이렇게 보는 시각은 역사적으로 오래된 배경이 있다.

19세기 말에 새로운 공학 매체들이 우후죽순으로 발명되어 인류의 삶을 여러 방면으로 윤택하게 하였는데, 그 중에 교육도 예외는 아니었다. 특히 사진기, 활동사진기 등의 등장은 지금까지 책에만 의지해 왔던 교육에서 새로운 매체에 의한 교육의 가능성을 열었다. 토머스 에디슨은 "책은 학교에서 이제 구시대의 유물이 될 것이다. 인류의 모든 학문들은 활동사진에 의해 가르쳐질 수 있을 것이다. 우리 학교의 모습은 10년 안에 완전히 달라질 것이다."라고 언급함으로써 이 가능성을 잘 표현하였다.

이 시기에 다양한 매체가 보급되면서 그것을 다룰 전문 기사들이 필요하였고, 특히 교육 분야에서 이러한 매체를 담당한 전문가를 '시청각 담당자'로 불렀다. 물론 이때에는 교육공학이라는 용어가 없었기 때문에 이들을 교육공학자로 지칭하지는 않았으나, 그 후 제2차 세계대전과 텔레비전의 발명 등에 의해 매체가 더욱 확산되면서 '교육공학자'로 불리게 되었다.

교수-학습을 위해 교수매체를 효과적으로 다루는 것으로 보는 '교육에서의 공학이라는 시각'은 이렇게 형성되었고, 현재도 지속되고 있다. 새로운 매체가 등장할 때마다 교육에서의 가능성이 우선적으로 모색되고, 이를 교육공학 영역에서 주로 담당하기 때문에 교육공학에 대한 이러한 시각은 더욱 강화되고 있다. 사이버 환경, 스마트환경, 4차 산업혁명의 핵심인 가상현실, 증강현실, 빅데이터 분석, 그리고 인공지능 등을 교육에서 활용하는 문제도 교육공학에 속하는 영역으로 인식되고 있으며, 실제 이와 관련 문제는 교육공학의 학문공동체에서 활발히 논의되고 있다.

2) 교육의 공학

역사적으로 교육공학이 교수매체와 밀접하게 연계되어 인식되었지만, 1960년대에 이르러 교육공학에 대한 새로운 시각이 나타났다. 이 시기에 시청각 매체 전문가들은 매체를 보다 '효율적으로 활용하는' 것에 관심을 가지게 되었으며, 교육의 효율성이 중요해짐에 따라 교육공학 영역에서도 시청각 매체 기사와는 구별되는 교육공학자가 가능하다는 시각으로 바뀌는 계기가 마련되었다.

교육공학을 '교육의 공학(technology of education)'으로 이해하려면 교육과 공학에 대한 이해가 우선해야 한다. 교육에 대한 정의는 다양하지만, 궁극적으로 학습자의 변화를 목표로 한다는 점에서 동일하다. 학습은 교수와 같은 직접적인 활동에 의해 이루어지기도 하지만, 물리적 교실, 매체, 자료와 같은 지원 환경도 필요로 한다. 교육공학은 교육의 궁극적인 목표인 학습을 대상으로 한다.

일반적으로 공학은 '기기' 또는 '기계' 등과 관련된 것으로 생각한다. 예컨대, 대학교육에서 공과대학에는 '○○공학'으로 명명된 전공이 있는데, 이 전공에 대한 지식이 부족할 경우 대개 공학 하면 기계와 관련된 것으로 이해한다. 그러나 공학의 정의에 기계는 직접적으로 언급되지 않는다. 공학은 '실제적인 문제를 해결하기 위해 과학적인 지식을 체계적으로 적용하는 것'을 의미한다. 예컨대, '한강에 50톤의 차량이 지나가도 충분히 견딜 수 있는 다리를 어떻게 건설할 수 있을까?' 하는 실제적인 문제가 생겼을 때, 이를 가장 효과적으로 해결할 수 있는 방안은 '토목공학'에서 담당할 수 있을 것이다. 이 경우 토목공학자는 구조역학, 재료학, 물리학, 화학 등 다양한 과학적 지식을 종합하여 가장 튼튼하면서도 저렴한 다리를 건설하는 방안을 모색하고, 최적의 방안에 따라 다리를 설계 및 건설한다.

교육의 공학에서 공학은 바로 이런 의미에서의 공학이다. 실제적인 교육문제, 즉 학습문제를 해결하기 위해 가장 효율적인 방안을 모색하는 활동이 교육공학인 것이다. 예컨대, '초등학교 교사가 학생들이 올바른 인사예절을 보일 수 있도록 하려면 어떻게 해야 할까?' 또는 '중학교 1학년이 인수분해를 해결하도록 하려면 어떻게 해야 할까?'와 같은 문제가 있다면, 이에 대한 효율적인 방안을 찾아 제시하는 일이 바로 교육공학의 몫이라는 것이다. 스마트교육을 위해 '디지털 교과서를 교실수업에서 어떻게 활용할 수 있을까?' 하는 문제도 이 점에서 교육공학의 중요한 연구 주제가 되며, 이와 같은 실제 문제해결에 요구되는 이론과 모형을 교육공학에서 제공한다.

이러한 관점에서 보면 교육공학의 핵심적인 연구문제는 '보다 효과적이고 효율적인 학습이 이루어지기 위해서는 어떻게 해야 하는가?'이다. 교육에서 이루어지는 모든 활동의 궁극적인 목적은 효과적 및 효율적 학습이다. 교육목표, 교육내용, 과정, 활동, 평가, 피드백 등 모든 활동은 보다 나은 학습결과를 위해 설계, 수정, 보완된다. 더불어 이 활동은 일회성으로 가능한 것이 아니라 지속 가능한 것이어야 한다. 이러한 활동을 설계 및 실행하는 것에 관한 이론과 원리를 제공하는 분야가 교육공학이다.

이상에서 제시한 두 가지 시각 중에서 '교육의 공학'이 교육공학에 대한 보다 포괄적 시각이다. 이 시각은 교수매체 중심의 '교육에서의 공학'을 포함한다. 보다 효과적이고 효율적이며 지속 가능한 교육을 수행하기 위해서 다양한 매체를 활용해야 하기 때문이다. 한편으로, 매체를 교수-학습 과정에 활용하고자 하는 시각은 매체 그 자체의 효용성에만 치우칠 위험이 있기 때문에 '교육의 공학' 시각이 반드시 필요하다. 디지털 교과서를 사용하는 것 자체가 효과적이라는 시각에서 벗어나기 위해서는 그 매체의 활용 이유를 고려하도록 하는 시각이 요구되기 때문이다.

3) 교육공학의 정의

앞에서는 교육공학을 이해하는 데 있어서 주로 나타나는 두 가지 상이한 시각을 설명하였다. 교육공학에 대한 포괄적인 이해는 이 중에서 '교육의 공학'이다. 교육의 공학으로 보는 시각은 교육공학 영역에서 제시된 최근의 정의에 잘 나타나 있다. 교육공학에 대한 정의 중에서 가장 많이 언급된 것으로 1994년 AECT의 요청에 의해 실즈와 리치(Seels & Richey, 1994)가 제시한 "학습을 위한 과정과 자원의 설계, 개발, 활용, 관리 및 평가에 관한 이론과 실제"가 있다.

이 정의는 크게 네 부분으로 구성되어 있다. 첫째, 교육공학은 '학습을 위한' 것으로 학습에 영향을 주고 학습이 이루어지도록 하는 데 목적이 있음을 밝히고 있다. 이렇게 학습에 목적이 있음을 구체적으로 밝히고 있는 이유는 교육공학의 주요 관점이 교사의 활동이 중요하게 여겨지는 수업 또는 교수에서 학생들의 활동 중심인 학습으로의 이행된 역사적 배경 때문이다. 최근 교육공학자들은 최적의 학습환경을 구성하는 것과 관련하여 많은 연구를 수행하고 있다.

둘째, 교육공학은 '과정과 자원'을 모두 포함하고 있다. 과정은 '특정한 결과를 향한 일련의 운영 또는 활동'을 의미하며, 구체적으로 설계와 전달의 과정을 의미한다. 산물의 의미를 갖고 있는 자원은 단지 '교사 자료'를 지칭하던 것에서 확장되어 인원, 예산, 시설 등을 포괄하는 의미로 확장되어 있다. 따라서 교육공학은 학습을 위한 수업의 설계 및 전달, 그리고 총체적인 환경을 연구하는 영역으로 정의된다.

셋째, 이 정의에서는 교육공학의 영역을 '설계, 개발, 활용, 관리 및 평가'로 규정하였다. 교육공학은 초기에 수업에서 매체를 어떻게 활용할 것인가와 관련된 것으로 여겨졌으나, 현재는 수업이 효과적으로 이루어질 수 있도록 설계, 개발 및 평가 등을 고려하고, 나아가 학생들의 학습을 관리하는 것까지 포함하게 되었다. 매체는 수업설계 단계에서 필요한 것으로 확인될 경우에 개발된다.

마지막으로, 교육공학은 타 학문에서 정립된 이론을 실제에 적용하는 것뿐만 아니라 자체적으로 이론을 생성한다는 점에서 '이론과 실제'가 포함되어 있다. 교육공학은 항상 타 학문에서 정립된 이론을 교육현장에 적용하는 응용학문으로 여겨져 왔다. 예컨대, 교육공학은 시대에 따라 방송학, 경영학, 심리학 등에서 정립된 다양한 이론들을 교육문제를 해결하기 위해 끌어들여 왔다. 그런데 이 정의에서 '이론'을 포함시킨 것은 교육공학이 다른 분야에서 정립된 이론을 교육에 적용하는 실천적 또는 종속적 학문에서 독립적 학문으로 발전되었음을 의미한다. 학습은 수업을 통해 이루어진다. 교육공학은 이 수업의 설계, 개발, 운영, 평가에 관한 이론, 즉 수업설계이론을 탐구하고 있다.

1994년 이후에도 AECT는 교육공학에 대한 정의를 발표하였다. 가장 최근의 정의는 야누스체프스키와 몰렌더(Januszewski & Molenda, 2008)가 제시한 "학습 촉진 및 수행 향상에 적절한 공학적 과정과 자원의 창출, 활용, 관리를 연구하고 윤리적으로 실천하는 분야"이다. 이전의 것에 비해 학교교육 이외의 교육현장에서 강조되고 있는 '수행 향상', 그리고 21세기 모든 학문 영역에서 공동의 화두가 되고 있는 '윤리'가 추가되었다. 이 중에서 수행은 수행공학(performance technology)에서 탐구하는 대상이다. 교육은 학습을 통해 수행을 향상하고자 한다는 점에서 수행과 관련은 있지만, 수행 자체를 직접적으로 향상하는 데 초점을 맞추지는 않는다. 수행은 학습 외에도 동기, 문화, 환경 등에 의해서도 향상될 수 있다. 교육공학은 이 중에서 학습만을 다루고 있다.

2. 교육공학: 수업설계

교육공학에 대한 두 가지 시각은 과거부터 지금까지 계속되는 교육공학의 두 가지 큰 흐름이다. 교육의 공학은 수업설계모형이 대표적이다. 이에 비해 교육에서의 공학은 다양한 매체와 관련된 활동이 있으나, 최근에는 컴퓨터의 교육적 활용으로 수렴된다. 다음에서는 교육공학의 두 가지 시각을 대표하는 수업설계모형과 컴퓨터의 교육적 활용에 대해서 소개하였다.

1) 수업설계모형

교육공학에서 교수와 수업은 대개 혼용된다. 예컨대, 'instructional design'의 경우 교수설계로 번역되기도 하고, 수업설계로 번역되기도 한다. 딕과 캐리, 캐리(Dick, Carey, & Carey)의 『Systematic Design of Instruction』은 김형립, 김동식, 양용칠(1993)에 의해 『체제적 교수설계』로 번역되었고, 김동식(2016)에 의한 최신판에서도 그대로 유지되고 있다. 이처럼 우리나라 교육에서는 수업설계보다 교수설계가 일반적으로 사용되고 있다.

'teaching-learning'은 대개 '교수-학습'으로 번역된다. 가르침과 배움이 대구(對句)가 된다는 것이다. 한편으로 'instruction-learning'이라는 표현이 없듯이 '수업-학습'이라는 표현도 거의 사용되지 않는다. 거의 예외 없이 '교수-학습'이라는 표현이 사용된다. 이 표현에서 '교수'는 'teaching'을 지칭한다. 『교육학용어사전』(서울대학교 교육연구소, 1994)에서도 교수는 'teaching'으로 명시되어 있고, "교사가 교육적 의도를 가지고 하는 일체의 행동"으로 정의되어 있다. 이에 비해 수업은 'instruction'에 해당되며, "일정 시간과 장소에서 학습목표를 달성하려는 의도로 계획된 활동의 수행"(이상수 외, 2019)을 의미한다. 이 점에서 교육공학에서 사용되고 있는 대부분의 용어에서 '교수'는 수업으로 바꿔 사용하는 것이 적절하며, 교수설계도 수업설계라고 하는 것이 더 적절하다.

수업설계는 교육 프로그램 혹은 수업을 설계하기 위하여 조직적이고 체계적으로 수행하는 분석 및 설계, 개발, 활용, 관리, 평가 활동을 의미한다. 수업설계 활동은 한편으로는 가르치는 사람의 창의력이 가미되는 예술적인 활동이면서, 동시에 체계적인 활동을 통해 효과적 · 효율적인 프로그램의 개발이 이루어지는 공학적인 활동이다. 이 중에서 공학적 수업설계는 구체적으로 규정된 모형에 따라 수행된다. 이러한 모형을 수업설계모형이라고 하며, 교수-학습 과정을 가장 효과적 · 효율적으로 수행하는 단계와 절차에 관한 것이다. 지금까지 수업설계모형은 매우 다양하게 제시되어 있으나, 대체로 다음과 같은 다섯 가지 단계를 공통적으로 가지고 있다.

- 분석(Analysis): 모든 수업의 시작은 학습자, 수업할 내용 및 학습환경을 분석하는 것에서 출발한다. 이 분석은 일반적으로 요구분석(need analysis)이라고 불리기도 하는데, 그 핵심 질문은 '어떤 학생들에게 무엇을 어떤 환경에서 왜 가르쳐야 하는가?'이다. 요구는 수요와는 구별된다. 학습자가 원하는 것은 수요인 반면, 요구는 학습자에게 필요한 것이다. 이 필요, 즉 요구는 수요와는 달리 학습자가 결정하는 것이 아니라 전문가에 의해 결정된다.
- 설계(Design): 설계 단계의 핵심적인 질문은 '앞에서 확인된 요구를 바탕으로 설정된 목표를 달성하기 위해 어떤 내용들이 어떻게 조직되고 제시되어야 효과적 · 효율적 결과를 얻을 것인가?'이다. 이 과정은 한편으로 수업전략의 수립과 거의 동일하다.
- 개발(Development): 개발 단계에서는 앞서 설계한 수업을 실제로 개발한다. 설계 내용을 바탕으로 가장 효과적으로 구현할 수 있는 매체를 선정하고 그 매체에 실행할 수 있는 자료를 제작한다. 더불어 수업 중 활동에 사용할 자료들도 개발한다.
- 실행(Implementation): 실행 단계에서는 개발한 내용을 시범 적용(pilot test)해 본다. 수업설계 과정에서의 실행은 실제 학습자를 상대로 직접 수업을 진행하는 실행과는 구분된다. 이 실행은 설계 및 개발한 내용이 학습목표를 달성하는 데 얼마나 기여하는지를 확인하고, 설계된 수업을 개선하기 위한 자료를 수집하는 데 목적이 있다.
- 평가(Evaluation): 실행 단계에서 수집한 자료를 바탕으로 프로그램의 효과를 평가하고 수정하는 단계이다. 이 평가는 학습자가 얼마나 잘 수행했는지를 확인

하는 것보다 설계된 수업이 학습목표를 달성하는 데 얼마나 기여하고 있는지를 평가하는 데 초점이 맞춰져 있다. 수집된 평가결과를 활용하여 설계된 수업을 수정하여 실제 사용할 수 있는 수업을 확정한다.

이상의 다섯 가지 단계의 영어 첫 글자만을 따서 ADDIE 모형이라고도 한다. 이 모형은 독립된 하나의 모형으로 제안된 것이 아니라 지금까지 제시된 다양한 수업설계모형에 공통적인 요소를 설명하기 위해 구성된 것이다. 개별 수업설계모형에는 앞의 다섯 가지 단계가 세밀하게 나뉘어 있거나, 필요에 따라 별도의 단계가 추가되어 있다.

2) 수업설계모형 사례

수업설계모형은 다양하며 그중에서 딕과 캐리, 캐리(2016)에 의해 제시된 모형이 널리 알려져 있다. 이 모형은 학습목표 달성에 초점을 맞추어 세부 단계들이 진행되며, 실증적 자료를 기반으로 수정이 이루어진다는 특징이 있다. 다음은 이 모형과 주요 단계에 대해 간략하게 설명한 것이다.

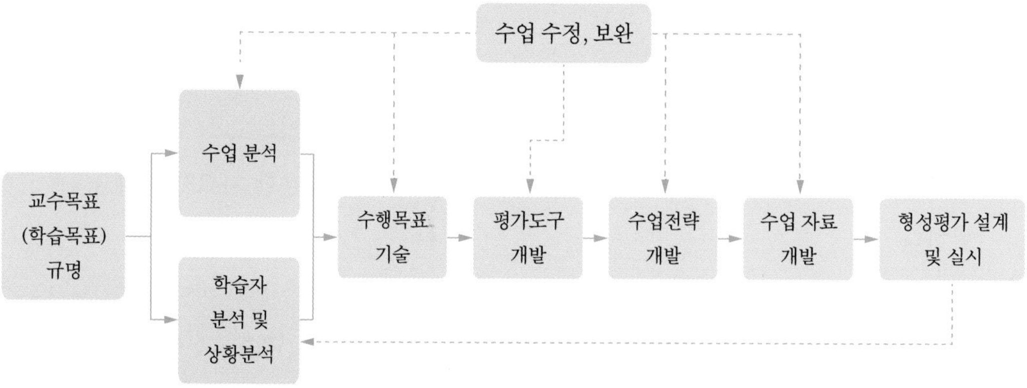

[그림 9-1] 딕과 캐리, 캐리의 수업설계모형

- 교수목표 설정: 학습자가 학습을 마친 후에 무엇을 할 수 있게 되기를 원하는가를 결정하는 것이다. 이 점에서 '교수목표'보다는 학습목표가 더 적합한 용어이다. 최종 학습목표는 목표 목록 혹은 요구분석의 결과 등에서 추출된다.
- 수업 분석: 교수목표가 정해진 뒤에 그 목표가 어떤 학습 유형에 속하는가를 결정하는 것이다. 이 유형이 확인되면, 그 목표를 성공적으로 달성하기 위해서 학습자가 학습해야 하는 하위 기능을 분석하고, 그 기능들이 어떤 절차로 학습되어야 하는가를 밝히는 것이다.
- 학습자 및 환경 분석: 본 학습에 앞서 요구되는 선수 지식 및 기능, 일반적인 학습의 특성, 학습환경과 수행환경을 분석하는 것이다. 특히 가르치고자 하는 학습내용을 시작하기 전에 학습자가 할 수 있어야만 하는 구체적인 기능을 찾는 것이 중요하다. 또한 학습이 이루어질 환경과 학습한 것을 실제 적용할 환경도 확인한다.
- 성취목표 진술: 학습이 종결되었을 때 학습자가 할 수 있으리라고 기대되는 것을 구체적으로 진술하는 것이다. 이 성취목표는 학습될 성취 행동, 그 성취 행동이 실행될 조건, 학습이 성공적인지 아닌지를 가름할 수 있는 준거로 구성된다.
- 평가도구 개발: 목표에서 가르치고자 했던 기능을 학습자가 성취했는가를 알아볼 수 있는 검사 문항을 개발하는 것이다. 이때 문항에서 측정하고 있는 것과 목표에서의 성취 행동이 반드시 일치해야 한다.
- 수업전략 수립: 수업의 최종 학습목표를 달성하기 위해서 이용하고자 하는 전략을 설정하는 것이다. 수업 전 활동, 정보 제시, 연습 및 피드백, 추후 활동 등의 수업전략이 수립되어야 한다.
- 수업 자료 개발: 수업전략에 의거하여 학습자용 활용지침서, 검사, 교사용 지침서와 같은 수업 자료를 만드는 것이다. 새로 개발하는 대신에 기존의 자료를 선택해서 수정하여 사용할 수도 있다.
- 형성평가 설계 및 실시: 교수 프로그램의 초안이 완성되면, 그 질을 개선하기 위해 필요한 자료를 수집하는 평가를 의미한다. 여기에는 일대일 평가, 소집단 평가, 현장 평가가 있다.
- 수업 수정, 보완: 형성평가의 결과를 바탕으로 하여 처음 설계된 수업이 학습목표 달성에 비춰 볼 때 확인된 결점을 수정, 보완한다. 또한 수업 분석의 타당성,

학습자의 출발점 행동 및 특성 분석의 정확성, 성취목표 진술의 적절성, 검사 문항의 타당성, 절약의 효과 등을 검토하여 수정한다.

- 총괄평가 설계 및 실행: 수업의 절대적 혹은 상대적 가치를 평가하기 위한 것으로서, 충분한 수정이 이루어진 뒤에 실시된다. 보통 외부의 평가자에 의해 이루어진다. 다만, 수업설계모형에 포함되지는 않는다.

이상에서 소개한 딕과 캐리, 캐리 모형의 수업설계는 투입과 산출의 관계로 각 단계가 서로 밀접히 관련되어 있으며, 이들은 효과적이고 효율적인 수업을 만들기 위해서 역동적으로 상호작용한다. 이 모형은 다음과 같은 수업설계모형의 일반적인 특징을 잘 보여 준다.

- 학습목표는 반드시 구체적으로 제시되어야 한다. 여기서 구체적이라는 말은 행동적인 용어로 기술하라는 것이 아니며, 누구든지 동일한 의미로 해석될 수 있도록 하라는 뜻이다. 교수자와 학습자가 수업을 통해 달성하고자 하는 목표를 동일하게 인식할 때, 달성 가능성은 높다. 그리고 이렇게 학습목표를 설정해야 이후의 모든 활동을 설계하는 데 기초로 사용할 수가 있다.
- 수업내용은 학습목표를 달성하기 위한 내용들로 구성되어야 한다. 교수-학습활동은 구체적으로 진술된 학습목표를 달성하기 위해 필요 충분한 내용들로 구성되어야 한다. 특히 아무리 가치 있는 내용이라도 학습목표 달성과 무관하다면 제외하라는 것이다.
- 수업 방법과 매체는 학습목표 달성을 위해 내용을 가장 효과적으로 전달하기 위한 것이냐 하는 점에서 선정한다. 지금까지 많은 연구에 의해 다양한 형태의 수업 방법과 매체들이 제시되었다. 그런데 이러한 방법과 매체는 절대적인 효과성을 가졌다기보다, 의도하는 목표와 내용에 따라 상이한 효과성을 보이는 것으로 알려져 있다.
- 평가는 반드시 학습목표와 내용에 연관되어 있어야 한다. 교육공학에서 평가는 앞에서 설정한 목표와 그에 따른 내용을 학습자들이 얼마나 학습했는지를 확인하기 위한 것이다. 따라서 평가내용은 목표설정에 이어 작성되어야 하며, 또한 교수-학습활동에 들어가기 전에 학습자들에게 미리 알려 주어야 한다.

- 학습목표를 미달성했을 경우, 그 원인은 학습자가 아니라 수업의 방법, 매체, 환경 등일 수 있다는 점이다. 극단적으로 말해서, 학습자의 낮은 성취도는 학습자보다 교사 또는 수업이 잘못 되었기 때문일 수도 있다.
- 수업에 대한 지속적인 개선이 필요하다. 학습결과는 학습자의 능력과 노력에 의해 크게 좌우되지만, 수업설계는 학습자의 특성에 관계없이 누구든지 완전학습에 이르도록 하는 수업을 구안하고자 한다. 수업이 의도한 결과를 얻지 못했을 경우 수업에서 그 원인을 찾아 지속적으로 수정 및 개선해야 한다.

3) 수업설계모형과 교육의 실제

수업설계는 교육공학의 핵심 영역이다. 그런데 이러한 교육공학적 지식을 바탕으로 교육의 실제를 살펴보면, 교육공학적 지식이 효과적으로 활용되기보다 악용되는 본말전도(本末顚倒) 현상을 쉽게 찾아볼 수 있다. 이러한 현상의 대표적인 것으로 교육목표의 활용을 들 수 있다.

학교에서 교육목표는 대개 행정적인 차원에서 필요하기 때문에 항상 제시되어야 하고, 이런 이유로 목표는 교사들에게 전혀 의미가 없는 것으로 받아들여지고 있다. 목표는 교사들의 모든 교수(teaching) 활동의 근간이 되어야 하고, 또 그러한 활동들의 정당화를 하기 위한 근거가 되어야 함에도 불구하고, 단지 형식적으로 제시되어야 하기 때문에 기술한다. 만약에 교육목표를 행정적으로 요구하지 않으면, 교사들에게 교육목표는 전혀 의미가 없다.

수업내용과 평가내용이 일치하지 않는 경우도 흔히 발견된다. 평가내용과 수업내용을 일치시키는 것이 현실적으로 불가능할 수도 있다. 교육보다 경쟁과 선발이 강조되는 현재의 학교교육에서 모든 학생이 완전학습 수준에 이르는 것은 바람직하지 않다. 평가는 학생들을 변별하기 위해 사용될 뿐, '설정한 목표를 학습자가 얼마나 성취했는지'를 확인하기 위해 실시되지는 않는다.

교육현장에서 교육공학은 매체의 선정과 활용보다는 수업지도안 작성에 더욱더 기여할 수 있다. 교육현장에서 수업지도안은 수업의 효율성을 높이기 위해 체계적으로 작성되기보다 행정적인 목적으로 작성되는 경향이 있다. 행정적 필요에 의해 작성된 수업지도안은 실제 수업에 활용되지 않으며, 수업 후에도 수업의 효과성 ·

효율성 개선을 위해 활용되지 않는다.

수업지도안에는 수업설계의 모든 단계가 들어 있다. 무엇보다도 수업이 목표로 하는 학습목표가 설정되어야 하고, 요구분석이 필요하고, 내용 전개, 수업전략이 중요하다. 수업설계모형에 따라 수업지도안이 개발될 때 효과적인 수업이 이루어질 수 있다. 교사는 지금까지 제시된 모형을 바탕으로 자신의 수업지도안을 작성하고, 이를 반복적으로 실행하면서 보다 효율적인 것으로 수정해 갈 수 있을 것이다. 이처럼 보다 효과적인 교육을 하기 위해 실증적 원리나 이론들을 적용, 확인하고 더불어 새로운 이론을 탐구하는 것, 이것이 실제에서 교육공학적 사고가 적용되는 대표적인 모습이다.

3. 교육공학: 컴퓨터의 교육적 활용

역사적으로 활동사진기, 라디오, 텔레비전과 같이 새 매체가 등장할 때마다 그 매체에 대한 교육적 관심과 연구가 활성화되었다. 컴퓨터도 기존의 교육방법을 혁신할 것으로 기대되었으며, 즉각적으로 교육공학의 주요한 연구 영역이 되었다. 컴퓨터는 학습자와의 역동적인 상호작용이 가능하고, 다양하면서도 흥미로운 학습 경험을 제공해 줄 수 있다는 점에서 이전 매체에서는 찾아볼 수 없었던 형태로 활용되었다. 최근에는 SNS, 스마트기기, 가상현실, 증강현실, 인공지능 등과 같이 전통적인 컴퓨터와는 다른 형태의 매체가 등장하였지만 이러한 매체의 활용도 전형적인 컴퓨터의 활용 형태에서 벗어나지 않는다.

1) 컴퓨터의 교육적 활용 유형

컴퓨터의 교육적 활용은 다양한 방식으로 분류되었다. 초창기에는 컴퓨터보조수업(Computer-Assisted Instruction: CAI)과 컴퓨터관리수업(Computer-Managed Instruction: CMI)으로 구분되었다. 테일러(Taylor, 1980)는 교육에서 컴퓨터가 수행하는 역할을 기준으로 '교수자(tutor)' '피교수자(tutee)' '도구(tool)'로 구분하였다. 요나센(Jonassen, 1996)은 '컴퓨터에 관한(about)' '컴퓨터에 의한(with)' '컴퓨터로부터

(from)'로 분류하였다. 이상의 구분에서 컴퓨터에 관한 학습은 교육의 대상이 컴퓨터이기 때문에 교육공학보다는 컴퓨터 교육에 속한다. 컴퓨터보조수업은 교수자, 피교수자, '컴퓨터에 의한(with)'을 모두 포괄한다. 그리고 '도구'와 '컴퓨터에 의한(with)'은 같은 유형이다. 따라서 교육에서 컴퓨터의 활용은 컴퓨터보조수업, 교수-학습 도구, 컴퓨터수업관리 등 세 가지로 정리된다.

(1) 컴퓨터보조수업

컴퓨터보조수업(CAI)은 다양한 형태로 교육에 활용되어 왔는데, 대표적인 CAI 유형으로는 교사와 학습자가 일대일 방식으로 상호작용하는 유형인 개인교수형, 특정 학습내용의 유창한 사용과 파지를 도와주기 위하여 지속적인 반복과 피드백을 제공하는 유형인 반복연습형, 모의실험화된 체제하에서 학습자들의 활동을 모델링하는 유형인 시뮬레이션형, 그리고 이전에 가르친 개념을 강화하거나 새로운 정보나 개념을 흥미와 오락적 요소를 가미하여 가르치고자 할 때 사용하는 유형인 교수 게임형 등을 들 수 있다.

CAI가 교육에 도입되던 초창기에는 주로 반복연습형이나 개인교수형이 많이 개발·활용된 반면에, 점차 CAI를 위한 수업설계 전략과 원리가 고안되고 컴퓨터 프로그램 개발 기술이 발달하면서 시뮬레이션형이나 교수 게임형, 문제해결형 등이 개발·활용되어 오고 있다. 인터넷을 기반으로 이루어지는 e-Learning도 전통적인 CAI의 다섯 가지 유형으로 대개 구분되며, 대부분이 개인교수형으로 되어 있다. 최근에 인공지능, 로봇공학이 발전함에 따라 컴퓨터는 인간 교수자와 거의 구별되지 않을 정도로 동일하게 수행할 수 있다는 사례가 보고되고 있다. 특히 인공지능은 수많은 학습자의 데이터를 학습하여 학습자별 수준을 정확하게 진단하고, 맞춤형 자료를 제공함으로써 개별화 학습을 실시하는 데 활용되고 있다.

인공지능은 테일러(Taylor, 1980)가 언급한 피교수자로 컴퓨터를 수업에서 활용하는 것을 가능하게 하였다. 컴퓨터가 학습자 역할을 하고, 학습자는 교수자 역할을 맡아서, 학습내용을 컴퓨터에게 가르친다. 학습자는 가르치는 과정을 통해 학습내용을 효과적으로 습득하게 된다. 가르침을 통한 배움(Learning by Teaching)이 가능한 학습환경이 구축된 셈이다. 컴퓨터로부터 배우는 기존의 패러다임이 컴퓨터를 가르침으로써 배우는 패러다임으로의 전환도 가능하게 되었다.

(2) 교수–학습 도구

인간은 동물과 달리 다양한 도구를 활용함으로써 물리적 능력을 확장한다. 이와 마찬가지로 교수–학습 과정에서 학습자들은 학습효과를 높이기 위해 노트, 연필, 계산기, 현미경 등과 같은 교수–학습 도구들을 사용한다. 컴퓨터는 인간의 지적 기능을 확장해 준다. 예컨대, 컴퓨터는 수천만 번의 계산을 1초 이내에 정확하게 수행한다. 컴퓨터는 사고의 기본 도구인 다양한 기호들을 손쉽게 조작한다. 또한 컴퓨터는 수천만 개의 숫자들을 분석하여 공통적인 특징을 찾아낸다. 이처럼 컴퓨터는 인간의 지적 능력을 확장시키는 광범위한 응용 프로그램을 제공한다. 따라서 교수–학습 도구로서 컴퓨터는 사용자로 하여금 과제를 더 빨리, 더 효과적으로, 더 효율적으로 성취할 수 있도록 돕는 도구적 기능 또는 인간능력을 확장시키는 기능을 제공한다.

요나센(Jonassen, 1996)은 교수–학습 도구로서의 컴퓨터를 기술하기 위해 '사고도구(mindtool)'라는 단어를 사용하였다. 교수–학습 도구로서의 컴퓨터가 학습자들로 하여금 비판적 사고와 같은 고등정신기능을 수행하게 하거나 촉진한다는 것이다. 예컨대, 학습자들은 다양한 정보들이 연관된 의미망(semantic network)을 구성하기 위해서는 이러한 정보를 비판적으로 분석 · 통합하는 인지적 사고를 거쳐야 한다. 이러한 인지적 사고는 하이퍼텍스트 형태로 정보를 표현해 주는 프로그램에 의해서 촉진될 수 있다.

컴퓨터 기반 교수–학습 도구에서는 일반적 도구와 교과 전용 도구가 있다. 일반적 도구는 문서작성기, 데이터베이스, 그림작성기, 마인드맵 도구 등과 같이 교과목 영역에 관계 없이 활용될 수 있는 도구들이다. 이에 비해 수학의 Mathmatica, 음악의 MIDI 관련 프로그램과 같이 특정 교과에서만 필요한 교과 전용 도구가 있다. 이러한 도구는 특히 특정 교과내용을 가르칠 때 문제해결능력, 비판적 사고력, 창의적 사고력과 같은 고등정신기능을 학생이 경험하고 획득하도록 돕기 위해 활용된다.

가상현실, 인공지능, 빅데이터분석도 교수–학습 도구로 매우 효과적이다. 인공지능은 어학 수업에서의 연습 대상으로 사용되는 챗봇, 검색에서 연관어를 추천하는 검색엔진, 다른 언어를 실시간으로 번역해 주는 번역기 등이 이미 교육에서 활용되고 있다. 가상현실은 직접 가 보지 못하는 장소, 아주 작은 미시의 세계를 입체적으로 체험할 수 있도록 함으로써 탐구학습 활동에 도구로 활용되고 있다. 우리나라에서 발행되고 있는 모든 신문 기사를 실시간으로 분석할 수 있는 'BigKind' (bigkinds.or.kr)는 특정 지역의 학습에서 현재 직면하고 있는 문제를 분석하는 도구로 사용될 수도 있다.

(3) 컴퓨터수업관리

컴퓨터는 교사가 수업을 위하여 여러 가지 수업 자료를 준비하고 개발할 때, 그리고 성적관리나 평가 업무, 학급경영과 관련된 업무 수행이나 학교 전체의 행정 업무를 처리하는 데에도 많은 도움을 줄 수 있다. 컴퓨터수업관리는 컴퓨터(CMI)가 직접 수업매체로 사용되지는 않으나 수업과 관련된 제반 정보나 자료를 기록, 분석, 종합, 평가하는 것을 말한다. 중간고사나 기말고사 등에서 학생이 작성한 OMR카드를 컴퓨터로 처리하여 관리하는 것은 CMI의 대표적인 형태이다. 한편으로 현재 학교현장에서 활용되고 있는 NEIS는 CMI의 요소가 일부 들어 있기는 하지만, 수업보다는 교육행정 정보를 종합적으로 관리하는 시스템이다.

CMI의 진화된 형태로는 학습관리시스템(Learning Management System: LMS)이 있다. 이 시스템은 교과목별로 교수-학습과 관련된 다양한 활동, 즉 출석관리, 과제관리, 토론, 퀴즈, 팀별 활동 등을 지원하는 데 필요한 기능으로 구성되어 있다. 우리나라 초·중등학교에는 학습관리시스템이 보급되어 있지 않다. NEIS는 교육행정정보를 관리하기 위한 목적으로만 사용되고 있으며, 수업의 목적으로는 사용할 수가 없다. COVID-19로 인해 비대면 수업이 불가피하게 되면서, LMS가 긴급하게 구축되었으며, 기존의 NEIS와 연동하여 작동하는 LMS도 곧 설치될 예정이다.

2) 컴퓨터 활용의 효과

교수-학습에서 컴퓨터가 도입되었을 때, 다른 매체와 마찬가지로 효과성에 관해 많은 연구가 행해졌다. 이러한 연구는 대체적으로 '컴퓨터를 활용하는 것이 다른 매체에 비해 더 효과적인가'를 확인하는 형태로 이루어졌다. 이 형태의 연구는 대개 컴퓨터가 다른 매체를 활용한 전통적 수업에 비해 더 효과적이라는 결과를 제시하였다. 그런데 클라크(Clark, 1983)는 컴퓨터를 사용하는 것이 전통적 수업에 비해 더 효과적일 수는 없으며, 매체가 학습에 근본적으로 영향을 주지 않는다고 주장하였다.

클라크(1983)는 새로운 매체가 효과적인 것은 신기(novelty) 효과 때문이거나, 또는 더 많은 노력을 통해 개발된 학습 자료가 활용되었기 때문이며, 매체 자체는 학습결과에 영향을 주지 않는다고 하였다. 이 주장에 대해 다양한 시각에서 논쟁이 오랫동안 지속되었으며, 현재의 매체 효과성에 관한 연구에 다음과 같은 중요한 시사점을 남겼다. 첫째, 상이한 매체를 단순 비교하는 것은 부적절하다. 둘째, 특정 매체의 효과는 다른 매체와 구별되는 고유한 속성 또는 기능이 학습에 어떤 영향을 주는지에 초점을 맞추어야 한다. 셋째, 매체에 의해 가능해진 방법이 중요하다. 클라크에 의해 촉발된 매체의 효과에 관한 논쟁은 교육공학에서 새로운 매체나 방법에 관한 연구를 크게 변모시켰다. 기존 매체와 새 매체 또는 전통적 수업방법과 새로운 수업방법을 단순 비교하던 연구에서 벗어나, 학습에 영향을 미치는 속성, 기능, 구체적인 방법에 초점을 맞추게 되었다.

3) 인터넷, 스마트학습, 플립러닝

1990년대 중반 이후 전 세계적으로 인터넷이 급속도로 확산되면서 학교현장에서도 인터넷을 활용한 교육에 많은 관심을 갖게 되었다. 인터넷은 언제 어디서나 자신이 원하는 정보를 검색할 수 있는 기회, 풍부한 정보 획득의 기회, 다양한 사회적 상호작용의 기회, 열린 학습환경 등을 제공해 줌으로써 평생교육, 열린 교육, 수요자 중심의 교육 등으로 대변되는 현대 사회의 교육에 많은 가능성을 제시해 주고 있다.

인터넷의 발전과 함께 교수-학습에서 통용된 용어도 변해 왔다. 초기에 사용된 웹기반수업(Web-Based Instruction: WBI)은 웹 환경에서 교수-학습활동이 이루어지는 것을 지칭하였다. 이와는 별도로 ICT 활용 교육은 정보공학 매체 기반의 교수-학습활동을 통칭하는 데 사용되었다. 인터넷 기반의 사이버교육이 활성화되면서 ICT 활용 교육을 대신하여 e-Learning이 사용되었다. 'e'는 다양하게 해석되지만, 대개 'electronic'을 의미하는 것으로 여겨지며, 정보공학뿐만 아니라 모든 전자 매체를 포괄한다. 모바일 매체 기반의 m-Learning과 'ubiquitous technology' 기반의 u-Learning이 통용되기도 하였다. 최근에는 스마트기기의 등장과 함께 스마트학습이 교육에서의 공학 연구의 핵심이 되고 있다. 학교를 '스마트'하게 구축하기 위한 방안으로 무선 인터넷 공유기(WIFI)를 교실에 설치하고 있다. 그렇지만 개별 학생이 사용하는 학습자용 단말기 보급은 여전히 답보 상태에 있다. 스마트학습을 위한 스마트 학교환경은 여전히 구축 중이다.

인터넷에 의해 실현된 새로운 수업 형태로 플립러닝(flipped learning)이 있다. 플립러닝은 'Flipped Classroom'으로 시작되었다. '거꾸로 학습'이 아니라 '뒤집힌 교실', 즉 교실을 뒤집는 방법이었다. 전형적인 교실은 교수자가 설명하는 공간이다. 과제나 숙제는 교실보다 교실 밖, 집에서 수행하고, 과제나 숙제는 대개 학습한 내용을 적용하거나 복습하는 형태로 되어 있었다. 교실을 손바닥 뒤집듯이 뒤집으면, 설명은 교실 밖으로, 과제와 숙제는 교실 안으로 들어오게 된다. 설명은 일정한 형태가 정해져 있지만, 과제와 숙제는 제각각이므로 교실 안에서 활동은 설명 이외의 모든 활동에 열려 있는 셈이다.

플립러닝은 사실상 ICT 환경의 발전으로 가능하게 되었다. 개별 교수자는 일반 스마트폰을 사용하면 강의를 녹화할 수 있다. 녹화된 동영상은 Youtube와 같은 사이트를 통해 무료로 배포할 수 있다. 학습자도 별도의 장비나 프로그램을 설치하지 않고서도, 자신이 소유하고 있는 스마트폰으로 이 자료를 접할 수가 있다. 간단치 않았던 플립러닝이 ICT 정보기술로 간단하게 된 것이다. 이러한 플립러닝은 수업을 녹화하여 제공했던 서비스가 온라인 환경을 통해 구현된 것이다. 통상적으로 교수자의 일방적인 설명 중심의 수업이 이루어지는 우리 교육현장에서 플립러닝은 수동적 학습에서 능동적 학습으로의 패러다임 변화를 가능하게 할 것으로 기대되고 있다. 이러한 변환이 이루어지려면, 무엇보다도 플립러닝은 기존의 방법에 비해 보다 효과적이고 효율적이며 지속 가능하여야 한다. 설명 중심의 수업이 수많은 교육혁신에도 불구하고 여전히 주류를 차지하고 있는 것은 다른 혁신적 방법에 비해 효과, 효율, 지속 가능성 면에서 우수하기 때문이다. 이 수업형태가 교육공학의 관점에서 우수한 방법이며, 매체인 셈이다.

학습과제

1. '교육에서의 공학'과 '교육의 공학'의 각각의 사례를 바탕으로 공통점과 차이점을 제시해 보자.
2. 교육 현장에서 특정 활동이 '교육공학'에 속하는지는 판단할 때 사용하는 기준(예: 학습)이 무엇이며, 그 이유를 제시해 보자.
3. ADDIE 모형의 장점과 한계를 생각해 보자.
4. 학교현장에서 교육공학의 핵심인 수업설계가 적용된 사례를 제시해 보자.
5. 컴퓨터의 교육적 활용에 대한 Taylor의 관점을 바탕으로 현재 중등학교 교실에서의 컴퓨터 활용을 분석해 보자.
6. 새롭게 등장하고 있는 스마트기기, 디지털 교과서, 인공지능, 가상현실 등이 교육을 더 효과적, 효율적, 지속 가능하도록 하기 위한 방안을 모색해 보자.

참고문헌

김형립, 김동식, 양용칠(1993). **체제적 교수설계**. 서울: 교육과학사.

서울대학교 교육연구소(1994). **교육학용어사전**. 서울: 도서출판 하우.

이상수, 최정임, 박인우, 임정훈, 이미자, 장경원, 이유나, 장선영, 고은현, 류지헌, 강정찬, 오영범(2019). **체계적 수업분석을 통한 수업컨설팅(2판)**. 서울: 학지사.

Clark, R.(1983). *Reconsidering on learning form media. Review of Educational Research, 53*, 445-459.

Dick, W., Carey, L., & Carey, J. (2009). *Systematic design of instruction* (7th ed.). NY: Allyn & Bacon.

Januszewski, A., & Molenda, M. (2008). *Educational technology: A definition with commentary*. NY: Routledge.

Jonassen, D. (1996). *Computers in the classroom*. Englewood Cliffs, NJ: Prentice-Hall.

Seels, B., & Richey, R. (1994). *Instructional Technology: The definition and domains of the field*. Washington D. C.: Association for Educational Communications and Technology.

Taylor, R. (1980). *The computers in the school: Tutor, tutee, tool* (Ed.). NY: Teachers.

제10장

생활지도와 상담

손은령(충남대학교 교육학과)

1. 생활지도의 이해
2. 상담의 이해
3. 상담의 이론과 기법

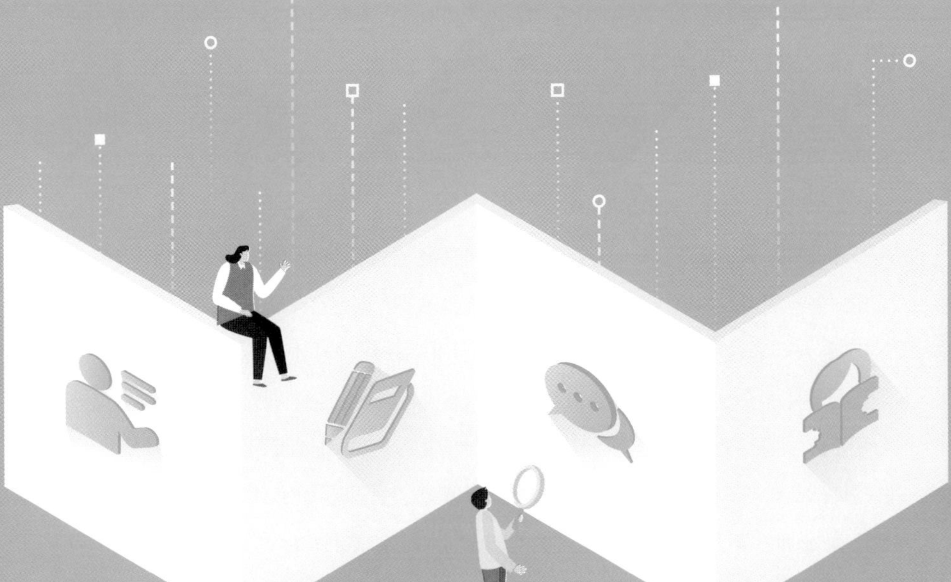

학습 개요

이 장에서는 행복한 삶의 안내자인 교사가 알아야 할 주요 내용들을 크게 세 가지 영역(생활지도, 상담, 상담이론과 기법)으로 구분하여 설명하였다.

제1절에서는 생활지도의 정의, 원리, 목표들을 살펴보았다. 생활지도의 영역도 활동 영역과 문제 영역으로 구분한 후 활동 영역에서는 학생조사, 정보 제공, 상담, 정치, 추수지도에 대해 설명하였고, 문제 영역에서는 학업, 진로, 인성/사회성 문제에 대해 다루었다.

제2절에서는 상담자가 알아야 할 기본적인 내용을 담았다. 우선, 상담의 정의와 기본적인 조건들–수용 일치, 공감적 이해–을 설명한 후 행동 변화, 정신건강의 증진, 문제의 해결, 개인적 효율성의 향상, 의사결정으로 정리되는 상담의 목표를 제시하였다.

제3절에서는 준전문상담자로서 교사가 알아야 할 네 가지 주요 상담이론(정신분석적 상담, 인간중심상담, 행동주의, 인지적 상담이론)과 학교현장에서 활용하기 쉬운 현실요법과 해결중심 상담이론의 인간관, 상담목표, 기법 등을 설명하였다. 이어서 개인 상담의 과정과 기법들을 소개한 후 집단 상담의 특징과 과정에 대해서 설명하였다.

1. 생활지도의 이해

1) 생활지도의 정의 및 원리

교사는 학교현장에서 두 가지 중요한 역할을 담당한다. 학생을 대상으로 지식을 전수하는 교과 지도자로서의 역할과 세상을 먼저 살아본 선생(先生)으로서 학생들에게 삶의 방향을 알려 주는 안내자로서의 역할이다. 이렇게 안내하고, 이끌어 주는 것이 바로 생활지도, 즉 guidance이다. 다시 말해서, 교사는 학생이 가지고 있는 잠재력을 최대한으로 계발할 수 있도록 안내하고, 도와주어야만 한다. 생활지도 운동은 20세기 초 파슨스(Parsons, 1909)가 직업지도 운동을 미국의 보스턴에서 시작하면서 체계적으로 발전하였으며, 직업문제 외의 학생 문제들에 대해서도 교사의 지원이 필요하다는 요구가 대두되면서 생활지도 운동으로 발전하였다. 우리나라에서는 미군정기를 거치면서 학교현장에서 생활지도라는 용어가 사용되었다.

"생활지도는 자기 자신과 자신이 속한 세계를 이해하도록 조력하는 과정"이라는 셔처와 스톤(Shertzer & Stone, 1981)의 정의는 생활지도의 의미를 잘 보여 준다. 교사는 학생이 자신의 능력, 적성, 흥미, 성격 등을 잘 이해하고 자신이 속한 생활세계에 대한 여러 정보를 잘 학습할 수 있도록 도와주어야 한다. 또한 여러 가지 문제 상황에 현명하게 대처해 가면서 자율적이고도 건강하게 성장해 나가도록 조력해야 한다.

교사가 생활지도를 제대로 하려면 기본적으로 다음 사항을 유념해야 한다.

첫째, 생활지도는 모든 교사가 하는 활동이다. 학교 장면에서 교사는 수업지도, 담임활동, 동아리 운영, 상담 등 많은 일을 수행하는데 학생들은 교사가 하는 행동 하나하나를 관찰한다. 교사는 학생보다 앞서 태어난 사람으로서 후세대인 학생들에게 말로써만이 아니라 행동으로써 모범이 되어야 한다. 교사를 닮아 가면서 학생들은 더 나은 사람이 되어 가고, 더 성숙해지는 것이다. 그러므로 교사는 인간적인 성장을 위해 끊임없이 노력해야 하며, 또한 전문성을 발전시키기 위한 노력도 계속해야 한다.

둘째, 생활지도의 대상은 모든 학생이다. 문제학생 또는 부적응 학생만이 생활지도의 대상이 아니다. 사실, 모든 학생이 학교 장면에서 다소의 문제를 갖고 있다. 정서,

학습, 진로, 친구관계 등등에서의 어려움을 극복해 가는 과정에서 학생들은 성숙해지며, 지혜가 발달해 간다. 이러한 과정에서 교사는 학생의 곁에서 지원해 주고, 버텨 주어야 하며, 함께 현명한 방법들을 모색하고자 노력하는 지지원이 되어야 한다.

셋째, 생활지도의 목적은 발달과 예방이다. 모든 학생이 생활지도의 대상이므로, 학생 개개인의 전인적인 발달을 조력해야 하며, 그 과정에서 학생 개개인의 잠재력이 최대한 실현될 수 있도록 격려해야 한다. 학생들은 무궁한 발전 가능성을 안고 학교에 온다. 그들이 갖고 있는 잠재력의 씨앗을 틔우고, 능력을 향상할 수 있는 기회를 주는 것이 교사의 역할이다. 교사는 학생이 보여 주는 여러 능력을 제대로 방향을 잡게 하고, 열매를 맺을 수 있도록 안내해 주는 사람이어야 한다.

넷째, 생활지도는 학생의 발전 가능성에 대한 긍정적인 믿음을 기초로 실행되어야 한다. 학생은 교사가 자신들을 어떻게 바라보고 있는지를 분명하게 알고 있다. 누구나 건강한 면과 부정적인 면들을 갖고 있으며, 어떤 측면을 강조하는가에 따라 발달의 방향이 달라진다. 교사가 학생의 건강한 면을 부각시키고, 가능성에 초점을 두면 학생은 변화한다. 누구나 변화의 계기가 있으면 변화할 준비가 되어 있고, 교사는 학생의 변화에 중추적인 역할을 담당하는 사람이다.

2) 생활지도의 목표

학생들이 자신이 속한 세계 속에서 제자리를 찾고, 자신이 지향해야 하는 방향을 명확하게 알면서 삶을 영위해 나가도록 하는 것이다. 생활지도의 최종적인 목표를 달성하기 위한 세부적이고 구체적인 목표를 제시하면 다음과 같다.

첫째, 학생이 전인적으로 발달할 수 있도록 돕는다. 지덕체가 조화롭게 발달한 인간은 인류가 추구해 온 이상적인 인간상이다. 지적인 면과 함께 감정적인 섬세함을 갖추고, 사회적 · 도덕적으로도 고르게 발달한 인간으로 성장할 수 있도록 도와야 한다. 이를 위해서 생활지도에서는 학습과 관련된 여러 지도활동들 외에 성격발달, 사회성 함양, 건강생활, 여가관리에 대한 지도를 함으로써 학생의 고른 발달을 지원한다.

둘째, 개개인의 능력과 잠재력을 계발하여 자아실현하도록 돕는다. 사람이 팔을 벌려 안을 수 있는 크기가 아름이다. 개인이 노력해서 각자의 최대치만큼 성장할 때 아름다워질 수 있다(손은령 외, 2019). 그러므로 학생 개개인이 자신의 아름만큼 자기다워질 수 있도록 돕는 데 생활지도의 목표를 두어야 한다. 학생 스스로 자신을 파악하고 이해하는 것은 어렵지만, 교사는 타인의 관점에서 건강한 시각을 토대로 학생을 바라보고, 그들이 미처 깨닫지 못한 부분들을 일깨워 주고 격려함으로써 잠재력을 계발하도록 도와주어야 한다.

셋째, 지혜롭게 선택하고, 그에 적응할 수 있도록 돕는다. 급속하게 변화해 가는 현대 사회를 살아가기 위해서는 여러 대안들의 장단점을 현명하게 비교한 후 선택하는 능력을 길러야 하며, 그 선택에 대해 수용하고, 적응해야 한다. 이를 위해서는 자신이 속한 환경에 대한 깊은 이해가 선행되어야 하며, 환경에 대한 적절한 대응과 함께 때로는 환경을 변화시키려는 적극적인 노력이 병행되도록 조력해야 한다.

넷째, 학생들이 자율적으로 문제를 해결하는 능력을 기르도록 돕는다. 어려서는 부모나 성인에게 의존하여 문제들을 해결하지만, 문제해결의 열쇠 또는 해결의 동력은 자신에게 있다. 따라서 문제에 부딪혔을 때 최적의 방법을 찾아서 자신의 책임하에 문제를 해결해 갈 수 있도록 돕는 데에 생활지도의 목표를 두어야 한다. 여러 번의 문제해결 과정을 통해 학생들은 장차의 어려움에 굳건히 맞설 자신감이 생기고, 책임감도 높아지게 된다.

3) 생활지도의 영역

교사가 해야 하는 활동을 중심으로 생활지도 영역을 구체화하면 학생조사, 정보제공, 상담, 정치, 추수지도가 포함된다. 그리고 교사가 다루는 문제 영역을 중심으로 생활지도 영역을 구분하면 학업, 진로, 인성/사회성 발달이 포함되는데, 각 영역의 내용과 기능은 다음과 같다.

(1) 활동 영역

① 학생조사

학생조사는 생활지도의 가장 기본적인 활동이다. 학생을 이해해야 어려움을 덜어 주고, 잠재력을 계발할 수 있으므로, 교사는 다양한 방식으로 학생의 신상을 조사한다. 하지만 이 과정에서 자칫 학생들에게 상처를 주거나 낙인을 찍을 수도 있으므로 조심해야 하며, 학생조사의 목적은 이해를 토대로 도움을 주려는 것이라는 점을 명심해야 한다.

학생조사를 위한 방법에는 여러 가지가 포함된다. 예를 들어, 가정환경조사, 생활기록부, 면담, 관찰, 사회성 측정, 일기 등이 활용될 수 있으며, 지능이나 적성 검사, 성격검사 등도 정보를 얻을 수 있는 좋은 수단이다. 교사는 수집된 정보의 객관성, 타당도, 신뢰도를 확인해야 하며, 수시로 이 정보들을 활용할 수 있도록 기록, 정리, 보관해야 한다.

② 정보 제공

교사는 학생이나 학부모들에게 필요한 정보를 수집해서 그들이 의사결정하고, 자신과 자신을 둘러싼 환경을 제대로 이해할 수 있도록 자료들을 제공해야 한다. 이러한 정보는 크게 교육정보, 직업(진로)정보, 개인-사회적 정보로 구분할 수 있다. 교육정보란 학생의 교육활동, 즉 학교생활에 관련된 전반적인 정보로, 교육과정, 특별활동, 과외활동, 교외 교육정보, 장학제도, 학교생활의 제 규칙 등이 포함된다. 직업(진로)정보에는 직업 환경 및 직업 구조에 대한 일반적인 정보부터 입사조건, 작업조건, 취업준비방법, 보수조건과 같은 구체적인 정보까지 다양한 자료가 포함된다. 개인-사회적 정보는 자신과 타인에 대한 이해를 증진하기 위한 정보를 말하며, 성격, 예절, 우정, 여가활동, 가족관계, 건강, 재정문제 등 사회에 잘 적응하는 데 필요한 정보들을 담고 있다. 체계적으로 수집되고 분류된 정보들은 적절한 방식으로, 적합한 시점에, 그리고 필요한 사람에게 적재, 적시, 적소에 제공되어야 한다.

③ 상담

상담은 생활지도에서 가장 핵심적인 활동으로서, 도움을 필요로 하는 내담자(학생)와 전문적으로 도움을 주는 상담자(교사) 간의 협력관계를 통해 어려움을 해결해 가는 적극적인 활동이다. 학자에 따라서는 문제 영역과 난이도에 따라 생활지도, 상담, 심리치료를 구분하기도 하고(이장호, 1983; 홍강의, 1993), 상담을 생활지도보다 더 전문적인 활동으로 보는 경우도 있다(김계현 외, 2000). 하지만 이 장에서는 상담을 생활지도의 한 방법으로 보고(이재창, 1988; 황응연, 윤희준, 1983) 활동 영역에 포함시켰으며, 그 개념과 과정, 절차 등에 대한 것은 이후에 자세하게 설명하였다.

④ 정치

정치(定置)는 학생들을 적재적소에 알맞게 배치하는 활동이다. 교육과정 선택이나 특별활동, 동아리 선택과 같은 교내 활동과 직업이나 진로선택, 아르바이트 알선과 같은 교외 활동으로 구분한다(Shertzer & Stone, 1981). 학생들이 잘 적응하고, 적절하게 의사결정하도록 도와주기 위해서는 각종 심리검사를 구비하고 다양한 정보를 수집해야 하며, 학생의 희망 및 가치관 등에 대한 조사를 먼저해야 한다. 이를 위해서는 담임 교사를 비롯해서 학교 관계자 모두의 협력이 필요하다.

⑤ 추수지도

추수지도는 이미 생활지도를 받았던 학생에 대한 사후지도에 해당하며, 생활지도의 결과가 잘 유지되고 있는지, 학생이 제대로 적응하고 있는지 또는 추가적인 상담 등이 필요한지를 확인하는 활동이다. 상담이나 사례연구가 끝난 후 학생의 적응을 살펴보는 좁은 의미의 추수지도와 교육이나 생활지도의 전체적인 성과나 적응을 확인하는 넓은 의미의 추수지도로 구분된다. 이를 통해 교사는 자신의 생활지도 방식에 대해 반성하고 평가하는 자료를 수집할 수 있으며, 다른 학생들을 지도할 때 필요한 정보를 추가적으로 확인할 수도 있다.

(2) 문제 영역

① 학업

학업은 학생 본연의 임무이며 중요한 발달과업이다. 또한 진로선택과도 밀접하게 연관되어 있으며, 부모나 친구관계에도 영향을 주기 때문에 학업은 진로와 더불어 학생들이 호소하는 문제 영역의 1순위에 올라 있다. 학력중심 사회인 대한민국에서는 학업 성적이 낮은 학생들이 느끼는 무력감과 우울감은 상당하다. 하지만 학업과 관련된 문제의 원인은 단순하지 않다. 김창대 등(1994)의 조사에 따르면 학업 문제는 여러 원인에 의해 발생하는데, 시험불안, 공부 자체에 대한 회의와 의문, 집중력 부족, 성적 저하 및 저조로 인한 걱정과 스트레스, 공부 방법 문제, 공부에 대한 반감, 노력은 했으나 부진한 성적, 능력 부족, 공부습관 미형성, 공부에 대한 동기 부족, 성적에 대한 집착, 성적으로 인한 관계상의 문제 등이 중 하나의 원인에 의해 발생하는 경우가 많다. 환경적인 요인과 학습방법적인 측면에서 어려움을 겪는 경우에는 교사의 적극적인 도움에 의해 큰 변화를 만들어 낼 수 있으며, 인지 · 정서적 측면에서의 조력 또한 요구된다.

학업문제의 인지적 요인(지능, 학업 기초능력, 과목별 선행학습 수준)이나 정서적 원인(자아개념, 동기, 불안)과 관련된 문제는 앞에서 개략적으로 다루었기 때문에 이 장에서는 학습 방법 및 전략의 문제에 대해서만 다루고자 한다. 학습 방법 및 전략은 학년이 높아질수록 그리고 학습에 투여하는 시간이 늘어날수록 학업성취에 더 많은 영향을 주기 때문에 학교현장에서 구체적으로 다루어지면 그 효과가 높아질 수 있는 영역이다.

학습전략은 학습을 하는 데 적용되는 제반 방법들을 포괄하는 개념이다(이윤주, 2012). 다시 말해, '어떻게 공부할 것인가'란 문제에 답을 구하는 활동이다. 최근에는 학습자의 능동적 참여를 중요시하고, 자신의 학습전략을 조절해 가는 과정을 부각시키기 위해 '자기조절 학습전략'이라고 부른다. 그 내용에는 자기평가, 조직화 및

표 10-1 학습상담 프로그램(김동일, 2005)

구분		
1회기	들어가기	• 들어가기(학습방법 진단과 평가)
2회기	동기 및 집중력 높이기 전략	• 동기향상(공부 계획 세우기) • 집중력 높이기(정신집중 향상 훈련, 근육이완 훈련, 호흡 · 명상 훈련 등)
3회기	암기전략	• 암기전략(기억능력 향상 훈련, 자료 심상화, 정보 연합 등)
4회기	읽기 전략	• 읽기 5단계(SQ3R) • 훑어보기 • 중심 내용 파악하기
5회기	노트필기 전략	• 노트 필기 전략(도표 관리법, 요점 정리법)
6회기	자원관리 전략	• 시간 및 장소 관리 전략
7회기	시험 치기 전략	• 시험 전 · 중 · 후 시험 치기 전략
8회기	마무리	• 마무리/다짐하기

변형화, 목표 및 계획 설정, 정보 추구, 기록 유지 및 점검, 시연과 기억, 환경의 구조화, 자기강화, 동료/교사/어른에게 도움 요청, 시험지/교과서 복습 등이 있다. 이 외에도 주의집중 전략, 노트 작성, 수업 요령 및 시험준비, 시험 보기, 교과서 학습 전략, 요점 정리 전략, 시간 관리 및 활용 전략 등 다양한 방면에서의 점검이 필요하며, 효과적인 학습방법의 탐색과 반복적인 훈련과정이 요구된다(김형태 외, 1996).

학습전략을 파악하고 개선하기 위해서는 개인적인 노력과 함께 집단을 통한 진단과 평가 작업을 병행하는 것이 학업성취 면에서 더 유익하다. 참고할 만한 학습상담 프로그램의 구성과 내용은 〈표 10-1〉과 같다.

② 진로

사회의 급격한 발달과 노동시장의 변화로 인해 학생들은 진로 선택과 준비 과정에 많은 어려움을 겪는다. 이에 따라 자유학기 또는 자유학년제 등을 도입하여 학생들의 진로탐색을 지원하고, 학생의 진로계획에 맞춤한 교과선택이 가능하도록 고교학점제 등을 시도하고 있다. 진로교육 법제화를 통해 진로 전담교사들을 모든 학교에 배치하기도 하였지만 사실 모든 교사가 진로교사의 역할을 담당해야 한다. 학생이 가진 능력과 소질을 확인하고, 그에 적합한 교육과 훈련의 길을 열어 주고, 진로를 준비하도록 돕는 일은 모든 교사의 임무이기 때문이다. 입시제도의 여러 변화들—입학사정관제, 수시전형들—은 초·중등학교 단계에서부터 체계적으로 자신의 진로를 고민하고, 탐색한 후 준비해야 할 필요성을 높였다.

사회의 일원으로서 자신에게 적합한 일을 통해 능력을 발휘하고, 행복한 삶을 영위하는 것이 인생의 목표라면 진로는 행복한 삶을 만드는 데 중요한 핵심 영역이다. 과거에는 한번 직장이 평생직장이 되었지만, 최근에는 여러 번의 직업 전환이 당연해졌기 때문에 변화하는 생애 역할에 잘 적응할 수 있도록 도와주는 것이 생활지도의 중요한 주제가 되었다. 따라서 교사는 행복한 삶의 안내자라는 거시적인 관점에서 단순히 진학지도에 머무르기보다는 학생의 진로 결정 및 선택, 진로준비행동, 진로의식의 성숙, 건강한 직업 가치관 형성, 합리적인 의사결정, 성공적인 직업 전환 등을 조력해야 한다.

학생의 진로문제를 다루기 위해 교사는 필립스(Philips, 1992)가 제안한 다섯 가지 진로지도의 목표를 토대로 학생의 현 상태를 확인할 필요가 있다. 그중에서 자기 자신에 관한 보다 정확한 이해 증진, 직업세계에 대한 이해 증진, 합리적인 의사결정능력의 증진은 진로지도의 기본 모델이라 할 수 있는 파슨스(1909)의 3단계 모델을 진로 목표로 제시한 것이다. 다시 말해, 직업을 선택하기 위해서는 자기 자신의 적성, 흥미, 능력, 가치관, 신체 특성, 가정환경 등등에 대한 세밀한 분석이 전제되어야 하며, 동시에 직업세계가 요구하는 조건들, 예를 들면 작업 환경, 보수 조건, 자격증, 직업 전망 등에 대한 분석이 선행되어야 한다. 또한 이 두 영역이 맞물리는지를 확인하고, 이에 의사결정과정이 합리적으로 이루어졌는지를 확인해야 한다. 진로결정은 삶의 질을 좌우할 정도로 중요한 선택이지만 때때로 학생들은 상당히 주관적인 판단에 의해서 또는 부모의 의견이나 근거 없는 정보를 토대로 하여 불합리하게 결정하는 경우도 많다. 따라서 교사는 학생이 지금 자기이해 단계에서 어려움을 겪고 있는지, 의사결정 단계에서 어려움을 겪고 있는지를 확인할 필요가 있다. 그 밖에 정보 탐색 및 활용 능력의 함양 그리고 일과 직업에 대한 올바른 가치관 및 태도 형성도 진로지도의 목표라는 점을 기억해야 한다.

청소년기는 자아 정체감을 형성하는 시기이다. 우리나라 학생들은 이 청소년기를 거의 학업에 몰두하며 생활하고 있기 때문에 자신이 누구인지, 무엇을 원하는지를 제대로 탐색하지 못한다. 이로 인해서 정체감 형성 단계에 이르지 못하고 정체감 유실이나 정체감 종결, 정체감 혼돈 단계에 있는 경우가 상당히 많다(Marcia, 1980). 따라서 진로를 결정했다고 하는 학생일지라도 진로탐색과정을 다시 살펴보아야 하며, 제대로 된 정보를 토대로 하여 진로선택이 이루어졌는지를 확인해야 한다. 직업은 부를 창조하는 원천이며 생계수단이기는 하지만 사회적 역할의 실현이고, 자아실현의 수단이기도 하다. 따라서 일과 관련해서 건전한 가치관과 태도를 형성할 수 있도록 지도해야 한다.

학교현장에서는 학생들의 진로지도를 위해 다양한 집단상담 프로그램을 활용할 수 있다. 대부분의 프로그램은 자기 탐색과 발견, 직업 정보 제공 및 취업 기술 향상, 의사결정 능력의 함양 등을 목표로 구성되어 있다. 자기 탐색과 발견을 위해서는 홀랜드(Holland) 적성검사나 흥미검사, 직업 가치관 검사, 진로성숙도 검사들을 이용할 수 있으며, 직업능력개발원(www.careernet.net)에서 제공하는 검사들을 온라인상에서 실시하는 것도 효과적이다. 또한 한국고용정보원에서 출판한 직업 사전에는 각종 직업에서 요구하는 조건, 현재의 보수 및 직업 전망 등이 자세하게 실려 있기 때문에 직업 정보를 구하는 학생들이 이용하면 좋은 자료이다. 하지만 이러한 정보들이 있다 하더라도 진로를 선택하고 준비하는 학생이 직업 능력이나 취업 기술을 갖추지 못하면 소용이 없다. 따라서 진로선택과 함께 직업준비의 중요성도 주지시키고, 직업준비를 위한 취업 기술에 무엇이 있는지를 확인하여 자신의 장점을 강화하고, 단점은 보완할 수 있도록 조력해야 한다.

③ 인성/사회성

인간은 대인관계 속에서 자신의 존재를 확인하며 성장한다. 학교에서는 다양한 인간관계가 형성되는데 그 관계 형성에 어려움이 있는 경우 학교생활에 부적응할 가능성이 높다. 요즈음에는 학교 폭력이나 왕따 문제 등이 사회문제로 부각되고 있기 때문에 학교 교육에서 인성지도 및 사회성 함양을 위한 심리교육의 필요성이 특히나 높아지고 있다. 대인 관계의 문제는 성격차이 또는 생활방식의 차이로 인해 생기는 경우가 많다. 타인과 나를 상호 존중하고 효과적으로 의사소통하는 능력을 개발한다면 상당부분 해소될 수 있으므로, 교사는 인성교육과 사회성 발달을 위한 여러 프로그램을 제공해야 한다.

성격에 대한 정의는 다양하다. 어원적으로 보면 Personality(성격)는 가면을 뜻하는 Persona에서 파생되었다. 다시 말해, 각 상황에 맞는 가면을 제대로 쓸 수 있다면 건강한 성격이고, 상황에 맞는 가면을 사용하지 못하면 부적응 또는 이상 성격이 발생한다고 할 수 있다. 따라서 자신에 대한 이해, 타인 또는 관계에 대한 이해, 의사소통 능력의 함양은 중요한 인성지도의 영역이다. 요즘 얘기되고 있는 감성지능(EQ)이나 사회지능(SQ)도 성격발달과 관련된 문제라 할 수 있다.

성격은 개성의 측면으로 해석할 수도 있다. 개성(individuality)이란 더 이상 나눌 수(divide) 없다(in)는 의미로 "환경에 대한 개인의 적응을 특징짓는 비교적 일관성 있고 독특한 행동양식과 사고양식"(윤호균, 1998)이다. 상황이 변화함에도 불구하고 일관적인 사고와 행동의 양식을 보일 때 그 사람의 행동은 성격으로 이해할 수 있는데 이때는 일종의 특성(trait)이 된다. 어떤 성격이 좋고 나쁜 것이 아니며, 나와 다르다고 해서 틀린 것이 아니라는 사실을 인성교육을 통해 지도하고, 상호 존중의 태도를 격려해야 한다.

이상의 두 가지 성격관은 학교현장에서 상호 보완적으로 이해되어야 한다. 사교적이지 않거나 혼자 있는 것을 좋아한다고 하여 성격이 이상한 것이 아니며, 자신과 다른 특성을 보인다고 해서 이를 배척하거나 집단적으로 따돌리지 말아야 한다는 사실을 강조해야 한다. 자신의 성격이 내향적이거나 소심하기 때문에 바꾸고 싶어 하는 경우도 있는데 선천적인 경향성을 바꾸려 하기보다는 자신에 대한 수용을 토대로 하여, 관계에서의 대응 방식을 훈련할 수 있도록 도와야 한다.

사회성을 함양하기 위해서는 공감 훈련, 역할 바꾸기 훈련, 감수성 훈련, 자기 주장 훈련 등의 방법을 활용하여 도와주어야 한다. 또래 상담 훈련은 학교현장에서 쉽게 활용할 수 있는 프로그램이며(이상희, 노성덕, 이지은, 2004), 사회성 및 성격 발달을 조력할 수 있는 각종 프로그램은 한국청소년상담 복지개발원(www.kyci.or.kr) 자료실이나 관련서적을 참고하면 구체적인 정보들을 다양하게 얻을 수 있다.

2. 상담의 이해

1) 상담의 정의

최근 여러 영역에서 상담이란 용어를 사용하고 있기 때문에 상담이란 단어가 낯설지는 않다. 하지만 실제적으로 상담을 어떻게 정의할 것인가의 문제는 쉽게 답하기 어렵다. 상담을 통해 정답을 얻을 것으로 기대를 하거나 한 번의 만남으로 문제가 해결되기를 바라기도 한다. 하지만 그런 경우는 드물며, 상담자가 처방하듯이 해결책을 제시하는 경우도 거의 없다. 상담을 정의한 여러 학자가 있으며, 이 중 이장호(2000)는 다음과 같이 정의한다. "상담이란 도움을 필요로 하는 사람(내담자)이 전문적 훈련을 받은 사람(상담자)과의 대면관계에서 생활과제의 해결과 사고, 행동 및 감정 측면의 인간적 성장을 위해 노력하는 학습과정"이다. 이 정의를 살펴보면 상담이라고 불리기 위해서는 상담자와 내담자, 그리고 그 둘 간의 만남이 있어야 한다. 이러한 만남은 수다를 위한 만남과는 그 성질을 조금 달리한다. 단순히 시간을 보내기 위한 것이 아니라 목적이 분명한 만남으로서 문제를 해결하거나 변화를 위한 노력과정이 요구된다.

한자어인 상담(相談)을 파자하면 보다 쉽게 상담이 무엇이고 어떤 활동을 하는 것인지 알 수 있다. 相은 날일(一), 뚫을 곤(丨), 사람 인(人), 눈 목(目)으로 구성되어 있다. 이야기 談은 말씀 언(言)과 불꽃 염(炎: 火火)의 합성어이다. 결국 상담은 내담자와 상담자(人)가 동등한 관계에서(一) 서로 눈(目)을 보며 마주 보고 앉아서, 가장 세속적인 문제부터 가장 성스러운 문제까지 개인이 갖고 있는 모든 문제를 통틀어 뚫고(丨) 나가기 위한 대화인 것이다. 내담자는 그동안 문제를 해결하기 힘들어하였기 때문에 마음속에 화나 분노, 억울함 등등 감정의 찌꺼기들이 쌓여 있었을 것이다. 이렇게 억눌려져 있던 마음의 화(炎: 火火)를 상담자와 의사소통(言)하여 누그러뜨리고 해소해 나가는 과정에서 미처 깨닫지 못했던 해결책들을 알게 되고, 자신의 강점들을 키워 나가는 것이 상담이다. 다시 말해, 상담이란 내담자의 상황과 어려움을 살리는 각도(生角)에서 긍정적으로 바라보고 그 처지를 공감한 후 내담자의 자원과 강점을 격려함으로써 문제를 해결할 힘을 북돋우는 활동이라 할 수 있다.

2) 상담의 기본 조건

내담자를 효과적으로 도와주기 위해서는 몇 가지 기본 조건을 충실하게 제공해야 한다. 상담이 일상적인 의사소통과 다른 점은 기존의 인간관계에서 도외시하고 간과하였던 의사소통의 기본 원리들을 토대로 관계를 만들어가기 때문이다. 상담에서 제공되어야 할 기본 원리는 다음의 세 가지로 요약할 수 있다.

(1) 수용

수용(acceptance)이란 내담자를 있는 그대로 받아 주는 것이다. 다시 말해, 무조건적으로 존중하는 것을 뜻한다. 상담자가 자신의 주관적 견해나 선입견에 근거하여 내담자를 판단하지 않고, 내담자를 인간으로서 인정하고 존중하는 것이다. 내담자가 어떤 문제를 안고 있든 간에 어떤 죄악과 실수를 범하였던 간에 그를 한 인간으로서 이해하려고 노력하는 마음 자세가 바로 수용의 자세이다.

개개인이 과거에 어떠한 사람이었고, 현재 어떤 모습이든 간에 계속 성장하고 발달해 가려고 노력하려 한다는 점을 인정하고, 인간 존재가 가진 존귀성을 십분 인정하는 데서 수용은 출발한다. 인간의 변화 가능성에 대한 믿음을 토대로 하여 개인이 가진 고유한 가치들을 상담을 통해서 실현해 나갈 수 있다는 신념이 수용의 기저에

깔려 있다. 내담자의 긍정적인 측면을 발판으로 하여 내담자가 상담을 통해서 자신의 긍정적인 특성들을 발전시켜 나갈 수 있도록 가능한 조건들을 제공하려는 마음의 태세가 수용이다.

(2) 일치(진솔성)

일치(genuiness)는 진솔성, 진지성, 솔직성 등으로 불린다. 내담자와의 만남 속에서 느껴지는 생각이나 감정들을 가식 없이 기꺼이 드러내야 함을 의미한다. 내담자를 의식하여 상담자가 갖게 되는 부정적인 감정들을 감추거나 왜곡하는 것이 아니라, 상담 장면에서 경험하는 감정을 솔직하게 드러냄으로써 상담자의 일치성이 나타난다. 다른 측면에서 보면, 상담자가 말하고 행동하는 것이 그의 내면 세계에서 경험하는 것과 동일한 것을 일치라 한다. 상담자의 내적인 경험과 그에 대한 인식이 통합되는 것이다. 내담자는 그동안 일관되지 않은 의사소통으로 인해 혼란을 경험했을 수 있다. 겉으로 보이는 의사소통의 신호들과 개인의 내적 경험들이 상반되기 때문에 해석에 어려움이 있었을 수도 있다. 상담자가 자신의 내적 경험과 외적 행동을 일치하게 표현하면 상담을 통해 내담자는 새로운 의사소통의 방법을 학습하게 된다. 또한 자신의 감정들을 선별하거나 왜곡하지 않고도 오롯이 보여 줄 수 있고, 그것이 수용될 수 있음을 알게 될 것이다.

(3) 공감적 이해

공감적 이해(empathetic understanding)는 감정 이입 또는 공감이라고도 불린다. 어원적으로 보면 상담자가 내담자와 같은 눈높이로 내려 서서(understand) 내담자의 감정을 함께(empathy) 느끼려 한다는 것이다. 타인의 시각에서 보면 이해하기 어려운 경험, 사고, 감정, 태도 등을 그 사람의 준거체제를 통해서 바라보니 저절로 수긍이 가며, 그 처지에서는 그럴 수 있다고 수용하게 되는데, 이러한 경우에 공감이 일어났다고 할 수 있다.

상담이 기존의 대화방식과 다른 것은 상담자 자신의 주관적인 가치체계나 준거체제를 일단 유보한 후 내담자의 입장에서 그의 마음을 헤아려 보려 노력한다는 점이다. 상담자는 내담자의 관점에서 마음을 읽고, 그 읽은 마음을 내담자에게 되돌려서 전달해 줌으로써 이미 알고 있거나, 아니면 미처 깨닫지 못한 마음 상태를 알려 주고, 그러면서 문제해결에 한 걸음 다가서도록 도와줄 수 있다. 현상학적 관점에서 내담자가 보는 대로의 세계, 내담자가 이해한 그대로의 세계를 이해하고, 함께 공감해 줌으로써 치료적 변화가 나타나게 된다.

3) 상담의 목표

상담의 목표와 교육의 목표는 대동소이하다. 인간 행동을 보다 바람직하게 변화시키려는 계획적인 시도가 교육의 목표라면 상담의 목표도 이와 비슷한 맥락에서 인간의 성장과 발달을 촉진하여 자아실현하도록 돕는 것이기 때문이다. 상담자는 내담자를 고유한 생각과 감정을 가진 개인으로 봐야 하며, 그들의 변화 가능성에 대해 확신을 가져야 한다. 그리고 내담자와 함께하면서 문제를 해결해 가는 과정에서 함께하고 있음을 전달해야 한다. 내담자에게 관심받고 있다는 느낌을 주는 한편, 버팀목이 있다는 안도감도 주어야 한다. 힘들 때 도와줄 곳이 있다는 안전감을 조성함으로써 지지받는 느낌을 내담자가 받아야 한다. 이러한 태도와 신념들을 토대로 내담자는 자기 자신을 긍정적으로 바라보게 되며, 자신의 자원들을 확장하고, 용기를 내서 어려움에 맞설 수 있게 된다. 이 과정에서 상담자의 적극적인 격려와 지원은 필수적이다.

상담의 목표는 다양하게 이해할 수 있지만 셔처와 스톤(1981)이 제시한 다섯 가지 목표—행동 변화, 정신건강의 증진, 문제의 해결, 개인적 효율성의 향상, 의사결정—가 대부분 그 내용들을 담고 있기 때문에 살펴보고자 한다.

첫째, 행복한 생활을 위해 필요한 행동이 어떤 것인가를 구체적으로 정의하여 그에 부합되는 행동들을 늘리고, 이를 저해하는 행동들은 제거해 나감으로써 스스로 자기 삶을 구성해 나갈 수 있도록 조력하는 것이 상담의 목표이다. 변화시켜야 할 행동 영역은 다양하다. 인간관계, 학업 및 진로영역, 생활습관 등의 영역에서 개인이 갖고 있는 좋은 행동과 그릇된 행동들을 구분하고, 보다 바람직한 행동들로 변화할 수 있도록 도와야 한다.

둘째, 상담은 개개인이 자신의 정신건강을 돌볼 수 있다는 전제에서 출발한다. 삶의 과정에서 겪어야 할 여러 어려움들을 막을 수는 없지만 그로 인한 영향은 개인적인 노력을 통해 조절할 수 있으며, 적극적으로 자신의 정신건강을 유지하기 위해 노력해야 할 책임은 각자가 갖고 있다. 자신이 처한 상황을 보다 객관적으로 바라보거나, 긍정적이고 낙관적인 시각에서 해석하면 정신건강을 유지하는 데 도움이 된다. 이러한 변화 과정에 도움을 주는 것이 상담이다. 더불어서 정신질환의 발병 가능성을 낮추고, 예방할 수 있도록 조력함으로써 정신건강을 증진시키는 것도 상담의 또 다른 목표이다.

셋째, 상담을 신청한 내담자는 여러 가지 문제를 안고 있으며, 이를 해결할 방안들을 상담자와 함께 탐색하고, 이를 실천하는 데 도움을 받고 싶어 한다. 따라서 상담은 내담자들의 문제를 해결하거나, 그들이 호소하는 여러 가지 증상들(예: 공포, 불안, 우울 등)을 경감시키는 데 도움을 주어야 한다. 상담자의 관점에 따라 문제의 원인을 다양하게 파악할 수도 있지만 내담자가 해결을 원하는 문제가 무엇인지를 상담자와 함께 규명해 가는 작업에서부터 상담은 시작된다. 그리고 명시적으로 내담자가 호소하는 문제들을 함께 해결해 갈 때 비로소 내담자는 상담의 효과를 인식하게 된다.

넷째, 상담은 내담자의 효율성을 극대화하는 데 그 목표를 둔다. 개개인이 가지고 있는 능력이나 잠재력에는 차이가 있다. 선천적으로 많은 능력을 갖고 태어난 사람이 있는가 하면 여러 가지 핸디캡을 갖고 있거나 제한된 재능만을 갖고 있는 사람도 있다. 각자가 가진 능력의 범위와 유형을 토대로 내담자가 갖고 있는 능력을 최대한 발휘할 수 있도록 조력하는 것이 상담의 중요한 목표이다. 더 나아가서 상담을 통해 내담자로 하여금 자신이 처한 환경의 범위를 벗어나서 이를 극복하고, 그 효율성을 극대화할 수 있도록 도움을 줄 수도 있다.

다섯째, 내담자가 의사결정하는 과정에 필요한 여러 가지 도움을 상담자가 적절히 제공함으로써 보다 합리적이고 현명한 의사결정을 돕는 데 상담의 목표가 있다. 의사결정의 최종 단계는 내담자의 몫이기 때문에 조언은 삼가 해야 하며, 상담자는 의사결정과정에 있는 내담자의 정서와 태도에 대해 공감과 지지를 제공하고, 의사결정에 필요한 여러 가지 정보를 함께 수집하고 평가해야 한다. 그리고 합리적으로 선택할 수 있는 방법들을 함께 고안해 가고, 보다 바람직한 선택이 이루어질 수 있도록 조력하게 되면 내담자는 장차 있을 여러 결정과정에 대한 자신감이 생길 것이다.

3. 상담의 이론과 기법

교사는 학교현장에서 준전문상담자(손은령, 2010)로서의 역할을 담당한다. 따라서 여러 상담이론을 이해하고 이를 교실현장에 적용할 수 있도록 노력해야 한다. 상담이론은 인간에 대한 철학이자, 문제의 발생 및 해결방법에 대한 안내서이다. 상담이론은 학생의 다양한 문제들을 이해하고 증상을 감소시키는 전략을 세우는 기본적인 틀을 제공하기 때문에 교사는 상담자로서 자신에게 적합한, 그리고 학생의 문제해결에 필요한 이론들을 잘 알아야 한다. 학생 문제의 복잡성을 고려할 때 어느 한 가지 이론이나 관점이 정답이 될 수 없으므로 교사는 다양한 이론과 관점을 이해할 필요가 있다. 하지만 현실적으로는 그 많은 상담이론을 안다는 것은 어렵기 때문에 이 절에서는 네 가지 주요 상담이론—정신분석, 행동주의, 인간중심이론, 인지행동이론—과 현장에서의 활용도가 높은 현실치료와 해결중심 상담이론을 중심으로 각 이론의 인간관, 상담목표, 주요 상담기법을 살펴보았다.

1) 주요 상담이론

(1) 정신분석적 상담이론

프로이트(Freud)에 의해 창시된 정신분석적 상담이론은 인간을 비합리적이고 결정론적인 존재로 이해한다. 심리성적 에너지 즉, 리비도(libido)가 어디에 집중되는가에 따라 성격의 발달은 구강기, 항문기, 남근기, 잠복기, 생식기의 단계로 구분된다. 구강기는 생후 18개월까지이며 입술, 혀, 입으로 세상을 만나고, 쾌감을 느낀다. 이 시기에 고착되거나 과잉 충족이 일어나면 구강기적 성격이 된다. 항문기는 만 3세까지이며, 배설 기능의 자율적 통제능력을 인식하기 때문에 부모의 배변 훈련 등으로 인한 쾌, 불쾌 경험이 성격에 영향을 준다. 남근기는 만 6세까지로 아동의 성적 욕구가 이성 부모에게 향하는 과정에서 아동은 죄책감을 갖는다. 오이디푸스 콤플렉스(Oedipus Complex)나 일렉트라 콤플렉스(Electra Complex)를 경험하는 것이다. 이를 해결하는 과정에서 무의식에 남은 심리적 갈등은 이후의 인생에 지속적으로 영향을 준다. 때문에 성격형성의 결정적 시기는 만 6세 이전이라 할 수 있다. 학령기에는 잠시 성적 욕구가 줄어들게 되므로 잠복기라 부르며, 12세 이후 2차 성징이 나타나면서 생식기에 접어든다.

프로이트에 의하면 성격은 원초아(id), 자아(ego), 초자아(superego)로 구성되며 이들은 각기 쾌락의 원리, 현실의 원리, 도덕의 원리에 지배를 받는다. 또한 세 가지 의식 수준, 즉 무의식, 전의식, 의식의 하나나 둘 또는 전체에 걸쳐 세 가지 성격구조가 존재한다. 욕구 충족의 과정에서 자아가 이들 간의 갈등을 제대로 조정하지 못하게 되면 세 가지 유형의 불안—신경증적 불안, 현실적 불안, 도덕적 불안—중 하나를 경험하게 된다. 자아는 이러한 불안을 해소하기 위해 무의식 수준에서 비현실적인 방법, 즉 자아 방어기제—합리화, 부인, 투사, 반동형성, 치환, 백일몽, 보상—를 사용한다.

현재의 문제행동은 무의식 속에 잠재된 어린 시절의 경험과 리비도(libido)에 의해 결정되기 때문에 무의식을 의식화하고, 무의식적인 충동을 조절할 수 있도록 자아를 강화하는 것이 상담의 목표이다. 어린 시절의 경험을 재생하여 무의식에 억압된 감정을 해소하고, 지적 각성상태에 이르게 하여 기본 성격을 재구조화하려 한다. 이때 상담자는 중립적인 태도로 내담자의 투사를 받아들이고, 일종의 거울의 역할을 함으로써 전이를 촉발한다. 전이란 어린 시절 주요한 타인에게 느꼈던 부정적 감정 또는 미해결된 감정들로서 내담자는 상담관계에서 자연스럽게 이러한 감정들을 상담자에게 투사하고 이를 훈습하게 되며 상담자는 과거 경험을 현재로 가져와 이를 해소할 수 있도록 도와준다. 그 밖에도 자유연상, 꿈의 분석, 저항의 해석과 같은 기법을 활용하여 내담자의 무의식적 갈등을 드러내고, 이에 대한 통찰을 갖도록 도와주며 자아의 기능을 강화시킨다.

(2) 인간중심 상담이론

로저스(Rogers)에 의해 주창된 인간중심 상담이론은 비지시적 상담, 내담자중심 상담이론이라는 몇 가지 별칭을 갖고 있다. 이 이론에서는 내담자, 즉 인간을 변화하려 노력하는 존재이며 자신의 잠재력을 최대한 발휘하려는 경향이 있는 존재로 본다. 다시 말해, 인간의 긍정적 측면을 인식하고 이를 촉진시키는 심리적 분위기를 제공함으로써, 내담자 스스로 자신의 문제를 극복해 갈 수 있도록 도우며, 주도적으로 자신에게 도움이 되는 환경을 구성해 갈 것임을 믿고 지지해 준다.

인간은 합목적적이고, 건설적이며, 강점과 자원을 가진 선한 존재이기 때문에 내담자로 하여금 충분히 기능하는 인간으로 성장하도록 돕는 것이 상담의 목표이다. 인간은 전체로서의 개인이라 할 수 있으며, 각자 독특한 주관적 경험세계라 할 수 있는 현상학적 세계를 갖고 있다. 이러한 현상학적 장에서 분화되어 발달한 것이 자아이다. 정신건강이란 현실적 자아와 이상적 자아가 합치되는 것인데, 반대로 현실적 자아와 이상적 자아의 간극이 커지면 부적응이 심화된다. 자기 모습을 수용하고 받아들이기보다는 주변 환경에서 요구하는 모습을 이상화하고, 이를 좇아가는 과정에서 심리적인 문제들이 나타나는 것이다. 이 과정에서 내담자는 가치의 조건을 받아들이게 되고, 자신의 모습을 평가절하하게 된다. 상담에서는 내담자가 부인하고 왜곡하고 있는 자아를 경험하도록 자기 탐색의 분위기를 만들어 주고, 자신의 주관적 경험을 드러내고 이를 신뢰하도록 도와준다. 또한 자기 모습대로 활기 있게 살아가는 것이 바람직하며, 자신의 잠재력을 실현하는 성장의 길이라는 점을 인식하도록 돕는다.

인간중심 상담이론에서는 특별한 기법보다는 상담자와 내담자의 촉진적 관계를 중시한다. 인간 존재에 대한 무조건적 긍정적 존중, 진솔성, 신뢰, 공감적 이해와 같은 상담자의 태도를 내담자에게 전달함으로써 내담자의 성장을 촉진하며, 상담관계에서 학습한 것을 실제 관계에서 적용하도록 돕는다. 이를 위해서 적극적 경청, 감정의 반영, 명료화와 같은 기초적인 상담기법을 활용하지만 가장 중요한 상담 도구는 상담자 자신이기 때문에 상담자는 인격적 성숙을 이루기 위해 부단히 노력해야 한다.

(3) 행동주의 상담이론

파블로프(Pavlov), 왓슨(Watson)의 고전적 조건화와 손다이크(Thorndike), 스키너(Skinner)의 조작적 조건화를 기반으로 한 행동주의 학습이론을 상담 장면에 활용하는 접근법이 행동주의 상담이론이다. 인간 행동과 동물의 행동이 유사하다는 관점에서 행동주의에서는 인간의 행동은 학습의 결과로 본다. 어떤 행동이 지속되는 것은 그 행동의 발생 이전의 조건(문제행동의 발생 맥락)에 의해서, 또는 그 행동 이후의 보상 혹은 강화에 의해서이기 때문에 상담자가 현재 행동의 전후를 잘 관찰하여 상호 신뢰 관계를 형성한 후 적합한 행동수정 전략을 시도한다. 따라서 바람직하지 못한 행동을 소거하고, 효과적이고 바람직한 행동을 학습하게 만들어서 문제를 해결하는 것이 상담의 목표이다.

상담자는 전략을 구안하고, 절차를 지시하는 데 능동적이어야 하며, 내담자에게 효과적인 행동을 가르치는 교사 혹은 조련사의 역할을 담당한다. 새로운 행동을 실험적으로 실천하는 일종의 모델로서의 기능도 담당한다. 다양한 행동수정 기법들을 활용하는데 소거, 처벌, 자기 주장 훈련, 체계적 감감법, 홍수요법, 토큰 경제, 조형, 모델링, 혐오 요법, 역할 연기, 사고 중지법, 바이오 피드백, 인지적 행동수정기법 등이 있다. 초기의 행동주의는 동물심리학을 중심으로 발달하였지만, 이후에는 인간의 능동적 역할과 정보처리 과정에 대한 정보들을 토대로 직접적인 수행 과정 없어도 학습이 일어난다는 점에 주목한 또 다른 관점도 출현하였다. 이는 모델링 또는 사회학습이론으로 불리며 밴듀라(Bandura)가 주창하였다. 사회학습이론에 의하면 직접적인 보상이 없어도 인간은 학습할 수 있다. 즉, 다른 사람의 행동이 보상을 받는지, 처벌되는지를 보고 자신의 행동을 선택할 수 있으며, 타인에 대한 감정이나 관계에 따라 그 선택의 내용과 강도가 달라질 수 있다. 따라서 학교현장에서는 모델이 될 만한 학생 또는 교사의 행동에 유의해야 하며, 모델링의 효과를 거둘 수 있는 사례들을 적극 발굴하려 노력해야 한다.

(4) 인지적 상담이론

엘리스(Ellis)와 벡(Beck) 등이 주창한 인지적 상담이론은 인간이 가진 사고하는 기능에서 문제의 원인과 해결책을 찾는다. 인간은 합리적이고 올바른 사고와 비합리적이고 올바르지 못한 사고를 둘 다 할 수 있는 능력이 있다. 아동기 동안 중요한 타인으로부터 비합리적 신념을 습득하고 이를 반복하면 자동적으로 자기 파괴적이고 역기능적인 신념에 세뇌되어 객관적인 정보나 과학적인 분석과정을 거치지 않은 채 사건이나 정보를 해석한다. 일종의 인지 왜곡현상이 발생하는 것이다. 다시 말해, 어떤 문제나 사건에 대해 타당한 증거나 근거 없이 자신에게 불리하게, 자기 패배적인 방식으로 해석해서, 자신의 무능력을 확인하고, 우울감과 불안도를 높인다. 따라서 내담자의 자기 패배적이고 역기능적인 신념을 확인하고, 이를 대체하는 융통성 있고 합리적인 인생관을 갖도록 돕는 것이 상담의 목표이다.

생각이 바뀌면 행동이 바뀌고, 습관과 성격, 결과적으로 운명이 바뀌듯이 인지적 상담이론에서는 내담자의 잘못된 생각을 바꿈으로써 이후의 모든 변화가 가능하다고 가정한다. 사건이나 문제의 발생이 중요한 것이 아니라 이에 대한 주관적이고, 근거 없는 해석이 이후의 감정, 행동 등에 영향을 주는 것이다. 예를 들어, 시험에 떨어졌을 경우 '나는 반드시 시험에 붙어야만 한다'거나 '시험에 떨어지는 것은 있을 수 없다'는 당위적인 해석을 하면 우울과 수치심이 커진다. 하지만 '시험에 붙으면 좋겠지만 아니어도 할 수 없다'거나 '나만 떨어진 것이 아니라 상당히 많은 사람이 시험에 떨어졌으니, 다음번에 더 열심히 해야겠다'고 생각하면 다시 해 보자는 도전의식이 높아진다. 사건은 언제 어디서나 일어날 수 있고, 통제할 수 없지만 생각은 우리의 통제 영역 안에 있다. 상담자는 내담자가 갖고 있는 비합리적 신념을 확인하고, 이를 과학적이고 객관적인 방법으로 논박함으로써 보다 합리적이고 관용적인 인생관을 갖도록 교육하는 일종의 교사이자 조련사가 되어야 하며, 내담자는 일종의 학생이 된다.

인지적 상담의 과정은 ABCDEFG로 표현할 수 있다. 내담자가 경험한 사건(Activating events 또는 Accident)은 내담자의 신념(Belief)에 따라 해석된다. 이때 비합리적 신념을 갖고 있으면 내담자는 결과적으로(Consequence) 부정적인 정서나, 부적응적인 행동(우울이나 불안)을 경험하므로 상담자는 이를 객관적인 증거나 과학적이고 논리적인 논박(Dispute)를 통해 합리적이고 기능적인 신념으로 바꾸도록 재교육해야 한다. 이를 통해 내담자가 합리적이고 효과적인 인생관(Effective philosophy)을 가지게 되면 감정(Feeling)도 긍정적(Good)이 된다. 이를 위해 상담자는 논박, 과제 제시, 독서치료, 자기 진술, 유머와 같은 다양한 상담기법을 활용한다.

(5) 현실요법

글래서(Glasser)가 주창한 현실요법은 인간이 통제력 또는 선택할 수 있는 능력을 갖고 있으므로, 궁극적으로 자기 삶에 책임을 가져야 한다고 주장한다. 현실요법은 의학모델을 거부하며, 교육적인 관점에서 성공 정체감이 발달해 가도록 강점을 발굴하는 데 초점을 둔다. 예를 들어, 내담자가 '우울하다'고 말할 경우 선택을 강조하기 위해서 상담자는 '당신은 우울하기로 선택했다'고 바꾸어 말한다. 우리가 감정에 지배를 받는 것이 아니라 그 감정을 선택하였음을 인식하도록 도움으로써 현실적이고 책임 있는 행동을 학습하여 성공 정체감이 발달하도록 도우려는 것이다. 과거가 현재를 지배하는 것이 아니므로 현재 무엇을 하고 있고, 무엇을 할 수 있는가를 평가하고, 이를 토대로 원하는 바를 달성할 수 있도록 돕는 것이 상담의 목표이다.

인간은 생존의 욕구, 소속의 욕구, 힘의 욕구, 자유의 욕구, 즐거움의 욕구라는 다섯 가지 기본적인 욕구를 갖고 있다. 각각의 욕구를 충족시키기 위해 우리의 환경을 통제하고 선택하는데, 욕구의 우선순위를 알지 못하거나 욕구를 알아차리지 못할 때, 그리고 잘못된 방법으로 욕구를 충족하고자 할 때 문제가 발생한다. 따라서 상담자는 내담자의 욕구(Want)를 파악한 후 내담자를 도와 현재의 행동(Doing Direction)을 평가(Evaluation)하여 변화를 위한 행동계획(Plan)을 수립하고, 이를 실천할 수 있도록 돕는다. 행동계획을 세울 때는 가능한 구체적이고 작은(Specific & Small) 목표를 설정하는 것이 필요하며, 측정 가능한(Measurement) 형태로 진술해야 한다. 또한 실현 가능(Achievable)하고 현실적(Realistic)인 목표여야 하고, 달성할 때까지의 시간(Time-limited)을 명확하게 제시해야 내담자의 동기가 올라간다(SMART). 이 과정은 간략하게 W(Want), D(Doing), E(Evaluation), P(Plan)로 요약할 수 있으며, '원무지계'로 표현할 수도 있다. 다양한 상담기법—숙련된 질문 기술, 적절한 유머, 토의와 논쟁, 맞닥뜨림, 역설적 기법—을 활용하여 원하는 게 무엇인지를 확인한 후 지금부터 계획을 세우자고 상담자가 유도함으로써 내담자가 변명할 구실을 찾지 못하게 하고 자신의 감정이나 행동에 책임감을 갖도록 돕는 것이다.

(6) 해결중심 상담이론

해결중심 상담이론은 드 셰이저(de Shazer), 김인수(Insoo Kim), 그리고 밀워키에 있는 단기가족치료 연구소(Brief Family Therapy Center)의 상담자들이 만든 이론이다. 인간은 더 나은 방향으로 변화하기를 원하며, 자기 문제를 해결할 자원을 이미 갖고 있다는 긍정적인 관점을 토대로 개인의 강점과 능력에 초점을 맞추고 이를 활성화시키는 여러 가지 질문을 통해 내담자의 적극적인 협력을 이끌어 내고자 한다. 문제의 원인을 밝히려 노력하기보다는 해결책을 찾는 데 초점을 두고 있으며, 이를 통해 단기간에 상담의 효과를 만들었다. 해결중심상담은 내담자가 가진 장점을 발굴하여 변화를 일으킴으로써 더 큰 변화의 토대를 마련하려는 시도이다. 그동안 내담자가 문제를 사각(死角)에서 보았기 때문에 해결책을 찾지 못하였음을 알리고, 문제를 생각(生角), 즉 살리는 각도에서 보도록 도와줌으로써 해결책의 주인이 자신임을 깨닫게 하는 것이 상담의 목표이다.

상담의 과정은 크게 다섯 단계로 구분한다. 첫 번째 단계는 내담자와 상담자가 맺는 관계를 방문형, 불평형, 고객형으로 유형화하는 것이고, 두 번째 단계는 유형별로 상담의 목표 및 기법을 정하는 것이다(Berg & Miller, 1992; de Shazer, 1984). 이때 내담자에게 중요한 것, 내담자가 성취할 수 있는 작은 것, 없는 것보다는 있는 것에 관심을 두고 부정적인 것보다는 긍정적인 것을 목표로 만들어야 달성 가능성이 높아진다. 목표달성이 쉽지 않다는 점을 알려 주고, 그 과정을 밟아 나가는 내담자의 노력에 관심을 두고, 적극 격려반응을 보여야 한다. 세 번째 단계에서는 다양한 질문 기법—상담 전 변화 질문, 예외 질문, 기적 질문, 척도 질문, 대처 질문—을 활용하여 내담자를 해결의 방향으로 움직이도록 도와야 한다. 상담자의 질문과 그에 대한 내담자의 응답과정을 통해 내담자는 자신이 이미 변화하고 있음을 인식한다. 네 번째 단계는 과제를 부여하는 단계이다. 이때는 Go, Stop, Change의 원리를 기억하면 도움이 된다(김계현 외, 2011). 그동안 해 왔던 방법 중 잘 되었던 것은 지속하고(Go), 효과가 없었던 것은 중단하며(Stop), 새롭게 시도해 보기(Change)를 권함으로써 자신의 행동을 관찰하고, 변화의 주체가 자신임을 인식하도록 돕는다. 마지막 단계는 목표달성 여부를 상담 중에 점검하는 단계로서 '무엇이 나아졌나?' '어떤 변화가 생겼나?'라는 질문들을 통해 내담자가 그동안 해 왔던 작업들을 구체화하고 이를 내담자의 삶 속에 정착시킨다.

2) 개인상담의 과정과 기법

교사는 학교 장면에서 개인 상담과 함께 집단상담 및 프로그램을 운영한다. 이때 어떤 과정과 절차를 거쳐 상담을 진행하고, 그때 활용하는 기법에는 어떤 것이 있는지를 살펴보면 다음과 같다.

(1) 개인상담의 과정

상담은 내담자와 만나 문제를 함께 해결해 가는 과정이다. 그 다양한 학자의 의견이 있지만 기본적인 내용을 중심으로 구분하면 다음의 네 단계로 요약할 수 있다. 첫 번째는 내담자가 호소하는 문제를 이해하고, 내담자와 협력관계를 형성하는 단계이다. 내담자는 그동안 문제와 씨름해 왔으며, 다른 사람들로부터 지지받거나 이해받지 못해 왔다는 점을 알아야 한다. 그동안의 노력에 대해 격려하고, 그들이 보는 관점을 인정한 후 문제를 해결하기 위해 같은 편이 되었다는 느낌을 전달해야 한다. 내담자와 라포(rapport) 형성을 잘 하여 촉진적 관계를 맺어야 한다.

두 번째는 내담자와 함께 상담의 목표를 설정하고 함께 문제를 해결하기 위해 노력하는 단계이다. 상담자가 전문가로서 목표를 정해 주기보다는 내담자와 함께 이루고 싶은 것, 변화하고 싶은 정도, 변화의 방향을 정해야 한다. 이 과정에서 상담자와 내담자 모두 문제를 해결하려는 동기가 커진다. 이후에는 내담자가 그동안 사용한 방법들을 검토하고 필요한 정보들을 수집하면서 문제해결을 위한 방법을 마련해 가야 한다.

세 번째는 내담자가 기존의 관점이 아닌 다른 관점에서 자신의 문제를 바라봄으로써 문제해결을 위한 선택지를 넓혀 가는 단계이다. 문제해결의 열쇠는 내담자가 갖고 있다. 그러므로 내담자의 관점이 유연해져야 문제해결의 가능성이 높아진다. 또한 내담자가 실천 가능한 형태의 계획을 수립해야 한다. 따라서 행동계획은 가급적 구체적으로 세우는 한편, 상담자는 내담자가 계획을 달성할 수 있도록 격려해야 한다.

마지막은 상담 성과를 평가하고, 종결하는 단계이다. 내담자와 협력해서 설정한 목표의 달성 여부를 평가하고, 서로 합의하여 종결을 한다. 상담은 기간이 정해진 만남이기 때문에 그 과정에서 어떤 성과가 있었고, 미진한 점이 무엇인지를 되짚어 봄으로써 향후에 발생할 수 있는 문제에 대한 대처 능력도 길러진다. 추후 문제가 있을 때 다시 상담할 수 있다는 점도 알려 주어서 추수 상담의 가능성을 열어 두어야 한다.

(2) 개인 상담의 기법

상담에서 활용하는 기법은 다양하다. 이 중 자주 활용하는 기법들을 간단하게 설명하였다.

① 주의집중

내담자(來談者)는 한자말 그대로 '이야기하러 온 사람'이다. 자신의 이야기에 주목해 주고, 관심을 보여 줄 때 내담자는 존중받고 있음을 느끼며 치유를 경험한다. 온 마음으로 내담자에게 집중해야 하며, 물리적인 환경—책상 위, 휴대폰, 시계—도 정돈해야 한다. 주의집중의 방법을 보여 주기 위해서 하여 BEST, SOLER와 같은 약어를 사용하기도 한다. BEST란 Body Posture, Eye Contact, Saying, Tone을 의미한다. 개방적인 몸자세와 이완된 태도를 갖고, 때때로 눈 맞춤하면서 내담자 말의 내용과 방식 또는 음조에 주목해야 한다. SOLER란 Squarely, Open, Leaning, Eye Contact, Relax를 뜻하며, 내담자를 향해 앉고 개방된 자세를 취하며 때때로 내담자를 향해 몸을 기울이는 한편, 적절한 눈 마주침과 이완된 자세를 취해야 함을 뜻한다.

② 경청

내담자의 말은 입말이라 할 수 있는 음성언어(verbal language)와 몸말이라 할 수 있는 비음성언어(nonverbal language)로 구분할 수 있다. 입말은 내담자가 말한 내용, 즉 사실, 사건, 생각, 감정 등을 의미하며, 몸말은 복장, 몸자세, 두발상태, 얼굴표정, 목소리 등으로 확인한다. 입말은 귀로 듣지만, 몸말은 눈으로 듣기 때문에 상담에서의 경청을 적극적 경청(active listening)이라 한다. 경청을 할 때 상담자는 몸말이 입말을 강조하거나 재확인하는지, 아니면 이를 부정하는지를 확인해야 한다. 또한 자신의 선입견, 편견, 고정관념들을 정지시키고, 내담자가 진술하는 내용을 그대로 받아들이려는 자세를 취해야 한다. 더 나아가서 내담자가 하는 말 뒤에 숨은 뜻, 감정, 태도까지 고려하면서 들어야 한다. 적절한 고개 끄덕임, 장단 맞추기, 관심 어린 질문, 재진술 등은 경청하고 있음을 전달하는 방법이다.

③ 공감

공감이란 상대의 마음에 들어가 그 마음을 헤아린 후, 이를 표현하는 것이다. 상대의 주관적인 세계를 이해하고 읽어 주었기 때문에 상대방은 이해받은 느낌을 갖게 되고 신뢰감이 쌓이며 자신의 내면을 더욱 보여 주게 된다. 다양한 방법으로 공감을 전달할 수 있다. 내담자가 한 말을 반복하는 재진술을 사용하면 내담자는 자신이 한 말을 정리할 수 있게 된다. 상담자가 자신의 말을 제대로 이해하고 있음을 확인할 수 있고, 상담 주제를 잘 유지할 수 있다. 환언은 내담자의 말을 바꾸어 말하는 것이다. 내담자가 한 말 중 중요한 부분을 상담자가 다른 방식으로 정리해 줌으로써 내담자는 자신의 불분명했던 생각이나 사건 등을 명료화할 수 있다. 감정 반영이란 상담자가 내담자의 감정을 거울처럼 비추어 주는 것을 의미한다. 이렇게 감정을 되돌려 주면 자신의 복잡한 감정상태가 또렷하게 드러나며, 상담자가 자신을 공감하고 있음을 느낀다.

④ 질문

내담자를 이해하는 데 필요한 정보를 얻거나, 내담자의 사고, 느낌, 행동방식을 구체적으로 확인하고, 말하는 내용을 분명히 하기 위해 질문을 한다. 내담자를 이해할 목적으로 상담자가 질문을 하는 것이므로, 질문의 방식과 내용이 어떻게 전달되는지도 주의해야 한다. 닫힌 질문보다는 열린 질문의 형태가 내담자의 내면 탐색에 도움이 되며, 내담자를 비난하거나 책임을 추궁하는 것으로 인식될 수 있는 '왜'라는 질문은 가능한 한 삼가야 한다.

내담자에게 생각할 거리를 준다는 점에서 질문은 예방적이면서 동시에 치료적인 기능을 갖는다. 내담자와의 상담관계를 촉진하고, 대화의 실마리를 풀 수 있다는 점에서도 중요하다. 질문의 여러 기능 중에서 가장 중요한 목적은 구체화라 할 수 있다. 내담자가 주는 정보가 분명한지, 내담자가 생각한 것이 올바른지, 내담자가 왜곡하거나 과잉일반화한 것은 아닌지를 확인하기 위해서 상담자는 질문을 던진다. 이를 위해서는 육하원칙—누가, 언제, 어디서, 무엇을, 어떻게, 왜—을 고려하여 불확실한 부분, 애매모호해서 혼란을 주는 부분, 이해하기 어려운 부분 등을 정밀하게 확인할 필요가 있다.

⑤ 조언

조언은 내담자가 과학적이고 보편적인 지식과 정보가 부족해서 어려움을 겪는 경우, 적절한 정보를 제공함으로써 내담자의 불안을 완화하고 문제에 대한 새로운 시각을 갖도록 도와주는 기법이다. 내담자는 상담 중에 조언을 요구하는 경우가 많지만 이때 다음의 사항을 유념할 필요가 있다(김계현, 2002). 조언을 하면 호소문제에 도움이 될 것으로 판단되더라도 곧바로 조언하기보다는 조언을 따를 준비도를 높여야 한다. 내담자가 이전에 어떤 시도를 해 왔는지를 확인하고, 조언에 대한 내담자의 생각을 탐색해야 한다. 또한 조언은 간단하고 구체적으로 제시되어야 하며,

조언 이후의 효과, 즉 실행 여부를 반드시 확인하여야 한다. 상담자는 내담자에게 조언이나 지시를 즉각 제공하기보다는 스스로 필요한 해결책을 찾을 수 있도록 돕는 데 주력해야 한다. 이렇게 스스로 해결방안을 마련해 갈수록 내담자의 문제해결력과 책임감이 높아진다.

3) 집단상담의 특징과 과정

(1) 집단상담의 특징과 형식

상담자와 내담자의 면대면 만남을 중심으로 하는 개인상담에 비해 집단상담의 방식은 다양하다. 1인의 지도자가 다수를 대상으로 교육을 진행하는 집단 지도의 형태로부터 참만남집단, 가이던스 집단, 상담 집단, 치료 집단, 자조 집단 등과 같이 리더의 수, 집단원 구성, 문제의 난이도 등에서 다양성이 나타난다. 따라서 학교현장에서는 필요와 상황에 따라 적절한 방식으로 집단상담을 운영할 필요가 있다.

학교에서의 집단상담은 '교사나 집단 보조자가 적은 수의 비교적 정상적인 학생을 대상으로 여러 가지 집단상담의 방법을 활용하여 성장과 발달을 촉진시키려 노력하는 활동'이라 할 수 있다. 개인상담과는 달리 집단상담은 집단원 간의 상호작용을 통해 지지와 희망 고취, 집단에의 몰입 등과 같은 특별한 효과를 만든다.

집단은 다양한 형식으로 운영한다. 사전에 집단에서 할 활동을 정하는 정도에 따라 구조화, 반구조화, 비구조화 집단으로 구분할 수 있는데, 학생들을 대상으로 할 때는 구조화된 집단으로 운영하는 것이 좋다. 하지만 치료 집단이나, 문제 영역 등에 따라서는 비구조화 집단을 진행할 수도 있다. 집단상담 진행 중에 새로운 집단원을 받아들이는지에 따라 개방집단과 폐쇄집단으로 구분하기도 한다. 개방집단의 경우, 새로운 집단원으로 인해 집단의 흐름이 끊어질 수도 있지만, 활기가 생길 수 있고, 집단원의 수가 줄어드는 것을 방지할 수 있는 장점이 있다. 반면에 폐쇄집단으로 운영하게 되면 깊이 있게 문제 등을 다룰 수 있고, 응집력이 생기지만, 집단의 규모가 작아질 수도 있다. 집단의 빈도나 길이에 따라서도 단회 집단부터 마라톤 집단까지 다양하게 구분할 수 있지만, 학교현장에서는 현실적으로 주 1회 수업시간 중에 진행되는 경우가 대부분이다.

집단상담의 구성은 그 목적에 따라 달라진다. 비교적 단순한 문제를 다루거나 성장을 목적으로 하는 경우에는 집단의 크기가 커도 되지만, 위기 상황이거나, 심각한 심리적 문제를 다루게 되면 집단원의 수가 적어야 한다. 대개 10명 내외(8~12명)가 적당한 인원이며, 집단 진행의 시간에 따라 인원수를 조정할 필요가 있다. 또한 집단원이 다양한 배경을 갖고 있는 이질집단과 비교적 비슷한 배경의 구성원들로 구성한 동질집단은 그 효과에 있어서도 차별화되므로, 사전에 그 방식을 결정하고 진행하는 것이 좋다. 동질집단은 쉽게 공감대가 마련되는 장점이 있지만, 비슷한 관점들로 인해서 새로운 해결 방법들이 제시되기 어려운 측면이 있고, 이질집단의 경우에는 집단의 학습경험이 풍부해지는 반면에 공감대를 형성하는 데 다소 시간이 걸린다는 단점이 있다.

(2) 집단상담의 과정

집단 지도자는 자신에 대한 인식과 함께 진실성, 창의성을 갖추어야 한다는 점에서 개인상담과 동일한 자질 및 전문성을 필요로 한다. 하지만 다수의 집단원을 살피고, 집단의 역동을 읽어야 하기 때문에 심리적 · 신체적 힘이 있어야 하고, 집단원들과 정서적으로 함께하는 능력을 가져야 한다. 이 밖에 집단 과정에 대한 신념을 갖추는 한편, 자신을 직면하는 용기와 진솔성도 있어야 한다. 집단상담의 치료적 요인에 대해서는 여러 학자가 제안하였는데, 그 공통점은 보편성, 이타심, 희망의 주입, 카타르시스, 모방행동, 집단의 응집성, 정보교환, 변화하겠다는 결단 등이다.

집단상담이 명확하게 단계를 밟아 가는 것은 아니지만 전반적으로는 준비 단계, 초기 단계, 과도기 단계, 작업 단계, 종결 단계, 추후 단계의 과정으로 진행된다. 준비 단계는 집단의 목적과 운영방식에 대해 안내하고, 규정을 소개하는 시간이다. 집단의 특성에 맞게 집단원을 선별할 필요가 있으며, 집단상담에 대한 구조화를 진행해야 한다. 초기 단계는 집단원들끼리 집단의 안정성에 대해 시험하는 시기로서 탐색이 이루어지는 시기이다. 이때 집단원들은 '집단에 속할까, 말까?'를 고민하고, '이 집단이 믿을 만하고 안전한가?'에 대해 감별하려 노력하게 된다. 과도기 단계에는 집단원들 간에 주도권에 대한 갈등이 일어나게 되며, 불안감이 드러나고, 방어적인 태도가 나타날 수 있다. 리더의 역할과 능력에 대한 도전이나 저항 등이 드러나기도 하고, 집단 내에서의 통제력을 두고 집단원 간에 미묘한 신경전이 벌어지기도 한다. 이러한 역동을 건강한 시각으로 해석하고, 솔직하고 개방적인 태도로 이 문제들을 다루면, 작업 단계로 순조롭게 이행한다. 작업 단계는 가장 중요한 단계이면서 생산적인 단계이다. 집단원 간에 결속력이 생기고, 함께 문제를 해결해 나가려는 태도들이 나타난다. 또한 과거에 대한 얘기보다는 지금-여기에서의 감정과 생각들을 다루면서 해결방안들을 적극적으로 모색하는 시기이다.

4단계의 과정을 거치면서 집단원들은 자신의 문제에 대해 통찰력을 가지며, 새로운 방식을 적용해 보게 된다. 이때가 되면 종결 단계에 다다른 것이다. 집단에서 문제를 다룬 방식들을 되짚어 보고 미진한 부분을 살피는 한편, 이별의 감정도 다루어야 한다. 이후의 계획에 대해서도 전망하고 준비하게 된다. 추후 작업 단계는 집단상담이 종료된 이후 특정 시점에서 집단의 효과가 어떻게 지속되고 있는지, 추가로 다루어야 할 문제들이 있는지 등을 확인한다. 이 단계는 집단의 영향에 대한 평가단계라 할 수 있으며, 필요한 경우에는 의뢰에 필요한 정보들을 다룬다.

학습과제

1. 생활지도의 목표에 대해 설명해 보자.
2. 생활지도의 활동 영역과 문제 영역을 간단히 설명해 보자.
3. 상담의 세 가지 기본 조건을 약술해 보자.
4. 인지적 상담이론과 정신분석적 상담이론을 비교해 보자.
5. 현실치료나 해결중심 상담이론의 상담 과정을 간단히 설명해 보자.
6. 집단상담의 진행과정을 설명해 보자.

참고문헌

김계현, 김동일, 김봉환, 김창대, 김혜숙, 남상인, 천성문(2000). **학교상담과 생활지도**. 서울: 학지사.

김계현(2002). **카운슬링의 실제**. 서울: 학지사.

김계현, 김창대, 권경인, 황매향, 이상민, 최한나, 서영석, 이윤주, 손은령, 김용태, 김봉환, 김인규, 김동민, 임은미(2011). **상담학 개론**. 서울: 학지사

김동일(2005). **학습전략의 효과 및 특성 분석 연구에 기초한 초등학생과 중학생 대상 학습전략 프로그램 개발**. 서울: 서울대학교 교육종합연구원.

김창대, 이정윤, 이영선, 남상인(1994). 성적이 떨어지는 아이들. **청소년상담문제연구보고서, 9**. 서울: 청소년 대화의 광장.

김형태, 오익수, 김원중, 김동일(1996). **청소년학업상담**. 서울: 청소년 대화의 광장.

손은령(2010). 상담자 교육 관점에서 본 예비교사 교육의 과제. **상담학연구, 11**(4), 1469-1482.

손은령, 문승태, 임경희, 김희수, 손진희, 임효진, 여태철, 최지영, 손민호, 고홍월, 공윤정, 허창수(2019). **진로진학상담교육론**. 서울: 사회평론.

윤호균(1998). **성격과 적응 심리학**. 서울: 정민사.

이상희, 노성덕, 이지은(2004). **또래상담**. 서울: 학지사.

이윤주(2012). **공부 200% 업그레이드 하기**. 서울: 학지사.

이장호(1983). **상담심리학 입문**. 서울: 박영사.

이장호(2000). **상담심리학**(제3판). 서울: 박영사.

이재창(1988). **생활지도**. 서울: 문음사.

홍강의(1993). 청소년 상담의 이론적 경향 고찰: 치료적 관점. **청소년 상담연구, 1**(1). 청소년상담원.

황응연, 윤희준(1983). **현대생활지도론**. 서울: 교육출판사.

Berg, I., & Miller, S. (1992). *Working with the problem drinker: A solution-focused approach*. New York: Norton.

de Shazer, S. (1984). The death of resistance. *Family Process, 23*, 11-21.

Marcia, J. E. (1980). Identity in adolescence. In J. Adelson (Ed.), *Handbook of adolescent psychology* (pp. 159-187). New York: John Eiley.

Parsons, F. (1909). *Choosing a vocation*. Boston: Houghton Mifflin Company.

Philips, S. D. (1992). Career counseling: Choice and implementation. In S. D. Brown & R. W. Lent (Eds.), *Handbook of counseling psychology* (pp. 51-548). New York: Wiley.

Shertzer, B., & Stone, S. C. (1981)). *Fundamentals of counseling.* Boston: Houghton Mifflin Co.

한국 직업능력개발원 http://www.careernet.net

한국청소년 상담복지개발원 http://www.kyci.or.kr

제11장

교육행정

김성열(경남대학교 교육학과)

1. 교육행정의 개념과 성격
2. 교육행정의 법적 기초
3. 교육 거버넌스 체제
4. 좋은 학교 만들기와 학교장의 역할

학습 개요

인간의 교육활동은 제도 속에서 이루어지기도 하고, 일상생활 속에서 이루어지기도 한다. 교육행정은 주로 제도 속에서 이루어지는 교육활동의 여건을 조성하거나 규제하는 행위이다. 때로는 사교육에 대한 규제와 같이 학원에서 이루어지는 교육, 개인 간에 이루어지는 교육에도 교육행정이 영향을 미치기도 한다. 교육행정은 중앙 수준, 지방 수준, 학교 수준 등에서 국가의 법령에 기반을 두고 다양한 방식으로 표출된다. 이 점에서 교육행정은 국가 권력의 작용이다. 이 장에서는 이러한 교육행정의 의미와 성격, 원리 및 교육행정의 기초, 교육 거버넌스 체제, 교육행정의 궁극 지향점이라고 할 수 있는 좋은 학교 만들기와 학교장의 역할 등을 학습한다.

제1절 교육행정의 개념과 성격에서는 학자들이 규정하고 있는 교육행정의 의미를 학습한다. 그리고 교육행정이 개념적으로 어떤 성격의 것인지도 학습한다. 또한 교육행정이 지향하고 있는 규범적 원리를 학습한다.

제2절 교육행정의 법적 기초에서는 교육행정의 기반인 「헌법」과 교육관계 법률의 구조에 관하여 학습한다. 여기에서는 먼저 「헌법」상의 교육에 관한 조항과 교육행정의 원칙을 학습한다. 그리고 교육관계 법률을 적용 대상의 성격에 따라 분류하고 그것의 내용을 학습한다.

제3절 교육 거버넌스 체제에서는 중앙과 시 · 도 교육청, 학교단위의 거버넌스 체제의 구조와 특징을 학습한다. 중앙 수준에서는 대통령과 교육부 장관 중심의 거버넌스 체제, 시 · 도 교육청 수준에서는 지방교육자치제, 학교단위 수준에서는 학교운영위원회를 중심으로 살펴본다. 우리나라 교육 거버넌스 체제의 양상을 행정계층별로 학습하는 과정에서 그 특징을 이해할 수 있게 될 것이다.

제4절 좋은 학교 만들기와 학교장의 역할에서는 좋은 학교의 특징과 학교장의 역할을 학습한다. 교육행정의 궁극적 지향점은 모든 학교를 좋은 학교로 만드는 것이라고 할 수 있고, 여기에 학교장의 역할이 중요하다고 할 수 있다.

1. 교육행정의 개념과 성격

1) 교육행정의 대상으로서 공교육

교육은 개인적인 측면에서 개인의 잠재적 능력을 개발함으로써 자기를 완성하게 하고, 세상을 볼 수 있는 안목을 형성함으로써 개인 자신에게 적합한 삶의 양식을 개발하는 작용을 한다. 그래서 교육은 오늘날 기본적 인권으로까지 여겨지고 있고, 국가는 그것을 보장할 책임을 지고 있다. 또한 사회적인 측면에서 교육은 한 사회가 지속적으로 발전할 수 있는 조건을 형성한다. 교육은 사회의 발전에 필요한 인력을 양성한다. 그리고 개인은 교육을 통하여 삶의 기회를 확대할 수 있을 때, 능력주의가 실현되고 사회제도가 공정하게 운영되고 있음을 확인한다. 교육은 그럴 경우에 사회통합을 이루는 데 기여한다고 할 수 있다.

세계 대부분의 국가에서는 이러한 이유에서 교육을 공교육으로 제도화하여 운영하고 있다. 공교육은 사회적 · 공공적 · 조직적 활동으로서의 교육(김종철, 이종재, 2002)이라고 할 수 있다. 공교육이 사회적 활동이라는 것은 교육목적과 교육내용, 그리고 교육방법 등이 사회로부터 영향을 받고, 사회적으로 규정되는 측면이 있음을 뜻한다. 자유민주주의 사회에서는 교육목적과 교육내용, 그리고 교육방법이 자유민주주의적 관점에서 정해진다고 할 수 있다. 공교육을 공공적 활동이라고 하는 것은 국가나 지방자치단체가 운영하는 교육이 사적인 이익이나 이해관계를 실현하기 위한 것이 아니라 공공의 이익을 추구하는 교육이라는 것을 가리킨다. 국가나 지방자치단체가 공교육을 위하여 여러 가지 여건을 조성하는 이유가 바로 여기에 있다. 공교육이 조직적 활동이라 함은 교육활동의 체계성을 의미한다. 공교육은 연령 등 다양한 교육대상의 특성에 적합하게 설계된 학교제도에서 교육과정의 체계를 따라 이루어진다는 것이다.

교육행정은 바로 이러한 공교육을 대상으로 한다. 공교육의 내용과 형식, 실제적 활동 방향 등은 국가 행정력의 적용 대상이 된다. 공교육이라는 개념 자체가 이미 교육행정의 대상임을 함축하고 있다. 공교육은 국가의 계획과 지원, 보호와 감독 · 통제하에서 운영되는 교육을 일컫는 말이기 때문이다. 그런데 우리나라의 경우에는 학원에서 이루어지거나 개인 간에 이루어지는 사교육도 때로는 교육행정의 대상이 되기도 하는데, 사교육이 과열되어 그것으로 인하여 개인 간에 교육의 기회가 차이가 나거나 공교육을 보완하는 것을 넘어서서 공교육의 영역을 침범하거나 왜곡할 때 교육행정의 대상이 되기도 한다. 학원 운영시간의 제한이나 학원비의 규제, 개인의 과외교습을 신고하라고 하는 것들을 떠올리면 쉽게 이해할 수 있다.

2) 교육행정의 개념과 성격

교육행정은 공교육의 목적을 효과적으로 실현하기 위해 중앙정부 수준, 시・도 교육청 수준, 단위학교 수준 등에서 국가의 법령이나 지방자치단체의 각종 조례 등에 기반을 두고 교육의 목적이나 내용, 방법 등 교육활동을 구성하는 제 요소의 범위를 정하고, 교수-학습에 필요한 인적 자원과 경제적 자원, 물적 조건 등 여러 조건을 형성하고 개선해 나가는 활동이라고 할 수 있다. 교육행정에 대한 이러한 개념 규정을 통하여 우리는 다음과 같은 교육행정의 성격을 알 수 있다(남정걸, 2007; 윤정일, 송기창, 조동섭, 김병주, 2015).

첫째, 교육행정은 궁극적 지향점이 공교육의 목적을 실현하는 데 있다는 점에서 봉사적・수단적 활동이다. 교육행정은 공교육이 개인에게 적합한 삶의 양식(forms of life)의 개발, 삶의 기회(life chances) 확대, 삶의 질(quality of life) 향상, 사회의 지속적 발전 등에 기여하도록 하는 활동이다.

둘째, 교육행정은 중앙정부 수준, 시・도 교육청 수준, 지역의 교육지원청 수준, 학교 수준 등 행정계층별로 내용을 달리하면서 이루어진다. 중앙정부 수준에서 이루어지는 교육행정은 대통령의 결정, 국무회의의 심의・결정, 교육부 장관의 결정 등을 예로 들 수 있다. 대통령이 학생들에게 지역과 계층에 따라 교육기회가 불평등하다고 생각하면 그것의 개선을 지시할 수 있다. 대통령의 지시가 정책으로 구체화되기 위해서는 국무회의의 심의를 거칠 수도 있다. 교육부 장관이 정부의 기조에 따라 구체적인 정책을 결정하고 집행할 수 있다. 시・도 교육청 수준에서는 교육감이 중앙정부가 위임하거나 이양한 권한 내에서 지역의 특성에 맞는 다양한 정책을 수립하고 집행할 수 있다. 지역의 교육지원청은 시・도 교육청의 하급 교육행정기관으로서 시・도 교육청의 정책을 지역 수준에서 집행한다. 개별 학교에서는 학교교육이 보다 잘 이루어지는 데 필요한 다양한 조건을 형성하고 개선하는 활동이 이루어진다.

셋째, 교육행정은 공교육에 국가의 권력과 권한의 구체적 표출이다. 교육행정 행위는 중앙과 시 · 도 교육청, 단위학교 등 어느 수준에서 이루어지든지 간에, 대통령, 총리, 교육부 장관, 교육감, 교육장, 교장 등 누구에 의해서 이루어지든지 간에 공교육에 대한 국가권력과 권한이 다양한 방식으로 구체적으로 표출된 것이라고 할 수 있다. 예컨대, 법령과 관련된 중앙정부의 교육행정은 법률 제정안과 개정안을 마련하는 것, 대통령령 · 총리령 · 부령 등과 훈령이나 예규 · 행정지침 등 규정을 제정하는 것 등이다. 이들에 근거하여 국가의 교육정책을 결정하는 것과 같은 다양한 의사결정행위, 명령이나 지시, 감독 등 국가권력과 권한의 표출행위는 여러 가지이다.

넷째, 교육행정은 협동적 행위라고 할 수 있다. 교육행정은 외형상으로 개별 교육행정기관이나 교육행정가에 의하여 단독으로 이루어지는 것으로 보여도 여러 계층의 행정기관과 행정가와 연결되어 있으며, 여러 사람의 협력에 의해서만 그것의 목표달성이 가능하다. 교육행정은 반드시 집단이나 조직을 전제로 하며, 공동의 상위 목표와 다양한 목표를 가진다. 그리고 교육행정은 조직목표의 달성을 위해 노력하도록 사람들을 조정하는 것을 목표로 한다는 것이다.

다섯째, 교육행정은 교육활동을 지원하고 조장(助長)하기도 하고, 규제하고 통제하기도 한다. 교육행정은 본래적으로 교육과정의 기본목표를 더욱 충실하고 효과적으로 구현하기 위한 작용이기 때문에 보다 나은 교육 여건을 조성하고, 교육의 효율을 증진하는 방향으로 작용한다. 교육행정이 지원 · 조장적인 성격을 띨 때 교육의 필요에 부응하게 되고, 상향적인 의사수렴을 할 가능성이 높다. 학교가 필요로 하는 재정을 총액으로 배분하고, 자율적으로 사용하게 하는 것이 그 한 예이다. 그러나 교육행정은 행정계층에 따라 하위 행정계층이나 학교의 교육활동을 제약하는 방향으로 작용하기도 한다. 지역이나 학교의 특성을 고려하지 않고 전국이나 시 · 도 교육청 수준에서 획일적인 교육정책을 집행하는 것이 여기에 해당한다고 할 수 있다. 어느 도교육청에서 추진한 9시 등교 정책이 그 구체적인 예라고 할 수 있다. 교육행정의 관리적 측면을 강조할 경우에 교육행정의 규제 통제적 성격이 부각된다. 이럴 경우에 상급 행정기관의 명령이나 지시 등의 충실한 준수가 강조되고 관료적 통제의 분위기가 지배한다.

3) 교육행정의 영역

교육행정의 영역은 교육행정에서 다루어야 하는 내용의 범위를 가리킨다. 교육행정의 영역을 어떻게 정하느냐 하는 것은 학자에 따라 다소 차이가 있지만, 행정계층별, 교육대상별, 업무내용별로 정하는 데에 대해서는 일치한다.

교육행정의 영역은 교육행정계층에 따라 중앙교육행정, 지방교육행정, 학교교육행정 등으로 나누어진다. 중앙교육행정은 대통령과 국무총리, 교육부 장관에 의하여 이루어지며, 주로 국가 수준의 정책결정과 다양한 자원의 확보 등으로 나타난다. 지방교육행정은 시 · 도교육감과 교육장에 의해서 이루어진다. 이는 주로 교육감이 지방 특색을 반영한 지역 수준의 교육정책을 결정하는 것으로 나타나는데, 무상급식의 확대, 무상교육의 범위 결정 등이 구체적인 예이다. 학교교육행정은 학교장이 그 주체라고 할 수 있다. 학교장이 교과교육과 재량활동, 학생지도 등에서 학교 구성원들과 협력하여 결정을 이끌어 내고, 결정된 내용이 실천될 수 있는 여건을 마련하는 것이 구체적 예라고 할 수 있다.

교육행정의 영역은 교육의 대상에 따라서도 구분할 수 있다. 취학전 교육행정, 초등교육행정, 중등교육행정, 고등교육행정, 평생교육행정, 재외동포교육행정 등으로 구분된다. 이들 교육대상에 따른 교육행정은 교육행정계층에 따라 차이가 난다고 할 수 있다. 예컨대, 취학전 교육행정의 경우, 중앙정부 수준에서 유치원 취학률을 제고하는 것을 목표로 삼고 목표 취원율을 정하고, 그에 필요한 국가 수준에서의 재원 및 교원확보 계획을 세우고 추진하는 것이라면, 시 · 도 교육청 수준에서는 해당 시 · 도에서 유치원 확대 계획 등을 수립하고 추진하는 것 등을 들 수 있다.

또한 교육행정의 영역은 업무내용을 기준으로 구분할 수 있다. 교육내용 및 장학행정, 학생행정, 교직원인사행정, 재정행정, 시설행정, 사무관리행정, 홍보행정, 연구행정 등으로 나눌 수 있다. 업무내용에 따른 교육행정의 영역도 교육행정계층별, 교육대상별로 차이가 난다.

교육행정의 영역은 교육행정의 대상, 업무내용, 행정과정을 통합하여 구분할 수도 있다. 이러한 접근은 교육행정의 영역을 구체적으로 세분할 수 있을 뿐만 아니라 체계화할 수 있는 이점이 있다(윤정일, 송기창, 조동섭, 김병주, 2015). 이미 앞에서 간략하게 언급하였지만, 예를 들면 교육부의 중등 교육내용 및 장학행정, 시 · 도 교육청의 초등 교원인사행정, 초등학교의 학생회 구성 행정 등과 같이 교육행정의 계층별, 대상과 업무내용을 함께 고려한 구체적인 교육행정의 영역을 구분하여 제시할 수 있다.

4) 교육행정의 과정

교육행정은 일련의 과정을 거쳐 이루어진다고 할 수 있다. 교육행정의 과정이란 교육행정가가 교육행정과업을 수행하는 데 있어서 거치게 되는 순서와 절차 또는 경로를 의미한다. 특정 시점에서는 교육행정이 단일 활동일 수 있지만, 시간을 연장하면 일련의 연속적 과정이라고 할 수 있다.

교육행정의 과정은 학자에 따라 다소 차이가 있지만 계획을 세우고(plan), 그 계획을 실천하며(do), 결과를 평가하는(see) 활동으로 구성된다는 것이 공통적인 견해이다(남정걸, 2007; 윤정일, 송기창, 조동섭, 김병주, 2015). 보다 구체적으로 말하면, 교육행정은 계획을 세우는 것(planning)에서부터 시작한다. 계획은 교육활동 지원에 대한 지적이고 합리적인 준비과정이다. 교육행정의 다음 과정은 조직(organizing)의 단계로, 이 단계에서는 공동목표 달성을 위한 분업적 협동 체제를 구성하고, 과업 수행에 필요한 인적 · 물적 자원을 배정하는 활동이 이루어진다. 그다음 과정은 조직 구성원들의 행동을 조정하는(coordinating) 단계이다. 여기서는 공동목표 달성을 지향하는 조직 구성원들의 노력을 통합, 조절함으로써 구성원 간의 갈등과 마찰을 최소화하는 활동이 이루어진다. 다음 과정은 지도(leading; influencing)의 단계이다. 구성원을 자극하고 영향을 주는 권위를 행사하여 자율적으로 업무를 성취하도록 하는 활동이 이루어지는 단계이다. 마지막 과정은 평가(evaluating)의 단계이다. 이 단계에서는 행정활동의 전 과정과 성과를 분석, 검토하여 그 합리성과 효율성을 측정하고, 이를 통해 문제를 진단하고 개선의 방향을 찾게 된다.

5) 교육행정의 원리

교육행정의 원리는 교육행정의 과정과 실제에서 마땅히 따라야 할 합당한 규범적 가치와 원리를 말한다. 교육행정의 원리는 교육행정을 규율한다. 학자나 교육행정학 문헌들(김종철, 이종재, 2002; 남정걸, 2007; 윤정일, 송기창, 조동섭, 김병주, 2015)이 공통적으로 제시하고 있는 교육행정의 원리는 다음과 같다.

첫째, 합법성의 원리이다. 합법성의 원리는 법치주의 원리라고도 한다. 교육행정은 헌법, 법령, 규칙, 조례 등에 근거하여 이루어져야 한다는 것을 말한다. 교육행정은 재량이나 자율을 명분으로 이루어질 수도 있지만, 법령체계의 내용에 기반을 두어야 한다. 구체적으로, 교육행정은 「헌법」 제31조의 규정을 비롯한 다른 헌법 조항, 「교육기본법」 「초 · 중등교육법」 「고등교육법」 「교육공무원법」 「사립학교법」 등의 여러 법률과 그것을 기초로 하는 각종 대통령령, 교육부령, 훈령, 교육자치법규 등에 의거하여 집행되고 있는 것으로 간주된다. 그러나 때때로 법률에 근거하여 이루어진 교육행정이 헌법 소원을 통하여 헌법을 위반했다고 밝혀지기도 한다. 여기서 교육행정을 규율하는 법령체계가 헌법을 위반하지 말아야 하고, 헌법과 정합성을 이루고 일치해야 함을 알 수 있다. 「헌법」 제31조 제6항은 "학교교육 및 평생교육을 포함한 교육제도와 그 운영, 교육재정 및 교원의 지위에 관한 기본적인 사항은 법률로 정한다."라고 하여 교육제도 운영의 법정주의를 천명하고 있는데, 합법성의 원리를 표현한 것이라고 할 수 있다.

둘째, 기회균등의 원리이다. 기회균등의 원리는 교육제도의 설계와 운영이 모든 사람에게 교육받을 권리를 평등하게 보장해야 한다는 것을 뜻한다. 「헌법」에 "모든 국민은 능력에 따라 균등하게 교육받을 권리를 가진다."라고 하였으며, 「교육기본법」 제4조에서는 모든 국민은 성별, 종교, 신념, 사회적 신분, 경제적 지위 또는 신체적 조건 등 교육외적 요인에 의한 차별 없이 그 능력과 적성에 따라 균등하게 교육을 받을 수 있어야 함을 규정하고 있다. 오늘날 의무교육의 확충, 남녀공학의 실시, 특수교육 · 방송통신교육 · 성인교육의 추진, 장학금제도와 같은 교육복지제도의 확충 등 제반 교육행정시책은 모두 기회균등의 원리를 구현하려는 것이다. 기회균등의 원리는 교육에의 접근기회가 평등해야 한다는 것만을 말하는 것이 아니라, 교육의 과정에서도 공정해야 하며, 교육의 결과도 정의로워야 한다는 것까지 포함한다.

셋째, 자주성 존중의 원리이다. 자주성 존중의 원리는 교육행정이 교육의 독자성과 자주성 그리고 정치적 중립성을 존중하는 방향으로 이루어져야 한다는 것을 말한다. 「헌법」 제31조 제4항에는 "교육의 자주성 · 전문성 · 정치적 중립성 및 대학의 자율성은 법률이 정하는 바에 의하여 보장된다."고 규정되어 있다. 「교육기본법」 제6조에도 "교육이 정치적 · 파당적 또는 개인적 편견의 전파를 위한 방편으로 이용되어서는 안 되고, 또한 국가 및 지방자치단체가 설립한 학교에서는 특정한 종교를 위한 종교교육을 하여서는 아니 된다."라고 규정하고 있다. 교육행정이 자주성 존중을 기본 원리로 하는 것은 교육이 개인의 잠재적 능력을 최대한 계발하고 공익이라는 국가의 이상을 구현하려는 공적인 활동이기 때문이다. 지방교육자치제도는 바로 교육의 자주성과 정치적 중립성을 제도적으로 보장하기 위한 것이라고 볼 수 있다.

넷째, 전문성의 원리이다. 교육활동은 아무나 할 수 있는 일반적인 일이 아니며 장기적인 교육과 훈련을 통하여 전문적인 지식과 기술을 축적한 사람만이 할 수 있는 전문적 활동이다. 전문성의 원리는 교육행정이 바로 이러한 교육의 본질과 특수성을 잘 이해하고 교육행정에 관한 고도의 지식과 기술을 갖춘 교육전문가들에 의하여 이루어져야 한다는 것이다. 교육감의 자격 조건을 일반 정치인들과는 달리 교육경력이나 교육행정경력을 일정 기간 이상 가진 사람으로 규정해 놓은 것이나 교육행정을 일반 행정에서 분리 · 독립해 놓은 것은 전문성의 원리를 구현하려는 것이라고 할 수 있다.

다섯째, 민주주의 원리이다. 어떤 학자들은 민주성의 원리라고도 한다. 민주주의는 개인들이 자신을 성장시키고 사회적 목표와 방향을 결정하는 기회를 직접적으로 또는 간접적으로 획득하고 있는 것을 의미한다. 또한 민주주의는 개인들이 온갖 종류의 집단이나 조직체를 형성하는 일을 주도하거나 참여할 수 있는 기회를 보장하는 것을 의미한다. 사회적 제도의 영향을 받는 모든 사람이 그 제도를 만들고 운영하는 데 같은 몫을 가져야 한다는 것이다. 이러한 관점에서 보면, 민주주의 원리는 국가나 지방자치단체 수준에서 이루어지는 교육행정이 교육정책을 결정할 때 교육과 관련된 국민들의 의견을 수렴하고 반영해야 한다는 것을 뜻한다. 학교 수준에서 민주주의 원리는 교육행정이 어느 특정한 세력에게 다양한 구성원 사이에서 상충하는 이해관계를 조정하는 일을 일방적으로 떠맡게 하는 것이 아니라, 각 구성원들이 학교운영의 과정에서 수행하는 역할에 비추어 그것의 조정과정에 적절한 영향력을 발휘할 수 있도록 하는 것이다. 그것은 학교를 민주적으로 운영하는 것을 말한다. 학교운영의 민주화는 이전에 교장 등 몇몇의 교사에게 집중되었던 의사결정권한을, 구성원들의 의사결정과정에의 참여 확대를 통하여 분산시키는 것이라고 할 수 있다. 우리 사회의 민주화의 진전과 공고화는 교육행정에서 민주주의 원리를 더욱 촉진하고 있다.

여섯째, 지방분권의 원리이다. 지방분권의 원리는 중앙정부와 시·도 교육청 간의 관계를 규정하는 것으로, 교육행정과정에서 중앙정부에 의한 획일적인 지시와 통제를 지양하고 지방의 실정과 특수성을 고려하여 지방교육을 위한 정책이 수립되어야 한다는 원리이다. 뿐만 아니라 정책의 집행과정에서도 지역적 특성을 감안하도록 하여 지역 간의 다양성을 최대한 허용함으로써 교육활동에 대해 지역주민의 자율과 자치정신을 신장해 나아가야 한다는 것이다. 지방분권의 원리는 지방교육자치제를 실시하고 있는 오늘날 교육행정에서 실현되어야 할 중요한 원리이다. 이 원리는 교육행정이 지역주민의 참여와 통제를 기반으로 지역실정에 적합하게, 그리고 다양하고 특색 있게 이루어지는 것을 촉진한다. 그런데 국가의 정책과 시·도 교육청의 정책 간에 통일성과 정합성을 어느 수준으로 유지해야 하는가에 대해서는 논란이 있다.

일곱째, 학교 자율성 존중의 원리이다. 교육행정기관과 학교 간의 관계를 규정하는 원리로, 교육행정기관이 교육과정 운영, 학교재정 운용, 교원 인사, 학사 운영 등에 관한 권한 중 일부를 개별 학교로 이양하거나 위임하여 학교가 학교 특성을 고려하여 자율적으로 결정하고 운영하도록 한다. 학교중심 자율경영체제 또는 학교단위 책임경영제는 이 원리를 실현하는 하나의 방식이라고 할 수 있다. 학교의 자율성이 존중될 때 개별 학교들은 학생들의 교육적 요구와 필요, 물적·재정적 여건, 지역사회와의 관계 등 학교의 특성을 고려한 프로그램을 구성하고 운영할 수 있다. 학교 자율성 존중의 원리는 단위학교가 교육행정기관에 종속되지 않아야 한다는 것을 뜻한다. 교육행정기관이 단위학교에 대하여 책무를 묻는 위치에 있다고 하더라도 관료적으로 통제하려고 들어서는 안 된다는 것을 의미하는 것이기도 하다.

여덟째, 교육주체들의 권리에 대한 존중의 원리이다. 교육주체들이 가지는 권리는 다양하다. 교육행정은 학습권을 실현하도록 이루어져야 한다. 「교육기본법」 제3조에서는 "모든 국민은 평생에 걸쳐 학습하고, 능력과 적성에 따라 교육 받을 권리를 가진다."고 규정하고 있다. 교육행정은 학생들의 인권을 존중하는 방향으로 이루어져야 한다. 같은 법 제12조 제1항에서는 "학생을 포함한 학습자의 기본적 인권은 학교교육 또는 사회교육의 과정에서 존중되고 보호된다."라고 규정하고 있다. 또한 제2항에서는 "교육내용·교육방법·교재 및 교육시설은 학습자의 인격을 존중하고 개성을 중시하여 학습자의 능력이 최대한으로 발휘될 수 있도록 마련되어야 한다."라고 정하고 있다. 교육행정은 보호자의 권리를 존중하여야 한다. 동법 제13조 제1항에서는 "부모 등 보호자는 보호하는 자녀 또는 아동이 바른 인성을 가지고 건강하게 성장하도록 교육할 권리와 책임을 가진다."라고 규정하고 있다. 그리고 제2항에서는 "부모 등 보호자는 보호하는 자녀 또는 아동의 교육에 관하여 학교에 의견을 제시할 수 있으며, 학교는 그 의견을 존중하여야 한다."라고 정해 놓고 있다. 또한 교육행정이 이루어지는 과정에서 교원에 대한 존중도 실현되어야 한다. 동법 제14조 제1항은 "학교교육에서 교원(敎員)의 전문성은 존중되며, 교원의 경제적·사회적 지위는 우대되고 그 신분은 보장된다."라고 규정하고 있다.

이러한 교육행정의 원리들은 헌법과 교육관련 법령체계에서 명시적으로 규정하고 있거나 유추할 수 있는 것들이다. 이들 원리 이외에도 교육행정의 실제적 과정에서 작용하고 있는 원리로 타당성의 원리, 효율성의 원리, 안정성의 원리, 적응성의 원리, 균형성의 원리를 제시하는 학자들(윤정일, 송기창, 조동섭, 김병주, 2015)도 있다. 타당성의 원리는 교육행정은 그 자체의 목적을 가지고 있다기보다는 교육활동을 위하여 봉사하는 수단적 활동으로, 바람직한 학습을 이루게 하고 교육의 성과를 얻게 해야 한다는 것이다. 효율성의 원리는 한정된 재원으로 최대한의 성과를 거둘 수 있어야 한다는 재원의 효율적 사용을 강조하는 것이다. 안정성의 원리는 교육행정에서의 지속성과 일관성을 강조함으로써 제도의 안정, 정책의 일관성, 인사·재정 등 운영에 있어서의 시행착오나 급격한 변혁을 경계하려는 것이라고 할 수 있다. 적응성의 원리는 시대 변화에 따라 교육행정도 변화해야 한다는 것으로 교육행정에서 다양성과 융통성을 추구하는 것이다. 균형성의 원리는 교육행정에서 추구하는 다양한 규범적 가치와 원리들을 적절하게 고려함으로써 양극단을 배제하고 중용과 조화, 균형과 평형을 이루어야 한다는 것이라고 할 수 있다.

2. 교육행정의 법적 기초

교육행정은 「헌법」과 교육관련 법령, 그리고 자치법규 등에 근거하여 이루어진다. 「헌법」은 최고규범으로서 교육법령체계와 교육행정을 규율한다. 교육관련 법령은 교육행정의 방향과 실제를 규율하며, 시 · 도 교육청의 자치법규는 해당 지역에서 이루어지는 교육행정의 근거가 된다.

1) 헌법

「헌법」은 국가의 존재형태와 조직, 통치 작용과 기본적 가치질서를 정하고 있는 국가의 기본법이다. 「헌법」은 교육행정의 방향과 내용, 과정을 결정하며, 그것의 옳고 그름을 판단하는 기준으로 작용한다(이종재, 이차영, 김용, 송경오, 2012).

현행 「헌법」에는 교육에 관하여 직간접적으로 정하고 있는 조항이 여러 개 있다. 국민의 권리와 의무를 정하고 있는 여러 조항이 바로 그것이다. 그중에서 교육에 관하여 직접적으로 규정한 조항은 제31조이다. 제31조는 6개항으로 구성되어 있다.

① 모든 국민은 능력에 따라 균등하게 교육을 받을 권리를 가진다.
② 모든 국민은 그 보호하는 자녀에게 적어도 초등교육과 법률이 정하는 교육을 받게 할 의무를 진다.
③ 의무교육은 무상으로 한다.
④ 교육의 자주성 · 전문성 · 정치적 중립성 및 대학의 자율성은 법률이 정하는 바에 의하여 보장된다.
⑤ 국가는 평생교육을 진흥하여야 한다.
⑥ 학교교육 및 평생교육을 포함한 교육제도와 그 운영, 교육재정 및 교원의 지위에 관한 기본적인 사항은 법률로 정한다.

현행 「헌법」은 교육행정의 원칙을 설정하고 있다. 제1항은 교육권 보장과 교육의 기회균등, 제2항은 교육의 의무, 제3항은 무상의무교육, 제4항은 교육의 자주성 ·

정치적 중립성 · 전문성과 대학의 자율성, 제5항은 평생교육의 진흥, 제6항은 교육제도 운영의 법률주의 등을 천명하고 있다. 「헌법」에서 천명하고 있는 교육행정의 원칙은 앞에서 얘기한 교육행정의 원리와 상응한다고 할 수 있다.

「헌법」 제31조 외에도 교육에 대하여 직접 규정하고 있지는 않지만 밀접히 관련되어 있는 조항들이 있다. 기본적 인권을 확인하고 있는 제10조, 법 앞의 평등과 차별금지를 규정한 제11조, 신체의 자유를 규정한 제12조, 사생활의 자유에 관한 제17조, 종교의 자유에 관한 제20조, 언론 · 출판 · 집회 · 결사의 자유를 규정한 제21조, 학문과 예술의 자유에 관한 제22조, 공무담임권을 보장하는 제25조, 근로자의 권리에 관한 제33조 등이 이에 해당한다(조석훈, 2020).

2) 법률

교육관련 법률은 교육 일반, 교육기관의 설치 및 조직과 운영, 교원, 교육재정, 교육시설 및 환경, 교육진흥에 관한 법률 등 다양하다(이종재 외, 2012). 여기서는 교육 일반에 관한 법률에 관하여 서술하고자 한다.

모든 교육관계 법령 중에서 가장 기본적인 법률은 「교육기본법」이다. 「교육기본법」은 이미 약간씩 언급되었지만, 제1조에서 밝히고 있듯이 교육에 관한 국민의 권리 · 의무와 국가 및 지방자치단체의 책임을 정하고 교육제도와 그 운영에 관한 기본적인 사항을 정하고 있다. 「교육기본법」은 교육관련 법률의 실질적 기준을 제시하고, 교육정책에 방향성을 제시한다. 또한 각종 교육법령을 해석 · 적용할 때 준거가 된다고 할 수 있다(조석훈, 2020).

「유아교육법」 「초 · 중등교육법」 「고등교육법」 「평생교육법」은 교육단계에 따른 각급 학교에 관한 중요사항을 규정하고 있는 법률들이다. 「유아교육법」은 국가 및 지방자치단체가 보호자와 더불어 유아를 건전하게 교육할 책임을 중심으로 유아교육에 관한 중요한 사항을 정하고 있다. 「초 · 중등교육법」은 의무교육, 학교 종별과 그것의 기본 구조 및 학사운영의 대강, 학생과 교직원, 학교운영위원회 등 초 · 중등교육에 관한 기본적인 사항을 정하고 있다. 「고등교육법」은 고등교육을 실시하는 학교(대학)의 종류와 학교(대학)별 학사운영의 기본사항, 학생, 교직원, 재정 등에 관한 기본적인 사항을 규정해 놓고 있다. 「평생교육법」은 평생교육의 진흥에 대한 국가 및 지방자치단체의 책임과 평생교육제도와 그 운영에 관한 기본적인 사항을 정하고 있다.

「지방교육자치에 관한 법률」(약칭「지방교육자치법」)은 교육의 자주성 및 전문성과 지방교육의 특수성을 살리기 위하여 지방자치단체의 교육·과학·기술·체육, 그 밖의 학예에 관한 사무를 관장하는 기관의 설치와 그 조직 및 운영 등에 관한 사항을 규정하고 있다. 보다 구체적으로 교육감의 지위와 권한, 교육감의 보조기관과 소속기관, 지방교육재정, 지방교육에 관한 교육행정과 일반행정 간의 협력 등에 관한 사항 등을 담고 있다.

「사립학교법」은 사립학교 운영을 규율하고 있는 법이다. 이 법은 사립학교의 특수성에 비추어 그 자주성을 확보하고 공공성을 높임으로써 사립학교의 건전한 발달을 도모하는 데 필요한 사항들을 정하고 있다. 학교법인의 설립과 이사회 등 기관, 재산과 회계, 해산과 합병, 지원과 감독, 사립학교 경영자, 사립학교 교직원의 자격·임면·복무, 신분보장과 사회보장, 징계 등에 관한 내용을 담고 있다.

그리고「교육기본법」을 제외한 이들 법률은 각각 시행령을 두어 보다 더 구체적인 사항을 정하고 있다.

3) 명령

명령은 국회의 의결을 거치지 않고「헌법」이나 법률의 위임에 의하여 행정기관이 제정하는 법규이다(조석훈, 2020). 명령은 법률에서 다룰 수 없는 구체적이고 세부적인 사항을 정하기 위하여 제정된다. 명령은 제정한 행정기관에 따라 대통령령, 국무총리령, 부령 등의 이름으로 공포된다. 대부분의 법률은 그 내용을 구체화하고 그것을 시행하기 위하여 명령을 수반한다. 시행령은 대통령에 해당하는 명령이다.「유아교육법」「초·중등교육법」「고등교육법」「평생교육법」등은 모두 시행령을 가지고 있다.

4) 자치법규

자치법규는 국가 전체에 적용되는 헌법이나 법률, 명령과는 달리 지방자치단체가 법령의 범위 안에서 해당 지방자치단체의 지역에만 적용하기 위하여 제정한 규범이다(조석훈, 2020). 여기에는 조례와 규칙이 있다. 조례는 법령에 위반하지 않은 범위 안에서 지방의회의 의결을 거쳐서 제정한다. 규칙은 지방자치단체의 장이 법령이나 조례가 위임한 범위 내에서 정하는 자치법규이다. 지방교육자치가 확대·발전하고, 활성화하면서 조례와 규칙의 제정이 증가하고 있다.

오늘날 교육주체들 간에 교육정책을 둘러싼 복잡한 이해관계를 적절하게 조정하고 교육정책을 안정적으로 추진하기 위하여 교육관련 입법이 증가하고 있다. 학자들은 이를 '법화 현상'의 증대라고 말한다. 법령은 일반적이고 보편적인 규범이기 때문에 모든 사람을 대상으로 상황에 대한 고려 없이 보편적·획일적으로 적용된다. 이 점에서 법은 적용대상의 다양성과 자율성을 억누를 수도 있다(이종재 외, 2012). 교육관련 입법의 증가와 관련하여 해결해야 할 과제이다.

3. 교육 거버넌스 체제

교육 거버넌스(governance)는 교육정책 결정체제 또는 의사결정 체제라고 할 수 있다. 교육 거버넌스를 어떻게 설계하느냐에 따라 교육에 관한 정책결정 또는 의사결정에의 참여기회가 개방적인지 폐쇄적인지, 누가 참여하는지, 무엇을 어떻게 결정하는지 등이 달라진다. 여기서는 교육 거버넌스 체제를 국가 수준 또는 시·도 교육청 수준, 학교 수준으로 나누어서 서술하고 그 양상과 특징을 논의할 것이다(Kim, 2019).

1) 국가 수준의 교육 거버넌스 체제

국가 수준에서 교육 거버넌스를 구성하는 요소들은 입법부, 사법부, 행정부라고 할 수 있다. 오늘날 국회와 사법부가 교육정책에 미치는 영향력이 늘어나고 있다. 국회는 새로운 법률을 제정하거나 기존의 법률을 개정함으로써 교육정책의 방향을 정하거나, 교육정책의 집행에 필요한 예산에 대한 통제를 통하여 그리고 국정감사나 정책질의 등을 통하여 특정 교육정책 추진을 촉진하기도 하고, 제약하기도 한다. 법원과 헌법재판소 등 사법부는 사법부에 제기된 특정 교육정책에 대한 판결을 통하여 그 정책의 법률적 효력을 인정하거나 아니면 기존의 교육정책의 법률적 타당성을 부인함으로써 교육정책에 영향을 미친다. 한국에서는 오늘날 이렇게 교육정책에 대한 입법부와 사법부의 영향력이 증대하고 있다(SeongYul Kim, 2019).

그런데 국가 수준의 교육 거버넌스에서 가장 중요한 요소는 여전히 대통령이다. 정부 형태가 대통령제이고, 대통령이 국가 운영의 최고 책임자이기 때문이다. 대통령은 교육정책 의제 설정뿐만 아니라, 교육정책 과정 전반에 결정적인 영향력을 행사한다. 중앙정부 수준의 교육행정기관인 교육부에서는 장관과 관료들이 5년마다 국민에 의하여 선출되는 대통령의 공약을 교육정책으로 수립하고 집행한다.

대통령과 교육부 장관이 강력한 교육정책 결정 권한을 가진 교육정책 과정은 몇 가지 문제점을 가지고 있다는 비판을 받아 왔다. 하나는 교육정책 과정에 국민의 교육정책에 대한 의견이 제대로 반영되지 않는다는 점이다. 달리 표현하면, 대통령과 교육부 장관을 비롯한 관료 중심의 교육정책 결정이 이루어진다는 것이다. 한국 사회가 발전하면서 국민은 교육에 대한 의견과 이해관계가 통일되기보다는 다양하게 분화되었다. 많은 국민은 대통령과 관료 중심의 교육정책 결정과정에서 다양한 목소리를 반영할 기회가 없다고 생각하고 있다. 또한 교육정책 결정과정에서 민주주의가 제대로 실현되지 않고 있다고도 보고 있다.

다른 하나는 교육정책은 장기적 관점에서 미래를 내다보고 결정되어야 하는데, 정권의 교체에 따라 주기적으로 바뀐다는 점이다. 한국인들은 교육을 백년지대계(百年之大計)라는 믿음을 가지고 있다. 그래서 국민은 한편으로는 정권교체로 인한 교육정책의 변화를 어쩔 수 없이 받아들이면서도, 다른 한편으로는 교육정책의 지속성과 안정성의 약화를 비판하고 있다.

역사적으로 볼 때 중앙정부 수준에서 대통령과 교육부 장관을 비롯한 관료 중심의 교육정책 결정체제가 가진 이러한 문제점을 해결하기 위한 노력이 없었던 것은 아니다. 우선, 공식적으로 법령이나 지침 등으로 자문기구와 같은 형식의 기구를 설치하여 정책결정 체제 '밖'에 있는 인사들로부터 의견을 듣는 과정을 운영해 왔다. 대표적으로 두 가지 사례를 들 수 있다. 하나는 교육정책 결정에 대하여 대통령의 자문에 응하기 위한 기구를 설치한 것이다. 외부 인사들은 대통령의 교육정책 결정에 대하여 1980년대 5공화국 이후 정부마다 설치하여 운영하였던 교육에 대한 대통령 자문기구를 통하여 의견을 제시하였다. 대통령은 교육에 대하여 높은 수준의 학식과 경험을 갖춘 인사들로부터 국가 수준에서 주요한 교육정책 의제에 대하여 의견을 청취하고 있다. 교육정책에 대한 대통령 자문기구에서 논의된 중요한 교육정책에 대한 의견들은 공식적 보고서로 발간되고 대통령의 교육정책에 대한 지침으로 활용되고 있다.

과거 정부들에서 존재했던 교육정책에 대한 대통령 자문기구는 대통령과 교육부, 그리고 학부모와 교원 등 이해관계자들과의 관계에서 중요한 기능을 수행하였다. 첫째, 대통령의 교육정책 자문기구는 대통령의 교육에 철학과 비전을 반영한 교육개혁안들을 구상하여 제시하였다. 둘째, 이 기구는 집행부서인 교육부에 교육정책의 대안으로 교육개혁안을 제공하였다. 교육부는 교육개혁안을 교육부 수준의 교육정책 결정과정에서 지침으로 활용하였다. 교육에 대한 대통령 자문기구는 교육개혁안을 수립하는 과정에서 교육에 대한 다양한 이해관계집단들의 요구를 수렴하고 조정하면서 반영하였다. 이 자문기구가 이해관계자들로부터 의견을 수렴하는 활동은 교육개혁안에 대한 순응성을 높이기 위한 것이었다고 할 수 있다.

그러나 이러한 긍정적인 평가에도 불구하고, 다른 한편에서는 교육에 대한 대통령 자문기구가 법률이 아니라 시행령으로 한시적으로 설치되어 왔기 때문에 정권의 성향과 대통령의 의사에 따라 설치 여부가 자의적으로 결정되었다는 비판이 나왔다. 그리고 자문기구를 구성하는 참여 인사들이 정권에 따라 크게 차이가 나는데, 최근에 올수록 대통령을 지지하고 정치적으로 비슷한 이념을 추구하는 인사들이어서 국민의 의견을 대표하는 데 한계를 지니고 있다는 지적도 나오고 있다. 참여 인사들은 정권의 유지와 재창출이라는 관점에서 교육정책에 대하여 의견을 제시하는 경향이 강하였기 때문에, 장기적 관점에서 교육정책의 안정성과 지속성을 덜 고려하였다는 비판을 받았다.

다른 하나의 사례로 교육부 장관이 교육부의 정책결정에 대한 전문가들의 의견을 듣고 여론을 수렴하기 위하여 운영하는 교육부 정책에 대한 자문기구를 들 수 있다. 교육정책에 대한 대통령 자문기구는 1980년대에 들어서야 공식적으로 설치되었지만, 교육부 장관에 대한 교육정책 자문기구는 1949년 「교육법」 제정부터 명시적으로 규정되어 있었다. 그 당시 기구의 명칭은 중앙교육위원회였다. 이를 연구한 학자들에 따르면, 중앙교육위원회는 국가교육의 중요정책을 심의하는 행정부 보완형이었다. 하지만 교육에 관한 중요시책에 관하여 교육부 장관(그 당시 명칭은 '문교부 장관') 또는 대통령에게 건의할 수 있도록 하였다. 그리고 중앙교육위원회에서 심의된 안건을 교육부 장관이 수정 또는 변경하려고 할 때에는 중앙교육위원회의 의견을 듣도록 함으로써 교육부를 적절히 견제하는 기능을 하도록 설계되었다. 달리 말하면, 중앙교육위원회는 교육부의 정책 기능에 강력한 보완과 견제 장치를 마련하려는 취지를 담고 있었다. 다른 무엇보다 교육부의 정책 독점을 방지하려는 목적을 달성하기 위한 설계라 할 수 있다.

일부 교원단체와 학자들은 2000년대 초반 경부터 중앙정부 수준의 교육 거버넌스 체제의 이러한 문제점을 해결하기 위하여 시행령이 아니라 법률로 뒷받침되며 대통령으로부터 독립하여 교육정책에 대한 큰 틀을 결정하는 기구를 설치해야 한다고 주장해 왔다. 이러한 주장은 21대 국회(2021. 7.)에서 「국가교육위원회 설치 및 운영에 관한 법률」의 통과로 실현되었다. 상당수의 국민이 국가교육위원회가 법률에 근거하여 안정적인 지위를 가지고 대통령과 교육부 장관으로부터 독립적인 기능을 가져야 한다고 생각하고 있다. 또한 국가교육위원회가 정권의 이해관계를 넘어서서 일관성 있는 정책을 구상할 수 있다고 기대하고 있다. 그리고 국가교육위원회는 국민의 합의에 기반을 두고 장기적 관점에서 미래를 대비하는 교육정책을 결정하는 제도가 될 것으로 여겨지고 있다.

2) 시·도 교육청 수준의 교육 거버넌스 체제

시·도 교육청 수준의 교육 거버넌스는 지방교육자치제라고 할 수 있다. 지방교육자치제도는 교육제도의 운영과정에서 지역주민들의 발언권과 참여권을 인정하기 위한 가장 전형적인 제도에 해당한다. 지방교육자치제는 지방분권의 원리와 주민통제의 원리를 기반으로 하여 교육제도 운영에 대한 국가의 권한을 지방과 주민들에게 분산시키는 효과를 가지고 있다. 지방자치제는 중앙정부에 의한 획일적인 지시와 통제를 지양하고 지방이 해당 지역의 실정과 특수성을 고려하여 자율적으로 지방 교육정책을 수립할 수 있는 제도적 기반이다. 지방교육자치제는 주민의, 주민에 의한, 그리고 주민을 위한 교육정책이 수립될 수 있도록 주민들이 그들의 대표를 통하여 교육정책을 결정하는 데 참여하거나 교육감을 선출하는 데 직접 영향을 미칠 수 있는 제도이다. 지방교육자치제는 교육활동의 특수성을 인정하고 그 자율성과 정치적 중립성을 보장하기 위해서 교육행정의 일반행정과 관계를 규정하는 제도이다. 그리고 지방교육자치제는 교육에 대한 깊은 이해와 고도의 행정기술을 갖춘 요원들이 교육행정을 담당하는 것을 가능하게 하는 제도라고 할 수 있다(김성열, 김홍주, 2015).

지방교육자치제도가 현재의 구조로 정착되기 시작한 것은 1991년 「지방교육자치에 관한 법률」이 제정되고 나서부터이다. 「지방교육자치에 관한 법률」 제2조에서는 지방자치단체의 교육·과학·기술·체육·기타 학예에 관한 사무는 특별시·광역시 및 도의 사무로 한다고 규정하고 있다. 그리고 같은 법률 제4조에서는 시·도의 교육·학예에 관한 의안과 청원 등을 심의·의결하기 위하여 시·도에 상임위원회를 둔다고 규정하고 있다. 이는 지방교육자치제의 실시단위가 특별시·광역시·도 등 광역자치단위라는 것을 말해 준다. 일반 지방자치는 시·군·구 등의 기초자치단위까지 실시되고 있다.

시·도 단위의 교육에 관한 의결기관은 시·도 의회이다. 의결기관의 구성에서는 교육 전문성이 고려되지 않는다. 왜냐하면 지방교육자치제는 교육전문가가 교육의 전문성을 명분으로 행할 수 있는 독선을 보통 사람들이 통제(layman control)하는 제도이기 때문이다. 다만, 제주특별자치도의 경우에는 의결기관의 구성에서 교육 전문성이 중요하게 고려되어 교육의원을 따로 선출한다.

교육감은 시·도의 교육·학예에 관한 사무의 집행기관이다. 교육감은 교육·학예에 관한 소관 사무로 인한 소송이나 재산의 등기 등에 대하여 당해 시·도를 대표한다. 그리고 교육감은 중앙정부에서 위임한 교육·학예에 관한 사무를 집행한다. 또한 교육감은 지방의회 의결에 대한 재의 요구권을 가지고 있다. 교육감이 관장하는 사무 중 대표적인 것을 몇 가지 예로 들면 다음과 같다.

- 조례안의 작성 및 제출에 관한 사항
- 예산안의 편성 및 제출에 관한 사항
- 교육규칙의 제정에 관한 사항
- 학교, 그 밖의 교육기관의 설치·이전 및 폐지에 관한 사항
- 교육과정의 운영에 관한 사항
- 소속 국가공무원 및 지방공무원의 인사관리에 관한 사항

교육감 후보자의 자격기준은 시 · 도지사의 피선거권이 있는 자로서 '교육 경력 또는 교육행정 경력 3년 이상'인 자이다. 교육감은 주민의 비밀 · 보통 · 직접 · 평등 선거로 선출한다. 교육감을 주민의 직접 선거로 선출하는 것은 지역주민들이 지역교육 운영의 책임자 선출에 참여할 기회를 확대하고, 그들의 의사를 반영할 수 있는 방식이다. 주민들이 지역 교육운영의 책임을 진 사람에게 잘잘못을 직간접으로 따져 볼 기회를 가지는 것은 주민 통제의 원리라는 지방교육자치제의 본래 의미를 실현하는 것이라 할 수 있다. 또한 교육감의 주민 직접선거는 교육감을 교원들의 집단이기주의에서 제기되는 여러 가지 요구들에서 자유롭게 만들었다고 할 수 있다. 하지만 이 제도도 선거비용의 과다, 정치적 중립성 훼손, 조직 선거의 가능성 등의 문제점을 안고 있는 것으로 지적되고 있다. 이러한 문제가 최소화되도록 하는 선거제도의 구상이 요구됨은 두말할 필요가 없다.

지방교육자치제도는 진전 · 발전되어 오는 과정에서 여러 성과를 거두기도 했고, 해결해야 할 과제를 안고 있기도 하다. 지방교육자치제도는 무엇보다도 중앙정부와 시 · 도 교육청의 관계를 크게 변화시켰다. 지방교육자치제도는 교육제도에 대한 국가의 통제권을 분산시키는 기반을 형성하고, 시 · 도 교육감이 해당 지역의 교육을 운영할 수 있는 자율성을 부분적으로 가질 수 있게 하였다. 시 · 도 교육감들은 지역의 특성에 맞는 교육정책의 추진을 강조하면서 중앙정부의 정책을 무조건 따르기보다는 자율성을 활용하여 자신들의 공약을 실천하는 데 더 중점을 두는 경향이 강하다. 이에 따라 지방교육자치제는 중앙과 지방 사이에 교육정책 추진을 둘러싼 갈등을 낳고 있기도 하다. 몇 해 전에는 어린이집과 유치원에 대한 재정지원을 중앙정부가 할 것인지 시 · 도 교육청이 할 것인지에 대하여 중앙정부와 시 · 도 교육청 사이에 큰 갈등이 있었다. 교육제도 운영에 대한 통제권을 중앙과 지방 사이에 어떻게 배분하는 것이 민주적으로 적절한가는 여전히 논란거리라고 할 수 있다. 시 · 도 교육청이 중앙정부로부터 과연 어느 정도로 독립적일 수 있는지, 시 · 도 교육청의 정책이 중앙정부 정책과 일관성과 통일성을 가져야 하는지에 대한 사회적인 합의를 이루어야 하는 과제를 안고 있다.

교육감의 직선제는 교육에 대한 주민들의 참정권을 확대하였고, 지역주민들이 지방 교육에 대하여 이전보다 훨씬 많은 관심을 가지게 하였다. 또한 지방 수준에서 교육 권력의 지형을 크게 변화시켰다. 지난 2014년 선거부터 보수 성향의 중앙정부의 권력과 다르게 진보 성향의 교육감들이 대거 당선된 것을 대표적인 예로 들 수 있다. 일부에서는 주민직선제도가 진보 성향을 지닌 교육감 후보들이 당선될 가능성을 높인다고 보고 폐지를 주장하기도 한다. 하지만 주민의 직접선거에 의한 교육감 선출은 주민 통제의 원리라는 관점에서 지속해야 한다는 게 일반적 여론이다. 교육감이 주민들의 의사에 훨씬 민감하게 반응하기 때문이다. 다만, 주민 통제의 원리를 실현하는 교육감 직선제를 유지하면서도 교육의 정치적 중립성을 확보하는 제도적 장치를 마련하는 방안을 마련해야 할 것이다. 또한 교육은 시 · 도 교육청만의 일이 아니다. 교육행정이 일반행정과 분리 · 독립하여 이루어진다고 하더라도 일반행정과 연계하여 협력해야 한다. 시 · 도지사와 교육감이 서로 정치적 이념 성향이 다를 경우에 생기는 갈등관계도 조정되어 협력적 관계가 조성되어야 한다. 지방교육자치제도가 발전하기 위해서는 제도적 완전성도 갖추어야 하지만, 주민들의 관심과 역량이 중요하다. 제도적 완전성은 지방교육자치제 발전의 필요조건이고, 충분조건은 지역주민이 지방교육자치제를 운영할 수 있는 역량이기 때문이다.

3) 학교 수준의 교육 거버넌스 체제

학교 수준의 교육 거버넌스는 학교장, 교사, 학생, 학부모 등으로 구성된다고 할 수 있다. 그런데 학교 수준의 교육 거버넌스 구성주체들의 관계가 변화하고 있다. 학교장과 교사, 학생, 학부모의 관계는 1980년대 중반부터 시작한 교사주도 교육민주화 운동과 학교장의 임기제 도입 그리고 「교육법」의 폐지와 「교육기본법」과 「초 · 중등교육법」 등의 제정을 거치면서 변화하였다. 또한 1995년 학교운영위원회 제도의 도입은 학교 거버넌스 체제를 획기적으로 변화시켰다.

(1) 학교장의 위상 변화

학교장은 교무를 총괄하고, 소속 교직원을 지도 · 감독하며, 학생을 교육하는 지위에 있다. 전통적으로 학교장은 학교 운영과정에서 의사결정을 독점하고 다른 교원들에 대한 근무평가 권한을 가지는 등 절대적 권한을 가지고 있다고 여겨졌다. 학교장의 지위상의 권한에 대한 도전은 1980년대 중반부터 조직적으로 일어난 교육민주화 운동을 통하여 이루어졌다. 교사들이 주도한 교육민주화 운동은 학교장에게 집중된 막강한 권한을 줄이는 데 초점을 맞추었다. 또한 1980년대 말 대통령선거 과정에서 학교장 임기제를 도입하겠다는 공약을 제시한 후보가 대통령으로 당선된 후에 이를 법률로 제도화하였다. 교장 임기제는 오랫동안 누적된 교장 승진 희망자들에게 교장 승진 기회를 확대하는 것이 목적이었다. 하지만 그것은 교장의 지위상의 권한을 약화하는 결과를 초래하였다. 학교장의 권한을 약화하는 결정적 계기는 1997년 말 이루어진 「교육법」의 폐지와 「초 · 중등교육법」의 제정이었다. 과거 「교육법」에서 학교의 교원들은 학교장의 명을 받아 학생을 교육하도록 규정되어 있었다. 그러나 새로운 「초 · 중등교육법」에서 교사들은 학교장의 명이 아니라, 법령에서 정하는 바에 따라 학생을 교육하도록 정하였다. 교장은 학교의 소속 교직원을 대할 때에도 이전처럼 그들의 활동 영역 전반에 걸쳐 행정적 권위나 관료적 권위를 행사할 수 없게 되었다. 학교장은 이전보다 쉽지 않은 도전적 상황에서 소속 직원들과 함께 학교를 운영해 나가야 하는 처지에 있다(Kim, 2019).

1990년대 말부터 학생, 학부모 등 학교 구성원의 권리와 권리의식은 이전보다 훨씬 강화되어 학교장의 위상을 약화시키고 있다. 우선, 1998년부터 시행된 「교육기본법」은 "학생을 포함한 학습자의 기본적 인권은 학교교육 또는 사회교육의 과정에서 존중되고 보호된다."라고 규정하였다. 그리고 동법은 "부모 등 보호자는 보호하는 자녀 또는 아동의 교육에 관하여 학교에 의견을 제시할 수 있으며, 학교는 그 의견을 존중하여야 한다."라고 정해 놓고 있다. 특히 2010년경부터 진보 성향의 교육감들이 있는 시 · 도 교육청을 중심으로 제정되기 시작한 「학생인권조례」는 학교가 학생의 인권과 권리를 최대한 존중하도록 하고 있다. 이렇게 새로운 법률과 조례의 제정은 학생과 학부모 등 학교 구성주체들의 목소리를 강하게 만들고 있고, 결과적으로 학교장의 위상에 영향을 미치고 있다.

학교에서 교사들의 의사결정에 대한 영향력이 강해지고 있다. 전국교직원노동조합의 합법화가 이루어진 후 교사들의 목소리는 더욱 강해졌다. 학교장이 과거와 달리 교사들과 협의를 거치지 않고 의사결정을 하는 것은 불가능하다.

학교장과 교사들의 결합 관계도 변화하고 있다. 결합 관계는 학교장과 교사들이 어느 정도로 밀접하게 연결되며, 분리 · 독립되어 있는지를 나타내는 개념이다. 학교장과 교사들은 교육활동 과정에서는 느슨한 결합 관계에 놓인다. 학교장은 교육활동을 중심으로 한 직무 수행에서 개별 교사들의 전문성에 근거한 자율성을 인정하고 존중해야 하기 때문이다. 학교장과 개별 교사들 사이의 전문성과 자율성에 기반을 둔 느슨한 결합 관계는 의사결정과정에서도 교사들의 의사결정권을 강화하였다. 강화된 교사들의 의사결정권은 학교장의 위상에 크게 영향을 미친다고 볼 수 있다.

(2) 학교운영위원회 제도의 도입

학교운영위원회는 1995년에 실시한 '5 · 31 교육개혁'에 의하여 교장을 비롯한 교원, 학부모 대표, 지역사회 대표 등 다양한 학교 구성원에게 학교 운영에 참여하는 기회를 제공하기 위하여 도입되었다(김성열, 2015). 학교운영위원회는 5인 이상 15인 이하 범위 내의 위원으로 구성되는데, 학부모 위원 40% 내지 50%, 교원 위원 30% 내지 40%, 지역 위원 30% 내지 50%의 비율을 각각 차지한다. 학교운영위원회는 학교의 재정, 학사일정, 교과서 선정, 학생부담 경비 등 학교 운영의 주요한 사항에 대하여 학교 구성원들의 토론, 협의, 합의 또는 다수결에 의한 결정 등 민주적 절차에 따라 심의하고 결정한다. 학교운영위원회는 기존의 학교단위 의사결정 체제를 재구조화(restructuring)함으로써 현실적으로는 교장 중심의 의사결정 방식을 개선하고, 근본적으로는 교육수요자의 권리를 존중하는 제도적 장치라고 할 수 있다. 학교운영위원회는 학교 운영을 민주화하고 투명성을 향상하며, 학교 운영에 교직원, 학부모, 지역사회 인사의 요구를 체계적으로 반영하는 것을 목표로 하고 있다(김성열, 2015).

학교운영위원회가 설치되기 이전까지는 학교장 이외의 다른 학교 구성원들은 학교 운영에 대해 의견을 표출하는 기회가 충분하지 않았다. 단위학교의 운영에 관한 의사결정이 학교장 중심으로 이루어져 왔기 때문이다. 학교운영위원회는 단위학교 의사결정 체제가 안고 있는 이와 같은 교장 중심의 권위적 의사결정 체제와 학교 운영에서의 학부모의 소외라는 문제점을 해결해 줄 수 있는 제도로 기대되었다. 또한 학교운영위원회는 과거에 숱하게 제안되고 집행되었던 개혁안에도 불구하고 별로 달라지지 않고 있는 학교현장에서 변화의 촉진자(change agent)로 역할을 맡을 가능성을 가지고 있다. 학교운영위원회가 교육체제의 전반적 변화에 대한 기대를 상실한 채 자구적 노력에 치중하여 온 학부모들에게 희망을 불어넣고 다른 교육주체와 함께 공동 협력하는 길을 모색할 수 있도록 하기 때문이다.

학교운영위원회는 학교장만이 단위학교 운영에 관한 의사결정의 권한을 가지고 있는 것으로 보지 않고, 단위학교 구성주체들의 공동 의사결정을 전제로 만들어진 기구이다. 학교운영위원회의 도입으로 단위학교 의사결정 체제는 개방되었고, 학교장의 독점적 의사결정 권한은 학교 구성주체들에 의하여 부분적으로 공유되었다고 할 수 있다. 특히 학교운영위원회는 학부모들의 학교 운영에의 참여를 증대시키고 강화하고 있다. 학부모들은 이전과 달리 학교 운영에 대하여 의견을 공식적으로 제기하고 있고, 학교장과 협력하기도 하지만 때로는 긴장을 일으키는 관계에 있다. 많은 사람이 학교운영위원회를 도입하고 학부모의 학교 운영에의 참여를 제도화한 것은 학교장 중심의 권위적인 학교 운영을 학부모와 교원들의 참여에 기반을 둔 민주적인 학교운영으로 변화시켰다고 평가한다. 그러나 다른 한편에서는, 학교운영위원회가 도입 초기의 기대와는 달리 학교장의 결정을 정당화해 주는 소극적 역할에 머무르고 있다고 비판하기도 한다(김성열, 2015).

4. 좋은 학교 만들기와 학교장의 역할

1) 좋은 학교의 의미

어떤 학교가 좋은 학교인지, 어떤 교육이 좋은 교육인지는 분명하지가 않다. 우리는 여기서 '좋은'이라는 용어 자체가 사람에 따라서 다른 의미로 사용된다는 전제하에 교육 구성주체들의 관점에서 좋은 교육 또는 좋은 학교의 의미를 생각해 보자(김성열, 2013).

학생들의 관점에서 보면, 가고 싶은 학교이다. 어떤 학생은 자신이 다니는 학교가 배움에 대해 기대하는 바를 충족시켜 주면 좋은 학교라고 할 것이다. 학생들은 공부를 소홀히 시키는 학교를 좋아하지 않는다. 그들은 공부를 경시하면서 다른 것을 잘 하게 하는 학교는 사실상 없다는 것을 너무 잘 알고 있다. 공부를 소홀히 하는 학교들은 학업성취가 낮은 이유를 학생들을 전인적으로 교육하는 데서 찾으려는 경향이 있으나, 학생들은 지적인 개발을 제대로 하지 않으면서 전인교육이 가능하다고 생각하지 않는다. 학생들이 생각하는 좋은 학교는 지적인 개발을 기본으로 하면서 학생들의 다양한 교육적 욕구의 충족을 가능하게 하는 활동들이 이루어지는 학교이다. 어떤 학생은 학교가 그러한 기대를 충족시켜 주느냐의 여부와 상관없이 존중받는 느낌을 준다면 좋은 학교라고 할 것이다. 또 다른 학생은 다른 학생들로부터 심리적 부담이나 신체적 위협이 없는 학교를 좋은 학교라고 할지 모른다. 이렇게 본다면, 학생들의 경우에는 '성취' '존중' '안전' 등은 좋은 학교의 의미 요소라고 할 수 있을 것 같다.

학부모들의 경우에는 어떨까? 자녀를 보내고 싶은 학교이다. 그런 학교는 어떤 학교인가? 자녀들이 재미있고 즐겁게 학교생활을 하면서도 교육적 성취수준이 높다면 좋은 학교라고 할 것이다. 예컨대, 학부모들은 초등학교에서는 아이들이 중학교에 가서 공부하는 데 어려움을 겪지 않도록 공부하는 습관과 기초적인 학력을 튼튼하게 길러 주기를 기대하고, 그러한 기대에 학교가 부응하면 좋은 학교라고 한다. 중학교의 경우도 마찬가지이다. 자녀들이 고등학교에 가서 점점 어려워지는 공부에 싫증 내지 않으면서 뒤처지지 않는다면 그들 자녀가 다닌 중학교를 좋은 학교라고 한다. 학부모들이 볼 때, 이렇게 공부에 대해 제대로 된 태도를 길러 주고 학업성취도를 높이는 학교는 분명 좋은 학교이다. 그런 학교들은 요즈음 문제가 되고 있는 사교육비와 관련짓는다면 사교육비의 추가적 지출을 줄여 줄 수 있는 학교임에 틀림없다. 그래서 학교 이외의 교육에 덜 의존하여 교육비 부담이 줄어든다면 이 또한 좋은 학교라고 할 것이다. 학부모로서 학교로부터 참여의 권리를 인정받고 참여기회가 확대되고, 학교 운영에 목소리가 반영된다면 좋은 학교라고 할 것이다.

교사들은 어떨까? 좋은 학교는 선생님들이 머물고 싶고 근무하고 싶은 학교이다. 교사들도 학생들이 교사의 가르침을 열심히 따르고 높은 성취를 보인다면 좋은 학교라고 할 것이다. 그와 동시에 학생이나 학부모로부터 교사의 권위를 존중받는다면, 그리고 학교행정가로부터 자율적 영역을 확보한다면 좋은 학교라고 할 것이다. 자신들의 전문성을 최대한 발휘하면서 학생들의 교육에 헌신할 수 있는 학교가 좋은 학교이다. 선생님들은 전시성 행사를 하는 데 신경을 쓰지 않아도 되는 학교, 선생님들 사이에 학생들의 교육을 함께 의논하는 분위기가 지배적인 학교, 학생들과 상호작용이 활발하고 가르침의 결과가 학업성취도의 향상으로 이어지는 학교를 좋아한다.

그렇다면 학교행정가는 어떤가? 학교가 펼치는 교육활동이 성과를 거둘 때 좋은 학교라고 할 것이다. 학교 구성주체들이 서로 인정하고 이해하며 존중할 때, 그리고 각자가 책무성을 이행하려고 노력할 때 좋은 학교라고 할 것이다.

이렇게 좋은 학교의 의미는 학교 구성주체들의 위치에 따라 다양하게 규정될 수 있다. 그런데 그 의미는 다른 듯하나 공통의 의미 요소를 발견할 수 있다. 그 첫 번째가 높은 교육적 성취수준이다. 다만, 교육적 성취의 내용에 있어서는 이견들이 존재할 수 있을 것이다. 그다음이 상호 존중이다. 학생이든, 학부모이든, 교사이든, 학교행정가이든 간에 다른 학교 구성주체들로부터 인정받고 존중받는 느낌을 가지는 것이다. 다음으로는 책무의 이행, 즉 각자가 할 일을 열심히 하는 것이다.

좋은 학교는 학생들로 하여금 기초학력을 모두 갖추게 한다. 꿈과 끼를 펼치는 기반을 마련해 준다. 그들은 학교에 머무는 동안 선생님들의 돌봄 속에서 생활한다. 좋은 학교에서는 학생들 간 학업성취도의 차이도 그렇지 않은 학교에 비하여 줄어든다. 좋은 학교는 비슷한 여건의 아이들을 받아들이고도 교육적 성취에서 차이를 만들어 낸다. 실제로, 평준화 지역 내에서 상대적으로 성취가 높은 학교를 그 예로 들 수 있다. 좋은 학교는 취약한 지역에서 어려운 여건에도 불구하고 기대 이상의 성과를 낸다. 예컨대, 최근 농어촌 지역에서 높은 성취를 내고 주목받는 학교들이다. 학교 구성주체들은 그런 학교를 '이 학교'라고 부르지 않고 '우리 학교'라고 부른다. 공동체 의식이 매우 높다.

우리 사회의 학교들을 좋은 학교로 만드는 것은 시대적 사명이다. 교육행정의 지향점이기도 하다. 좋은 학교는 학생들의 교육적 성취수준을 높임으로써 개인들에게는 학교교육에 대한 만족도를 보다 크게 한다. 학부모들은 좋은 학교의 교육을 통하여 자녀들의 잠재적 능력이 보다 더 개발되기 때문에 만족도가 높아지고 학교 이외의 교육에 덜 지출하게 된다. 가난한 학생들은 학교를 통하여 인생을 바꿀 수 있는 기회를 얻을 수 있다. 이른바 학교를 통하여 가난의 대물림을 끊을 수 있는 기초를 마련할 수 있다. 국가적으로는 학교교육의 경쟁력이 높아지면서 교육투자의 효율성이 증대한다. 좋은 학교는 한정된 재원으로 국가가 기대하는 교육목표의 달성을 보다 효율적으로 이루어지도록 하기 때문이다. 교육의 국가적 경쟁력이 더욱 높아진다. 좋은 학교를 만드는 것은 이렇게 개인적 차원에서나 국가적 차원에서나 기대하고 이루어 나가야 할 과제이다.

2) 좋은 학교를 만들기 위한 학교장의 역할

좋은 학교를 만드는 데에는 여러 가지 조건이 충족되어야 한다. 그중에서 학교장이 담당하는 역할의 중요성은 아무리 강조해도 지나치지 않다. 물론 교장이 혼자서 좋은 학교를 만들 수는 없다. 그러나 지금까지 이루어진 여러 연구들이 전하고 있는 바와 같이, 다른 사람들과 협력한다면, 교장이 진정으로 좋은 학교를 만드는 데 의미심장하고 긍정적인 영향을 준다는 증거는 분명히 존재한다. 어떤 외국 학자는 심지어 "효과적인 교장 없이도 효과적인 학교가 된 경우를 알고 있다면, 내게 수신자 부담으로 전화해 달라."라고까지 말하고 있다. 효과적인 학교 연구자인 어떤 학자는 "나는 무능한 교장이 있는 훌륭한 학교를 본 일이 없고, 훌륭한 교장이 있는 침체된 학교를 본 일이 없다. 그리고 나는 성공적이지 못했던 학교가 성공적인 학교로 바뀌고, 유감스럽게도 매우 훌륭했던 학교가 급속도로 침체되어 가는 것을 보았다. 그 각각의 경우에 발전과 침체는 교장의 질에 달려 있다."라고 얘기한다(Thomas & Davis, 1993). 실제로 그렇다. "평범함과 뛰어남의 차이를 이루는 것은 교장의 리더십이다." 21세기 학교연구(Gerstner, 2001)에서도 "교육의 탁월함에 대해 비전을 가지고 자신이 맡고 있는 학교를 자유롭게 운영하는 열정적이고 대화를 좋아하는 교장"이 있는 학교는 성취수준이 높은 행복한 학교라고 밝히고 있다. 내실화된 학교들에는 언제나 "교장은 교사들이 지도와 연구에 몰두할 수 있는 여건을 조성해 준다. 수업을 포함한 각종 학교 정책결정에 교사들의 의견을 적극 반영하고 시행하는 과정에서도 교사에게 자율권을 많이 준다." 요컨대, 학교장이 학교 구성원들을 학교의 목표 실현에 헌신할 수 있도록 동기화시키는 지도성을 발휘할 때 성취수준이 높은 좋은 학교가 될 가능성이 크다고 할 수 있다.

학교장이 좋은 학교를 만들기 위하여 수행하는 역할은 다양하다(김성열, 2013, 2019).

첫째, 학교장은 좋은 학교에 대한 비전을 제시해야 한다. 특히 비전에는 학생의 학업 성취에 대한 명백한 강조와 모든 학생에 대한 높은 성취 기대를 갖는 것을 포함해야 한다. 학교장은 학교 구성원과 함께 비전을 창출하여 제시할 수 있는 능력, 그러한 비전을 실현시킬 전략을 설계하는 능력, 그 비전에 뜻을 같이하며, 비전 실현에 기여할 수 있는 인력을 조직할 수 있는 능력, 학교 구성원들로 하여금 비전의 실현을 위해 최선을 다하도록 동기화하는 능력을 갖추어야 한다.

둘째, 학교장은 학생들에 대하여 긍정적인 기대를 해야 한다. 학교장의 학생들에 대한 기대는 알게 모르게 학생들에게 전달되고 학생들은 그러한 기대에 부응하려는 경향이 있다. 그렇기 때문에 학교장은 학생들의 능력과 역량을 신뢰하고, 그들이 높은 성취를 이룰 수 있다는 기대를 표명하고 실제로 그렇게 행동해야 한다. 학생들은 학교장의 기대를 내면화하여 스스로 자기에 대한 긍정적인 기대를 가지고 학업에 노력한다. 학업성취도에 영향을 미치는 요인을 학습준비도, 학생의 동기상태, 교사의 수업의 질로 나눌 때, 학생의 동기상태가 학업성취의 25%를 설명한다고 한다. 학교장은 말을 물가까지 끌고 갈 수는 있어도 물을 먹일 수는 없듯이 학생들 스스로 노력하도록 동기부여를 해야 한다.

셋째, 학교장은 교사들의 역량 강화를 적극적으로 추진해야 한다. "교육의 질은 교사의 수준을 넘어설 수 없다."라는 진부하면서도 언제나 진리인 말을 떠올려 본다면 좋은 학교를 만드는 데 핵심 관건이 교사임은 두말할 필요가 없다. 교사들은 전통적인 지식의 전달자만이 아니라, 코치로서, 상담자로서, 학습관리자로서, 참여자로서, 지도자로서, 학습자로서, 교과개발자로서 역할을 수행한다. 미국에서 학교교육력을 강화하기 위한 사업을 추진했던 IBM의 최고경영자 루이스 거스너(Louis Gerstner) 등의 주장에 의하면, 교사들이 이러한 역할 수행에 요구되는 능력을 고도화시킬 때, 학교가 개선될 수 있다. 그들의 주장대로 학교를 개선하기 위해서 교사들은 학생과의 관계에서 더 이상 일방적 주도자가 아니라 코치로서 학생을 지도하고, 학생들이 스스로의 목표를 정하는 것을 돕고 그들이 그 목표를 달성하는 데 필요한 지적·정서적 지원을 제공하는 상담자로서의 역할을 수행해야 할 것이다. 그리고 교사들이 학습내용과 학습활동, 수업 보조자, 수업 보조기구, 학생 등을 잘 조정하여 이 모든 것들이 최적의 성과로 이어지게 하는 학습관리자로서 역할을 수행해야 한다. 뿐만 아니라, 교사들은 더 이상 고립적으로 일하지 않고, 팀을 이루어 일을 해야 한다. 또 정해진 교과서를 기계적으로 사용하기보다는 학생들의 특성에 적합한 교재도 개발해야 한다. 학교장은 교사들이 이러한 역할을 제대로 수행하도록 그들로 하여금 평생학습자가 되어 자신의 역량을 개발하는 것을 촉진해야 한다. 이를 위해 대학원 진학을 권유하고, 각종 학술세미나와 연수에의 참여를 권장할 필요가 있다. 가능한 한 재정지원도 해야 한다. 교사들은 교직생활을 통하여 자신들이 성장한다고 느낄 때 더욱 동기가 부여됨을 유념해야 한다.

넷째, 학교장은 좋은 학교를 만들기 위해 개혁지향적인 교사들을 찾아내고 그들이 교사들의 변화를 함께 이끌도록 해야 한다. 공유적 리더십(shared leadership)을 발휘해야 한다는 것이다. 학교장 혼자서 좋은 학교를 만들 수 있는 것이 아니기 때문이다. 본래 리더십이란 다른 사람과 더불어 다른 사람을 통하여 의도한 목표를 달성하는 게 아닌가? 학교마다 개혁적이면서도 유능한 교사들이 있기 마련이다. 이들은 비공식적이고 간접적인 과정을 통해 다른 교사들에게 영향을 미친다. 다른 교사들은 그러한 교사들의 의견과 과제해결방식을 따르는 경우가 종종 있다. 그러므로 학교장은 개혁적이면서도 유능한 교사들을 발굴하여 그들이 다른 교사들에 대해 지도자로 역할을 수행할 수 있도록 권한과 함께 책임을 주는 것이 필요하다.

다섯째, 학교장은 좋은 학교를 만들기 위해서 교사들이 동료의식을 가지고 상호 협력하도록 공동체 문화를 조성해야 한다. 학교의 모든 활동은 교장과 교사 간의 관계를 포함하여 교사들의 관계가 협응적이고 동료적일 때 바라는 성과를 올릴 수 있기 때문이다. 동료의식은 학교 조직 내에서의 파당을 배제시킬 수 있으며, 지위의 고하나 부서 등의 구분을 넘어 정보와 지식을 공유하고 협동적으로 문제를 해결하는 인간관계의 토대를 지지할 것이다. 좋은 학교는 이러한 교원들의 상호관계를 고양하는 방향으로 운영되는 학교인 셈이다.

여섯째, 학교장은 좋은 학교를 만들기 위해 학부모와 지역사회의 학교 참여를 촉진해야 한다. 학교의 교육력은 학부모와 가정의 지원 없이는 강화되기 어렵기 때문이다. '자녀의 학습에 대한 부모의 적극적인 참여'와 '해당 자녀의 학업성취' 사이에 긍정적인 관계가 있다는 것은 오래전부터 알려져 왔다. 유능한 교장은 학부모와 지역공동체 구성원과 의사소통하며 그들에게 학교 비전을 전달하고, 그들로부터 정보를 얻고 목표가 폭넓게 이해되었는지 확인한다. 학교장은 학부모교육을 통하여 학부모들이 자녀들에게 두 가지 생각을 심어 주도록 해야 한다(Gerstner, 2001). 하나는 자신의 자녀들에게 학교를 친근하고 즐거운 곳으로 생각하게 만들어야 한다는 것이다. 다른 하나는 학부모들이 자녀들에게 학교가 노는 곳이 아니라 배우는 곳으로 생각하도록 해야 한다는 것이다. 학교가 아이들에게 즐거운 곳이 되어야 한다고 해서 학교를 캠프장처럼 생각하게 해서는 안 된다. 가능하다면, 학부모가 집에서 아이들과 함께 학습활동을 하도록 장려한다. 그리고 학교장은 여유 있는 학부모들과 지역사회의 제 기관들이 학교에 지원을 하려는 마음을 가지고 실천하도록 권해야 한다. 과거에는 학교가 가장 쾌적한 곳이었지만, 이제는 다른 기관보다 열악한 곳으로 변했음을 떠올린다면, 학교에 재정지원을 할 수 있는 경우에는 기꺼이 할 수 있어야 할 것이다.

일곱째, 학교장은 안전하고 질서정연한 학교환경을 조성하기 위해 노력해야 한다. 가장 초기의 연구에서부터 현재까지, 안전하고 질서 있는 학교환경을 확립하고 유지하는 것이 학교 성공의 가장 근본적인 요인으로 꼽힌다. 좋은 학교는 구성원들에게(특히 미성년인 학생들에게) 학교가 교육목적을 진지하게 추구하고 있다는 점을 분명히 하면서, 그들도 목적 추구에 진지하게 임해야 함을 분명하게 전달한다. 학교에서의 일상적인 교육활동이 문란한 분위기나 해이해진 기강에 의해 방해를 받는다면 그 교육적 성과는 크게 기대하기 어려울 것이다. 질서와 기강이 학교에서 바로 선다면, 학생 생활지도상의 문제가 줄어들어 교육의 효과를 증대할 수 있을 뿐만 아니라 학교 사회에 책임과 긍지의 분위기를 심을 수도 있다.

여덟째, 학교장은 좋은 학교를 만들기 위하여 구성원들에게 활발한 의사소통을 하며, 정서적 지원을 해야 한다. 어느 언론인의 지적처럼, 학교장은 리더가 되어 여러 개의 귀를 가지고 경청하고, 구성원에게 희망을 주어야 하고, 함께 가자고 해야 한다. 많은 연구에 의하면 학생들이 높은 수준의 성취를 보이는 학교의 교장들은 공적이고 과업 중심적인 영역에서뿐만 아니라 대인관계 영역에서도 유능하고 배려심 있는 의사소통자라고 지적하고 있다. 또한 여러 연구들은 학교에 긍정적인 변화를 이끌어 내는 교장들이 그들 주변 사람들에게 정서적이고도 실용적인 지원을 제공한다는 점을 밝혀내었다.

아홉째, 학교장은 학생들의 학습시간이 침해받지 않도록 노력해야 한다. 학업성취와 학습에 투입하는 시간이 긍정적 상관관계가 있기 때문이다. 외국에서 이루어진 연구들에 의하면, 많은 학교에서 수업시간의 상당 부분이 과도한 행정적 간섭, 너무 빈번한 모임과 학교 전체 모임, 그리고 교장에 의한 기타 간섭 요인들 때문에 낭비된다. 그러한 시간 손실은 해당 학교에 다니는 학생들의 낮은 성취에 고스란히 반영된다. 한편, 성공적인 학교의 교장들은 면밀하게 수업시간을 보호하고 정기 수업일 외에 필요한 만큼 추가적인 수업시간을 조정한다. 외국학자들의 연구에서 성공적인 학교의 교장들은 수업시간이 보호될 수 있도록 규칙, 지침과 운영 절차를 설정하는 것으로 밝혀졌다. 유능한 교장들은 수업시간을 엄정히 배분하고 보호한다는 것이다. 따라서 학교장은 전시성 행사를 최소화하여 학생들이 가능한 한 많은 시간 동안 직접 교사의 지도를 받거나 교사의 면밀한 지도하에서 공부할 수 있도록 해야 한다.

끝으로, 학교장은 학교 운영과정에서 참여민주주의를 적극적으로 실현하여 교사, 학부모, 학생들과 충분히 의견을 교환하고 그들의 의견을 수렴해야 한다. 민주주의란 한 기관의 구성원들이 자신의 일상에 영향을 미치는 의사결정과정에서 목소리를 낼 수 있는 기회를 제도화하는 것이다. 학교 운영과 관련하여 구성원들에게 의사결정에 참여할 수 있는 기회를 부여하고, 그들의 의견을 반영하는 것은 민주주의를 실현하는 중요한 방법이다. 이를 위하여 무엇보다도 학교에 아직도 남아 있는 관료적 분위기를 타파하는 것이 요구된다. 그러나 이것은 꽤나 시간이 걸리는 일이다. 민주주의의 실현과 관련하여 학교장은 반영적 경청자가 되어야 한다. 반영적 경청자란 교사나 학부모, 학생의 불만이나 의견을 그들의 입장에서 이해하고, 그 내적 의미를 파악하여 환류함으로써 교사나 학부모가 자아 만족감을 가질 수 있도록 도와주는 사람이다. 또한 교사나 학부모에게 충분한 정보를 제공하여 이들이 효과적인 학교 경영방안을 찾아내고, 합의를 이끌어 낼 수 있도록 지원하는 사람이다. 학교장은 이를 위하여 학교운영위원회를 비롯하여 교직원회의, 학생회, 학부모회 등 다양한 참여민주주의 제도를 적극 활용하여 행정과정을 공개하고 교사, 학부모, 학생들과 충분히 의견을 교환하고 그들의 의견을 수렴해야 한다. 학교공동체 구성원들은 자신들의 의견이 학교장에 의하여 받아들여진다고 느낄 때, 각자의 역할에 더 헌신하려고 할 것이다(김성열, 2013).

학습과제

1. 교육행정의 개념을 규정하고 그 성격을 논의해 보자.
2. 교육행정의 원리를 설명해 보자.
3. 헌법의 교육 조항을 설명해 보자.
4. 국가 수준의 교육 거버넌스 체제의 특징을 설명해 보자.
5. 지방교육자치제의 구조를 설명하고 성과를 논의해 보자.
6. 단위학교 거버넌스 체제의 특징을 설명해 보자.
7. 좋은 학교를 만들기 위한 학교장의 역할을 탐색해 보자.

참고문헌

김성열(2013). 교육력 강화와 좋은 학교 만들기. 박철홍 외 공저. **현대 교육학개론**. 서울: 학지사.

김성열(2015. 5. 9.). 학교운영위원회의 성과와 전망, 5 · 31교육개혁과 단위학교 자율경영: 성과와 쟁점. **2015년 한국교육행정학회 제173차 춘계학술대회 자료집**.

김성열(2019). 학교장의 직무수행과 리더십: 지향과 현실, 그리고 과제. **교육행정학연구, 37**(1).

김성열, 김홍주(2015. 6.). 지방교육자치제의 성과와 과제. **인문논총**. 경남: 경남대학교 인문과학연구소.

김종철, 이종재(2002). **교육행정의 이론과 실제(상, 하)**. 경기: 한국학술정보.

남정걸(2007). **교육행정 및 교육경영**(제7판). 경기: 교육과학사.

윤정일, 송기창, 조동섭, 김병주(2015). **교육행정학원론**(6판). 서울: 학지사.

이종재, 이차영, 김용, 송경오(2012). **한국교육행정론**. 경기: 교육과학사.

조석훈(2020). **학교와 교육법**(제3판). 경기: 교육과학사.

Gerstner, L. V. (2001). **학교가 달라져야 한다**(*Reinventing education: Entrepreneurship in America's public school*). 김용구 외 공역. 서울: 미래경영개발연구원. (원저는 1994년에 출판).

Kim, S. Y. (2019. 8. 7.). *Educational reform trends in Korea: Focusing on the reform of educational governance*. presentation paper at WERA & JERA Joint Seminar. Tokyo University/Gakushuin University

Thomas, M., & Davis, G. A. (1993). **효과적인 학교와 효과적인 교사**(*Effective school and effective teacher*). 김재복, 윤기옥 공역. 서울: 교육과학사. (원서는 1989년에 출판).

제12장

평생교육의 기초

이희수(중앙대학교 교육학과)

1. 태초에 학습이 있었으니
2. 학습이 평생 널리 퍼지니
3. 평생학습의 개념적 특성과 양상을 집대성하니
4. 현재의 평생교육 법제도와 사업을 살펴보니

학습 개요

최근 코로나19라는 상황에 부딪히면서 사회, 경제뿐만 아니라 교육환경에도 많은 변화가 일어나고 있다. 재택근무, 재택학습, 가정예배, 외출자제 등으로 집에 머무는 시간들이 많아지면서 집은 학교, 직장, 놀이터, 종교시설, 식당, 체육관 등의 다목적 기능을 수행하고 있다. 집안에서 유무형의 다양한 학습활동이 이루어지면서 우리는 학습사회의 한 복판에 서 있음을 확인한다.

이 장에서는 태초의 학습에서부터 오늘날의 「평생교육법」에 이르기까지 평생교육의 기원과 대두 배경, 평생교육의 개념적 특성과 다양한 학습의 제 양상, 평생교육의 법 제도, 평생교육사를 중심으로 평생교육의 기초를 놓고자 한다. 이를 위해 제1절에서는 '태초에 학습이 있었으니'로 평생학습의 기원을 다룬다. 학습이 종교와 공동체, 정서적으로 갖는 의미를 이해하고, 평생학습은 인간의 삶의 질 유지 및 향상이라는 목적을 향하여 태초부터 지금까지 나아가고 있다는 말로 글을 연다. 제2절은 평생교육의 이정표가 되는 유네스코의 중요 문서를 바탕으로 평생교육의 진화 발전 과정을 다룬다. 아울러 OECD와 World Bank의 활동도 곁눈질해 본다. 최근 지속가능발전목표 4(SDG 4)를 통해 양질의 평생교육이 갖는 사회적 의미까지 살펴보고자 한다. 제3절에서는 평생교육의 개념적 특성, 학습의 제 양상과 학습사회의 모습을, 제4절에서는 「평생교육법」을 중심으로 한 전달체제, 평생교육기관, 평생교육사의 양성과 배치, 평생학습도시 등을 다룬다.

1. 태초에 학습이 있었으니

오래전 대학 1학년 교양철학 시간에 들은 말이 아직도 기억난다. 고대철학의 관심은 태초에 '뭐가 있었느냐?'이다. 그에 대한 답은 제각각이지만 태초에 대한 관심은 여러 부분에서 여전하다. 「성경」을 펴면 창세기 1장 1절은 "태초에 하나님이 천지를 창조하시니라."로 시작한다. 요한복음 1장 1절은 "태초에 말씀이 계시니라 이 말씀이 하나님과 함께 계셨으니 이 말씀은 곧 하나님이시니라."이다. 요한복음 1장 1절은 여러 곳에서 패러디하여 쓴다. 여기에서는 학습과 인간 중심으로 바꿔 써 본다. "태초에 학습이 계시니라 이 학습이 인간과 함께 계셨으니 이 학습은 곧 인간이시니라." 성인학습자 특성에 입각하여 안드라고지(andragogy)라는 성인교육학을 정립한 노울즈(Knowles, 1980: 40-41)도 "태초에 아동교육학(pedagogy)이 있었고, 그다음에 성인교육학(andragogy)이 왔다."라고 했다. 태초부터 종교는 교육과 관련이 깊으며, 인류의 역사는 교육과 종교와 함께해 왔다고 해도 지나치지 않다. 그러므로 태초에 학습이 있었고 이 학습은 인간과 함께했으며, 학습은 곧 인간의 삶이었음을 몇몇 종교와 관련하여 학습의 중요성에 대해서 살펴보는 것으로 글을 연다.

먼저, 유대인의 교육유산이다. 유대인의 교육열은 한국인의 교육열과 함께 정평이 나 있다. 유대인의 교육방법을 일러 주는 책자도 많으며, 우리나라 사람들은 유대인의 교육방법에 높은 관심을 보인다. 일례로 자녀교육을 위해 뉴욕에 얼마간 머무르는 돈 있는 사람들은 뉴욕에서도 유대인이 거주하는 동네의 학교에 보낸다는 말을 들은 적이 있다. 모든 공동체는 생활에 필요하다고 생각되는 각종 지식을 구성원들이 습득하도록 보장하기 위해 조치를 취한다. 그래야 공동체는 존속한다. 그러나 학습에 주어지는 중요도, 학습을 통하여 달성하고자 하는 목적, 학습을 지원 및 강화하기 위한 방법 등은 상당히 다르다. 유대인의 전통에서 학습은 권리보다는 의무이다. 그것도 신성한 종교적 의무이다. 12세기에 유대교의 신학자인 마이모니데스(Maimonides)가 쓴 글을 재인용해 본다.

> "부자이든 가난하든, 건강하든 아프든, 청년이든 노쇠하든 모든 유대인은 공부할 의무가 있다. 위대한 학자들 가운데는 최하층민인 나무하고 물지게 지는 사람들, 심지어는 장님들

이 두각을 나타내었다. 그들은 밤낮으로 공부했다……. 그러면 사람은 언제까지 계속 학습해야 하느냐고? 죽는 그날까지…… 학습은 율법(Torah)에 나오는 모든 행동 규칙 중 가장 중요하다. 심지어 더 강하다. 학습은 학습 이외의 모든 행동 규칙을 다 합한 것보다도 더 중요하다……. 학습을 규칙적인 습관으로 만들어라. '시간 있으면 공부하지'라고 말하지 말라. 너는 결코 그럴 시간이 없을 것이다."(van der Zee, 1998: 59에서 재인용)

다음은 학자의 말이 아닌 일자무식 인디언 할머니의 말씀을 들어 본다. 원주민의 학습에 대한 시각을 알아보는 데 도움이 된다. 이 글은 일터에서의 성인학습에 관한 세계 주요 종교 및 관점을 다룬『Advances in Developing Human Resources(No. 3)』(2006) 특집호[1]에 실린 일터 성인학습 관련하여 오지브웨족(Ojibwe) 미국 인디언들의 관점을 소개한 논문을 여는 글이다(Grover & Keenan, 2006: 391에서 재인용). 해가 떠오르면 새로운 것을 배워야 한다고 일러 주시는 할머니는 공자의 '일일신 우일신(日日新 又日新)'을 생각나게 한다. '일일신 우일신'의 원동력은 '학습'이다. 인간은 학습으로 날로 새롭게 태어난다. 태양은 만물을 소생시키는 에너지원이듯이 인간의 에너지원은 학습이다. 그러므로 인간은 저 하늘의 태양과 학습이란 태양, 두 개를 갖고 산다. 일(日)과 학(學)이 합일되어 학습의 일상성이 탄생한다. 일상이 학습이요 학습이 일상이다. 인간의 삶이 학습이다.

"나의 할머니 말씀이 기억난다. 할머니는 말씀하시기를, 네가 오늘 한 가지 새로운 것을 배우지 않았다면 너는 하루를 온전히 살지 못한 것이다. 그러므로 아침 해를 볼 때마다 새로운 것 한 가지를 찾으라. 그것을 찾아서 해지기 전에 배우려고 시도하라. 늘 새로운 것만? 네가 어제 알지 못했던 것이라도 좋다. 어떤 일을 하는 법을 배우거나 예전에 그 일이 어떻게 행해졌는가에 대해 배우라. 그러면 너는 그날을 허비하지 않은 것이 된다."

—Betty Gurno, Ojibwe Elder(Martinson, 1977: 2)—

학습과 태양은 밀접한 관계가 있다. 태양은 에너지원이다. 만물을 깨우고 소생시

1) 인적자원개발 관점에서 주요 종교와 일터에서의 교육을 모은 특집호이다. ADHR 학술지는 주제별 특집호로 발간한다. 종교와 성인교육(인적자원개발) 관련하여 일독을 권한다.

킨다. 태양의 에너지를 받아서 삼라만상은 살아간다. 인간에게는 '학습'이란 또 다른 태양이 있다. 의식하든 못하든 학습하면서 살아간다. 호흡이 붙어 있는 한 학습은 계속된다. 학습은 인간의 길을 여는 존재의 양식이자 사회적 표현이다. '배터리 아웃'된 내 몸을 학습은 끊임없이 재충전시켜 준다. 요즘 사람을 '충전형 인간'이라 부른다. 핸드폰, 스마트워치, 태블릿 PC, 배터리 등 충전할 게 많다. 전자기기 충전시키는 것 못지않게 우리 자신을 충전시켜야 한다. 사람은 학습으로 충전한다. 학습으로 '소진'에서 '소생'한다. '학습'이란 에너지를 받아야 한다. 공부를 하면 힘이 나는 것은 이러한 이치이다. 이 글을 쓰는 봄날에 양지 바른 학습을 찾아본다. 학습은 인류의 평생 태양이다.

학습의 역사는 태양과 함께 시작할 정도로 오래된 이야기이다. 학습에 평생을 붙인 평생학습은 전혀 새로운 것이 아니라 '오래된 아이디어의 새로운 의미(new significance of an old idea)' 발견에 지나지 않는다(Dave, 1973: 11). 동서고금을 막론하고 모든 문명의 고문헌에는 평생학습을 강조하는 아이디어가 나타나 있다. 평생교육은 어느 천재의 작품도 아니고 신데렐라처럼 갑자기 나타난 것도 아니다. 유교, 불교, 기독교, 유대교, 이슬람교 등의 모든 경전은 평생교육 경전이라고 불러도 좋을 만큼 평생교육을 강조하였다. 평생교육은 서구 저네들의 것만도 아니다. 요즘은 서양 중심의 성인학습이론에서 벗어나 동양, 아프리카, 원주민 학습에 관심을 보여 주어서 다행이다(Merriam & Baumgartner, 2020: 268-289).

고전적 평생교육이란 말이 가능할 정도로 한국, 중국, 일본은 교육을 숭상한다. 여기에는 2,500여 년 전 공자의 유교사상이 자리한다.『대학』『논어』『맹자』『중용』의 4서 중에서도『대학』과『논어』는 교육 교과서이다. 특히『논어』는 학이편(學而篇)으로 시작하는 데에서도 알 수 있듯이 학습을 강조한다. 논어를 깊게 읽지 않은 사람도 "배우고 때때로 익히면 또한 기쁘지 아니한가(學而時習之不亦說乎)"란 말을 안다. 학습하는 즐거움, 학습의 희열을 말한다. 공자는 정치가, 사상가, 음악가, 교육자, 성인 등 다양하게 불린다. 그러나 공자는 스스로를 '호학(好學)', 공부를 좋아하는 사람으로 부르고, 그렇게 불리기를 좋아하셨다. 자기만큼 공부를 좋아하는 사람은 드물다고 자부하셨다.

"학이시습지 불역열호(學而時習之 不亦說乎)"란 말씀과 함께 우리의 뇌리에 박혀 있는 말씀은 "오십유오이지우학(吾十有五而志于學)하고, 삼십이립(三十而立)하고,

사십이불혹(四十而不惑)하고, 오십이지천명(五十而知天命)하고 육십이이순(六十而耳順)하고, 칠십이종심소욕(七十而從心所欲)하되 불유구(不踰矩)호라"이다. 공자의 생애사와 발달과업을 농축한 공자의 발달심리학으로 불릴 만하다. 다 아는 뜻이지만 "나는 열다섯에 학문에 뜻을 두었고, 서른에 확고히 섰고, 마흔에 이치에 의혹되지 않고, 오십에 천명을 알았고, 예순에 귀가 순해졌고, 일흔에 마음이 하고 싶은 바를 따르더라도 법도에 어긋나지 않았다."는 말이다. 일흔 살이 되어서 자신의 인생을 회고한 것이다. 여기서 시작과 끝이 중요한 의미를 갖는다. 열다섯 살에 배움에 뜻을 두었다고 하니 공자는 일찍부터 인생좌표를 설정하였다. 공자는 요즘말로 '흙수저' 출신이다. 아버지와 어머니의 나이 차이가 엄청 나는 빈한한 집안에서 태어났고, 그나마 세 살 때 아버지가 돌아가시고 홀어머니 밑에서 자란 공자는 자신을 늘 공부를 좋아하는(好學) '학습하는 인간', 평생학습자로 정의하셨다. 너무나도 유명한 '종심소욕불유구(從心所欲不踰矩)'로 맺는다. 마음이 가고자 하는 곳으로 좇아가도 상식에 벗어나지 않게 되었다고 '종심'이란 말로 공자의 인생 절정을 선언하는 것으로 마침표를 찍는다.[2)]

지학(志學)에서 종심(從心)에 이르기까지는 발달과업, 학습과업을 극복해 온 공자의 평생학습의 이정표이다. 이것을 공자의 평생호학의 길, 평생학습의 길이라고 부름직하다. 학습희열을 볼 때 서양의 '학습의 즐거움(joy of learning)'이란 말을 연상케 한다. 공자께서는 즐길 '낙'을 최상에 두신 것으로 보인다. 『논어』의 「옹야 편」에 나오는 "지지자불여호지자, 호지자불여락지자(知之者不如好之者, 好之者不如樂之者)"에서도 "아는 사람은 좋아하는 사람만 못하고, 좋아하는 사람은 즐기는 사람만 못하다."라고 말씀하셨다. 아는 사람, 좋아하는 사람을 넘어서 궁극적으로 즐기는 사람이 되라고 강조하신다. 평생 공부하려면 즐겨야 한다. 즐기는 사람이 질긴 사람이다. 공자는 평생낙습(平生樂習)을 노래했을 뿐만 아니라 스스로를 평생 공부하는 사람이라고 하였다. 여기서 집주(集註)를 보면 학습은 영어의 'learning과 practice'가 결합된 배울 학, 익힐 습으로 이루어져 있다. 습을 풀이한 재밌는 말은 새의 새끼가 나는 연

2) 박재희. (2020). 『1일 1강 논어 강독』 (경기: 김영사, pp. 466-467) 논어는 여러 책이 있지만, 박재희 교수의 일련의 책과 강의를 열독하는 학습자로서 필자는 인용과 함께 열독을 권한다. 교육자의 입장에서 보기에 이 책은 교육학개론서로도 손색이 없다.

습을 하느라 수백 번 날개 짓 하는 것을 말한다. 학습은 단순히 배우는 것에서 그치지 않고 자기 것으로 익히는 데 있다. 부단한 연습을 필요로 한다. '학'으로 시작하여 '습'으로 완성되는 게 학습이다. 새의 날개 짓에서 배우는 공자의 학습론이다.

정리하면 태초에 학습이 있었다. 학습은 종교와 밀접한 관련이 있다. 오늘날 서양에서도 주목받는 비서구적 학습관은 학습의 상호의존성, 학습의 공동체성, 지덕체와 학습의 정서적 요소를 강조하는 통합적(holistic) 접근, 무형식적 · 일상적 · 생애적 속성을 보여 준다(Merriam & Caffarella, 2007: 237-239). 이어서 메리엄과 바움가드너(Merriam & Baumgartner)는 4차 개정판(2020: 286-289)에서 비서구적 동양과 원주민 관점, 특히 유교, 힌두교, 이슬람, 원주민 관점을 살펴본 후 다음과 같이 공통적 요소를 뽑아냈다. 첫째, 동양과 원주민 사회에서는 학습에서의 독립성보다는 상호의존성을 더 강조한다. 둘째, 상호의존성은 보다 더 격리된 서구의 교수–학습 거래보다는 비서구체제에서의 학습공동체적 성격과 관련되어 있다. 셋째, 학습의 정신, 마음, 몸, 정서적 요소를 포함하거나 이것들을 결합하는 통합적 관점은 인지에 초점을 맞추는 서구에 비해서 동양과 원주민 사회에서 더 강조된다. 넷째, 동양과 원주민 시각을 관통하는 주제는 학습이 일차적으로 무형식이라는 것이다. 학습은 일상생활에 배태되어 있고 평생이라는 것이다. 비서구적 관점 속에서 우리는 평생학습의 맹아와 원형을 발견한다. 학습은 태고부터 지금까지 우리와 함께하고 있는, 우리의 DNA이다.

2. 학습이 평생 널리 퍼지니

'평생학습'이란 말과 바꿔 쓸 수 있는 원래의 '평생교육'이란 용어가 국제적으로는 유네스코의 폴 랭그랑(Paul Lengrand)의 주창으로 1960년대에 나타난 것으로 알려져 있지만 이 용어가 공식적 문헌에 나타난 것은 훨씬 그 이전이다. 요한 코메니우스(Johann Comenius)는 요람에서 무덤까지 평생학습의 변을 설파했다. 평생학습은 단지 개인의 미래를 넘어 사회와 인류의 미래를 위한 폭넓은 비전을 보여 준다. 학습의 일상화, 생활화, 계속화를 넘어서 '학습할 운명'을 이미 1609년에 코메니우스는 주장했으며, 평생교육 맥락에서 그의 사상은 여러 곳에서 조명받고 있다. 코메니우스는 한때 유행했던 '인생학교'의 원조이기도 하다. 내가 모든 사람의 학교이듯이 나 이외의 모든 사람은 나의 학교이다.

"시간의 시작에서 종결까지 세계가 전 인류를 위한 학교이듯이 한 사람의 전 생애는 요람에서 무덤까지 우리 모두를 위한 학교이다. 더 이상 세네카(Seneca)의 명언인 '배움을 시작하는 데 너무 늦은 나이는 없다.'란 말로는 충분치 않다. 우리는 이렇게 말해야 한다. '모든 나이는 학습할 운명체이다. 어떠한 사람도 학습에 있어서 삶 그 자체 외에 다른 목적을 받지 않았다.'"(Longworth & Davies, 1996: 8에서 재인용).

공교육의 아버지인 콩도르세(Condorcet)를 중심으로 1789년 프랑스혁명 직후의 국민회의에 제출된 교육방안도 평생교육을 강조하였다. 이 「교육법」 안에서는 교육기회 확충의 정책으로서 평생교육을 명확히 내세우고, 교육이 모든 연령에 걸쳐 행해질 수 있도록, 그것을 위한 교육체제의 정비를 언급하였다(Federighi, 1999). 특히 성인들을 위한 공교육론을 주창하면서 주된 소재로, ① 정치에 관한 지식, ② 윤리학, ③ 가정경제와 농촌경제, ④ 일반적인 유용성을 지닌 일부 학문과 기술, ⑤ 체육과 도덕 교육을 제시하였다. 이와 함께 성인교육을 위해 필수적인 책들도 제시하여 눈길을 끈다. 콩도르세는 성인들을 위한 공교육 주창론자로서 각별한 관심을 받는다(Condorcet 저/이주환 옮김, 2019). 이어서 제1차 세계대전 후 영국 재건성 성인교육위원회(The Adult Education Committee Ministry of Reconstruction)에 의한 『1919년의 최종보고서』에서도 평생학습을 사치품이 아닌 필수품으로 보고 있다.

"필요한 결론은 성인교육이 여기저기에서 소수의 예외적인 사람들을 위한 사치로 간주되어서는 안 되며, 인생 초기의 짧은 기간에만 한정된 것으로 간주되어서도 안 된다는 것이다. 성인교육은 영속적인 국가의 필수이며, 시민성의 불가결한 국면이다. 따라서 보편적인 동시에 전 생애적인 것이어야 한다."(Ministry of Reconstruction Adult Education Committee, 1919: 5)

이어서 약 10년 후에 성인교육운동의 범주와 의미를 스케치하면서 『평생교육(Lifelong Education)』이란 제목의 단행본이 베이즐 A. 익슬리(Basil A. Yeaxlee, 1929)에 의해 빛을 본다. 익슬리는 한 사람의 교육에 있어서 삶의 모든 자원과 경험은 서로 관련되어 의미 있는 역할을 하며, 교육은 진실로 평생 계속된다는 거의 최초의 평생교육 비전을 표현한다. 익슬리는 학교에서의 교육을 단지 교육의 과정으로 가는 출발점으로 보고, 그런 의미에서 성인교육을 보상교육 또는 직업 편의적 활동 그 이상으로 보았다. 더욱이 그는 '생을 위한(for life) 교육' '생을 통한(through life) 교육' '전생에 걸친(throughout life) 교육'이 '하나로 연결된 공동 교육사업(the joint enterprise of education)'에 착수하기 위하여 여러 교육의 영역들(초등, 중등, 기술, 고등)을 하나로 통합하고자 하였다는 점에서 평생교육의 원리인 수직적 통합과 수평적 통합을 일찍부터 실현하고자 하였다(Cross-Durrant, 1984).

이렇게 서구의 지성사에서 면면히 흐르는 평생교육이란 씨앗은 1960년대 말 유네스코를 무대로 하여 랭그랑을 만나서 발아하게 된다. 평생교육이란 말이 세계적으로 주목받은 것은 1965년 12월, 유네스코 본부에서 '제3회 성인교육추진국제위원회(International Committee for the Adult Education)'에서이다. 당시 유네스코 교육국 성인교육 담당인 랭그랑이 제출한 실무 문서인 'Education Permanente'가 계기가 되었다는 것이 통설이다(Boucouvalas, 2021). 여기에서 평생교육의 개념 형성 과정을 유네스코의 문헌을 빌려서 살펴보고자 한다. 유네스코의 평생학습 유토피아의 지성사를 이해하는 데 도움이 될 것이다(Elfert, 2018).

첫째, 랭그랑의 『평생교육에 대한 입문(An Introduction to Lifelong Education)』(1970)이다. 이 책은 국제교육의 해와 개발연대를 맞아서 전 세계에 보급되어 평생교육 개념 확산에 기여하였다. 평생교육 하면 랭그랑을 떠올리게 하는 손바닥만한 크기의 책이다. 다른 무엇보다 평생교육의 이념이 형성된 배경으로서 이상, 관습, 개념의 가속적 변화, 인구 증가와 평균 수명의 연장으로 인한 교육의 양적 확대 및 질적 변화, 과학기술의 진보와 산업 · 직업 구조의 변화, 정치변동, 매스미디어의 발달과 정보처리능력의 필요성 증대, 여가의 증대와 활용에 대한 인식의 변화, 생활양식의 변모와 인간관계의 위기, 현대인의 정신과 육체 간의 부조화, 이데올로기의 위기와 정체성의 혼란 등을 알 수 있다. 평생교육의 대두 배경을 체계화한 입문서이다.

둘째, 이른바 포레(Faure) 보고서로 통칭되는 『존재를 위한 학습(Learning to Be)』(1972)이다. 평생교육의 바이블이라 부를 만한 중요한 철학적 · 정책적 문건이다. 이 보고서는 ① 공통의 소망, 문제, 동일한 운명을 향해 나아가는 국제 공동체의 존재에 대한 인정, ② 민주주의에 대한 신념, ③ 인간의 완전한 자아실현, ④ 포괄적인 평생학습만이 오늘날의 사회가 점점 더 요구하는 완전한 인간을 실현해 줄 수 있다는 기본 가정에서 출발한다. 평생교육이 추구하는 인간상은 지덕체를 골고루 갖춘 균형 잡힌 완전한 인간이며, 건설하고자 하는 사회상은 학습사회이며, 철학적 기반은 과학적 인간주의라고 할 수 있다. 포레는 완전한 인간을 위한 개인의 신체적, 지적, 감정적, 그리고 윤리적인 완성은 교육의 가장 기본적인 목적이며, 이러한 완전성의 추구를 지원하는 것이 사회에 주어진 의무라고 하였다. 초기의 평생교육은 진보적 전인교육 사상을 포함하고 있다. 비전이 넘치는『존재를 위한 학습』은 국제 교육정책과 개혁에 대한 낙관적 믿음과 평생교육을 둘러싼 논쟁을 촉발한 것으로 평가받는다(Field, 2001: 6).

『존재를 위한 학습』은 평생교육의 철학서이자 이정표로도 불리지만 학습사회 건설의 설계도이기도 하다. 이 보고서는 학습사회 건설의 원칙, 사례와 제언에 충실하다. 먼저, 원칙 면에서 "모든 개인은 평생에 걸쳐 계속 학습할 수 있어야 한다. 평생교육의 이념은 학습사회의 초석이다." 제언 면에서 "우리는 평생교육을 개발된 국가와 개발도상국가 모두에게 다가올 여러 해에 걸쳐서 교육정책의 상위개념(master concept)으로 제안한다."(Faure et al., 1972: 181-182) 앞으로의 사회는 학습사회이며, 학습사회를 건설하는 데 쓰일 주춧돌은 평생교육임을 유네스코 포레 위원회는 천명하였다. 교육 발전의 완성된 모습이 학습사회이다. 학습사회란 그 사회의 많은 부문의 사람이 교육에 참여하는 사회를 말한다. 학습사회는 유토피아가 아니라 학습자들이 참여하는 실재이다.

셋째, 다베(Dave)의『평생교육과 학교 교육과정(Lifelong Education and School Curriculum)』(1973)이다. 제목에서 보듯이 선언적 의미의 거대 이론으로서의 평생교육론인『존재를 위한 학습』을 학교의 병폐를 치유하기 위한 교육과정의 개발 원리로서 학교현장에 접목시키려는 시도이다. 평생교육의 개념 정립을 통해 평생교육은 인간의 삶의 질을 유지 · 향상시키기 위한 목적으로서 자리 잡게 된다. "평생교육의 궁극적 목적은 삶의 질을 유지 · 향상시키는 것이다."(Dave, 1973: 22)라는 평생교육의 목적이 정립되었다. 평생교육의 개념적 속성으로서 계속성, 포괄성, 연계성, 적응성, 교정성, 혁신성, 총체성, 다양성, 보편성, 유연성, 역동성 등이 조목조목 나열되었다. 평생교육의 전제 조건으로서 '기회, 동기, 교육가능성(educability)'을 제시하여 학습사회 건설의 초석을 놓았다. 전략으로서 수직적 통합과 수평적 통합을 강조하였다. 이러한 평생교육의 특성을 학교 교육과정에 접목시키기 위한 목표로서 평생학습의 필요에 대한 인식, 교육가능성의 제고, 광범위한 학습 영역에 대한 체험, 학교 경험과 학교 밖의 경험의 통합 등을 제시하였다는 점에서 유토피아로서의 평생교육이 아니라 평생교육 관점에서 학교를 개혁하기 위한 교육개혁 가이드라인으로 존재한다. 평생교육 헌장에 해당한다. 이쯤하고 이어지는 평생교육의 개념적 특성 부분에서 좀 더 상세하게 다루도록 하겠다.

넷째, 『평생교육의 기초(Foundations of Lifelong Education)』(Dave, 1976)로 평생교육은 하나의 학문으로서 기초를 닦는다. 유네스코와 유네스코 교육원(UNESCO Institute for Education)을 통한 모든 논의가 이 책에서 모아져 하나의 '학(discipline)'으로서 평생교육학을 접하게 된다. 평생교육의 개념이 보다 더 정교화되었을 뿐만 아니라 간학문적(Interdisciplinary) 접근으로서 평생교육의 기초를 놓으려는 역작으로 평가받을 만하다. 평생교육 관련 학문으로서 철학, 역사, 사회학, 심리학, 인류학과 생태학, 경제학 등 기존의 정상학문으로부터의 차용을 통한 신생학문의 정립 시도로 보인다. 여기에는 1960년대 유네스코의 교육원을 중심으로 평생교육의 배경, 개념, 이론, 원리를 발전시킨 학자들의 공로를 간과할 수 없다.

다섯째, 『우리 속에 감추어진 보물: 학습(Learning: The Treasure Within)』(UNESCO, 1996)이다. 이 역시 프랑스의 거물 진보 정치가인 자크 들로르(Jacques Delors)가 위원장을 맡았다. 유네스코 창립 과정에서부터 유토피아로서의 유네스코의 평생학습에는 포레, 랭그랑, 들로르 같은 프랑스의 진보적 인사들의 흔적이 남아 있다(Elfert, 2018). 『존재를 위한 학습』 후 오랜 침묵을 깨고 사반세기(四半世紀) 만에 나온 이 보고서는 많은 파장을 불러일으켰다. 국민국가 시대를 넘어 세계화 시대 21세기 교육의 목표를 제시한 4대 기둥인 '알기 위한 학습(Learning to know)' '행하기 위한 학습(Learning to do)' '존재를 위한 학습(Learning to be)' '함께 살아가는 법을 익히는 학습(Learning to live together)'이 널리 알려져 있다. 「들로르 보고서」는 존재를 위한 학습 위에 교육의 도덕적 · 문화적 차원을 새롭게 강조함으로써 새로운 글로벌 시대의 교육에 대해 광의의 개념적 접근을 시도한다. 함께 살아가는 법을 익히는 학습을 추가로 강조한 것은 과거의 잃어버렸던 도덕적 권위와 우위를 확보하려는 자구책으로 보인다(Watson, 1999). 이와 함께 과거 국민국가 시대의 '존재를 위한 학습'이라는 단일 기둥만으로는 복잡다단한 글로벌 사회를 지탱할 수 없어 부랴부랴 세 개의 기둥을 덧댄 것으로 해석할 수도 있다.

여섯째, 최근에 괄목할 만한 유네스코의 노력으로는 지속가능발전목표(SDGs)의 추진이다. 유엔의 SDGs는 2016~2030년 모든 나라가 공동으로 추진해 나갈 목표로 총 17개의 목표(goals)와 169개의 세부목표(targets)로 구성되어 있다. 목표 17개는 1. 빈곤종식, 2. 기아해소와 지속 가능 농업, 3. 건강 및 웰빙, 4. 양질의 교육, 5. 양성평등, 6. 물과 위생, 7. 에너지, 8. 양질의 일자리와 경제 성장, 9. 혁신과 인프라, 10. 불평등 완화, 11. 지속 가능한 도시, 12. 지속 가능한 소비, 생산, 13. 기후변화 대응, 14. 해양 생태계, 15. 육상 생태계, 16. 평화와 정의, 제도, 17. 글로벌 파트너십이다. 이 중 우리에게 가장 중요한 것은 4. 양질의 교육이다. SDG 4는 '포용적이고 공평한 양질의 교육 보장과 모두를 위한 평생학습 기회 증진'을 목표로 한다. SDG 4인 유네스코의 「교육 2030」은 SDGs를 구성하는 일부분일 뿐 아니라 SDGs 전체의 성공을 좌우하는 요소이다. 포용적이고 공평한 양질의 교육보장과 모두를 위한 평생학습 증진을 목표로 하는 SDG 4(Education 2030)는 성과목표와 이행수단을 다음과 같이 구체적으로 제시한다.

표 12-1 SDG 4의 성과목표와 이행수단

영어	한국어
4.1 Universal primary and secondary education	4.1 양질의 보편적 초등교육과 중등교육의 이수 보장
4.2 Early childhood development and universal pre-primary education	4.2 양질의 영·유아 발달, 보육 및 취학 전 교육에 대한 접근 보장
4.3 Equal access to technical/vocational and higher education	4.3 양질의 직업기술교육 및 고등교육에 대한 평등한 접근 보장
4.4 Relevant skills for decent work	4.4 양질의 일자리를 위한 적절한 기술 보장
4.5 Gender equality and inclusion	4.5 교육의 모든 수준에서 양성평등과 포용성 보장
4.6 Universal youth and adult literacy	4.6 모든 청소년과 성인의 적정 문해력 보장
4.7 Education for sustainable development and global citizenship	4.7 지속 가능 발전 및 세계시민성 관련 학습 보장
4.a Effective learning environments	4.a 효과적인 학습환경 보장
4.b Expand the number of scholarships available to developing countries	4.b 개발도상국의 고등교육을 지원하는 장학금의 실질적 확대
4.c Increase the supply of qualified teachers	4.c 자격을 갖춘 교사 공급의 실질적 확대

일곱째, 유네스코 글로벌 학습도시 네트워크 사업인 GNLC는 SDG 4(양질의 교육)와 SDG 11(지속 가능한 도시)을 구현하기 위한 것으로 여타의 SDGs와 관련됨을 보여 준다. 학습도시는 도시의 모든 영역들이 가진 자원들을 효과적으로 동원해 목표를 지향하는 도시를 말한다. 학습도시가 목표하는 바는 ① 기초교육부터 고등교육까지 포용적 학습 촉진, ② 가정과 지역사회 내에서의 학습 활성화, ③ 직업을 위한 학습과 직장 내에서의 학습 촉진, ④ 최신 학습 기술의 폭넓은 활용, ⑤ 학습의 수준과 수월성 향상, ⑥ 평생학습 문화 촉진이다. 이러한 목표를 통하여 궁극적으로 도시는 개인의 역량 증진과 사회적 통합, 발전 경제 및 문화적 번영, 그리고 지속가능 발전을 촉진시킬 수 있다. GNLC는 유네스코 상징을 반영하여 페디먼트, 기둥, 그리고 토대로 학습도시의 핵심 특징을 구성하였다. 우리나라는 2020년 기준으로 50개 도시가 GNLC에 가입하여 세계 최대 GNLC 가입 국가이다. 유네스코 GNLC의 정점인 유네스코 학습도시상(UNESCO Learning City Award)은 모두를 위한 평생학습 증진 및 학습도시 구축을 목적으로 전 세계 유네스코 학습도시 대상으로 2년 단위로 시상하는 국제상이다. 우리나라는 1회 남양주시, 2회 수원시, 3회 서대문구가 유네스코 학습 도시상을 받았다.

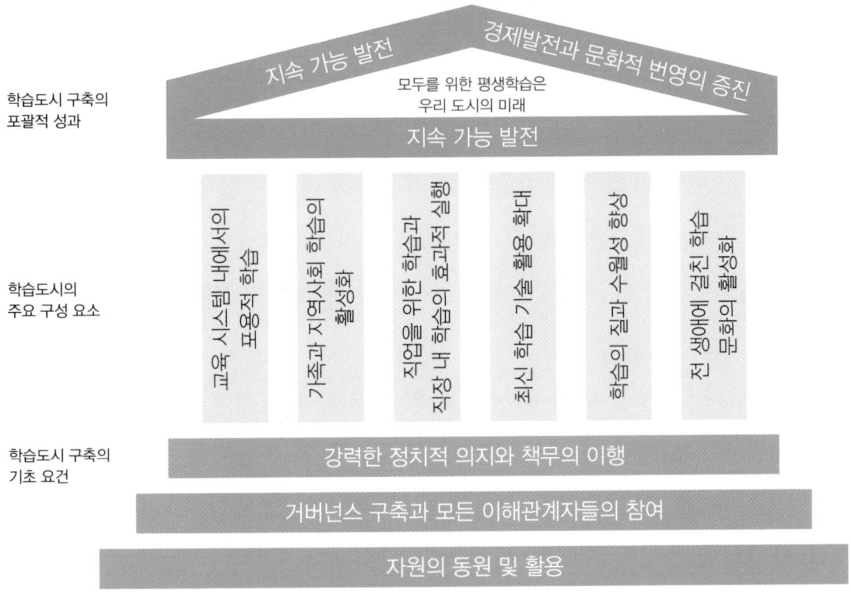

[그림 12-1] 학습도시 핵심 특징과 구조

출처: 유네스코한국위원회(2018).

여덟째, UNESCO외에 OECD와 World Bank의 평생교육 관련 주요 이정표를 언급하고자 한다. UNESCO가 1972년에 낭만적인『존재를 위한 학습』을 내놓았다면 OECD는 1973년에 다소 현실적 전략인『순환교육: 평생학습 전략(Recurrent Education: A Strategy for Lifelong Learning)』을 발표했다. 이러한 전통을 이어서 World Bank와 함께 세계경제 체제를 지식기반경제 체제로 재편하고 있는 OECD는 1990년대 중반 이후 평생학습에 대한 논의를 주도해 나가고 있다. 순환교육은 기존의 일회성 학교교육 체제가 지니는 비효율성과 한계를 극복하고 교육의 시기를 평생에 걸쳐 순환적으로 재분배하여 계속될 수 있도록 해야 한다는 새로운 교육 도식을 전제로 한다. 이러한 순환교육은 학교교육과 직업생활을 순환적으로 반복하여 연계 짓는 교육체제를 전제로 하며 그 주 대상은 직업을 가진 성인이다. 오늘날 순환교육은 이름만 달리할 뿐 '모두를 위한 평생학습'으로 면면히 순환되고 있다(조순옥, 2008).

OECD의 평생학습에 관한 양대 문건은『순환교육』과『모두를 위한 평생학습(Lifelong Learning for All)』이다. 지식기반경제 시대에 나온 1996년의『모두를 위한 평생학습』은 평생학습의 의미를 정리하였다. 첫째, 교육과 학습의 도구적 · 외재적 가치에 반대되는 내재적 가치를 강하게 믿는다. 둘째, 나이, 성, 고용상태에 관계없이 공통적으로 학습기회에 대한 보편적 접근을 바란다. 셋째, 교육기관에 한정되지 않고 다양한 상황에서의 비형식학습의 중요성을 인정하는 것이 공통분모이다. 넷째, 평생학습이 전통적 접근과 확연히 다른 것은 교수-학습의 수단과 방법이 다양하다는 것이다. 또 하나의 공통 요소는 자기주도적 학습에 몰입할 동기와 역량을 포함하여 계속 학습에 필요한 개인적 특성을 학습자들에게 증진시켜 주는 것이다. 끝으로 평생학습은 시작과 끝이 있는(front-end) 전통적 교육철학을 비판하고 대안으로서의 개념으로 진작되고 있다.

다른 무엇보다『모두를 위한 평생학습』의 필요성을 지지하는 5대 변론이 압권이다. ① 학습경제론(learning economy)이다. OECD 회원국 경제와 사회는 지식, 정보, 아이디어의 창출과 조작에 의존하는 체제, 지식 집약적 사회로 나아가고 있다. 이는 모든 사람들에게 영향을 미치며, 특히 성인들에게 영향을 미쳐서 평생학습을 더욱 필요로 하게 만든다. ② 변화속도론(speed of change)이다. 급속한 기술변화의 도처편재성, 지식과 정보의 성장에 주안점을 두며, 앞으로도 이러한 변화와 성장 추세는 바뀌거나 늦춰질 가능성이 없다. 따라서 국가, 기업, 개인을 막론하고 평생학습을 통하여 뒤처지지 않는 게 중요하다. ③ 생애주기 재분배론(life-cycle redistribution)이다. 경제와 노동시장 활동이 생의 중반기로 집중되고 초기 교육기간이 늘어나고 후기 은퇴기간이 확장되는 사이에서 많은 문제가 발생한다. 평생학습 전략은 세대 간, 계층 간, 기회의 재분배를 말한다. 교육훈련은 보다 더 통합적이고 형평성 있고 효율적인 생애 재분배 장치를 고안해야 한다. ④ 교육훈련 중심의 적극적 정책론(active policies)이다. 실직자들을 대상으로 정부가 일방적으로 지급하는 지출 형태인

표 12-2 전통적 교육훈련 모델과 평생학습 모델 비교

차원	전통적 교육훈련 모델	평생학습 모델
범주	• 초등교육에서부터 고등교육에 이르기까지 형식적 학교교육	• 전 생애주기에 걸친 학습 • 학교, 일터, 은퇴 후 학습 포괄
내용	• 지식의 습득과 반복 • 교육과정 중심	• 지식의 창출, 습득, 적용 • 지식의 다양한 원천 • 학습자에게 힘 실어 주기 • 역량 중심
전달	• 제한된 학습 선택과 모델 • 형식적 교육기관 • 획일적, 중앙집중식 통제 • 공급자 중심	• 다양한 학습 선택, 환경, 모델 • 새로운 교육학적 접근 • 기술지원 전달 • 복수의 유연한 분산적 체제 • 학습자 중심
방법	• 교사는 지식의 원천 • 학습자는 교사로부터 지식을 받아먹는 존재 • 학습자는 개별적으로 학습 • 시험은 한 세트의 기술을 완전 정복하고 심화학습에 대한 접근을 배당하기까지는 진도를 막는 통제 장치로 시행 • 교사는 양성연수를 받고, 이후는 간헐적으로 현직연수를 받음 • '훌륭한' 학습자를 발굴하여 공부를 계속하도록 허가함	• 교육자는 지식의 원천에 대한 안내자 • 사람은 행함으로써 배움 • 사람은 집단에서, 그리고 서로 배움 • 평가는 학습전략을 안내하고 심화학습을 위한 길을 찾기 위해 사용함 • 교육자는 개별화된 학습계획을 개발함 • 교육자는 평생학습자이며, 교직에 나가기 전 양성연수와 현직연수는 서로 연결됨 • 사람들은 전 생애에 걸쳐서 학습기회에 대한 접근권을 가짐

출처: The World Bank (2003). Lifelong learning in the global economy: Challenges for developing countries. Washington, D.C.. p. xx, p. 58를 합쳐서 재구성함.

수동적 이전지출(transfer payment)로부터 벗어나 개인의 심리사회적 웰빙과 인적 자본 형성에 직접적으로 기여하는 적극적 정책으로 옮겨 가야 한다. ⑤ 사회적 결속론(social cohesion)이다. 지식 집약적 사회에서 학습기회를 놓친 사람들은 사회적 배제를 겪게 된다. 평생학습은 배제와 주변화를 막는 필수 보험이다.

아홉째, 세계은행은 과거 물리적 자원과 재정적 자본 지원을 중심으로 추진해 왔던 정책이 여전히 빈곤의 악순환을 끊는 데 별 실효가 없자 기존의 정책 노선을 재고하게 되었다. 빈곤 퇴치와 경제 개발은 물리적 자본과 재정적 지원과 같은 단기적 형태를 탈피하고 장기적 계획으로서 평생학습을 통한 인적 자본을 개발하려는 정책 노선으로 전환하였다. 세계은행은 지식기반경제 시대의 개발도상국의 새로운 평생학습 전략을 수립하는 데 남다른 관심을 보이고 있다. 2003년에 나온 『글로벌 지식경제에서의 평생학습: 개발도상국에 대한 도전(Lifelong Learning in the Global Economy: Challenges for Developing Countries)』이 그러하다. 이 보고서는 글로벌 경제에서 경쟁할 수 있는 노동력 창출과 학습자의 생애 욕구를 충족시킬 수 있도록 학습의 획기적 전환, 평생학습 체제와 거버넌스 개편, 평생학습 재정지원 전략, 향후 의제 등을 담고 있다. 이를 농축시킨 것이 초기 유네스코의 전통적 학교교육과 새로운 평생교육의 대두를 연상시키는 〈표 12-2〉의 전통적 교육훈련 모델과 평생학습 모델 비교이다.

3. 평생학습의 개념적 특성과 양상을 집대성하니

평생교육의 개념 특성은 앞에서 잠시 살펴본 대로 이미 1973년에 UNESCO 교육원의 다베에 의하여 정립되었다. 평생교육의 개념 특성을 정립하는 데 공이 큰 다베(1973)에 따르면 평생교육이란 개인의 전 생애에 걸쳐서 개인과 집단 모두의 삶의 질을 높이기 위하여 개인적 · 사회적 · 직업적 발달을 성취시키는 과정이다. 여기에서 평생교육은 생의 각 단계와 영역에서 가능한 최고도의 발달을 실현할 수 있도록 자신의 어두움을 비추는 것이다. 이것을 계몽(enlightenment)이라 불러도 좋다면 계몽을 습득 · 고양하기 위한 형식 · 비형식 · 무형식의 학습을 포함하는 종합적 · 통합적 · 혁신적 이념이 바로 평생교육이다(Dave, 1976: 34). 전략 면에서 평생교육이란 종으로는 요람에서 무덤까지의 수직적 통합과 횡으로는 형식 교육에서 무형식 교육에 이르기까지의 수평적 통합을 특징으로 하는 통합 지향 교육이다(Dave, 1973). 원래의 평생교육이란 용어는 평생통합교육(lifelong integrated education)이었다. 평생교육의 첫 번째 속성은 통합에 있다. 평생교육의 철학에는 지 · 덕 · 체가 골고루 갖추어진 균형 잡힌 완전한 인간, 곧 통합을 지향하는 전인교육(whole person education)의 자취를 볼 수 있다. 다베가 정립한 평생교육의 20대 개념 특성을 집대성해 본다.[3)]

1) 개념 특성

① 평생교육을 구성하는 'life' 'liefelong' 'education'에 부여된 의미와 이들 용어를 어떻게 해석하느냐가 대체로 평생교육의 의미와 범주를 결정한다. 우선, 'life' 'education'이란 용어 자체가 포괄적이고 다차원적 개념이다. 이들 용어는 사회마다 시대마다 다르다. 중요한 것은 '평생(lifelong)'이란 말이다. 평생교육은 생의 출발로 시작해서 생의 마감으로 끝난다. 평생은 인간발달의 모든 단계와 국면뿐만 아니라 각 단계에서 개인이 수행해야 할 다양한 역할을 포함한다. 교육의 의미가 다르듯이 'life'만 해도 '생' '삶' '생활' '생명' 등으로 쓰인다. 'liefelong'의 경우, 한국은 '평생', 일본은 '생애', 중국은 '종신'으로 번역하여 각각 평생교육(학습), 생애교육(학습), 종신교육(학습)으로 부른다. 노래 제목 〈여자의 일생〉에서 보듯이 'lifelong'은 일생으로도 사용할 수 있다. 따라서 평생교육의 개념과 범주는 사회와 시대에 따라 다양하다. 하나의 용어로 통용되기는 어렵다.

② 교육은 형식적 학교교육을 마치는 것으로 종식되는 것이 아니라 평생 과정이다. 평생교육은 한 개인의 전 생애를 다룬다. 교육은 학교교육과 동의어로 다루어져서는 안 된다. 아동 · 청소년기에 습득된 형식 교육만으로는 훗날 직업적 진부화와 문화적 진부화로부터 자신을 구할 수가 없다. 생의 발달 단계와 과업에 따라

3) Dave, R. H. (1973). *Lifelong learning and school curriculum*. Hamburg: Unesco Institute for Education. 이 모노그래프는 평생학습의 개념 특성을 가장 잘 정리한 평생교육의 헌장과 같은 문건이다. 보고서의 제1장 '평생교육의 개념 특성'(pp. 11-28)을 정리하여 소개한다.

사회적 역할과 학습과업이 달라지므로 평생학습 해야 한다. 그래야만 세대 간 불평등과 세대 내 불평등과 격차를 극복할 수 있다.

③ 평생교육은 성인교육에만 한정된 것이 아니라 취학전 교육, 초등교육, 중등교육 등 모든 단계의 교육을 포함하고 통합한다. 따라서 평생교육은 교육을 총체적으로 보고자 한다. 흔히들 평생교육은 학교교육이 끝나는 때 시작되는 것이거나 성인만을 위한 교육이라고들 말한다. 그러나 오늘날 평생교육은 모든 단계의 교육을 포함한다는 관점이 널리 받아들여지고 있다.

④ 평생교육은 형식 교육과 비형식 교육을, 우연 학습과 계획된 학습을 다 포함한다. 이 개념에 따르면 평생교육은 더 이상 제도권 학습에만 한정된 것이 아니다. 평생교육은 개인적 · 사회적으로 바람직한 모든 단계, 모든 국면, 모든 상황의 학습을 포함한다. 따라서 평생교육은 잘 계획되어 제도화된 학습에서부터 비제도화된 우연 학습에 이르기까지 유목적적 학습 전체의 연속체와 스펙트럼을 포함한다.

⑤ 가정은 평생학습의 과정을 시작하는 데 있어서 처음이자 매우 미묘하면서도 결정적인 역할을 수행한다. 가정 학습 과정은 한 개인의 전 생애에 걸쳐서 계속된다. 사실상, 일차 사회화 기관으로서 가정은 학습의 과정을 시작하는 교육기관이며, 시간이 흐름에 따라 각기 다른 역할과 상황에 처한 개인 편에서 가정 학습은 한 개인의 전 생애에 걸쳐서 계속된다.

⑥ 지역사회는 아동이 지역사회와 접촉하는 바로 그 시간부터 평생교육의 체제에서 중요한 역할을 수행한다. 그리고 지역사회는 전 생애에 걸쳐서 인문 영역과 직업 영역 둘 다에서 지역사회의 교육 기능을 계속한다.

⑦ 학교, 대학, 연수원과 같은 교육기관들은 물론 중요하지만 이들은 평생교육을 위한 기관들 중 단지 하나일 뿐이다. 이들 기관들은 더 이상 사람들을 교육하기 위한 독점권을 누리지 못하며, 사회의 여타 교육기관들과 떨어져서 존립할 수 없다. 따라서 형식적 학교교육은 단지 전체 교육의 일부분이며, 여타 교육기관 및 활동과 통합되어야 한다.

⑧ 평생교육은 교육의 수직적, 시계열 차원을 따라 계속성과 연계성을 추구한다. 생의 단계별 최적의 성장과 각 생의 단계의 성취감을 달성할 수 있도록 각 생의 단계는 학습을 포함하며, 각 단계는 다음 단계의 발판이어야 한다. 이른바 교육

의 수직적 통합, 요람에서부터 무덤까지의 교육론을 말한다.

⑨ 평생교육은 또한 생의 단계마다 교육의 수평적 차원과 깊이의 차원에서 통합을 추구한다. 어느 생의 단계에서든 생의 신체적 · 지성적 · 정서적 · 영적 국면 간의 통합은 인격의 전인적 발달을 위하여 필요하다. 그러한 통합은 개인적 역할, 사회적 역할, 직업적 역할을 조화롭게 수행하고 단순한 과업에서부터 가장 복잡한 과업에 이르기까지 모든 과업을 효과적으로 수행하는 데 필요하다.

⑩ 엘리트주의 교육과는 반대로 평생교육은 보편적 성격을 지닌다. 평생교육은 교육의 민주화를 대표한다. 이 관점에 따르면 교육은 더 이상 소수의 특권이 아니다. 만인을 위한 교육기회의 평등은 생의 어느 때에든 제공되어야 한다. 앞으로 평생교육의 보편화를 위한 노력이 전개되어야 한다. 이러한 노력은 교육의 민주화와 인권 성취의 씨앗이 된다.

⑪ 평생교육의 특징은 교육내용, 학습 도구와 기법, 학습시간 면에서 유연성과 다양성에 있다. 평생교육 체제는 일체식, 획일적, 경직된 교육체제와 결별한다.

⑫ 평생교육은 교육에 역동적으로 접근한다. 따라서 평생교육은 새로운 사태가 전개됨에 따라 자료의 개작과 학습매체를 허용한다.

⑬ 평생교육은 교육을 획득하는 대안적 양식과 형태를 허용한다. 대안적 패턴과 형태를 허용하는 평생교육의 특징은 앞에서 말한 유연성, 다양성, 역동성과 연결된다.

⑭ 평생교육은 인문교육과 직업교육이란 두 가지 요소를 갖고 있다. 이 둘은 완전히 서로 다른 것이 아니라 본질적으로 서로 관련되어 있으며 상호작용한다.

⑮ 개인과 사회의 적응적 기능과 혁신적 기능은 평생교육을 통하여 성취된다.

⑯ 평생교육은 기존 교육체제의 결점을 치유하는 기능, 곧 교정 기능을 수행한다. 현재의 교육체제는 심각한 비난을 받고 있다. 결점을 열거하면 아동 편에서 볼 때 교육의 의미 결여, 학습에 대한 무관심 유발, 지역사회로부터 교육의 유리, 시험 중심의 교육, 학교 밖 경험에 대한 교육의 무관심 등이다. 평생교육은 수평적으로 학교교육과 학교 밖 교육을 통합하고, 가능한 한 인간의 완전한 성장을 위하여 수직적 선상에서 가정, 학교, 사회에서의 교육을 연결함으로써, 모든 교육을 참여와 준비케 함으로써, 개인의 욕구, 문제, 성장 수준에 완전한 관심을 기울임으로써, 낡은 시험, 졸업, 수료 제도를 개혁함으로써, 그리고 수업보다는 학습을 강조함으로써 평생교육은 교정 기능을 수행할 것으로 기대한다.

⑰ 평생교육의 궁극적인 목적은 삶의 질을 유지 및 향상시키는 것이다. 삶의 질은 정치체제, 양질의 삶에 대한 개념, 사회 신념과 전통, 경제 상황, 기타 여러 요인에 따라 다르다. 그럼에도 이 지구의 운명공동체로서 공통적으로 평화에 대한 보편적 필요, 기술의 비인간화 영향에 대한 대응, 공해에 대한 대응, 인구 폭증, 제한된 천연자원에 대한 무분별한 개발과 남용의 대처는 평생교육과 직결되어 있다. 평생교육을 통하여 모든 사람의 개인적 선과 사회적 선은 성취되고 고양되어야 한다. 평생교육은 인간의 삶의 질 제고라는 숭고한 이상을 목적으로 추구하기 때문이다.

⑱ 평생교육의 중요한 세 가지 선결 요건은 기회, 동기, 교육가능성(educability)이다. 먼저, 인문 영역과 직업 영역에서의 형식 · 비형식 학습을 위한 적정 기회는 필요하다. 가정, 지역사회, 교육기관에서의 풍부한 교육환경에 많은 학습기회가 갖추어져 있어야 한다. 다음으로 기회가 만들어졌으면 개인은 공부할 욕망을 가져야 한다. 개인이 단계별로 발달해 나감에 따라 평생교육은 더욱더 자기교육, 자기주도적 교육이 되어 간다. 평생교육은 개인이 느낀 학습욕구를 배려해야 한다. 교육의 과정 그 자체는 학습자가 학습을 계속 해 나가도록 동기유발시켜야 한다. 끝으로 교육가능성은 학습기회로부터 혜택을 취할 준비의 정도를 말한다. 교육가능성은 학습 기법에서의 기술, 다양한 학습 도구와 매체를 효과적으로 활용할 수 있는 능력, 자신 있게 독립적으로 학습할 수 있는 능력, 집단학습에서 혜택을 받을 수 있는 능력, 다양한 학습 전략과 상황을 이용할 수 있는 능력, 학습 진전에 대해 자기 평가할 수 있는 능력을 말한다. 어떤 의미에서 교육은 교육가능성을 높이기 위한 과정이다. 교육은 각기 다른 생의 단계마다 다양한 성장 영역에서 순환학습을 이끌어 내기 위해 교육가능성을 산출한다. 교육기회를 만들고, 교육동기를 유발하고, 교육가능성을 높이는 것이야말로 학습사회 건설의 삼대 주춧돌을 놓는 일이다.

⑲ 평생교육은 모든 교육을 조직하는 원리이다. 이론적 수준에서 평생교육은 모든 교육에게 조직 원리를 제공한다. 왜냐하면 평생교육은 교육의 모든 수준, 형태, 내용을 포괄한다. 평생교육은 모든 교육을 아우르는 우산대 개념, 마스터 개념이다.

⑳ 운영 수준에서 평생교육은 모든 교육의 총체적 체제를 제공한다. 다베 못지않게 체

제적 관점에서 평생교육의 개념을 정립하고, 고등교육에 접목하여 대학평생교육론을 여는 데 공로가 큰 크로플리(Cropley)와 내퍼(Knapper)는 다베의 20대 개념 특성을 네 가지로 묶어 냈다. 첫째, 평생교육은 각 개인의 전 생애에 걸쳐서 계속된다. 둘째, 변화가 계속되고 일상화된 현대 생활의 여건 변화에 대한 반응으로 지식, 기능, 태도를 체계적으로 습득, 갱신, 완성하는 것이 요구되며, 이의 궁극적인 목적은 각 개인의 자아실현을 증진하는 데 있다. 셋째, 평생교육의 성공적 실행은 자기주도적인 학습활동에 참여하고자 하는 동기와 능력을 높이는 데 달려 있다. 넷째, 형식 교육뿐만 아니라 비형식 교육과 무형식 교육을 포함한 모든 가용 교육이 삶의 질 향상에 기여할 수 있다는 것을 인정해야 한다(Cropley, 1980: 3-4; Knapper & Cropley, 2000).

유네스코 다베의 평생교육 개념 특성을 정립하려는 노력은 우리나라의 학술적 개념 정의와 법률적 개념 정의에서도 나타난다. 학술적 정의는 우리나라 평생교육을 도입하고 체계화한 1세대 학자들의 광의의 정의이다. 평생교육의 목적에 입각한 발달 단계 그리고 수직적 통합과 수평적 통합 전략에 기초한 정의이다.

> "평생교육은 인간의 삶의 질의 향상이라는 이념 추구를 위하여 태교에서부터 시작하여 유아교육, 아동교육, 청년교육, 성인전기교육, 성인후기교육, 노인교육을 수직적으로 통합한 교육과 가정교육, 사회교육, 학교교육을 수평적으로 통합한 교육을 총칭하여 말하며 그것은 개인의 잠재능력의 최대한의 신장과 사회발전에 참여하는 능력의 개발을 목적으로 한다." (김종서, 김승한, 황종건, 정지웅, 김신일, 1987: 14)

학술적 정의가 평생교육의 목적에 입각한 발달 단계 그리고 수직적 통합과 수평적 통합 전략에 기초한 정의라면 법률적 정의는 목적에 관한 언급 없이 6대 영역을 중심으로 한 협의의 현실적 정의이다. 「평생교육법」에서 평생교육의 목적 부재는 이념으로 보완할 수 있을 것으로 보인다. 「평생교육법」 제4조(평생교육의 이념)에 따르면, "① 모든 국민은 평생교육의 기회를 균등하게 보장받는다. ② 평생교육은 학습자의 자유로운 참여와 자발적인 학습을 기초로 이루어져야 한다. ③ 평생교육은 정치적 · 개인적 편견의 선전을 위한 방편으로 이용되어서는 아니 된다. ④ 일정한 평생교육과정을 이수한 자에게는 그에 상응하는 자격 및 학력 인정 등 사회적 대우를 부여하여야 한다."라고 규정되어 있다. 이와 같이 평생교육은 삶의 질의 유지 및 향상을 궁극적 목적으로 하면서 교육기회의 균등, 학습자의 자유와 자발성, 정치적 중립성 그리고 학습결과의 인정 및 사회적 대우를 추구하는 숭고한 활동이다.

"'평생교육'이란 학교의 정규교육과정을 제외한 학력보완교육, 성인 문자해득교육, 직업능력 향상교육, 인문교양교육, 문화예술교육, 시민참여교육 등을 포함하는 모든 형태의 조직적인 교육활동을 말한다."(「평생교육법」 제2조(정의) 1항)

2) 학습 양상

첫째, 형식성 면에서 입각한 분류이다. 학습의 유형과 형태는 하나가 아니다. 학교교육은 형식 교육체제의 일부분일 뿐이다. 학교를 벗어나면 다른 형태의 교육과 학습이 부지기수이다. 학습이란 말이 교육보다 폭넓은 개념이라 일반적으로 학습이란 용어를 사용한다. 일반적으로 학교와 같이 형식성의 정도가 가장 높은 형식 학습에서부터 형식성의 정도가 가장 낮은 무형식 학습에 이르기까지 학습의 스펙트럼 또는 연속체 선상에서 다양하게 위치한다. 형식 교육과 비형식 교육, 무형식 교육을 구분하려고 시도한 사람은 쿰스와 아메드(Coombs & Ahmed, 1974)로 알려져 있다. 그들은 형식 교육을 고도로 제도화된 연령별 학년제와 위계화된 교육체제이면서 초등학교에서 대학교에 걸친 위계적으로 구조화된 교육체제로 정의한다(Coombs & Ahmed, 1974: 8). 그들은 전 세계에서 일어나는 여타의 평생교육 형태와 제도화된 형식교육 체제와 구분하려는 시도에서 개념 정의를 시도한 것으로 보인다(Jarvis, 2010: 41-42). 이를 참고하여 학습의 양상을 보여 주는 모델은 많지만 여기에서는 피터 자비스(Peter Jarvis)의 모형으로 갈음한다. 형식성을 차원으로 한 모델이다.

학습의 종류

상황의 종류	의도적	우연적
형식 학습	A	D
비형식 학습	B	E
무형식 학습	C	F

[그림 12-2] 학습이 일어날 수 있는 상황들

출처: Jarvis, P. (2010), p. 42.

앞 그림에서 볼 수 있는 것처럼, 우리는 여섯 가지의 다른 상황에서 발생할 수 있는 학습을 그려 볼 수 있다.

- 박스 A는 교육기관과 다른 관료적 조직에서 시행하는 형식 학습과 훈련이다.
- 박스 B는 직장, 지역사회 등과 같은 장소에서 발생하는 지속적 학습 특성을 나타낸다. 때때로 학습자들은 이 상황에서 멘토링을 받기도 한다.
- 박스 C는 일상생활에서의 학습과 자기주도적 학습이다. 이 방법은 우리가 컴퓨터 프로그램 등을 통해 스스로를 가르치기로 마음먹었을 때 이루어지는 학습방식이다. 이러한 학습은 혼자 진행할 수도 있고, 그룹 프로젝트의 일부로 진행할 수도 있다.
- 박스 D는 형식적인 상황에서 발생하는 의도하지 않은 학습을 의미하며, 학습설계자가 의도하지 않은 상황에서의 학습경험이지만, 항상 교육적인 것은 아닙니다. 예를 들어, 강사가 우리가 생각한 것만큼 지식을 가지고 있지 않거나, 공간의 디자인이 좋지 않거나, 간병인이 우리를 자율적인 존재로 다루지 않았을

때 주로 나타난다.

- 박스 E는 비형식적이고 우연한 학습 상황을 의미한다.
- 박스 F는 일상에서의 학습(learning in everyday life), 즉 전 의식적(pre-conscious) 학습, 전 인지적(pre-cognitive) 학습을 의미한다. 이것은 종종 암묵적 지식을 발생시키기도 한다. 이 형태가 아마도 가장 일반적인 학습 상황이며, 특히 빠르게 변화하는 현대 사회에서 더욱 보편적이다. 새로운 상황에 처할 때 우리 스스로를 찾고 우리의 다음 행동에 대해 즉각적으로 생각함으로써, 빠르고 효과적으로 해결할 방법을 배워야 한다. 우리가 빠르게 이 상황에 대응하지 못한다면, 우리는 보통 학습계획을 수립해야 하고, 그러고 나면 상황은 박스 C로 바뀌게 된다(Jarvis, 2004: 42-43).

그러나 자비스의 주의대로 형식성이 학습의 유형과 그러한 학습의 행동 결과에 영향을 미치는 유일한 변인은 아니다. 그런 사회 맥락의 문화와 정치, 학습자와 교수자의 사회적 위치, 심지어 습득하는 지식에 주어지는 지위도 학습자들이 배우는 경험 유형에 영향을 주는 요인들에 속할 수 있다(Jarvis, 2004: 43). 형식 학습에도 무형식성이 들어 있고, 무형식 학습에도 형식성이 들어 있다. 더욱이 학습은 사회적 진공 상태에서 일어나는 것이 아니라 얽히고설킨 관계망에서 일어난다는 것을 받아들일 때 형식성을 중심으로 한 학습 유형 분류를 너무 맹신해서도 안 된다. 다만, 학습 유형의 수가 많다는 것을 강조할 뿐이다.

둘째, 형식성 다음으로 목적론 면에서 접근해 본다. 성인학습자 편에서 성인교육의 참여 동기와 목적을 파헤친 훌(Houle, 1961)에 따르면, 첫 번째 부류는 목적지향형(goal-oriented) 학습자들이다. 이들은 승진 시험 또는 자격증 취득과 같은 목적 달성을 위하여 공부한다. 이런 경우 공부는 일차적으로 학습자들이 특정 목적을 달성하거나 개인의 욕구를 충족시키는 수단으로 활용된다. 목적지향형이란 말은 수단적, 도구적이란 말과 통한다. 대개 젊은 층을 대상으로 한 직업능력 향상을 위한 평생직업 교육시설에서 많이 발견될 수 있다. 두 번째 부류는 활동지향형(activity-oriented) 학습자들로서 원래의 개설된 목표를 획득하거나 어떤 과목을 배우기보다는 그로부터 파생되는 활동 그 자체와 사회적 상호작용에 더 관심 있는 사람들이다. 세 번째 부류는 학습지향형(learning-oriented) 학습자들로서 공부 그 자체가 좋아서 참여하는 사람들이다. 공부 그 자체가 목적이다. 따라서 첫 번째 부류의 수단적 가치로서의 학습과 대비된다. 물론 이 세 가지는 서로 중첩될 수 있으며, 다만 특정 유형이 지배적으로 나타나느냐에 따라 분류될 수 있다.

셋째, 학습이론의 급진성 정도에 따른 분류도 가능하다. 크게 학습 유형 면에서 현재 상태 유지(status quo)를 강화하는 학습과 변화를 지향하는 학습으로 양분할 수 있다. 현상 유지형 학습에 따르면, 학습자들은 마치 외부 세계가 객관적으로 따로 존재하는 것처럼 다루고, 따라서 학습의 유일한 과업은 암기하여 외부 실재를 정확하게 회상해 낼 수 있느냐이다. 변화 지향형 학습은 인지적이든 행동적이든 간에 변화의 가능성을 인정한다. 외부 세계는 그저 파악의 대상이 아니라 외부 세계에 어떤 유형의 변화가 일어날 수 있을 때만이 이해될 수 있는 것이다. 적어도 학습과정의 결과로서 세 가지 유형의 변화가 일어날 수 있어야 한다. ① 학습자들이 변화할 수 있을 것이다. ② 학습자들의 경우 그들이 받는 정보에 대해 동의할 수도 있고, 동의하지 않을 수도 있어서 그 정보의 의미를 바꿀 수 있다. ③ 학습자들이 그들이 활동하는 상황을 바꾸기 위해 행동할 수도 있다. 따라서 학습자들은 변화된 학습자들이며, 학습과정의 결과로서 변화 촉진자가 될 수 있으며, 갇힌 그들의 상황으로부터 해방될 수 있다. 어떤 개인도 섬으로 존재하지 않는다. 변화가 없으면 개별 학습자의 잠재력은 제약을 받는다. 학습할 자유가 있을 때 학습자들의 잠재력은 발현될 가능성이 커진다(Jarvis, Holford, & Griffin, 2003). 현상 유지형 학습에서 변화 지향형

표 12-3 학습의 유형

학자	현상 유지형	변화 지향형
Argyris & Schon	단일고리 학습	이중고리 학습
Botkin et al.	유지 학습	혁신 학습
Brookfield	무토론 학습, 무비판적 학습 함의	비판적 학습
Freire	은행저축식 교육	문제제기식 교육
Jarvis	무성찰적 학습	성찰적 학습
Knowles	아동교육학	성인교육학
Mezirow	형성적 학습, 도구적 학습	전환학습, 해방학습
Marton & Saljo	표피적 학습	깊은 학습

출처: Jarvis, Holford, & Griffin (2003). pp. 73-74을 재구성함.

학습으로의 변화 바람을 하나의 표로 정리하면 〈표 12-3〉과 같다.

3) 학습풍경과 학습사회

'경관 10년, 풍경 100년, 풍토 1000년'이란 말이 있다. 평생교육의 경관도 바뀌어 풍경으로 바뀐다. 모든 사회제도가 그러하듯이 교육도 지난 몇 년간 많은 변화를 겪었는데, 세계화, 지식경제의 출현, 평생학습이 그러한 변화들 중의 하나이다. 지식의 양이 기하급수적으로 증가하여 각계각층의 사람들은 계속적으로 학습해야 한다. 학습을 필요로 하는 사람이 크게 증가하였을 뿐만 아니라 이를 가능케 하는 수단도 급속히 발전하였다. 이제 사람들은 자신들의 속도대로 자신들의 시간대에 자신들이 편리한 방식으로 학습할 수 있게 되었다. '한계의 시대에서 한계 없는 시대'로의 진입, 진정한 학습시대의 출발점이다. 100년의 '학습바람'을 13가지로 정리한 대가의 어깨에 올라가서 평생학습의 풍경을 조망한다(Jarvis, Holford, & Griffin, 2003).

① 시기와 대상과 범주 면에서 교육은 아동기에서 성인기 그리고 평생학습으로 옮겨 가고 있다. ② 소수를 위한 엘리트 교육에서 다수를 위한 대중 보편적 교육으로 옮겨 가고 있다. ③ 지식, 기술, 태도를 익히는 개인의 과정으로서의 학습에서 학습사회, 학습조직과 같이 사회제도로서의 의미를 취하게 되는 제도적 현상으로서의 학습으로 옮겨 가고 있다. ④ 기성세대가 다음 세대에게 가치 있는 지식을 전달하는 수단으로서의 공급자 중심 전통적 교육과 훈련에서 수요자 중심의 다양한 학습으로 옮겨 가고 있다. ⑤ 교사 중심 교육에서 학생 중심 교육으로 옮겨 가고 있다. ⑥ 인문교양교육에서 직업교육과 인적 자원 개발로 옮겨 가고 있다. ⑦ 이론에서 실제로 옮겨 가고 있다. ⑧ 단일 학문 지식에서 다학문적 지식, 통합적 지식으로 옮겨 가고 있다. ⑨ 진리로서의 지식관에서 상대적/정보/내러티브/담론으로서의 지식관으로 옮겨 가고 있다. ⑩ 맹목적 암기학습에서 성찰로서의 학습으로 옮겨 가고 있다. ⑪ 복지 요구에서 시장 수요(필요)로 옮겨 가고 있다. ⑫ 고전적 교육과정에서 낭만적 교육과정을 넘어 프로그램으로 옮겨 가고 있다. ⑬ 대면학습에서 원격학습, e-learning으로 옮겨 가고 있다(Jarvis, Holford, & Griffin, 2003: 1-2).

우리 사회를 둘러보면 베이비 붐 세대가 은퇴기로 접어듦에 따른 고령화로 대표되는 인구혁명, 성인교육에 대한 인식이 전환되는 사회혁명, 소비자로서 기술변화, 기술폭증에 적응해야 하는 기술혁명의 세상에서 우리는 살고 있다. 이러한 3대 혁명이 소용돌이치는 세상에서 생의 주기도 단선형 생애 계획(linear life plan)에서 혼합형 생애 계획(blended life plan)으로 변하고 있다. 즉, 단선형 생애 계획은 청년기는 교육, 중년기는 노동, 노년기는 여가의 시기로 단선형적으로 분리된다. 단선형 생애 계획이 풀타임 생애 계획이라면 혼합형 생애 계획은 파트타임 생애 계획이다. 혼합형 생애 계획은 교육, 일, 여가가 전 생애의 모든 단계에서 동시다발적으로 발생하며, 발달 단계에 따라 교육, 일, 여가의 비중을 다르게 구성한다(Cross, 1981).

학습의 양상을 학습사회로 연결해 보자. 세상만사는 씨줄과 날줄로 엮어진다. 가로와 세로가 만나서 역사는 만들어진다. 평생교육의 수직적 통합과 수평적 통합을 통하여 학습사회는 실현된다. 때로는 통생애(lifelong)와 범생애(life-wide)라 부른다. 수직적 통합은 전체적으로 모든 것을 포용할 수 있는 개념이고, 각기 다른 연령대를 통합하는 개념으로 정의될 수 있다. 수직적 통합은 기본적으로 필요한 지식을 결정할 수 있는 체계 기반이 요구된다. 중요한 것은 학습자들에게 평등한 학습의 기회를 분배하는 것이며 형식적 학교교육에서 벗어나 다양한 연령대의 수준과 그 관계를 이해하는 학습으로 향해야 한다는 것이다. 수평적 통합은 삶의 다양한 영역과 형식에 걸쳐서, 달리 말하면 가정, 지역사회, 학교 등에서 이루어지는 무형식 학습, 비형식 학습, 형식 학습을 포괄한다.

수직적 통합과 수평적 통합이 이루어진 것이 학습사회이다. [그림 12-3]에서 볼 때, 지금까지의 교육은 II사분면에 속하는 것만을 교육이라고 불렀다. 엄격히 말하면 학교교육(schooling)이다. 우리는 4분의 1, 학교교육을 교육과 동일시했다. 교육기회와 교육자원은 II사분면에 집중되었다. 인생의 전반기에 모든 교육기회와 교육자원이 쏠려 있는 전륜구동형(front-loaded)이다. 인생의 청소년기에 교육이 집중되는 비가역적 교육체제이다. 우리는 인생의 사계절용 평생교육 시스템, 사륜구동(Four wheel driven) 전천후 학습 지프(Learning Jeep)를 원한다. 평생교육은 전륜구동형에서 사륜구동형으로의 교육 시스템 전환을 말한다. 학습사회는 교육의 민주화와 교육기회와 교육자원의 재분배를 요구한다. 사분면 간의 장벽을 허물고 교류하고 교차 인정하는 것을 교육의 민주화라고 부른다. 교육기회와 교육자원은 생의 단계의 필요를 충족시킬 수 있도록 사분면에 공평하게 재배분되어야 한다. 그게 평

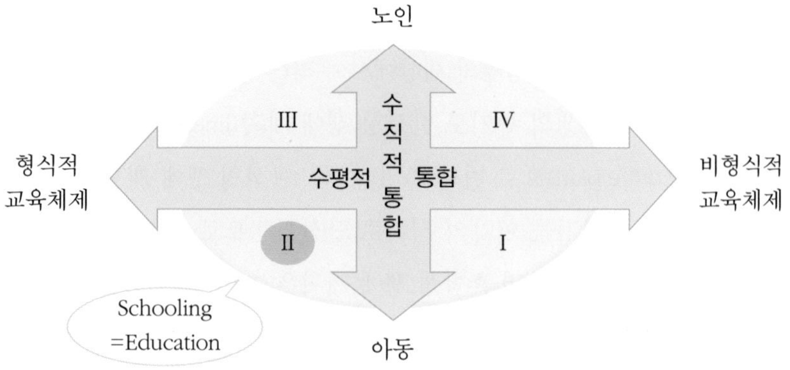

[그림 12-3] 평생교육의 수직적 통합과 수평적 통합

생교육의 정의이다. 교육 부문 간 장벽을 허물고 자원과 기회를 공평하게 재분배하는 것이 학습사회의 민주화이고 분배정의의 실현이다(Boshier, 1998).

4. 현재의 평생교육 법제도와 사업을 살펴보니

1) 평생교육 법적 체계 개요

우리의 평생교육의 법적 체계는「헌법」-「교육기본법」-「평생교육법」으로 이어진다. 교육은「헌법」제31조에 6개항으로 명문화되어 있다. 이 중 ⑤항에서 "국가는 평생교육을 진흥하여야 한다."로 명시하고 있다. 아울러 ⑥항에서 "학교교육 및 평생교육을 포함한 교육제도와 그 운영, 교육재정 및 교원의 지위에 관한 기본적인 사항은 법률로 정한다."로 되어 있다.「평생교육법」의 근간이 되는 조항이다.「헌법」에서 평생교육 진흥을 국가의 책무로 규정하고 있는 나라는 드물다고 한다.「헌법」제31조를 옮겨 본다.

① 모든 국민은 능력에 따라 균등하게 교육을 받을 권리를 가진다.
② 모든 국민은 그 보호하는 자녀에게 적어도 초등교육과 법률이 정하는 교육을 받게 할 의무를 진다.

③ 의무교육은 무상으로 한다.

④ 교육의 자주성 · 전문성 · 정치적 중립성 및 대학의 자율성은 법률이 정하는 바에 의하여 보장된다.

⑤ 국가는 평생교육을 진흥하여야 한다.

⑥ 학교교육 및 평생교육을 포함한 교육제도와 그 운영, 교육재정 및 교원의 지위에 관한 기본적인 사항은 법률로 정한다.

주석을 달면 우선 '모든 국민'이 주체이자 대상이다. 학령기뿐만 아니라 학령기를 놓친 성인과 노인도 교육받을 권리와 의무를 가진다. 현재 의무교육 단계인 중학교까지는 이수하게 해 줄 책무를 국가는 갖고 있고, 국민은 권리와 책임을 아울러진다. 학력인정학교, 문해교육기관 등에 다니는 많은 성인들은 의무교육 단계인 중학교 교육까지 받을 권리와 의무를 갖는다. 다른 하나는 의무교육은 무상이라는 점이다. 그러므로 「초 · 중등교육법」에 의거하여 국가는 학령기를 넘어선 성인과 학력인정학교 등 운영기관에게도 초등학교와 중학교에 상응하는 지원을 해 주어야 한다. 2021년 새 학기부터 고등학교 무상교육이 전 학년으로 확대 실시되는 추세를 보면 학령기를 넘긴 성인에게도 원하면 고등학교 단계까지 무상교육을 해 주어야 한다.

「헌법」 제31조 ⑥항에 명시된 바와 같이 "학교교육 및 평생교육을 포함한 교육제도와 그 운영, 교육재정 및 교원의 지위에 관한 기본적인 사항은" 「교육기본법」으로 정한다. 「교육기본법」 제3조(학습권)에 따르면, "모든 국민은 평생에 걸쳐 학습하고, 능력과 적성에 따라 교육 받을 권리를 가진다." 학습권과 교육권을 함께 명시하였다. 이와 함께 제4조(교육의 기회균등) ①항에서는 "모든 국민은 성별, 종교, 신념, 인종, 사회적 신분, 경제적 지위 또는 신체적 조건 등을 이유로 교육에서 차별을 받지 아니한다."고 하였다. 제8조(의무교육)에서는 "의무교육은 6년의 초등교육과 3년의 중등교육으로 하며, 모든 국민은 의무교육을 받을 권리를 가진다."고 하였다. 제10조(사회교육)에서는 "① 국민의 평생교육을 위한 모든 형태의 사회교육은 장려되어야 한다. ② 사회교육의 이수(履修)는 법령으로 정하는 바에 따라 그에 상응하는 학교교육의 이수로 인정될 수 있다. ③ 사회교육시설의 종류와 설립 · 경영 등 사회교육에 관한 기본적인 사항은 따로 법률로 정한다."로 명시하고 있다. 「사회교육법」이 「평생교육법」으로 대체되었는데 여전히 「교육기본법」에서는 사회교육이란 용어가 남아 있다.

평생교육 관련 「헌법」과 「교육기본법」 정신은 「평생교육법」에서 실현된다. 「평생교육법」은 「헌법」 제31조 ⑤항 "국가는 평생교육을 진흥하여야 한다."를 구현하기 위하여 국가와 지방자치단체의 의무를 명시하고 있다. 제1조(목적)을 보면, 「평생교육법」은 「헌법」과 「교육기본법」에 규정된 평생교육의 진흥에 대한 국가 및 지방자치단체의 책임과 평생교육제도와 그 운영에 관한 기본적인 사항을 정함을 목적으로 한다."라고 되어 있다. 주요 구성을 보면, 제1장 총칙, 제2장 평생교육진흥기본계획 등, 제3장 국가평생교육진흥원 등, 제4장 평생교육사, 제5장 평생교육기관, 제6장 문해교육, 제7장 평생학습 결과의 관리 · 인정, 제8장 보칙으로 구성되어 있다. 여기에서는 졸업 후 진로 탐색에 도움이 되는 주요 전달체제 및 기관과 평생교육사 중심으로 정리하고자 한다. 국가법령정보센터에 접속하여 「평생교육법」, 법령, 조례를 탐색하면 도움이 될 것이다.

2) 평생교육 전달체계

먼저, 공적 전달체계부터 개관하면, 수준별로는 국가 수준, 광역자치단체 수준, 기초자치단체 수준으로, 기능별로는 행정라인, 집행라인, 심의협의라인으로 구분되어 있다. 국가 수준, 광역 수준, 기초 수준으로 나누어서 행정, 집행, 협의라는 기능별 연계효과를 도모하도록 되어 있다. 평생교육사들이 일할 주요 일터이자 집행기관 성격을 갖는 국가평생교육진흥원, 시 · 도 평생교육진흥원, 시 · 군 · 구 평생학습관이 갖추어져 가동되고 있다. 여기에 「평생교육법」 제21조의3(읍 · 면 · 동 평생학습센터의 운영)에서는 "① 시장 · 군수 · 자치구의 구청장은 읍 · 면 · 동별로 주민을 대상으로 하여 평생교육 프로그램을 운영하고 상담을 제공하는 평생학습센터를 설치하거나 지정하여 운영할 수 있다."라고 하여 평생학습센터가 설치 · 운영되는 추세에 있다. 이러한 평생교육 전달체계에 대해 살펴보고자 한다.

첫째, 수준별 주요 집행기관을 살펴본다. 2007년 개정된 「평생교육법」 제19조 1항에 따라 국가평생교육진흥원이 2008년 개원하였다. 국가평생교육진흥원은 「평생교육법」 제19조에 따른 평생교육진흥과 관련된 업무를 효율적으로 수행함으로써 국민의 평생교육활성화에 기여함을 목적으로 한다. 국가평생교육진흥원의 주요 기능은

① 평생교육진흥을 위한 지원 및 조사업무, ② 평생교육진흥위원회가 심의하는 기본계획 수립의 지원, ③ 평생교육 프로그램 개발 및 지원, ④ 평생교육 종사자 양성과 연수(평생교육사 포함), ⑤ 평생교육기관 간 연계체제 구축, ⑥ 시 · 도 평생교육진흥원에 대한 지원, ⑦ 종합정보시스템 구축 및 운영, ⑧「학점인정 등에 관한 법률」및「독학에 의한 학위취득에 관한 법률」에 따른 학점 또는 학력인정에 관한 사항, ⑨ 학습계좌 관리 및 운영, ⑩ 문해교육의 관리 및 운영, ⑪ 법령에 따라 위탁 받은 업무이다(국가평생교육진흥원). 국가평생교육진흥원은「평생교육법」과 관련법에서 명하는 국가 수준의 평생교육정책과 사업을 대부분 집행하는 기관이니 홈페이지를 둘러보면 평생교육 현황을 이해하고 진로를 탐색하는 데 큰 도움이 될 것이다.

국립특수교육원에 2018년 설치된 국가장애인평생교육진흥센터는 장애인 평생교육진흥을 위한 지원 및 조사, 기본계획에 관한 사항 중 장애인평생교육진흥에 관한 사항, 프로그램 개발의 지원, 장애인 평생교육 종사자 양성, 교육 및 공무원의 장애인 의사소통 교육, 장애인평생교육기관 간의 연계체제 구축, 발달장애인의 평생교육과정 개발, 발달장애인의 의사소통 도구 개발 및 보급, 장애인 평생교육 프로그램을 운영하는 학교와 평생교육기관 양성을 위한 지원, 장애 유형별 평생교육 교재 · 교구 개발과 보급, 그 외 목적 수행을 위한 필요 사업을 수행한다.

시 · 도지사는 대통령령으로 정하는 바에 따라 시 · 도 평생교육진흥원을 설치 또는 지정 · 운영할 수 있다. 모든 시 · 도는 조례를 제정하여 시 · 도 평생교육진흥원을 설치 · 운영하고 있다. 시 · 도 지역의 평생교육 기회 및 정보를 제공하고 평생교육 상담, 평생교육 프로그램 운영, 장애인 대상의 평생교육 프로그램 운영, 지역의 평생교육기관 연계체제를 구축하고 시 · 도지사가 평생교육진흥을 위해 필요한 사항을 주 업무로 하고 있다. 규모가 제법 큰 기관으로는 서울특별시 평생교육진흥원, 경기도 평생교육진흥원, 대전광역시 평생교육진흥원을 꼽을 수 있다.

「평생교육법」 21조(시 · 군 · 구 평생학습관 등의 설치 · 운영 등)에 따르면, "시 · 도 교육감은 관할 구역 안의 주민을 대상으로 평생교육 프로그램 운영과 평생교육 기회를 제공하기 위하여 평생학습관을 설치 또는 지정 · 운영하여야 한다." 이와 함께 "시장 · 군수 · 자치구의 구청장은 평생학습관의 설치 또는 재정적 지원 등 해당 지방자치단체의 평생교육을 진흥하기 위하여 필요한 사업을 실시할 수 있다." 평생학습관은 평생교육 프로그램의 개발 · 운영, 장애인 대상 평생교육 프로그램의 개발 ·

운영, 평생교육 상담, 평생교육 종사자에 대한 교육 · 훈련, 평생교육 관련 정보의 수집 · 제공 등을 하도록 되어 있다. 평생학습관 운영 현황을 살펴보면, 전국적으로 495개의 평생학습관이 운영 중이다. 시 · 도별 설립주체별 기관수는 국가 및 지방자치단체 설립이 415개, 법인이 55개, 개인이 12개, 기타 13개이며, 교육감이 설치 및 지정한 기관은 336개, 지방자치단체 설치는 159개이다(교육통계서비스, 2020).

평생학습센터는 지역주민이 가까운 지역에서 평생교육에 참여할 수 있는 기회와 지역사회 수요에 맞춘 프로그램을 운영한다. 「평생교육법」 제21조의3에 의거하여 시장 · 군수 · 자치구의 구청장은 읍 · 면 · 동별로 평생교육 프로그램이 운영될 수 있도록 평생학습센터를 설치 및 지정하여 운영한다. 『2019년 평생교육백서(교육부, 국가평생교육진흥원, 2020)』에 따르면, 전국에 832개의 평생학습센터가 행복학습센터라는 이름으로 운영되고 있다고 한다. 센터에서는 지역주민의 평생학습을 실천할 수 있게 학습상담 지원은 물론 학습공동체가 형성될 수 있도록 시설과 공간을 확보하고 지원해 주고 있다.

둘째, 평생교육 협의 및 심의 조직이다. 평생교육 협의 및 심의 기능 강화와 관련하여 국가 수준에서는 평생교육진흥정책에 관한 주요 사항을 심의하기 위하여 '평생교육진흥위원회'를 교육부장관의 소속하에 설치 · 운영하고 있다. 시 · 도 수준에서는 평생교육진흥시행계획의 수립 · 시행에 필요한 사항을 심의하기 위하여 시 · 도지사 소속하에 '시 · 도 평생교육협의회'를 두며 부의장은 부교육감이 하도록 하였다. 시 · 군 및 자치구에는 지역주민을 위한 평생교육의 실시와 관련되는 사업 간 조정 및 유관기관 간 협력 증진을 위하여 '시 · 군 · 자치구 평생교육협의회'를 두도록 하여서 국가, 광역, 기초자치단체 수준으로 이어지는 협의회 기능을 강화하도록 하였다.

셋째, 평생교육 행정 조직이다. 행정라인은 교육부를 정점으로 하여 시 · 도 교육청으로 이어지는 교육행정라인과 시 · 도 및 시 · 군 · 구의 일반행정라인으로 구성된다. 시 · 도 및 시 · 군 · 구에 따라 행정조직의 규모는 다르나 국, 과, 팀 형태로 갖추어져 있다. 중앙정부 전달체제의 최상의 기관인 교육부는 「교육기본법」 제3조에 명시한 학습권을 지원하기 위해 평생교육 관련 업무를 지원한다. 평생교육진흥기본계획을 수립하는 것은 물론, 평생교육진흥위원회 설치 및 국가평생교육진흥원 설립, 평생교육사 양성과 관리, 문해교육을 지원하고 육성하여 모든 국민의 학습권을 보장하고 지원하여야 한다. 교육부 수준의 대부분의 평생교육정책 집행 업무는 국가평생교육진흥원에서 이루어지고 있다. 광역자치단체의 행정체제는 광역자치단체장과 각 시 · 도 교육청이 협의하여 평생교육 업무를 수행한다. 평생교육 담당 부서가 국 단위로 있는 곳은 서울특별시와 경기도 단 두 곳이다. 시 · 도 교육청의 경우에는 서울특별시 교육청이 유일하게 국 단위로 평생교육 업무를 수행한다(교육부, 국가평생교육진흥원, 2020).

넷째, 주요 평생교육기관 형태이다. 평생교육기관의 유형은 비형식 · 준형식 기관으로 나눌 수 있다. 비형식 기관은 평생교육을 수행하는 기관으로 초 · 중등 및 대학부설, 사업장부설, 시민단체부설, 언론기관부설과 같은 부설형과 원격 형태, 지식 · 인력개발 형태의 독립형, 평생학습관(전담형), 학원(복합형)이 있다. 준형식 기관은 초 · 중등교육 형태의 평생교육을 수행하는 기관으로 공민학교, 고등공민학교, 고등기술학교, 각종 학교(초 · 중 · 고 · 특수학교와 유사한 교육기관), 산업체부설고등학교, 근로청소년을 위한 특별학습, 방송통신 중 · 고등학교, 학교 형태의 학력인정 평생교육시설 등이 있다.

비형식 기관 중 사업장부설은 사업장에서 평생교육을 운영할 수 있는 기관으로 흔히 백화점이나 대형마트에서 운영하는 문화센터를 말한다. 사업장부설 평생교육시설은 「평생교육법」 제35조에 근거하며 종업원 100명 이상인 일정규모의 사업장의 고객을 대상으로 하는 교육시설이다. 시민단체부설 기관은 시민단체로서 평생교육을 운영할 수 있는 전담 인력 5명 이상이 확보된 단체로 상호 유기적인 협조체계를 구축하고 공공시설이나 민간 시설을 활용하여 시민사회단체의 목적에 맞는 평생교육과정을 운영하는 평생교육기관이다. 비영리사업과 공익활동을 하는 단체 YMCA, 국가인권위원회 인권교육센터, 대한적십자사 등이 있다. 다른 하나는 언론기관 부설 평생교육시설로 언론기관에서 국민을 대상으로 평생교육진흥에 기여하는 시설이다. 언론기관 부설 기관으로는 한겨레교육문화센터, KBS방송문화센터 등이 있다.

학령기의 교육기회를 놓친 사람들에게 학습권을 보장하고, 평생교육을 활성화하기 위한 교육과정을 이행할 수 있는 기관 중 하나가 학교 부설 평생교육기관이다. 학교 부설 평생교육기관은 지역의 주민과 학부모, 학생을 대상으로 직업교육 및 교양교육을 실시할 수 있도록 운영하는데 각급 학교장이 관할청에 보고하여야 한다. 특히 사내대학의 경우 사업장에 고용된 종업원과 사업장에서 근무하는 다른 업체

표 12-4 평생교육시설 유형과 설치요건

시설 유형		학력인정 여부	설치요건
① 학교 형태 평생교육시설 (「평생교육법」 제31조)	학력인정	인정	교육감에 등록
	학력 미인정	미인정	교육감에 등록
② 사내대학 형태 평생교육시설 (「평생교육법」 제32조)	사내대학	인정	교육부 장관 인가
③ 원격대학 형태 평생교육시설 (「평생교육법」 제33조)	원격교육 형태 평생교육시설	미인정	교육감에 신고
	원격대학 형태 평생교육시설	인정	교육부 장관 인가
④ 사업장부설 평생교육시설(「평생교육법」 제35조)		미인정	교육감에 신고
⑤ 시민사회단체부설 평생교육시설(「평생교육법」 제36조)		미인정	교육감에 신고
⑥ 학교부설 평생교육시설 (「평생교육법」 제30조)	초 · 중등학교	미인정	교육감에 보고
	대학(교)	미인정	교육감에 보고
⑦ 언론기관부설 평생교육시설(「평생교육법」 제37조)		미인정	교육감에 신고
⑧ 지식 · 인력개발사업 관련 평생교육시설(「평생교육법」 제38조)		미인정	교육감에 신고

의 종업원의 수가 모두 200명 이상인 사업장에서 설치 · 운영할 수 있는 학교 부설 평생교육기관으로, 경제 · 시간적 여유가 없는 종업원이 전문학사 및 학사를 취득할 수 있는 기회를 획득하고, 기업에서는 전문적인 직무교육을 시행할 수 있는 제도이다. 대표적인 사내대학으로는 삼성반도체공과대학, 삼성중공업공과대학, 한국전력공과대학, LH토지주택대학 등이 있다.

3) 주요 평생교육제도와 사업

첫째, 평생학습계좌제는 국가평생교육진흥원에서 운영하는 주요사업 중 하나로 「평생교육법」 제23조에 따라 국민의 평생교육을 촉진하고 개인적 학습경험을 집중 관리하는 제도를 말한다. 법적 근거에 따라서 학습과정을 평가받고 학습자의 학습이력 관리, 학습이력에 맞는 사회 활용을 할 수 있다. 학습계좌 이용 방법은 계좌를 개설하여 학력, 근무 경력, 국가기술자격, 학점은행제나 독학위제, 검정고시연계과정을 이수한 후 학습이력을 등록한다. 사용목적에 준하는 증명서를 발급 받을 수 있다. 평생학습계좌를 개설한 개설자 수는 2020년 기준 422,365명이고, 학습이력을 등록한 등록

건수는 854,127건이다(국가평생교육진흥원, 2021).

둘째, 학점은행제는 「학점인정 등에 관한 법률」에 근거하여 평가 인정을 받은 학습과정을 마친 학습자에게 학력인정과 학위취득 기회를 주어 개인의 자아실현과 평생교육의 이념을 구현하고자 하는 제도이다. 학점은행제 이용 방법은 학습자가 학점신청을 한 후 누적 관리를 통해 학위수여 요건 심사를 통과하면 학위를 취득하게 된다. 학사 학위는 교양 및 전공학점을 합하여 140점 이상, 전문학사는 80점 이상을 충족하여야 한다. 2020년 말 전문학사 학위취득자는 393,804명, 학사 학위취득자는 381,860명으로 총 누적 취득자가 775,664명이다(학점은행제, 2021).

셋째, 평생교육사 제도이다. 이전의 「사회교육법」 시대의 '사회교육전문요원'이 「평생교육법」에서는 '평생교육사' 제도로 개편, 보강되었다. 앞서 말한 평생교육을 기획, 시행, 분석 및 평가하고 강의할 수 있는 전문 인력이 평생교육사이다. 평생교육사 양성과 관련 교과목은 법을 참고하여야 한다. 필수과목은 평생교육실습을 포함하여 15학점 이상을 이수하여야 한다. 과목당 학점은 3학점으로 하고, 성적은 각 과목을 100점 만점으로 하여 평균 80점 이상이어야 한다. 평생교육사는 「평생교육법」 제26조에 의거하여 평생교육기관에 의무적으로 배치하도록 규정하고 있다. 평생교육사 자격 취득 현황을 알아보면 2020년 12월 기준 1급 자격증 소지자는 894명, 2급 자격증 소지자는 135,270명, 3급은 7,644명으로 전체 143,808명이 취득하였다(국가평생교육진흥원, 2021). 평생교육사 배치 현황을 기관유형별로 살펴보면, 총 4,541개의 기관 중 3,582개 기관에서 평생교육사를 배치하였다. 학교부설은 339개, 사업장부설 401개, 언론기관부설 816개, 지식 · 인력개발 형태 456개, 시민사회단체부설

표 12-5 평생교육사 양성과정의 평생교육 관련 교과목

구분	과목명
필수	• 평생교육론, 평생교육방법론, 평생교육경영론, 평생교육프로그램개발론
	• 평생교육실습(4주간)
선택	• 아동교육론, 청소년교육론, 여성교육론, 노인교육론, 시민교육론, 문자해득교육론, 특수교육론, 성인학습 및 상담(1과목 이상 선택하여야 함)
	• 교육사회학, 교육공학, 교육복지론, 지역사회교육론, 문화예술교육론, 인적자원개발론, 직업 · 진로설계, 원격(이러닝, 사이버) 교육론, 기업교육론, 환경교육론, 교수설계, 교육조사방법론, 상담심리학(1과목 이상 선택하여야 함)

351개, 원격 형태 805개, 평생학습관 397개, 시 · 도 평생교육진흥원 17개에서 5,665명의 평생교육사가 배치되어 평생교육의 진흥을 위해 직무를 수행하고 있다(교육통계서비스, 2021). 국가자격증인 만큼 평생교육 시대에 취득하면 관련 직종 취업에 큰 도움이 되니 〈표 12-5〉와 〈표 12-6〉의 이수과목, 자격기준, 배치 기준을 참고하기 바란다.

표 12-6 평생교육사 등급별 자격요건

구분	자격요건
평생교육사 1급	• 평생교육사 2급 자격증을 취득한 후, 교육부 장관이 정하는 평생교육과 관련된 업무에 5년 이상 종사한 경력이 있는 자로서 진흥원이 운영하는 평생교육사 1급 승급과정을 이수한 자
평생교육사 2급	•「고등교육법」 제29조 및 제30조에 따른 대학원에서 교육부령으로 정하는 평생교육과 관련된 과목 중 필수과목을 15학점 이상 이수하고 석사 또는 박사 학위를 취득한 자 • 대학 또는 이와 같은 수준 이상의 학력을 인정할 수 있는 기관,「학점인정 등에 관한 법률」에 따라 평가인정을 받은 학습과정을 운영하는 교육훈련기관에서 관련과목을 30학점 이상 이수하고 학위를 취득한 자 • 대학을 졸업한 자 또는 이와 같은 수준 이상의 학력이 있다고 인정되는 자로서 대학 또는 같은 수준 이상의 학력을 인정할 수 있는 기관, 지정양성기관, 학점은행기관에서 관련과목 30학점 이상 이수한 자 • 평생교육사 3급 자격증을 보유하고 관련업무에 3년 이상 종사한 경력이 있는 자로서 진흥원이나 지정양성기관이 운영하는 평생교육사 2급 승급과정을 이수한 자
평생교육사 3급	• 대학 또는 이와 같은 수준 이상의 학력을 인정할 수 있는 기관, 학점은행기관에서 관련과목을 21학점 이상 이수하고 학위를 취득한 자 • 대학을 졸업한 자 또는 이와 같은 수준 이상의 학력이 있다고 인정되는 자로서 대학 또는 같은 수준 이상의 학력을 인정할 수 있는 기관, 지정양성기관, 학점은행기관에서 관련과목을 21학점 이상 이수한 자 • 관련 업무에 2년 이상 종사한 경력이 있는 자로서 진흥원이나 지정양성기관이 운영하는 평생교육사 3급 양성과정을 이수한 자 • 관련 업무에 1년 이상 종사한 경력이 있는 공무원 및 학교 또는 학력인정 평생교육시설의 교원으로서 진흥원이나 지정양성기관이 운영하는 평생교육사 3급 양성과정을 이수한 자

넷째, 「평생교육법」 제2조(정의)에 따르면, "'문자해득교육'(이하 '문해교육'이라 한다)이란 일상생활을 영위하는 데 필요한 문자해득(文字解得)능력을 포함한 사회적 · 문화적으로 요청되는 기초생활능력 등을 갖출 수 있도록 하는 조직화된 교육 프로그램을 말한다." 문해교육 학력인정학교는 문해교육 프로그램을 이수하여 초 · 중학교 학력을 인정받을 수 있는 제도로 2019년 기준 참여 학습자가 63,201명(국가문해교육센터, 2021)이다. 국가문해교육센터는 국가평생교육진흥원에 두고 시 · 도 교육감 및 시 · 도지사는 시 · 도 문해교육센터를 설치하거나 지정하여 운영할 수 있다. 국가문해교육센터의 주요 기능은 성인문해교육 프로그램 운영 지원, 문해교육 촉진을 위한 홍보 및 민 · 관 · 기업의 협력, 문해 통계 및 실태조사, 문해교육 교원의 연수 및 보수교육, 시 · 도 문해교육센터 관리 및 지원, 종합정보시스템 운영, 그 외 교육부 장관이 필요하다고 인정한 사항이다. 시 · 도 문해교육센터의 주요사업은 광역 문해교육 지원, 프로그램 운영 지원, 성인학습자 학력인정, 성인문해 능력 조사, 문해교육 활성화이다. 성인문해교육의 중요성과 필요성을 강조하고 국민의 사회적 인식 제고를 위하여 적극적 홍보를 추진하는 문해교육 활성화 사업으로 '대한민국 문해의 달'을 선포, 전국적으로 시화전과 우수 사례 발굴, 여러 행사를 통해 공감대 확산을 위한 노력을 하고 있다(국가문해교육센터, 2021).

다섯째, 평생학습도시 사업이다. 평생학습도시란 개인의 삶의 질 제고와 도시 전체의 경쟁력 향상을 위해 국민 누구나 원하는 학습을 즐길 수 있는 학습공동체 형성을 위한 총체적 도시 재구조화 사업이다. 평생학습도시는 「평생교육법」(제15조 평생학습도시)에 근거하여 교육부의 '지역 평생교육 활성화 지원사업'의 일환으로 이루어지고 있다. 평생학습도시 조성사업은 기초자치단체를 대상으로 하며, 지역 내 평생교육 기반 조성과 지역 평생학습 네트워크 구축을 통한 지역 평생교육진흥을 지원한다. 2001년 첫 평생학습도시 조성을 시작으로 2020년 기준 선정된 평생학습도시는 175개에 이르며, 2020년부터는 평생학습도시 재지정평가를 도입 · 운영하여 제도적 안정과 지속적 사업 추진 기반을 확보하였다.

평생학습도시의 자매 사업으로 장애인평생교육진흥을 위하여 2020년부터는 장애인평생학습도시가 선정 · 운영되고 있다. 장애인평생학습도시는 장애인이 살고 있는 지역사회의 특성과 장애 유형 및 장애 정도를 고려한 맞춤형 평생학습 프로그램을 운영하고, 편의시설, 이동권, 접근성 확보 등 지역 장애인 평생교육 인프라를 강화하는 데 기여하기 위한 정책으로 지역의 공공 · 민간기관, 장애인복지시설, 교육기관 간 장애인 평생교육 지원 네트워크를 구축하여 장애인도 지역사회에서 편리하게 평생학습에 참여하는 것을 목표로 한다. 2020년에 처음으로 5개 장애인 평생학습도시가 지정 · 운영되어, 지역 장애인 평생교육 기반 구축 및 지역사회 통합을 위한 프로그램 등이 진행되었다. 2021년에는 15개 지방자치단체로 지정 도시를 확대하여 운영하고 있으며 향후 장애인 평생학습도시 우수사업 사례 발굴과 타 지방자치단체로 확산을 기대하고 있다.

여섯째, 「평생교육법」 제2장의 평생교육진흥기본계획 관련이다. 동법 제9조(평생교육진흥기본계획의 수립)에 의거하면 교육부 장관은 5년마다 평생교육진흥기본계획(이하 '기본계획'이라 한다)을 수립하여야 한다. 기본계획에는 ① 평생교육진흥의 중 · 장기 정책목표 및 기본방향에 관한 사항, ② 평생교육의 기반구축 및 활성화에 관한 사항, ③ 평생교육진흥을 위한 투자확대 및 소요재원에 관한 사항, ④ 평생교육진흥정책에 대한 분석 및 평가에 관한 사항, ⑤ 장애인의 평생교육진흥에 관한 사항, ⑥ 장애인평생교육진흥정책의 평가 및 제도개선에 관한 사항, ⑦ 그 밖에 평생교육진흥을 위하여 필요한 사항이 포함되어야 한다. 주요 평생교육정책은 이 기본계획을 근간으로 하여 이루어진다. 우리나라 평생교육 정책과 사업도 기본계획 본위제임을 알 수 있다.

학습과제

1. 동서양의 평생교육의 기원과 전개과정에 대하여 논의해 보자.
2. 평생교육의 대두 배경, 목적, 수직적 통합과 수평적 통합, 개념 특성에 대해 열거해 보자.
3. 평생학습의 양상과 학습사회에 대하여 논의해 보자.
4. 국가법령정보센터에서 「평생교육법」을 검색하여 주요 특징과 전달체제에 대해 살펴보자.
5. 국가평생교육진흥원, 시 · 도 평생교육진흥원, 시 · 군 · 구 평생학습관, 읍 · 면 · 동 평생학습센터 등을 방문하여 역할을 살펴보고 장래 진로탐색을 해 보자.
6. 진로탐색 차원에서 평생교육사의 역할 및 기능, 양성 및 배치, 진로에 대하여 알아보자.

참고문헌

교육부, 국가평생교육진흥원(2020). **2019 평생교육백서**. 서울: 국가평생교육진흥원.

교육부, 한국교육개발원(2020). **2020 평생교육통계 자료집**. 충북: 한국교육개발원.

김종서, 김승한, 황종건, 정지웅, 김신일(1987). **平生敎育原論**. 서울: 敎育科學社.

박재희(2020). **1일 1강 논어 강독**. 경기: 김영사.

유네스코한국위원회(2018). **유네스코 글로벌 학습도시 네트워크**. 서울: 유네스코한국위원회.

조순옥(2008). OECD 순환교육의 형성 과정 연구. 중앙대학교 대학원 박사학위논문.

Boshier, R. (1998). Edgar faure after 25 years: Down but not out. In J. Holford, P. Jarvis, & Griffin, C. (Eds.), *International perspectives on lifelong learning* (pp. 3-20). London: Kogan Page.

Boucouvalas, M. (2021). Lifelong learning. In T. S. Rocco, M. C. Smith, R. C. Mizzi, L. R. Merriweather, & J. D. Hawley (Eds.), *The handbook of adult and continuing education* (pp. 47-69). Virginia, VA: Stylus Publshing, LLC.

Coffield, F. (2000). Introduction: A critical analysis of the concept of a learning society. In F. Coffield (Ed.), *Differing visions of a learning society Vol. 1: Research findings* (pp. 1-38). Bristol: The Policy Press.

Coombs, P., & Ahmed, M. (1974). *Attacking rural poverty*. Baltimore: Johns Hopkins University Press.

Cross, K. P. (1981). *Adults as learners: Increasing participation and facilitating learning*. San Francisco, CA: Jossey-Bass Publishers.

Cross-Durrant, A. (1984). Basil Yeaxlee and lifelong education: Caught in time. *International Journal of Lifelong Education*, *3*(4), 279-291.

Dave, R. H. (1973). *Lifelong education and school curriculum*. Hamburg: UNESCO Institute for Education.

Dave, R. H. (Ed.). (1976). *Foundations of lifelong education*. Hamburg: UNESCO Institute for Education.

Elfert, M. (2018). *UNESCO's utopia of lifelong learning*. London: Routledge.

Faure, E et al. (1972). *Learning to be: The world of education today and tomorrow*. Paris: UNESCO.

Federighi, P. (1999). *Glossary of adult learning in Europe A. E. monographs*. Hamburg: UNESCO Institute for Education.

Field, J. (2001). Lifelong education. *International Journal of Lifelong Education, 20*(1), 3-15.

Grover, L. L., & Kennan, K. M. (2006). An Ojibwe American Indian view of adult learning in the workplace. *Advances in Developing Human Resources, 8*(3), 391-399.

Jarvis, P. (2010). *Adult education and lifelong learning: Theory and practice* (Fourth Edition). New York, NY: Routledge.

Jarvis, P., Holford, J., & Griffin, C. (2003). *The theory & practice of learning* (2nd ed.). London, UK: Routledge.

Knapper, C. K., & Cropley, A. (2000). *Lifelong learning in higher education* (3rd ed). London: Kogan Page.

Knowles, M. S. (1980). *The modern practice of adult education: From pedagogy to andragogy.* New York, NY: Cambridge, The Adult Education Company.

Lengrand, P. (1970). *An introduction to lifelong education.* Paris: The Unesco Press.

Longworth, N., & Davies, W. K. (1996). *Lifelong learning.* London: Kogan Page.

Martinson, D. (Ed.) (1977). *A long time ago is just like today.* Duluth, MN: ISD 709 Indian Education Advisory Committee.

Merriam, S. B., & Baumgartner, L. M. (2020). *Learning in adulthood: A comprehensive guide* (Fourth Edition). San Francisco, CA: Jossey-Bass.

Merriam, S. B., Rosemary, B., Caffarella, S., & Baumgartner, L. M. (2007). *Learning in adulthood: A comprehensive guide* (3rd ed.). San Francisco: Jossey-Bass.

Ministry of Reconstruction Adult Education Committee (1919). *Final report.* London: His Majesty's Stationery Office.

Nicolas de Condorcet(2019). **콩도르세, 공교육에 관한 다섯 논문: 혁명, 프랑스에 공교육의 기초를 묻다***(Cinq mémoires sur l'instruction publique)*. 이주환 역. 서울: 살림터. (원저는 1791년에 출판).

OECD (1973). *Recurrent education: A strategy for lifelong learning.* Paris: OECD.

OECD (1996). *Lifelong learning for all: Meeting of the Education Committee at Ministerial Level*, 16-17 January 1996. Paris: OECD.

The World Bank (2003). *Lifelong learning in the global economy: Challenges for developing countries.* Washington, D.C.: The World Bank.

UNESCO (1996). *Learning: The treasure within.* Paris: UNESCO.

UNESCO (2016). *Education 2030: Framework for action: Towards inclusive and equitable quality education and lifelong learning for all*. Paris: UNESCO.

van der Zee, H. (1998). The learning society. In S. Ranson (Ed.), *Inside the learning society* (pp. 59-77). London: Cassell.

Watson, K. (1999). UNESCO's vision for education in the twenty-first century: Where is the moral high ground? *International Journal of Education Development*, *19*, 7-16.

Yeaxlee, B. A. (1929). *Lifelong education: A sketch of the range and significance of the adult education movement*. London: Cassell and Company, LTD.

교육통계서비스 https://kess.kedi.re.kr

국가문해교육센터 http://le.or.kr

국가평생교육진흥원 https://www.nile.or.kr

(사)한국평생교육사협회 www.kale.or.kr

평생교육사 자격관리 https://lledu.nile.or.kr

학점은행제 https://www.cb.or.kr

제13장

교사론

이길재(충북대학교 교육학과)

1. 교육과 교사
2. 교직의 특성
3. 교사의 능력 계발
4. 사회 변화와 교사의 역할

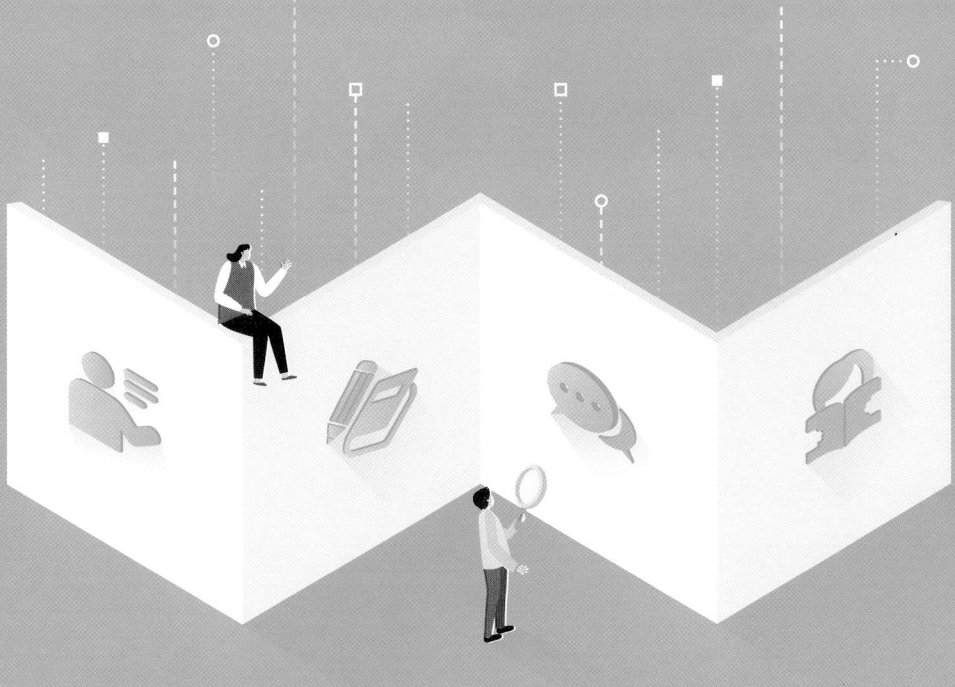

학습 개요

이 장에서는 교사의 의미가 무엇이며 그들에게 요구되는 역할과 자질, 교사가 입직하며 평생을 살아가게 되는 교직사회의 특징과 그 안에서의 능력 계발의 방법, 변화하는 사회 속에서 요구되는 교사의 역할에 대해 살펴보기로 한다.

제1절 '교육과 교사'에서는 교사의 의미와 어원, 교사가 현재 수행하는 직무와 향후 요구될 필요가 있는 역할과 그러한 역할 수행에 필요한 자질에 대해 논의한다. 제2절 '교직의 특성'에서는 교직을 바라보는 전통적 관점으로서 성직관, 노동직관, 전문직관을 살펴보고, 교직 생애 주기 동안 교사의 사회화 및 발달의 과정, 직무 수행에서 요구되는 도덕적 · 사회적 규범인 교직윤리에 대해 살펴본다. 제3절 '교사의 능력 계발'에서는 교직 생애 주기 동안 교사의 전문성 신장을 위한 활동으로 진행되는 현직 연수, 장학, 전문적 학습공동체에 대해 알아본다. 제4절 '사회 변화와 교사의 역할'에서는 미래사회 학교교육이 어떻게 변화할 것인지를 분석해 보고, 그러한 변화에 맞는 교사의 역할변화를 탐색한다.

1. 교육과 교사

1) 교사의 의미

교사(敎師)는 "주로 초등학교 · 중학교 · 고등학교 따위에서 일정한 자격을 가지고 학생을 가르치는 사람"(국립국어원 표준국어대사전)이라고 정의되어 있고, 「초 · 중등교육법」 제19조 1항에는 "초등학교 · 중학교 · 고등학교 · 고등공민학교 · 고등기술학교 및 특수학교에는 교장 · 교감 · 수석교사 및 교사를 둔다."라고 명시하고 있다. 이에 터해 볼 때 교사라는 의미는 일정한 자격을 가지고 특정한 업무를 수행하는, 일종의 '직업'으로서의 성격이 강함을 알 수 있다. 즉, 교원교육기관에서 전문적인 교육과정을 이수하고 교원자격증을 획득하여 공식적으로 '가르치는 사람'으로 인정을 받은 후 학생들의 학습경험을 안내하고 지도함으로써 그들의 성장 · 발달에 이바지하는 사람(teacher)이라고 할 수 있다(류동훈, 2004).

한편, 교사는 교육자, 선생, 스승 등으로 불리기도 한다. 그러나 엄밀히 살펴보면 각각의 의미에는 많은 차이가 있다. 먼저, 교육자는 대체로 교육에 관련된 사업을 하거나 교육 발전을 위해 공헌하는 사람 모두를 지칭하는 광범위한 의미로 사용되고 있고, 선생은 배우는 자보다 앞서 태어나 많은 경험을 한 자가 그렇지 못한 사람을 가르쳐 주는 것에 대한 높임말로 학예가 뛰어난 사람에 대한 존칭어로 사용되고 있다. 또한 스승이란 대체적으로 생의 전환점을 이루는 데 획기적인 영향을 준 사람으로 꼭 교사나 교육자에 국한하여 사용하는 것은 아니다(류동훈, 2004: 49). 따라서 교사도 교육자임에는 틀림이 없으나, 교육자와 동의어로는 볼 수 없다(윤종건, 전하찬, 1996). 즉, 아무리 인간 행동을 계획적으로 잘 변화시킬 줄 아는 사람이라도 특정 요건을 갖추고 있지 않으면 교사라고 부를 수 없으며, 교육자는 어떤 특정 부류의 직업인을 가리키기보다는 일반적인 능력자로, 교사는 능력을 가리키는 말이 아니라 그 직업(職業)을 가리키는 말로 볼 수 있는 것이다.

그렇다면 이 '교사'라는 용어는 언제부터 사용되었는가? 가르치는 행위와 관련하여 공식적으로 일정한 자격과 수준을 갖추고, 그것을 생계유지를 위한 직업으로 행하는 사람을 교사라고 할 때, 교사라는 개념은 국가 차원의 공식적인 교육기관의 시작과 그 역사를 함께한다고 볼 수 있다. 우리나라에서 체계적으로 교사를 양성하기 시작한 것은 1895년에 관립 한성사범학교를 설립한 데서 비롯된다. 이 한성사범학교 관제가 우리나라 최초의 현대식 학교 법규라고 볼 수 있다(황인창, 2008: 147). 이때는 우리나라가 이미 외세(外勢)의 영향에 의하여 근대적인 신식학교가 설립되던 때이며, 1867년부터 시작된 일본의 메이지 유신 이후 근대화된 일본의 교육제도의 직접적인 영향을 받아 일본의 교원양성체제와 그 결을 같이한다. 1895년「소(小)학교령」, 1909년「고등학교령」 등에 의해 교사의 양성, 자격, 임용 등이 제도화되었고, 이러한 제도는 1910년 경술국치 이후 일본의 식민지하의 교원교육체제로 무리 없이 연계되었다. 1895년부터는 홍화학교, 보성학교, 오산학교 등 많은 사립학교가 설립되었는데 이러한 사립학교는 애국지사, 민족주의자들이 교사가 되는 경우가 많았고, 이러한 사립학교 교사의 경우에는 특별한 자격을 요구하지 않았다(류동훈, 2004: 56-57). 이 시기에는 교사라는 용어 대신 교관[1]과 교원[2]이라는 용어가 사용되었다. 이때 교원은 학교장과 교관을 통칭해서 이르는 말이었던 것으로 보이며,[3] 이는 지금도 역시「초 · 중등교육법」에서 교원이 교장과 교감, 수석교사, 교사를 통칭하여 이르는 말로서의 의미를 갖는 것과 일맥상통한다고 볼 수 있다. 갑오개혁 시기와 마찬가지로 주권 상실기에도 교원이라는 말은 여전히 통용되었다.[4]

이를 통해 볼 때 국가 차원에서 교육을 담당하는 기관을 설립하고 그 기관에서 일정한 자격을 갖추고, 직업으로서 가르치는 일을 담당했던 사람에 대한 호칭이 교관에서 교사로 변화되었다고 볼 수 있다. 이는 '교사'라는 용어가 처음으로 등장한「교육법」(법률 제86호, 1949. 12. 31.)[5]을 통해 확인할 수 있다. 결국 교사라는 용어는 1940년대 후반부터 널리 사용되어 법령에 그 용어가 오르게 된 것으로 보인다. 그

1) 「사범학교에 관한 규정」(1895. 4. 16.) 제1조 교관양성을 목적으로 한다.
2) 「소학교령」(1895. 7. 19.) 제7조 교원은 교원면허증을 가져야 하며 검정에 합격해야 한다. 관립소학교는 학부대신, 공립소학교는 각 해당 관청의 관찰사가 교원을 임용하고, 모두 판임관(判任官)이 되도록 하였다.
3) 「중학교령」(1899. 4. 4.) 제5조 직원은 학교장 1인, 교관 7인, 서기 1인으로 한다.
4) 「전시교육령」(1945. 5.) 제3조 학교는 교직원 및 학도로써 학도대(學徒隊)를 조직한다.
5) 「교육법」(법률 제86호, 1949. 12. 31.) 제75조1항 국민학교, 중학교, 고등학교, 사범학교, 기술학교, 고등기술학교, 공민학교, 고등공민학교와 특수학교에는 교장, 교감과 교사를 둔다.

리고 '교원'은 교관과 학교장, 혹은 교사와 학교장을 통칭하여 부르는 용어로 갑오개혁 이후부터 지금까지 사용되어 왔다고 볼 수 있다.

2) 교사의 역할과 자질

역할은 사회에서 특정한 지위에 있는 사람들이 의식적으로 수행하는, 그리고 다른 사람들에 의해서도 명확하게 인정받고 있는 포괄적인 행동방식을 의미한다(김기태, 조평호, 2003: 99). 이에 기반하여 교사의 역할은 정의해 보면, 교사의 사회적 지위와 위상 속에서 타인으로부터 마땅히 해야 할 것으로 기대됨과 동시에 교사 스스로도 의식적으로 수행하는 행동양식이라고 할 수 있다.

현재 우리나라 초·중등교사의 역할은 수업지도, 학생지도, 학급경영, 학교교육과정 편성·운영, 학부모 및 대외 관계, 학교경영지원, 전문성 신장으로 대별해 볼 수 있다(김이경 외, 2005: 196-201). 각각의 역할을 상술하면 다음과 같다. 수업지도는 수업목표를 수립하고 적절한 교수-학습 자료를 준비하여, 실제 수업 상황에서 학생들의 학습동기를 높이는 다양한 방법을 활용하여 수업을 실천하고, 그 성취 결과를 적절하게 평가하는 것을 의미한다. 학생지도는 민주시민으로서의 기본 예절교육과 생활습관의 함양, 개인의 적성과 능력에 맞게 특기와 소질을 계발하도록 지도하는 것을 의미한다. 학급경영은 학급의 규칙과 운영 방침을 수립하고 쾌적한 학습환경을 조성함으로써 교사와 학생의 상호작용을 촉진하는 것을 의미한다.

학교 교육과정 편성·운영은 학교 교육과정에 대한 전반적인 이해를 바탕으로 학교 실정과 학생의 특성에 적합한 학교 교육과정을 편성·운영하는 것을 의미한다. 학부모 및 대외 관계는 교사가 학부모 및 지역사회와 능동적이고 전문적인 관계를 유지함으로써 상호 발전에 기여할 수 있도록 대외 협력관계를 유지하는 것을 의미하며, 학교경영지원은 교사가 학교교육의 계획을 수립하고 수행하는 데 있어 학교경영을 지원하고 주요 의사결정에 적극적으로 참여하는 것을 의미한다. 마지막으로, 전문성 신장은 교사 스스로 전문가로서의 사명감에 기반하여 최신의 이론과 정보를 수집·활용하고 전문적 지식과 기술을 지속적으로 습득하고 연마하는 것을 의미한다. 이상에서 상술한 일곱 가지 역할은 중요성과 강조점에서 시대에 따라 조금씩 달라지기는 하였으나, 과거에도 이루어졌고 현재에도 이루어지고 있으며 앞으로도 크게 달라지지 않을 역할이라 할 수 있다.

한편, 국가가 길러 내고자 하는 사회 구성원의 자질과 역량, 오늘날의 사회에서 야기되는 여러 심각한 문제들을 감안해 볼 때 21세기 교사에게 요구되거나 중요해질 수 있는 역할로 다음과 같은 것들을 고려해 볼 필요가 있다.

첫째, 인성지도자로서의 역할을 수행해야 한다. 교사는 학생들의 인성을 지도하고 조언해 줄 수 있으며, 인성교육과 관련한 이론적 · 실천적 소양과 능력을 갖춘 전문가가 되어야 한다. 둘째, 미디어교육 전문가로서의 역할을 수행해야 한다. 다양한 대중매체를 활용한 교육을 통해 학생들에게 정보 활용 능력을 키우는 역할을 수행해야 한다. 셋째, 학습컨설턴트로서의 역할을 수행해야 한다. 학생들에게 학습에 대한 다양한 정보를 제공하고 미래의 진로, 학습 선택에 도움이 되도록 학습 특성 진단, 학습계획 수립 및 학습과정 지도를 통해 학습능력 향상과 자신의 진로를 선택하도록 상담 및 코칭의 역할을 수행해야 한다. 넷째, 진로 및 진학 상담가(직업상담가)로서의 역할을 수행해야 한다. 진학 및 진로, 직업에 관한 정보를 제공하며, 적성검사를 통해 학생들의 흥미 분야를 파악하고, 이에 따라 미래를 안내하고 설계하는 역할을 도와주어야 한다. 다섯째, 생활적응 상담가로서의 역할을 수행해야 한다. 생활의 변화, 학년의 변화 등 다양한 환경에 적응해야 하는 학생들이 겪는 심리적 불안감을 진단 및 개선하여 새로운 환경에 적응할 수 있도록 도와주는 역할을 해야 한다. 여섯째, 상담가로서의 역할을 수행해야 한다. 집단 따돌림, 학교 폭력 등 청소년 문제가 사회적 이슈로 대두되면서 이를 미연에 방지하고 보호 · 선도하고 건전한 생활을 지도하며 수련 활동의 여건을 조성하는 역할을 해야 한다. 일곱째, 안전교육 전문가로서의 역할을 수행해야 한다. 학생들이 건강한 생활을 유지하기 위해 가정생활, 학교생활, 일상 주변에서 발생 가능한 위험요소(식품안전, 스포츠안전, 교통안전, 생활사고안전, 성폭력, 약물 남용, 재난 및 재해 안전 등)에 대한 교육과 대처능력을 지도하고 키워 주는 능력을 갖춘 전문가가 되어야 한다. 여덟째, 부모교육 전문가로서의 역할을 수행해야 한다. 학생들의 삶에 직접적인 영향을 미치는 부모로서의 역할과 화목한 가정을 만들기 위한 방법 모색, 부모로서의 리더십을 이해하고 함양하도록 부모와 효과적으로 의사소통하고 지도할 수 있는 전문가가 되어야 한다.

이러한 교사의 직무 및 역할 수행과 관련하여 자신에게 주어진 직무 및 역할을 바람직한 방향으로 수행하기 위해서는 그에 합당한 자질을 갖추어야 한다. 교사의 자

표 13-1 교사의 자질

구분		자질의 구체적 내용
교육 사조	전통주의에서 본 자질	• 지식의 전달자로서의 자질 • 인격적 감화자로서의 자질 • 사회적 통제자로서의 자질 • 권위자로서의 자질
	진보주의에서 본 자질	• 아동의 욕구와 흥미를 찾아내어 학습활동의 동기로 활용하는 능력 • 친절한 조언자, 협조자, 민주적 지도자로서의 역할 • 사회생활의 계속적인 변화에 성공적으로 적응할 수 있도록 교육 내용과 방법을 수정하고 보완하는 능력 • 아동중심적 문제해결, 가설 도출식 교육을 활용하는 능력 • 학급을 민주적 문제해결 집단으로 조직 · 운영하는 능력
	학문중심주의에서 본 자질	• 가르칠 교과의 기본 구조와 새로운 지식에 정통한 능력 • 발견 · 앎 등 내적 보상의 학습동기와 지적 관심을 유발시킬 수 있는 능력 • 다양한 학습방법과 자율학습을 중시하는 학습관 • 탐구방식에 의거하여 아동들을 학문의 실제로 유도하는 학문 실천가로서의 아동관 • 사실이나 정보를 기본으로 새로운 정보를 창출할 수 있는 정보관 • 분석적 사고와 직관적 사고
	인간중심주의에서 본 자질	• 진실한 교사 • 한 개인으로서의 아동에 대한 존중 • 공감적 이해 • 본질적인 교육에 대한 애정을 갖춘 교사
역할	학급에서 필요한 자질	• 학생지도자로서의 자질 • 학급경영자로서의 자질
	학교에서 필요한 자질	• 학교경영 참여자로서의 자질 • 행사교육자로서의 자질 • 직장인으로서의 자질
	사회에서 필요한 자질	• 사회 모범으로서의 자질 • 변화 촉진자로서의 자질 • 교권 신장의 주체로서의 자질 • 연수 및 연구자로서의 자질

질이란 교직 수행에 필요한 능력과 실력, 태도까지를 포함하는데, 구체적으로 교사가 갖추어야 할 지적 · 정의적 · 사회적 · 신체적 면에서의 개인적 특성과 교직적 태도를 의미한다(김종서, 1982: 92). 이러한 교사의 자질은 학자들의 다양한 분류 기준, 즉 교육관, 역할, 성향, 교육사조(전통적 · 인본주의적 · 행동적 접근방법) 등 다양한 분류 기준에 의해 설명되어 왔다. 이와 관련하여 대표적으로 교육사조와 역할에 따른 교사의 자질을 유형화하여 제시하면 〈표 13-1〉과 같다(김기태, 조평호, 2003: 199-122).

2. 교직의 특성

1) 교직관

교직관이란 학생을 가르치는 직무로서 교직을 바라보는 입장과 견해를 의미한다. 교직에 대한 관점은 교육 행위 자체의 본질과 성격을 어떻게 지각하고 인식하느냐에 관한 기본적인 입장으로, 교사가 교직에 임하는 태도와 자세를 결정짓는 중요한 요인이 될 수 있다. 교직관은 일반적으로 크게 세 가지의 관점으로 대별된다. 즉, 교육 행위를 성스러운 일로 보는가, 노동으로 보는가, 아니면 전문적인 일로 보는가에 대한 구분으로 직무 수행의 본질과 성격을 기준으로 교직을 바라보는 유형을 구분한 것이라 할 수 있다.

성직관은 교직을 신부직, 목사직, 승려직과 같이 거룩하고 성스러운 직분으로 간주하는 관점을 의미한다. 교직을 성직으로 보는 관점은 가장 오래된 관점으로, 중세시대 서양에서 주로 성직자들에 의해 교육이 이루어지는 과정에서 발생한 자연스러운 관점이다. 성직자가 수행하는 교육은 하나의 성스러운 정신적 활동으로, 타락한 영혼을 구원하는 행위이자 참다운 인간을 만드는 행위, 국가와 사회의 가치를 유지하고 지속시키는 행위를 의미한다. 이는 아무나 행할 수 없는 신의 부르심을 받은 소명의식(召命意識)에 기반한 행위이다.

성직관으로서의 교직은 하늘이 정해 준 타고난 자만이 수행 가능한 천직(天職)으로 여겨지며, 무한한 사랑과 헌신, 희생과 봉사, 높은 수준의 도덕적 · 윤리적 행동규범을 요구한다. 성직자, 군자, 성인과 같은 존재로 교사를 인식하기 때문에 고매한 인격과 높은 윤리의식은 교사가 갖추어야 할 중요한 자질이 된다. 반면, 돈, 명예, 권력과 같은 물질적이고 세속적인 가치에 대한 지향과 요구는 바람직하지 못하며, 교직의 이익과 권리를 위한 집단적 행위, 정치적 활동 역시 허용되어서는 안 된다고 생각한다.

노동직관은 노동력을 제공하고 얻은 임금으로 생활을 유지하는 노동직으로 교직을 바라보는 관점을 의미한다. 교직을 노동직으로 인식한다는 것은 마르크스의 노동관에 입각한 관점으로, 정부나 학교경영자라는 고용인에게 고용된 교사가 일정한 근로조건의 계약에 기반하여 학교라는 직장에서 정신적 노동을 제공한 후 그 대가로 적정 수준의 보수를 받아 생활하는 노동자의 한 유형이라는 것을 의미한다. 이는 국가가 운영하는 근대 학교제도 속에서 교직을 직능적 직업으로 인식하는 경향이 뚜렷해지면서 발생한 관점이라고 할 수 있다.

노동직관에 기반한 교직은 권익과 더 나은 처우개선을 위해 노동3권(단결권, 단체교섭권, 단체행동권)에 입각한 노동조합의 결성을 정당한 행위로 간주한다. 우리나라에서 1999년에 제정된 「교원의 노동조합 설립 및 운영 등에 관한 법률(약칭 교원노조법)」은 교원의 단체 노동운동의 합법성을 공식적으로 인정한 첫 시도이다. 이에 따라 교원노조는 노동조합 또는 조합원의 임금, 근무조건, 후생복지 등 경제적·사회적 지위 향상에 관한 사항에 대하여 교육부 장관, 시·도 교육감 및 사립학교를 설립·경영하는 자와 교섭하고 단체협약을 체결할 권한을 갖게 되었다(제6조). 또한 교원 가운데 노동조합의 업무에만 종사할 수 있는 노동조합 전임자의 지위도 보장되었다(제5조). 그러나 교원의 노동조합은 일체의 정치활동, 파업·태업, 기타 업무의 정상적인 운영을 저해하는 일체의 쟁의행위에 대해서는 금지하고 있다(제3조, 제8조).

오늘날 가장 널리 받아들여지고 있는 관점은 교직을 전문직으로 바라보는 전문직관이다. 교직을 전문직으로 보는 관점은 현대에 이르러 주장되기 시작한 관점으로 교사는 일정 기간 철저한 교육을 통해 전문적인 지식과 기술을 습득하며, 엄격한 자격 기준과 절차를 통해 교직에 입문한 뒤 교육활동을 수행하는 과정에서 고도의 전문성과 자율성, 윤리의식에 기반하여 직무를 수행한다고 보는 관점이다. 교직을 전문직관으로 보는 관점은 사회 구성원들 간에 합의된 관점이라고 보기 어려우며 여전히 직무 수행의 성격, 사회적 위상과 관련하여서는 논란이 있다. 그럼에도 불구하고 교직이 '교육적 행위의 실천을 통한 인간의 성장'을 목표로 한다는 점에서 전문직으로 나아가야 한다는 데는 이견이 없다. 교직을 전문직으로 볼 수 있는가의 논의에서 주로 언급되는 리버만(Lieberman, 1956: Blackwood, 1980에서 재인용)의 전문직을 규정하는 여덟 가지 특성은 교직이 전문직으로 인정받기 위해 필요한 기준을 구체적으로 안내해 준다는 점에서 의미가 있다. 첫째, 본질적인 성격상 고유의 명확한 사회적 책무를 가지고 있는가? 둘째, 그러한 사회적 책무를 수행하는 과정에서 고도의 지적 기능이 필요한가? 셋째, 고도의 지적 기능을 갖추기 위해 장기간의 전문화된 훈련의 과정이 필요한가? 넷째, 개인적 · 집단적으로 광범위한 자율성이 보장되는가? 다섯째, 직무 수행 과정에서 자율적인 판단과 행동에 대한 광범위한 책임이 따르는가? 여섯째, 경제적인 보상보다 사회적인 책무가 강조되는가? 일곱째, 광범위한 자율조직을 운영하는가? 여덟째, 실제 상황에 기반한 명백한 윤리강령이 존재하는가? 리버만이 제시한 전문직으로서의 판단 근거는 교직이 갖추어야 할 전문직으로서의 특성을 의미한다고 볼 수 있다.

교직관의 세 가지 유형 가운데 성직관이 교육의 정치적 · 경제적 · 사회적 측면에 소홀하다면, 노동직관은 교육의 본질적 · 논리적 측면에 소홀하다고 볼 수 있다(고재천 외, 2007: 101). 반면, 전문직관은 당위적 정당성의 측면에서 교육 실천 행위의 전문성과 본질에 주목하면서 가치지향성을 강조하였다는 점에서 한 차원 발전적인 관점이라 할 수 있다.

2) 교직사회화와 교사발달

'사회화'란 인간이 한 사회의 구성원으로 살아갈 수 있도록 그 사회의 생활양식과 행동양식을 습득하면서 점차 그 사회의 구성원에 동화되어 가는 과정을 의미한다. 특수사회화의 한 영역에 해당되는 교직(혹은 교사)사회화는 일개인으로서의 교사가 교직사회 속에서 교사 집단의 특정 문화 규범을 수용하여 집단의식에 적응하고 통합되어 가는 과정을 의미한다(김경식 외, 2012: 139). 이러한 사회화는 교사가 되기 위해 교원양성기관에서 교육을 받는 순간부터 교사로 임용되어 퇴직하는 순간까지 전(全) 기간에 걸쳐 이루어지며, 교직과 교육 등에 대한 제반 영역(교과지식, 수업지도, 교수-학습, 생활지도, 업무 수행, 학급경영 등)에서의 가치, 신념, 태도, 지식, 기능,

행동에서 다양하게 진행된다고 볼 수 있다.

한편, 교직 생활에서 '변화'해 가는 교사의 모습에 관한 연구는 교직사회화 혹은 교사발달이라는 용어를 사용하여 이루어져 왔다. 교직사회화나 교사발달은 모두 교직 생활을 통해 변화해 가는 교사의 모습에 주목하고 있다는 측면에서 유사하다고 볼 수 있다. 그러나 교직사회화는 교직사회라는 조직적인 측면에서 교사의 변화를 살펴보는 데 강조점이 있는 반면, 교사발달은 개인적인 측면에서 교사의 질적 성장에 초점을 맞추어 교사의 변화를 살펴본다는 데서 차이가 있다(고재천 외, 2007).

교직사회에서 교사의 변화가 교직 생애의 전 주기 동안 어떠한 방향성과 다양성을 보이느냐에 따라 단순·직선적 단계모형과 복합·순환적 단계모형으로 대별된다. 단순·직선적 단계모형은 교사의 발달이 일방향으로 한 단계에서 다음 단계로 나아가는 순차적·직선적 과정에 의해 진행된다고 보는 관점이다. 반면, 복합·순환적 단계모형은 동일한 연령대와 경력을 지닌 교사들 간에도 서로의 발달 단계가 개인적 배경과 자질, 개인이 처한 환경적 요인에 따라 달라질 수 있으며 교사발달의 과정이 지속적인 질적 향상을 전제로 한 과정이 아닌 다양한 방향으로 진행될 수 있다고 보는 관점이다. 그간의 학자들이 제시한 두 모형의 하위 모형들을 구체적으로 살펴보면 〈표 13-2〉와 같다.

학자들의 다양한 교사발달에 관한 연구가 갖는 의의는 다음과 같다(성태제 외, 2019). 첫째, 현직교육이나 장학활동을 구상하는 교육행정가들이나 장학담당자들로 하여금 교사의 발달 단계를 고려한 다양한 능력 계발의 내용이나 방법이 강구되어야 할 필요성이 있음을 인식시킬 수 있다. 둘째, 현직교육이나 장학활동에서 교사의 발달 단계에 적합한 효과적인 프로그램의 내용과 방법에 관한 중요한 정보를 제공해 줄 수 있다. 셋째, 교사의 능력 계발이 궁극적으로 추구하는 목적을 구체화하는 데 중요하게 고려될 수 있다. 넷째, 교원양성 교육과정에서 예비교사의 발달과 사회화를 위해 보다 의미 있는 교육내용을 구상하고 운영하는 데 중요한 정보를 제공할 수 있다. 다섯째, 교원양성 교육과정에서 예비교사로 하여금 교사발달 과정과 그에 영향을 미치는 교직 현실을 보다 잘 이해할 수 있게 하는 하나의 학습자료로 사용될 수 있다.

예비교사는 교원양성기관을 통한 교직 관련 수업에서 교사의 삶과 교직사회에 대해 직간접적으로 경험함으로써 사회화되기 시작한다. 또한 교사가 된 이후에는

표 13-2 교사사회화 및 발달 단계

모형 특성		연구자	사회화 및 발달 단계
단순·직선적 단계 모형	교직 이전 시기 포함	Unruh & Tunrner (1970)	교직이전단계 → 초기교수단계 → 안전구축단계 → 성숙단계 (대학) (1~5년 혹은 6년) (6~15년)
		Fuller & Bown (1975)	교직이전 관심 단계 →교직초기 생존 관심 단계 → 교수상황 관심 단계 → 학생에 대한 관심 단계
		권낙원(1989)	직전교사 → 초임교사 → 발전교사 → 실천교사 → 숙련교사
	교직 첫해 포함	Katz (1972)	생존단계 → 공고화단계 → 쇄신단계 → 성숙단계
		Gregorc (1973)	형성단계 → 성장단계 → 성숙단계 → 원숙단계
		Burden (1979, 1983)	생존단계 → 적응단계 → 성숙단계
		최상근(1992)	생존(0~3년) → 재평가(13~15) → 평정(17~20년)
	연령 접근	Newman (1979)	0~10년 단계 → 11~20년 단계 → 21~30년 단계
		Peterson (1984)	20~40세 단계 → 40~55세 단계→ 정년퇴직 시 단계
		Webb & Sikes (1989)	입직과 사회화단계(21~28세) → 30대 전환기(28~33세) → 정착단계(33~44세) → 50대 전환기(44~50 혹은 55세) → 자기수용단계(50 혹은 55세~은퇴)
		신인숙(1991)	교직 적응 → 능력 계발 → 갈등 및 좌절 → 승진지향 → 보람 · 긍지
복합·순환적 단계 모형	순환적 모형	Burke (1984)	교직이전단계 → 교직입문단계 → 능력구축단계 → 열중 · 성장단계 → 직업적 좌절단계 → 안정 · 침체단계 → 쇠퇴단계 → 퇴직단계
	복합적 모형	윤홍주 (1996)	생존, 직업적 좌절(0~5년) → 성장, 직업적 좌절(6~14년) → 성숙, 직업적 좌절(15~24년) → 성장, 성숙, 직업적 좌절, 승진지향, 안정 · 침체(25~34년) → 성장, 성숙, 직업적 좌절, 승진지향, 안정 · 침체(35~40년)

출처: 고재천 외(2007: 247-248)와 최상근(1990: 860; 박선영 외, 2010: 57에서 재인용)을 활용하여 재작성.

개인적 배경과 학교 조직의 특성, 교직사회의 문화적 · 환경적 요인에 의해 사회화와 발달을 경험하게 된다. 교사가 어떻게 사회화되고 발달하는지에 대해 고민하고 연구하는 일은 예비교사 시절부터 퇴직하는 순간까지 교사의 질적 성장에 보다 적극적인 전략과 정책을 수립하는 중요한 과정이 될 수 있다.

3) 교직윤리

교직의 직무적 성격이 학생을 가르치는 일이고, 이를 통해 궁극적으로 인격 형성과 인간으로서의 성장을 교육목표로 한다면 교직은 어느 직종보다도 강력한 직업윤리의식을 필요로 한다. 교직윤리란 교사가 직무를 수행하는 과정에서 마땅히 지켜야 할 도덕적 · 사회적 규범으로, 교직은 전문직으로서의 특성상 사회적 책무와 윤리강령을 갖추어야 한다(Lieberman, 1956).

교직윤리의 범위는 학자에 따라 다양하게 규정되었으나 대체적으로 교사 자신에 대한 윤리, 교사 상호 간의 윤리, 학생에 대한 윤리, 학부모에 대한 윤리, 사회에 대한 윤리로 집약된다(한국교원단체총연합회, 2000). 교사 자신에 대한 윤리는 교사로서 뚜렷한 가치관과 국가관의 정립, 원만한 인격 수양과 건전한 교육관의 확립, 차원 높은 교양과 고상한 취미의 함양, 건강한 심신의 단련과 유지, 교과 실력의 함양, 개척정신의 함양 등을 의미한다. 교사 상호 간의 윤리는 존경과 신뢰의 관계, 화합과 협력의 관계를 형성하고 유지하는 것을 의미한다. 학생에 대한 윤리는 솔선수범, 학생의 인격 · 개성과 개인차의 존중, 공평한 지도와 학생의 비밀 보안, 체벌금지 등을 포함한다. 학부모에 대한 윤리는 교사와 학부모가 학생 교육을 위해 긴밀하게 교류하면서 학생의 성장과 발달, 진로를 위해 협력하는 것을 의미한다. 지역사회에 대한 윤리는 지역사회의 특징을 잘 파악하여 그에 어울리게 행동하며 교직 수행에서 지역의 적절한 협조를 이끌어 내는 것을 의미한다.

교직에서 윤리가 중요시되는 이유는 다음과 같다(안창선, 남경현, 이욱범, 1999; 황영준, 정창호, 2014). 첫째, 교직은 전문직이기 때문이다. 전문직은 직무 수행 과정에서 개인적 · 집단적으로 광범위하게 자율성이 보장되고 책무성에 기반하여 직무 수행이 이루어지기 때문에 철저한 직업윤리 규정을 가질 수밖에 없다. 둘째, 교직이 교사의 교육력에 기반하여 인간의 성장과 육성에 관여하는 일이기 때문이다. 교사의 교육력이 학생의 인격적 성숙과 인간적 성장에 강력한 영향을 미치기 위해서는 무엇보다도 교사의 권위가 높아야 하며, 이를 위해서는 교사가 고매한 인격과 높은 수준의 도덕성을 갖추어야 한다. 셋째, 학생의 건전하고 바람직한 성장과 발달, 학생지도의 효과를 높이기 위해서는 교사의 윤리의식이 강조되어야 한다. 학생의 인격적 · 도덕적 품성은 학생을 둘러싼 다양한 환경적 요인의 영향을 받는다. 특히 교사와 부모의 높은 윤리의식과 그 영향력은 학생의 인격적 · 도덕적 품격의 형성과 바람직한 성장에 필수적 요소로 그 어떠한 요인에 의한 영향도 잠식시킬 수 있다. 넷째, 4차 산업혁명 시대에 도덕과 윤리, 인성의 재건을 위해서는 교사의 윤리의식이 강조되어야 한다. 협력과 번영이 사라진 세계 질서, 잉여와 기회가 사라진 마이너스 경제, 공정한 경쟁질서가 사라진 독점시장구조, 환경파국이 몰고 온 기후변화(이원재 외, 2020)의 현실은 도덕성과 윤리의식에 기반한 정신교육의 필요성을 더욱더 요구하고 있다. 따라서 인격 형성과 인간 성장을 본질적 직무로 수행하는 교사에게 확고한 윤리의식의 확립은 다른 무엇보다 선행되어야 할 전제 조건이다.

교사가 준수해야 할 의무와 강제의 공식적인 규범에 「국가공무원법」 「국가공무원 복무규정」이 있는 반면, 의무와 강제를 수반하지는 않지만 법률 그 이상으로 교사가 준수해야 할 비공식적인 실천규범으로 대한교육연합회에서 제정한 사도헌장과 사도강령이 있다. 사도헌장과 사도강령의 구체적인 내용을 살펴보면 다음과 같다.

[사도헌장(대한교육연합회, 1982. 5. 15.)]

오늘의 교육은 개인의 성장과 사회의 발전과 내일의 국운을 좌우한다. 우리는 국민교육의 수임자로서 존경받는 스승이요, 신뢰받는 선도자임을 자각한다. 이에 긍지와 사명을 새로이 명심하고 스승의 길을 밝힌다.

1. 우리는 제자를 사랑하고 개성을 존중하며 한마음 한뜻으로 명랑한 학풍을 조성한다.
1. 우리는 폭넓은 교양과 부단한 연찬으로 교직의 전문성을 높여 국민의 사표가 된다.
1. 우리는 원대하고 치밀한 교육계획의 수립과 성실한 실천으로 맡은 바 책임을 완수한다.
1. 우리는 서로 협동하여 교육의 자주혁신과 교육자의 지위향상에 적극 노력한다.
1. 우리는 가정교육 · 사회교육과의 유대를 강화하여 복지국가건설에 공헌한다.

〈사도헌장〉은 전문과 ① 스승과 제자, ② 스승의 자질, ③ 스승의 책임, ④ 교육자와 단체, ⑤ 스승과 사회의 5개항으로 되어 있으며, 전문과 본문을 합하여 모두 250자로 구성되어 있다. 이는 교사들이 걸어가야 할 스승의 길에 관한 기본지표를 명문화한 것이라고 할 수 있다(행정안전부 국가기록원).

[사도강령(대한교육연합회, 1982. 5. 15.)]

민주국가의 주인은 국민이므로 나라의 주인을 주인답게 길러 내는 교육은 가장 중대한 국가적 사업이다. 우리 겨레가 오랜 역사와 찬란한 문화를 계승, 발전시키며 선진 제국과 어깨를 나란히 하여 인류복지 증진에 기여하려면 무엇보다도 문화 국민으로서의 의식 개혁과 미래 사회에 대비한 창의적이고 자주적인 인간 육성에 온 힘을 기울여야 한다.

그러기 위해서는 우리 교육자는 국가 발전과 민족중흥의 선도자로서의 사명과 긍지를 지니고 교육을 통하여 국민 각자의 능력을 최대한으로 개발하여 개인의 자아실현과 국력의 신장, 그리고 민족의 번영에 열과 성을 다하여야 한다.

또한 교육자의 품성과 언행이 학생의 발달을 좌우할 뿐 아니라 국민윤리 재건의 관건이 된다는 사실을 명심하고 사랑과 봉사, 정직과 성실, 청렴과 품위, 준법과 질서에 바탕을 둔 사도확립에 우리 스스로 헌신하여야 한다.

이러한 우리의 뜻은 교직에 종사하는 모든 교육자가 공동체의식을 가지고 노력하여야만 이뤄질 수 있다는 것을 인식하고, 사도헌장 제정에 때맞추어 우리의 행동 지표인 현행 교원윤리강령을 사도강령으로 개정하여 이를 실천함으로써 국민의 사표가 될 것을 다짐한다.

<table>
<tr><td colspan="2">제1장 스승과 제자</td><td colspan="2">제2장 스승의 자질</td><td colspan="2">제3장 스승의 책임</td></tr>
<tr><td colspan="3">제4장 교육자와 단체</td><td colspan="3">제5장 스승과 사회</td></tr>
</table>

최근 사회적으로 물의를 일으키는 교사와 교육에 관한 이슈(입시비리와 관련한 시험문제 유출, 어린이집 원생에 대한 아동 학대 및 상습 폭행 등)는 교직윤리가 준수되지 않음으로써 발생하는 범죄 행위이다. 교사가 사회적으로 존경과 칭송을 받고 교육이 바로 서기 위해서 교직윤리를 제고하기 위한 실천 방안이 교원양성기관에서부터 구체적으로 마련되어야 하는 이유이다.

3. 교사의 능력 계발

1) 현직 연수

교사가 학교현장에 들어와 교육 행위의 전문성과 자질 함양을 위해 교직 생애주기 동안 지속적으로 참여하는 모든 형태의 의무적/자발적 연수, 공식적/비공식적 연수를 현직 연수라고 한다. 현직 연수는 연수 운영의 주체에 따라 기관 중심의 연수와 개인 중심의 연수로 구분된다. 기관 중심의 연수는 연수기관에서 이루어지는 자격연수, 직무연수, 특별연수와 단위학교에서 이루어지는 연수가 해당되며, 개인 중심의 연수는 개인 스스로의 노력과 선택으로 이루어지는 학위 취득이나 연구회 활동 등이 해당된다.

자격연수는 교원의 자격을 취득하기 위한 연수로 정교사(1급, 2급)과정, 준교사과정, 전문상담교사(1급)과정, 사서교사(1급)과정, 보건교사(1급)과정, 영양교사(1급)과정, 수석교사과정, 교장(감)과정, 원장(감)과정으로 구분된다(「교원 등의 연수에 관한 규정」 제6조 3항). 법령에 의거한 자격연수의 연수기간 및 이수시간은 〈표 13-3〉과 같다.

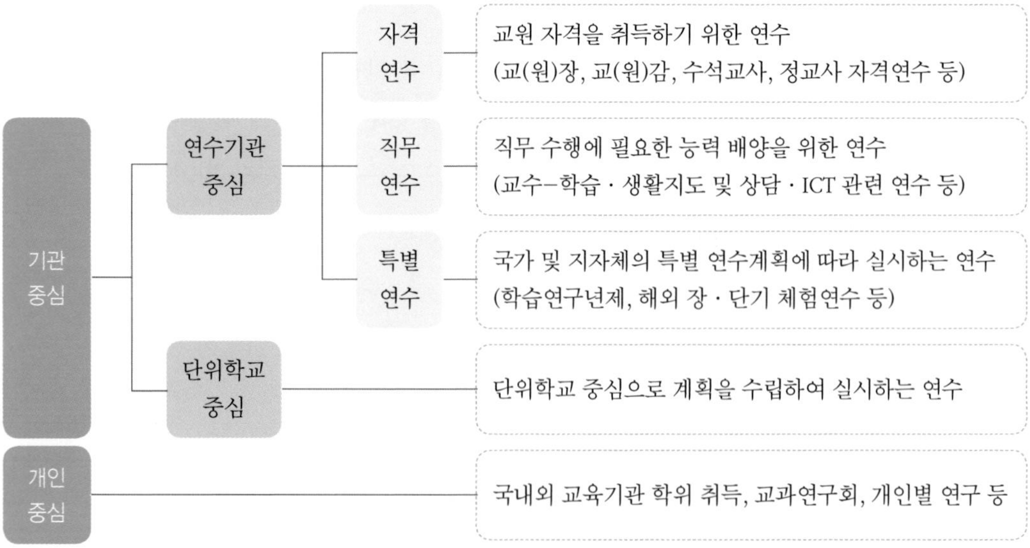

[그림 13-1] 연수 운영 주체별 분류

출처: 교육부(2019. 9.)의 자료를 일부 수정함.

표 13-3 자격연수의 연수기간 및 이수시간

구분	기간	이수시간
정교사(1급), 정교사(2급), 준교사(특수학교 실기교사를 대상으로 하는 과정을 말한다), 전문상담교사(1급), 사서교사(1급), 보건교사(1급), 영양교사(1급), 수석교사, 교감 및 원감	15일 이상	90시간 이상
교장 및 원장	25일 이상	180시간 이상

직무연수는 교원능력개발평가 결과, 직무 수행능력 향상이 필요하다고 인정되는 교원을 대상으로 하는 연수, 복직하려는 교원을 대상으로 실시하는 연수, 교육의 이론·방법 연구 및 직무 수행에 필요한 능력 배양을 위한 연수가 해당된다.

특별연수는 국가나 지방자치단체의 특별 연수계획에 따라 국내·외의 교육기관 또는 연구기관에서 학위 취득이나 연구과제를 수행하는 연수를 의미한다. 특별연수 대상자는 근무실적이 우수하고 필요한 학력 및 경력을 갖춘 사람, 국외연수자는 필요한 외국어 능력을 갖춘 사람이어야 한다(「교원 등의 연수에 관한 규정」 제13조 1항).

기관 중심의 연수가 이루어지는 대표적인 연수기관으로 교육연수원, 교육행정연수원, 종합교육연수원 및 원격교육연수원이 있다. 교육행정연수원에서는 원장(감), 교감 및 교장, 원장의 자격인정을 받은 사람을 대상으로 연수가 이루어지며, 그 밖의 학교에 근무하는 모든 교원을 대상으로 연수가 제공된다.

2) 장학과 컨설팅

장학의 개념은 여러 학자들에 의해 합의된 정의 없이 다양하게 규정되어 왔다. 이와 관련하여 김종철(1994)은 법규, 기능, 이념의 세 측면에서 장학을 이해하고자 시도하였다. 그의 정의에 따르면 법규적 측면에서 장학은 계선 조직의 행정 활동에 대한 전문적·기술적 조언을 통한 참모 활동을 의미한다. 기능적 측면에서 장학은 교사의 전문적 성장, 교육 운영의 합리화 및 학생의 학습환경 개선을 위한 전문적·기술적 보조 활동을 의미한다. 이념적 측면에서 장학은 선진국의 교육이론을 토대로 교수, 즉 학습지도의 개선을 위하여 제공되는 지도·조언을 의미한다. 이에 기반하여 볼 때 장학은 기본적으로 '교육활동의 개선을 위하여 주로 교원을 대상으로 이루어지는 제반 지도 · 조언 활동'을 의미한다고 볼 수 있다(이윤식, 2000). 이는 장학의 목적이 교원을 대상으로 교원의 전문성 신장을 위한 교수-학습활동의 개선에 초점이 맞추어져 있음을 의미한다.

그간 장학의 권한은 상위 행정기관의 하위 행정기관에 관한 감독 및 관리, 평가의 목적으로 이루어져 왔다. 그러나 지방자치제가 실시되면서 교육부는 지역 실정에 맞는 교육의 운영, 지방분권화와 자율성의 보장이라는 측면에서 교육환경 조성, 교원양성과 인사, 교육행정기관 평가 등을 제외한 교육 및 수업에 관한 사항은 시 · 도 교육청으로 상당 부분 이관하였다. 이로 인해 시 · 도 교육청들은 각자의 교육혁신 방향에 맞게 특색 있는 장학 계획을 수립하여 단위학교 장학을 운영하고 있다. 일례로 경기도교육청(2020)은 장학 운영의 패러다임을 전환하여 단위학교의 자율성과 민주성에 기반한 '동료개발(staff development)' 관점의 전문적 학습공동체가 주축이 되는 자율장학을 운영하고 있다.

자율장학은 단위학교에 초점을 둔 교내자율장학과 동일 지역 내 학교 간, 교원 간 협력체를 구축하여 운영하는 지구자율장학으로 구분된다. 교내자율장학은 '단위학교에서 교육개혁의 추진 등 다양한 영역에서 교장, 교감을 중심으로 교육 구성원들이 자율장학의 계획을 수립하고 결과를 평가함으로써 자구 노력을 모색하는 활동'을 의미한다. 교내자율장학에는 수업장학, 동료장학, 자기장학, 약식장학, 자체연수 등이 포함된다. 지구자율장학은 '동일 지역 내의 학교 간, 교원 간 협의를 통해 지역의 실정에 맞는 계획을 수립하여 자율적으로 운영하는 지역 학교 간 개방과 협력의 장학활동'을 의미한다. 지구자율장학은 지구장학협의회, 자율장학회, 자율장학위원회, 협동장학회 등 다양한 명칭으로 운영되고 있다.

한편, 장학이 장학담당자의 교사 교육활동에 대한 감독과 관리, 지도라는 점, 이로 인해 장학에 대해 교사들이 부정적으로 인식한다는 점, 교사의 자발적 필요와 무관하게 상위 교육기관이나 단위학교의 계획에 의해 강제적 · 의무적으로 시행된다는 점에서 그 대안으로 2000년대 초반부터 학교컨설팅에 대한 논의가 활발하게 진행되었다. 학교컨설팅이란 학교교육을 개선하기 위해 일정한 전문성을 갖춘 사람들이 학교와 학교구성원들의 요청에 따라 제공하는 독립적인 자문활동으로서 학교경영과 교육의 문제를 진단하고, 대안을 마련하며, 문제해결 과정을 지원하고, 교육훈련을 실시하며, 문제해결에 필요한 인적 · 물적 자원들을 발굴하여 조직화하는 활

표 13-4 교내자율장학의 기본 형태 비교

기본 형태	개념	주 장학담당자	영역	대상
수업장학	교사들의 수업기술 향상을 위하여 교장 · 교감(외부 장학요원, 전문가, 자원인사 포함)이 주도하는 개별적이고 체계적인 성격이 강한 지도 · 조언 활동	교장 · 교감(외부 장학요원, 전문가, 자원인사 포함)	전문적 발달	• 초임교사 • 저경력교사 • 수업기술 향상의 필요성이 있는 교사
동료장학	동료교사들이 교육활동의 개선을 위하여 모임이나 짝을 이루어 상호 간에 수업 연구 · 공개 활동의 추진이나 공동 과제 및 관심사의 협의 · 연구 · 추진 등 공동으로 노력하는 활동	동료교사	전문적 발달, 개인적 발달, 조직적 발달	• 전체 교사 • 협력적 활동을 선호하는 교사 • 관심 분야가 같은 교사 • 동호인
자기장학	교사 개인이 자신의 학습지도 개선과 전문성 심화를 위해 스스로 체계적인 계획을 세우고 이를 실천해 나가는 활동	교사 개인	전문적 발달	• 전체 교사 • 자기분석 · 자기지도의 기술이 있는 교사 • 개인적 활동을 선호하는 교사
약식장학	교장 · 교감이 간헐적으로 짧은 시간 동안의 학급 순시나 수업 참관을 통해 교사들의 수업활동과 학급경영 활동을 관찰하고 지도 · 조언하는 활동	교장 · 교감	전문적 발달	• 전체 교직원
자체연수	교육활동의 개선을 위해 교내 자체 인사나 외부 인사를 초청하여 학교 내에서 실사하는 연수 활동	전체 교직원(외부인사, 학부모 강사 포함)	전문적 발달, 개인적 발달, 조직적 발달	• 전체 교직원

출처: 남정걸(1999)과 이윤식(2000: 287; 성태제 외, 2019에서 재인용)을 활용하여 재작성.

동을 의미한다(진동섭, 2003: 51).

학교컨설팅의 일반적 원리는 다음과 같다(진동섭, 김효정, 2007). 첫째, 자발성의 원리는 학교컨설팅이 의뢰인의 자발성에 기초해서 이루어져야 한다는 원리로 장학과 가장 큰 차이를 보이는 핵심 원리라고 할 수 있다. 교육이라는 특성상 더 나은 교육을 제공해야 할 의무가 학교와 학교 구성원에게는 존재한다. 따라서 학교컨설턴트 혹은 학교관리자가 적극적으로 컨설팅을 홍보하고 의뢰의 필요성을 인식시킴으로써 컨설팅을 권유할 수 있다. 둘째, 전문성의 원리는 학교컨설팅이 적절한 전문성을 갖춘 학교컨설턴트에 의해 수행되어야 한다는 원리이다. 학교컨설턴트에게 요구되는 전문성은 내용적 전문성과 방법적 전문성을 갖춘 실제적 전문성으로, 이는 학교 조직 내·외의 누구나 전문성을 갖추고 있다면 학교컨설턴트가 될 수 있음을 의미한다. 셋째, 자문성의 원리는 해당 컨설팅에서 학교컨설턴트가 자문의 역할에 주력해야 한다는 원리로, 학교컨설팅의 모든 책임은 의뢰인에게 있으며, 성공적인 컨설팅을 위해서는 의뢰인이 주체의식과 주인의식을 가지고 적극적으로 참여해야 함을 의미한다. 넷째, 한시성의 원리는 학교컨설팅이 정해진 기간 동안 이루어지는 일시적인 활동임을 강조하는 원리이다. 즉, 의뢰 과제가 해결되면 컨설팅은 종료되어야 한다. 다섯째, 독립성의 원리는 학교컨설턴트와 의뢰인의 관계, 의뢰인의 학교컨설팅 관리자와의 관계에서 부당한 통제를 받지 않아야 한다는 원리이다. 학교컨설턴트는 자신의 전문성에 기초하여 컨설팅을 추진할 수 있어야 한다. 여섯째, 학습성의 원리는 학교컨설팅의 과정이 학교컨설턴트와 의뢰인 모두에게 학습의 과정으로 중요하게 다루어져야 함을 의미한다. 컨설팅의 과정은 서로에게 상호 교환적인 학습의 과정인 것이다.

학교컨설팅은 교사의 능력 계발 활동의 핵심인 장학의 본질적 한계에 대한 문제의식에서 출발하여 등장하였다. 그러나 학교컨설팅은 장학에 상반되는 개념이라기보다는 장학과 상호 보완적 관계 속에서 교원의 전문성 신장의 새로운 접근이자 이론적·실천적 시도라는 점에서 의의를 찾을 수 있다.

3) 교사학습공동체

학교 조직의 학습조직화를 위한 교육 구성원의 집단전문성이 강조된 것은 1990년대에 들어오면서부터이다. 반면, 우리나라에서 교사학습공동체가 학교 조직의 자율경영 및 민주적 운영의 기본으로 각광받게 된 것은 불과 10년도 되지 않은 일이다. 이는 학교 조직의 핵심 구성원인 교사의 전문성 계발이 학교에서의 삶과 교육 실천에 토대를 둘 때 그리고 교사들 간의 협력적 논의와 실천이 강조될 때 더 큰 효과를 거둘 수 있다(서경혜, 2016: 69; Little, 1993)는 지극히 당연한 깨달음에 기인한 일이라고 할 수 있다.

학교 내 교사 집단으로 이루어진 교사학습공동체의 특징은 다음과 같다(서경혜, 2009; 송경오, 최진영, 2010; Hord, 1997; Louis et al., 1996). 첫째, 교사학습공동체는 교육 구성원들 간에 비전과 가치를 공유한다. 비전과 가치를 공유하는 일은 이를 발전시키는 일에 적극적으로 참여하는 것을 가능하게 한다. 둘째, 교사학습공동체는 구성원들 간의 지속적인 학습을 강조한다. 이들은 학습을 매개로 하여 수업전문성을 신장시키며 궁극적으로 학생의 학업성취 향상을 목적으로 한다. 셋째, 교사학습공동체의 구성원들은 수업전문성을 신장시키기 위해 서로 협력한다. 서로의 수업을 관찰하고 의견을 나누며 꾸준한 실천의 과정을 공유한다.

이러한 특징으로 인하여 교사학습공동체는 다음과 같은 속성을 지닌다(김지선, 김도기, 2017: 415). 첫째, 교사학습공동체는 학습에 기반한 전문성의 신장, 나아가 학생의 학업성취 향상을 목적으로 한다. 둘째, 교사학습공동체는 교사들 간의 집단적 · 협력적 학습을 통한 지식과 경험, 실천의 공유를 중요한 운영 방법으로 활용한다. 셋째, 교사학습공동체는 기본적으로 수업을 위한 다양한 지식과 경험, 실천의 공유를 핵심 내용으로 삼는다. 그러나 현실에서 운영되는 교사학습공동체는 교수-학습에만 국한되지 않고 있으며 학교경영, 생활지도 등 다양한 영역에서 폭넓게 이루어지고 있다. 마지막으로, 교사학습공동체는 일시적이거나 단기적이기보다는 주기적이며 장기적으로 이루어지는 학습의 과정이다.

이와 관련하여 경기도교육청의 전문적 학습공동체 운영 사례를 살펴보면 다음과 같다. 경기도교육청(2019. 4.)은 전문적 학습공동체를 학교 안과 밖, 학교 간으로 대별하여 운영하고 있다. 학교 안 전문적 학습공동체는 단위학교를 중심으로 학교 내 교원들로 구성하여 운영하는데, 연수 학점 신청을 한 경우 직무연수로 인정해 주는 직무연수 학점화 정책과 병행하여 운영하고 있다. 학교 밖 전문적 학습공동체는 여러 학교 교원들이 관심 분야 연구를 위해 학교 밖에서 운영하는 것으로 자율동아리, 교원 연구 활동 조직 등이 있다. 학교 간 전문적 학습공동체는 공동 문제해결 및 동반 성장을 위한 학교 간 학습네트워크를 구축하는 것으로 교장, 교감 지구장학협의회, 교사 장학네트워크, 혁신학교 네트워크 등이 있다.

교사학습공동체와 같은 교육 담론 커뮤니티는 교직생활에서 도움이 필요하고 성장의 기회를 얻고자 할 때 교직에 대한 중층적이고 집단적인 지혜를 제공해 줄 뿐 아니라, 교직에서의 시련을 이겨 내는 힘도 제공해 줄 수 있다(Palmer, 1998).

4. 사회 변화와 교사의 역할

1) 미래 사회의 학교교육

현재 학교가 제도가 운영되고 있는 사회의 변화를 가장 잘 대변해 주는 용어가 4차 산업혁명이다. 인공지능, 로봇, 3D프린팅, 사물인터넷 IOT 등으로 대표되는 4차 산업혁명의 시대는 인간의 사고력에 대한 기술의 도전이다. 4차 산업혁명을 맞은 학교교육의 변화를 김재춘(국제미래학회, 한국교육학술정보원, 2017)은 다음과 같은 3단계의 진화과정으로 설명한 바 있다.

학교교육 1.0이라 명명한 근대 학교체제는 학생들이 알아야만 하는 지식을 전달하는 것을 중시했던 체제이다. 즉, 학교는 지식을 지닌 교사가 지식이 없는 학생들에게 지식을 전달해 주는 교육을 시행하는 공간으로 간주되었다(국제미래학회, 한국교육학술정보원, 2017). 그러나 3차 산업혁명, 즉 인터넷의 등장으로 지식의 검색과 공유가 쉬워지면서 지식의 습득에 가치를 두기보다는 지식을 활용하여 문제를 해결하는 역량에 주목하기 시작했다. 학교교육 2.0이다. 이 단계의 역량중심 학교교육은 지식의 습득뿐만 아니라 활용을 강조한다는 측면에서 진일보한 형태이다. 그러나 학습자의 교육에 대한 개인적 목적과 흥미를 존중하지 못한다는 측면에서 주도권은 여전히 교사에게 주어져 있는 단계이다. 즉, 학습목표의 다양성이 통제된 단계이다. 학교교육 3.0은 4차 산업혁명 시기에 맞는 교육체제로 교육목표의 다양성을 보장하는 단계이다. 이 단계에서 학생은 자신의 삶에서 중요한 문제를 발견하거나 탐구할 가치가 있는 문제를 직접 설계하고 탐구한다. 즉, 4차 산업혁명 시대가 요구하는 인재는 아무도 해 본 적 없는 일을 시도하며 새로운 문제를 발견하고 자신만의 방식으로 해결하면서 새로운 가치를 창조하는 사람이다.

다른 나라의 학교들이 운영하고 있는 미래의 혁신적 학교모델을 살펴보면 앞으로 우리나라의 학교교육이 어떠한 모습으로 변모해 갈 것인가에 대한 방향성을 찾을 수 있다. 해외의 혁신적인 교육이 일어나는 학교의 모습은 학생들이 보다 적극적으로 학습에 임하고, 협동적이고 창의적이며, 자기주도적이고, 비판적인 사고력을 갖추도록 성장시키기 위해 교육공동체 전체가 하나의 팀으로 움직이는 조직이다.

이러한 학교들은 다음과 같은 특징을 보인다(Martinez & McGrath, 2014). 첫째, 결속력이 강한 협동적인 학습공동체라는 점에서 그렇지 못한 학교들과 구분된다. 둘째, 학생들이 수동적인 학습자에 머무르는 것이 아니라, 학습경험에 보다 적극적으로 참여하도록 조장함으로써 자기주도적이고, 창의적이며, 협동적으로 교수-학습 활동에 임하도록 돕는다. 셋째, 교육과정이 보다 유의미한 학습경험이 되도록 교과 간 통합을 시도하거나 현실세계와 높은 연관성을 갖도록 재구성한다. 넷째, 학교라는 울타리를 벗어나 회사, 공공기관, 연구기관, 대학 등과 같은 지역사회와 파트너십을 맺음으로써 교실의 영역을 학교 밖으로 확장시킨다. 다섯째, 학생 개인의 잠재력과 흥미를 이해하기 위해 진력을 다함으로써 학생들을 감동시키고, 동기부여를 극대화시키기 위해 가능하다면 언제든 개별 맞춤형 교육이 되도록 노력한다. 마지막으로, 최신의 기술을 학습에 적용하되 단순히 학습을 기계화시키는 데 목적을 두는 것이 아니라 의도적으로 학습의 질을 향상시키고자 힘쓴다.

이상에서 분석한 혁신적인 학교의 모습이 보여 주는 미래사회 학교교육의 가장 큰 변화는 교수-학습의 주체가 교사 중심에서 학생 중심으로 이동한다는 점이다. 학교교육 1.0 시대에는 지적 권위자인 교사가 자신이 가르치기 원하는 교육내용을 학생에게 전수해 주는 것이 교육의 주된 활동이었던 반면, 학교교육 3.0 시대에는 교육의 목표, 교육의 방법, 교육의 장, 심지어 교사가 될 자격까지도 근본적으로 재구성되는 상황이 도래할 수 있음을 의미한다. 이러한 교육이 이뤄지는 공간의 확대가 가장 큰 변화라 할 수 있는데, 학생 개인별 특성을 살린 교육이 이루어지기 위해서 학교라는 울타리 밖의 지역공동체가 교육의 장으로 기능하게 된다.

2) 미래학교에서 교사의 역할

우리나라가 미래 사회에서 경쟁력 있는 선진국으로서 자리매김하기 위해서 미래 교육을 이끌어 갈 역량 있는 교사가 양성되어야 한다는 것은 필요조건에 해당한다.

미래 사회 학교교육의 변화는 교사의 역할 변화와 직결된다. 국제미래학회와 한국교육학술정보원이 편찬한 『제4차 산업혁명 시대 대한민국 미래교육보고서(2017)』는 교사의 역할 변화를 다음과 같이 제시하고 있다. 첫째, 플립러닝으로 대표되는 혼합 학습의 일반화이다. 플립러닝을 준비하기 위해서 교사는 IT, 머신러닝을 다룰 줄 알아야 하며, 다양한 자료에 대한 검색 및 활용 능력을 높여야 한다. 둘째, 협력학습을 준비하기 위해 교사는 학교 밖 현실에 민감해야 하며, 교과내용과 연계시킬 수 있는 다양한 기관, 전문가와의 교류의 폭을 넓힐 필요가 있다. 셋째, 교실학습과 현장학습을 연계시키는 크로스오버 러닝을 위하여 평생학습에 대한 관심을 높이고, 박물관, 미술관 등의 현장과 연계할 수 있는 주제 및 자료 개발에 대한 전문성 개발이 필요하다. 이상의 내용들은 전통적인 교사의 역할에 대한 근본적인 변화를 의미한다. 여기에 더하여, 몇 가지 핵심적인 역할 변화를 추가하면 다음과 같다.

지식 전수자가 아닌 학습 촉진자로서의 역할 변화이다. 미래학교에서 교사는 학습 촉진자, 프로젝트 관리자 및 코치로서의 역할을 해야 할 것이다(국제미래학회, 한국교육학술정보원, 2017). 학습 촉진자로서의 교사는 수업을 구조화하고 학생들에게 수업지도성을 발휘하여 학습을 안내하여야 한다. 학교교육 3.0의 가장 큰 특징이라 할 수 있는 교육목표의 자발적 설정이 학습자 주도로 이루어지기 때문에 교사는 학생 개인별 교육목표 달성을 위해 필요한 핵심 역량을 함양할 수 있도록 교육과정을 구성하고 관리해야 하며, 각 학생들의 학습 상황을 관찰하고 피드백을 제공해야 한다. 아울러 교사들은 학습 프로젝트의 관리자로서 학습자의 학습활동을 학부모 및 교육공동체와 조직하고 조정한다. 프로젝트 관리자는 학습자를 도와 학습자 스스로 자신의 학습 심화 정도를 확인할 수 있도록 한다.

교수-학습의 주도자가 교사에서 학생으로 중심축이 이동하는 것만큼 큰 변화는 지식 습득 중심의 교육에서 역량중심의 교육으로의 변화이다. 역량중심 교육은 단순 지식 전달식의 교육을 넘어 미래 사회를 능동적으로 살아갈 학습자들에게 요구되는 역량을 길러 주는 일련의 과정이며 학습자의 인지발달 현황 파악에 근거하여 문제중심 학습내용 설계, 교수-학습 방법 선정 및 학습효과 분석 전략 수립을 포괄한다. 즉, 학습자에게 필요한 역량을 길러 주기 위해서 어떠한 교수-학습 방법과 교수-학습 자료를 활용할 것인지를 결정하고, 교수-학습 과정에서 교수-학습의 성과를 관리하며 긍정적인 환류 제공자의 역할을 수행해야 한다.

학습과제

1. 2030년 한국의 중학교 교실환경과 교수-학습 상황을 묘사해 보자.
2. 더욱 효과적인 수업을 실행하기 위해 한국의 중학교 교사에게 필요한 능력에는 어떠한 것이 있는지 기술해 보자.

참고문헌

고재천, 강원근, 고전, 권동택, 김은주, 박경묵, 박상완, 박영만, 서명석, 이정선, 정혜영(2007). 초등학교 교사론. 서울: 학지사.

국제미래학회, 한국교육학술정보원(2017). 제4차 산업혁명시대 대한민국 미래교육보고서. 서울: 광문각.

교육부(2019. 9.). 2020년 교원연수 중점 추진방향(안).

경기도교육청(2020). 2020 자율장학 계획.

경기도교육청(2019. 4.). 2019 학교 안 전문적 학습공동체 운영 이해 자료: 궁금하면 펼쳐보는 학교 안 전문적 학습공동체 Q&A.

김경식, 박형진, 윤주국, 이병환, 이현철(2012). 교육사회학(제3판). 경기: 교육과학사.

김기태, 조평호(2003). 미래지향적 교사론. 서울: 교육과학사.

김이경, 한만길, 박영숙, 홍영란, 백선희(2005). 교원의 직무 수행 실태 분석 및 기준 개발(RR2005-08). 한국교육개발원.

김종서(1982). 교원의 자질: 현대사회와 교원. 서울: 농원문화사.

김종철(1994). 교육행정의 이론과 실제. 서울: 교육과학사.

김지선, 김도기(2017). 중학교 내 자생적 교사학습공동체의 참여 요인 탐색. 교육행정학연구, 35(1), 411-439.

남정걸(1999). 장학의 이론과 실제. 서울: 교육과학사.

류동훈(2004). 교사론. 서울: 창지사.

박선영, 박종국, 박주연, 최옥련, 최창섭(2010). 교육학개론. 서울: 원미사.

서경혜(2009). 교사 전문성 개발을 위한 대안적 접근으로서 교사학습공동체의 가능성과 한계. 한국교원교육연구, 26(2), 243-276.

서경혜(2016). 교사학습공동체. 서울: 학지사.

성태제, 강대중, 강이철, 곽덕주, 김계현, 김천기, 김혜숙, 송해덕, 유재봉, 이윤미, 이윤식, 임웅, 홍후조(2019). **최신 교육학개론(제3판)**. 서울: 학지사.

송경오, 최진영(2010). 초 · 중등학교 교사학습공동체의 측정모형 및 수준 분석. **한국교원교육연구**, 27(1), 179-201.

안창선, 남경현, 이욱범(1999). **교사론**. 서울: 교육과학사.

윤종건, 전하찬(1996). **교사론**. 서울: 정민사.

이원재, 최영준 외(2020). **코로나 0년 초회복의 시작**. 서울: 어크로스.

이윤식(2000). **장학론: 유치원 · 초등 · 중등 자율장학론**. 서울: 교육과학사.

진동섭(2003). **학교컨설팅: 교육개혁의 새로운 접근방법**. 서울: 학지사.

진동섭, 김효정(2007). 학교컨설팅의 원리 분석. **교육행정학연구**, 25(1), 25-50.

한국교원단체총연합회(2000). **예비교원을 위한 교사론**. 서울: 교육과학사.

황영준, 정창호(2014). **교사를 위한 교직윤리**. 경기: 교육과학사.

황인창(2008). **(새로운 관점과 접근에 의한) 교육사와 교육철학**. 서울: 교육아카데미.

Blackwood, R. E. (1980). Professionals-To Be or Not to Be. *Journal of Applied Communications, 63*(2), 7-12.

Hord, S. M. (1997). *Professional learning communities: Communities of continuous inquiry and improvement*. TX: Southwest Educational Development Laboratory.

Lieberman, M. (1956). *Education as a profession*. New Jersey: Prentice Hall.

Louis, K. S., Marks, H. M., & Kruse, S. D. (1996). Teachers'professional community in restructuring schools. *American Educational Journal, 33*(4), 757-798.

Palmer, P. J. (1998). **가르칠 수 있는 용기**(*The courage to teach*). 이종인, 이은정 공역. 서울: 한문화. (원저는 2011년에 출판).

Martinez, M. R., & McGrath, D. (2014). *Deeper Learning: How Eight Innovative Public Schools are Transforming Education in the 21st Century*. New York, NY: The New Press.

행정안전부 국가기록원(2021. 03 .14. 송출) https://www.archives.go.kr/next/search/listSubjectDescription.do?id=003202&pageFlag=&sitePage=1-2-1

제14장

한국교육의 미래

정제영(이화여자대학교 교육학과)

1. 학교교육의 성과와 근대식 학교교육의 문제점
2. 교육환경의 변화 전망
3. 인공지능 기술을 활용한 에듀테크의 발전
4. 미래교육의 방향과 과제

학습 개요

근대식 학교제도는 상당히 효율적인 시스템을 통해 산업사회의 인력을 양성해 내는 데 성과를 이루어 왔다. 특히 해방 이후 우리나라는 근대화 과정에서 세계가 주목할 정도로 빠른 속도로 교육의 양적 성장을 이룩하였다. 많은 학생을 효율적으로 가르치기 위한 교육제도인 학교 시스템은 2차 산업혁명의 대량생산 시스템(mass production system)과 닮은 대량생산형 교육 시스템(mass education system)이라고 할 수 있다. 하지만 2차 산업혁명의 산물인 표준화, 전문화와 관료제적 관리, 컨베이어 벨트를 통한 분업 등의 방식이 그대로 담겨 있는 학교제도는 여러 가지 문제를 노정해 왔다.

우리나라 교육은 저출산으로 인한 학령인구의 감소, 사회적 양극화와 교육격차의 심화, 4차 산업혁명과 인공지능 시대의 도래 등의 환경 변화에 직면해 있다. 특히 에듀테크로 일컬어지는 미래교육 혁명이 이미 세계 곳곳에서 진행되고 있다. 인공지능 기술의 교육적 활용은 한 명의 교사가 많은 학생을 대상으로 일방향 강의를 진행하는 근대식 학교교육의 문제를 해결해 줄 수 있는 대안으로 인식되고 있다. 새로운 기술이 개인별 맞춤형 학습을 지원하는 교육 혁신의 지렛대가 되어 줄 수 있다는 것이다. 이 장에서는 미래교육을 구현하기 위해 학교제도의 유연화, '교육과정-수업-평가-기록' 과정에 인공지능의 지원 강화, 교원의 미래교육 역량 함양을 주요 과제로 제시하였다.

1. 학교교육의 성과와 근대식 학교교육의 문제점

1) 근대식 학교교육에 대한 문제제기

현재 세계적으로 운영되고 있는 학교 시스템은 근대화의 시작과 함께 탄생했다. 모든 국민을 대상으로 근대식 교육을 제공하는 공교육 시스템(public educational system)이 도입된 때는 19세기 말이다. 신분이나 계층의 구분 없이 모든 국민에게 동일한 학교교육을 제공하는 제도를 '단선형(單線型) 학제(single ladder school system)'라고 하는데, 단선형 학제는 제1차 세계대전을 계기로 크게 진전한 유럽의 '통일학교 운동'의 결과이다. 통일학교 운동은 모든 국민에게 교육의 기회를 균등하게 제공하기 위한 제도이다. 영국에서 1944년에 현행 6 · 4제를 골자로 하는 「교육법」을 제정한 것과 프랑스에서 의무교육을 10년으로 하며 5년의 초등학교 위에 중등학교를 두는 교육개혁을 1959년에 이루어 낸 것 모두 통일학교 운동의 이념을 반영한 것이다.

학교제도가 양적으로 성장하여 교육기회의 확대에 긍정적인 영향을 미쳤음에도 불구하고 근대식 학교제도에 대한 문제제기는 지속적으로 이루어져 왔다. 많은 학생을 효율적으로 가르치기 위한 근대식 학교제도는 2차 산업혁명으로 등장한 대량생산 체제의 공장과 닮았다. 한마디로 '대량교육 체제'라고 볼 수 있다. 1900년대 초 테일러(Taylor, 1911)는 공장에서 좀 더 높은 성과와 수익을 얻을 수 있는 방법을 연구한 끝에 '과학적 관리론'을 고안했다. 테일러는 효율성과 생산성을 높이기 위해 시간과 동작을 분석하는 연구를 진행하여 공장에서의 '분업화'와 '전문화'를 구현했다. 포드자동차의 설립자인 헨리 포드(Henry Ford)는 당시 '과학적 관리론'을 공장에 적용하여 컨베이어 벨트와 표준화된 공정을 통해 대량생산 체제를 완성했다. 이로써 동일한 생산 공정을 반복하는 '표준화', 각자 자신이 맡은 부분만 담당하는 '분업화', 자신의 일을 완벽하게 해내는 '전문화'를 구현한 것을 '포디즘(Fordism)'이라고 한다. 하지만 대량생산 공장에서 조직의 능률을 높여 주었던 '과학적 관리론'은 1936년 찰리 채플린의 영화 〈모던 타임즈〉에서 묘사되었듯이 인간을 기계의 일부인 톱니바퀴처럼 통제함으로써 부정적으로 인식되기도 했다.

이러한 과학적 관리론과 포디즘에 기반을 둔 근대식 학교제도는 공장의 컨베이어 벨트를 학교의 학년제로 구현하였고, 표준화된 공정을 국가교육과정으로 만들어 냈다. 학생들은 자동차의 부품이 조립되듯이 컨베이어 벨트에 올려진 채로 일 년을 단위로 학년을 이동하게 되었다. 교사는 마치 공장의 노동자처럼 동일한 공정에 투입되어 표준화된 수업을 진행한다. 여기서 중요한 점은 대량교육 시스템에서는 학습의 주체인 학생이 교육의 대상, 즉 객체화된다는 것이다.

미국에서 연구된 콜먼(Coleman, 1966)의 보고서는 학교교육의 효과에 대해 근본적인 의문을 제기했다. 학생의 학업성취에 가장 큰 영향을 미치는 요인은 학생의 가정배경이며, 학교의 물리적 환경이나 교사의 질과 같은 학교 내 요인이 미치는 영향은 미미하다고 분석한 것이다. 젠크스 등(Jencks et al., 1972)은 콜먼의 연구결과를 뒷받침했다. 학생의 학업성취도에는 '가정배경, 인지능력, 인종, 학교의 질' 순으로 영향을 미치는데, 학교의 질은 약 2%의 영향을 미친다고 주장해 학교의 교육적 영향력을 낮게 평가했다. 이러한 연구 결과는 실제 학교의 교육적 효과에 대해 깊이 있는 연구를 진행하게 된 계기가 되었다.

학교교육에 대해 보다 비판적인 관점에서는 학교의 순기능보다 역기능이 더 많다는 점을 부각시키고 있다. 일리치(Illich, 1970)와 라이머(Reimer, 1971)는 학교교육이 학습자의 '자아실현'을 우선적으로 고려하기보다 사회통제 수단으로 전락했다고 비판했다. 보울즈와 진티스(Bowles & Gintis, 1976, 1986)는 학교가 자본주의의 불평등한 사회구조를 재생산하고 있다고 비판하면서 학교의 역기능이 크다는 점을 강조했다. 교육과정사회학과 문화재생산 이론에서는 학교의 교육내용과 운영 과정에서 사회적 지위가 낮은 계층의 학생은 학업성취가 낮을 수밖에 없다고 주장하면서, 학교 교육과정의 역기능을 강조하였다(Bernstein, 1977; Bourdieu, 1973).

1970년대 이후에는 학교교육의 효과에 대해 신자유주의적인 비판이 거세게 제기되었는데, 특히 공교육의 질적 수준과 성과관리 문제가 집중 부각되었다(Giroux, 1983). 미국에서 1970년대 이후에 시작된 효과적인 학교 연구(effective school research)들은 학교교육의 결과라고 할 학생들의 학습효과에 대한 근본 문제를 제기했다. 1983년에 발표된 「A Nation at Risk」 보고서에서는, 미국에서 국가의 목적의식이 상실되고 미국 경제가 쇠퇴하게 된 이유가 공교육의 부실 탓이라고 진단했다. 그에 따라 학교교육의 위기를 극복하고 교육의 질을 높이려는 방안으로 '강력한 리더십, 학생의 학업성취에 대한 관리, 교육을 위한 다양한 자원의 활용 등'을 제안했다(Edmonds, 1979).

1980년대 이후에도 학교의 문제들에 대한 해결을 위해 효과적인 학교 연구가 계속되었는데, 크리머즈(Creemers, 1996)는 이 시기의 연구의 주요 내용을 '학교 단위 책임경영, 리더십, 교직원의 전문성 계발과 협업, 목표의 설정과 공유, 학업성취에 대한 인정 등'으로 요약했다. 1990년대 이후에는 학교교육의 성과를 높이기 위한 효과적인 전략으로 '자율성(autonomy)'과 '책무성(accountability)'을 강조했다. 학교교육의 성과를 학생의 학업성취도로 설정하여 이를 높이기 위해, 운영 자율성을 최대한 존중하되 결과에 대한 책무성을 강하게 요구한 것이다(Laitsch, 2006; Peterson & West, 2003). 학업성취도에 기반을 둔 책무성 평가는 찬반 논쟁에도 불구하고, 다양한 학교교육의 문제를 해결할 효과적인 기제로 활용되고 있다(Kornhaber, 2004; Linn, 1998).

2) 우리나라 학교교육의 문제점

우리나라에서 모든 국민을 대상으로 근대식 학교제도가 전면적으로 도입된 것은 1945년 해방 이후이다. 해방 이후 우리나라의 근대화 과정에서 학교교육은 경제 · 사회 발전에 큰 기여를 했다고 평가받고 있다(이종재, 김성열, 돈 애덤스, 2010). 우리나라의 경제 성장과 교육의 관계를 분석한 결과에 따르면, 국민의 평균 교육년수의 증가 추세와 1인당 GDP의 성장 추세의 상관관계는 .931에 이르는 높은 정적 상관을 보이는 것으로 나타났다(정제영, 2016). 천연자원이 부족한 우리나라의 상황에서 교육이 우리나라 경제 발전 과정에 중요한 역할을 수행했음을 보여 주는 결과이다. 짧은 시간에 이루어 낸 우리나라 학교교육의 성과는 세계적으로 인정받고 있다.

우리나라에서는 1995년 5월 31일에 발표된 '신교육체제 수립을 위한 교육개혁' 이후 학교교육을 개선하기 위한 다양한 정책들이 본격적으로 추진되었다. 특히 2000년 전후에는 '교실붕괴' '학교붕괴' 등의 용어가 등장하면서 학교교육의 위기에 대한 심도 있는 연구들이 진행되고, 학교교육 내실화를 위한 개선 방안들이 제시되고 추진되어 왔다(윤정일, 김계현, 한승희, 윤여각, 우마고시 도오루, 2001; 윤철경, 이인규, 박창남, 1999; 이종재, 정제영, 2003). 교육부를 중심으로 하는 정부 주도의 교육개혁이 계속 추진되었지만, 우리나라의 교육문제를 근본적으로 해결하는 데 이르지 못하고 있다는 평가가 지배적이다(정제영, 2016).

근대식 학교교육에 대한 세계적인 비판은 우리나라의 상황에서도 그대로 적용될 수 있다. 우리나라의 경우에는 학교제도의 경직성, 국가교육과정의 획일성, 상대평가와 학생 간 치열한 경쟁체제 등을 더욱 강조해서 살펴볼 필요가 있다. 학생들은 제각기 고유한 소질과 적성을 갖고 있고 다양한 경험에 의해 체화되어 있다. 학교제도는 이런 학생의 다양성을 존중하지 못하고 평균 수준의 '표준화'된 목표를 지향한다. 학년제를 운영하는 기본 방식은 공장의 컨베이어 벨트와 같은 원리라고 볼 수 있는데, 실제로 운영 과정에서 개별 학생의 학습성과에 대한 관리가 이루어지지 않는다. 국가교육과정은 학년제와 강력하게 결합되어 있고, 학년별로 학습해야 할 내용의 분량은 표준화되어 있다. 학생들의 학습 상황과 무관하게 진도라는 형태로 수업이 진행되고 있는 것이다. 학교별로 교육이 운영되고 있지만, 전국적으로 볼 때 하나의 기업이 운영하는 공장들이라고 봐도 무방할 듯하다.

우리나라는 다른 나라들보다 더욱 뚜렷하게 서열화된 대학 구조를 갖고 있다. 일반적으로 명문대학은 어느 나라에나 존재하지만, 우리나라처럼 대학 졸업장이 취업에 미치는 영향, 생애소득에 미치는 영향이 매우 높은 국가는 드물다. 좋은 대학에 입학하고자 하는 강렬한 욕구는 우리나라 학생과 학부모라면 일반적으로 갖고 있는 특징이다. 대학입시에 고등학교의 내신 성적이 반영되기 때문에 고등학교 교사는 학생들의 공정한 경쟁을 위해 엄격한 상대평가를 요구받고 있다.

산업혁명과 과학적 관리론이 반영되어 있는 학교제도는 일반적으로 공장형 체제라는 특징을 갖고 있다. 학교제도의 가장 중요한 특징은 학습자의 개별적 상황이 고려되지 않은 제도의 획일성과 경직성이다. 이러한 특징으로 인해 학교교육의 가장 중요한 과정인 교수-학습활동이 성공적으로 이루어지지 않는 문제가 발생한다. 학교에 재학하고 있는 학생 중에서 상당히 높은 비율이 학교교육을 통해 학습을 제대로 하지 못하고 사교육에 의존하거나, 학업을 포기하는 현상이 발생하고 있다. 이러한 학교교육의 하위 시스템들의 문제에 대해 구체적으로 살펴보고자 한다.

(1) 학교제도의 경직성

우리나라의 현행 학제는 교육법령에 근거하여 학교 단계를 초등학교, 중학교, 고등학교, 대학교로 나누어 '6-3-3-4'제로 운영하고 있다. 우리나라의 모든 지역에서 동일한 학제를 운영하고 있는데, 효율성 면에서는 장점을 갖고 있지만, 제도의 경직성으로 인한 문제가 상당히 존재한다. 우리나라 국민이라면 누구나 만 6세에 초등학교에 입학해야 하고, 초등학교에 입학한 지 6년이 지나면 초등학교를 졸업하고 중학교에 입학해야 한다. 또 중학교에 입학한 지 다시 3년이 지나면 고등학교에 입학한다. 초등학교 과정을 덜 배웠다고 해서 초등학교를 7년 동안 다닌다거나, 초등학교 교육과정을 모두 학습했다고 해서 5년 만에 중학교에 입학할 수 있는 유연성은 거의 없다.

우리나라의 학교는 학생의 학습 수준, 학습 속도, 학습 필요, 문화적 차이 등을 반영하지 않고 경직되고 고정된 방식으로 운영된다. 따라서 학교에서 제공하는 내용과 수준과 속도에 일치하지 않는 학생들은, 더 빠르게 가는 학생도 더디 가는 학생도 모두 소외될 수밖에 없다(최상근, 박효정, 서근원, 김성봉, 2004). 결과적으로 학교제도를 너무 획일적으로 경직되게 운영함으로써 다양한 측면에서 비교육적 결과가 발생하고 있다(김영철 외, 2004). 학생들은 각자 모두 다른데 학교에서는 예외가 인정되지 않는 교육이 이루어지고 있는 것이다.

(2) 표준화된 교육과정의 획일성

학교제도의 경직성을 더욱 고착시키는 제도는 바로 국가교육과정이다. 학교에 처음 입학하는 초등학교 1학년부터 학생 간 학습 수준과 속도에서 차이가 나지만, 이를 반영하지 않은 국가수준의 단일한 교육과정이 운영되고 있다. 획일적인 교육과정은 수업시수, 과목별 단위 수의 형태로 구성된다. 학습의 양과 시간이 표준화되어 있다는 것은 결과적으로 학습자 개인별 차이를 고려하지 않고 있다는 의미이다. 허경철(2001)은 국가교육과정의 성격이 보다 유연하게 변화되어야 함을 강조하면서, 현행 국가교육과정이 학교에서 가르쳐야 할 교과목의 종류와 시간을 획일적으로 결정하는 부분에 대해 비판했다.

학교에 입학할 시점에서의 개인별 학력 수준 차이는 표준화된 교육과정을 통해 학년이 올라가면서 그 격차가 더 커지게 된다. 한번 학습 결손이 발생하면 계속 누적되어 극복하기가 매우 어렵다. 양정호, 서정화, 김영철과 백순근(2008)은 학력격차 해소를 위한 학습부진 책임지도 정책에 대한 연구를 통해, 학교급이 높아질수록 평균적인 학력성취 수준이 낮아짐을 확인했다. 조지민, 김명화, 최인봉, 송미영과

김수진(2007)은 학교급이 높아질수록 기초학력이 미달하는 학생의 비율이 높아지고 개인의 학습부진이 누적되고 있다고 분석했다. 김경근, 성열관과 김정숙(2007)은 학력 부진 학생의 특징과 학력 부진 학생들이 생기는 원인에 대해 면담법 등을 통한 질적 연구를 시도했는데, 교육과정의 평균적인 난도가 높기 때문에 학력 부진 학생들의 학력이 더욱 낮아지고 있다고 분석했다. 표준화된 교육과정의 운영으로 인해 수업 내용에 대한 흥미를 잃게 되고, 결과적으로 잠자는 교실의 문제나 일반고의 위기 현상 등이 나타나는 상황이다.

(3) 무한 경쟁을 유발하는 상대평가

강력하고 뚜렷하게 서열화된 대학에 입학하는 것을 정점으로 하여, 우리나라의 모든 고등학교에서 상대평가 제도를 시행하고 있다. 상대평가는 학생들의 성취수준을 서열에 따라 등급으로 나누어 평정을 하는 식으로, 현행 9등급제에서는 서열이 상위 4%에 해당하는 학생들만이 1등급을 받을 수 있다. 모든 학교에서 일정 비율의 학생들은 학습의 과정에서 실패한 것으로 평가받고 있다. 실제 학생들의 역량을 파악하는 데 상대평가의 결과인 등급이 나타내는 정보는 피평가 집단에서의 서열 이외에는 거의 없다. 해당 학생이 수학 교과에서 세부적으로 어떠한 특성을 갖고 있으며 어떤 부분에서 장단점이 있는지에 대한 정보를 제공하지 못하는 것이다.

성의철, 양혁승(2015)이 절대평가 대비 강제배분 상대평가 방식이 피평가자의 외재적 동기에 미치는 효과를 분석한 결과, 강제배분 상대평가 방식이 절대평가 방식에 비해 외재적 동기에 긍정적 영향을 미치는 반면, 기대공정성, 지각된 통제감, 기대결과치 모두에 부정적 영향을 미치는 것으로 나타났다. 그리고 강제배분 상대평가 방식이 외재적 동기에 미치는 정적인 직접 효과는 기대공정성, 지각된 통제감, 기대결과치를 통한 부정적 간접효과로 인해 일정 수준 억제되는 것으로 나타났다. 김성일, 윤미선과 소연희(2008)는 흥미와 내재동기에 대한 이론과 경험적 연구를 바탕으로 국제비교에서 우리나라 학생들이 상대적으로 낮은 학업 흥미를 보이는 주된 이유를 통제적인 학습환경, 경쟁으로 인한 불안 및 스트레스와 함께 빈번한 상대평가에서 오는 유능감의 박탈 등으로 파악했다. 상대평가는 결과적으로 일정한 비율로 학습에 실패한 학생들을 만들어 내기 때문에, 학교교육에서 실패하여 좌절하는 학생이 생길 수밖에 없기 때문이다.

표준화된 교육과정 운영과 연결된 내신 평가는 학년별 평가로서 동일 과목에 대해서는 가르치는 교사의 구분 없이 동일한 평가를 실시하고 있다. 수준별 반편성이 이루어지는 학교에서도 대부분 평가 문항은 동일하게 시행된다. 학생에 대해 많은 정보를 가지고 있는 교사에게는 거의 평가권이 주어지지 않고, 정답을 정확하게 응답해야 하는 선택형이나 단답형 위주로 문항이 구성되는 경우가 대부분이다. 평가가 획일적으로 이루어지면 교사의 수업도 획일적으로 이루어져야 하는 악순환이 발생한다. 결과적으로 토론과 상호작용이 활발한 교실 수업보다는 진도에 따라 지식을 정확하게 전달하는 수업으로 변질될 가능성이 높아지고, 학생 개인에 대한 수시평가나 형성평가의 적용 가능성이 낮아질 수밖에 없다.

고부담의 상대평가는 학업성취도가 낮은 학생뿐만 아니라 높은 학생들에게도 비교육적인 사교육을 유발하고 있다. 학업성취 목표를 달성하기 위한 목적의 사교육이 아니라 다른 학생과의 경쟁에서 이기기 위한 사교육이 발생하고 있으며, 이러한 사교육은 모두가 그만두지 않으면 지속될 수밖에 없는 것으로, 즉 경제학적으로 위치재(位置財)의 성격을 지닌다. 특히 학업성취도가 높은 학생들의 경우 대학입학이라는 인생 최대의 고부담 평가에서 상대적으로 높은 점수를 얻고자 정해진 교육내용의 문제를 빠르고 정확하게 해결하기 위해 무한 반복적인 학습을 하며, 이를 위해 어릴 때부터 학교 교육과정과 무관하게 사교육까지 받고 있는 상황이다.

3) 부분최적화 방식으로 진행되는 교육개혁의 한계

학교를 중심으로 하는 교육제도를 개선하려는 노력은 세계적으로 지속되어 왔다. 하지만 이러한 교육개혁의 시도를 타이맥과 큐번(Tyack & Cuban, 1995)은 "유토피아를 향한 어설픈 땜질(tinkering toward utopia)"이라고 표현한 바 있다. 우리나라에서도 수많은 교육개혁이 이루어져 왔으나 학교교육의 근본 문제를 해결하지는 못했다. 우리나라에서는 학교교육을 개선하기 위한 노력을 다음과 같이 지속적으로 추진해 왔다. 1945년 해방 이후 우리나라의 학교교육은 거의 새로운 시작에 가까운 수준이었다. 1948년 당시 13세 이상 인구 1,500만 명 중에서 초등학교 이상 학력 소지자는 12.6%에 불과하였고, 문맹자는 53%에 이르렀다. 학교교육의 입학과 졸업의 기회를 확대하는 것이 당시에는 가장 큰 교육적 과제였다(이종재, 김성열, 돈 애덤스, 2010). 이후 교육의 질적인 성장을 위한 정책들을 꾸준히 지속해 왔는데, 특히 1995년 5 · 31 교육개혁 이후의 교육정책들은 학습성과를 높이기 위한 목표를 설정하고 노력했다는 점에서 매우 큰 의미를 지닌다. 하지만 이러한 교육개혁의 노력들이 목표한 성과를 거두지 못한 데 대해서는 평가와 반성이 필요하다.

교육개혁이 성공을 거두지 못한 가장 큰 원인은 학교교육의 개선을 위한 시스템적 사고가 부족했기 때문이다. 정제영(2016)은 우리나라 교육개혁의 실패 원인을 "부분 최적화 전략의 한계"로 지적했다. 학교 시스템은 하위 시스템 사이에 유기적인 연계를 갖고 있는데, 이러한 시스템 간 연계를 고려하지 않고 하위 시스템별로 최적화하려고 시도하는 것은 결과적으로 전체 학교 시스템에 긍정적인 변화를 가져오기 어렵다는 의미이다. 거의 매년 바뀌어 온 대입제도를 포함한 다양한 변화 노력들이, 현재의 교육 패러다임을 바꿀 수 있는 수준에 이르지는 못하고 부분적으로 개선하려고 시도해 왔다. 하지만 이러한 교육제도 개선의 노력은 패러다임을 바꾸는 결과보다는, 일선 교육현장에서 교육개혁의 피로감으로 누적되어 왔다고 평가된다.

2. 교육환경의 변화 전망

1) 우리나라 교육환경의 정해진 미래

(1) 저출산으로 인한 학령인구의 감소

우리나라의 교육에 영향을 미치는 환경 변화는 매우 빠르게 진행되고 있으며, 적극적인 대응이 필요한 수준이다. 가장 시급하게 대응해야 할 과제는 저출산으로 인해 줄고 있는 학령인구 문제이다. 통계청의 e-나라지표에서 추출한 우리나라의 인구 변화 추이를 살펴보면, 총인구는 1970년대 3천 2백만 명에서 1985년에 4천 5백만 명, 2015년에 5천 1백만 명으로 증가했다. 인구성장률을 살펴보면 1970년에 2.18%에서 1990년에는 0.99%, 2005년에 0.21%로 최저점을 찍고 조금 상승했다가 2017년에 0.39%로 다시 감소하는 추세를 보인다. 합계출산율을 살펴보면 1970년에 4.53명에서 1980년 2.82명, 1985년에 1.66명, 2000년에는 1.47명이었다가 2005년에 1.08명으로 최저치를 찍은 뒤 조금 상승하다가 2016년 1.17명, 2017년 1.05명에서 2018년 0.98명, 2019년 0.92명, 2020년 0.84명으로 1명 이하로 감소하였고 OECD 국가 중에서 가장 낮은 수준이다.

연도별 출생아 수를 살펴보면 1957년 이후 1971년까지 100만 명이 넘었으나, 이후 지속적으로 줄면서 1996년에 70만 명대가 깨지고 60만 명대에 접어들다가 2002년부터는 40만 명대로 급감한다. 2002년 이후 많은 정책적 노력을 기울였지만, 신생아 출생은 40만 명대를 유지하는 데 그치다가, 2017년도에는 35.7만, 2018년 32.5만, 2019년 30.3만, 2020년 27.2만 명으로 빠르게 감소하고 있다.

저출산은 학령인구 감소에도 큰 영향을 미치고 있다. 통계청의 e-나라지표에서 추출한 우리나라의 학령인구 변화 추이를 살펴보면, 유치원과 초등학교, 중학교, 고등학교를 포함하는 전체 학령인구는 2010년에 867.7만 명으로 나타났는데, 2017년 716.4만 명으로 감소, 2020년에는 680만 명, 2025년에는 675만 명, 2030년에는 660만 명 수준으로 감소하리라 예상된다. 2014년 교육부는 대학구조개혁 추진계획을 발표하면서 "2018년부터 대학 입학정원과 고등학교 졸업자 수의 역전현상이 발생하고, 2020년 이후 초과 정원이 급격히 증가할 것"이라 예상하여 대학구조개혁 정책을 마련하였다. 대입 자원이 급격히 줄면서 교육의 질과 관계없이 지방대학, 전문대학부터 타격을 받게 되리라 예상되며, 결과적으로 고등교육의 생태계 전체를 황폐화할 우려가 제기하였다. 일자리 창출, 산업인력 양성 및 공급, 지역 문화 형성 등 지역에서의 대학 역할을 고려할 때 '지방대학의 위기는 지역의 위기'로 직결되는 것이다. 학령인구의 감소로 인해 학교 규모의 축소, 교원 정원의 감축 등의 소극적 정책이 제기되고 있는데 학생 수 감소를 교육의 질 제고의 기회로 삼아야 한다는 주장도 강하게 제기되고 있다(정제영, 2016). 저출산과 학령인구 감소에 대비한 미래교육의 방향을 설정하는 것이 매우 중요한 정책적 과제라고 할 수 있다.

(2) 사회적 양극화와 교육격차의 심화

우리 사회의 지속 가능한 발전을 저해할 수 있는 위협 요인으로 제기되는 문제 가운데 하나는 양극화의 심화이다. 경제 · 사회 양극화 현상은 교육을 매개로 세대와 세대로 이어질 수 있다는 점에서 양극화의 악순환으로 이어질 수 있다. 최근 회자되는 '수저론'은 부모의 사회경제적 지위가 자녀에게 고스란히 이어지는 폐단을 비판하는 관점이다.

교육부(2017a)에 따르면 경제 · 사회 양극화로 인해 교육투자 면에서 격차가 심화되고 있으며, 교육을 통한 계층이동 가능성에 대한 믿음도 약화되고 있다. 소득 1분위와 5분위 가정 간 교육비 격차가 2008년에는 5.2배에서 2016년에는 7.1배로 확대된 것으로 나타났다. 통계청의 발표에 따르면 계층 상향이동에 대한 비관적 인식이 2006년 29%에서 2013년 43.7%로 높아졌다. 한국개발연구원(2013)의 연구결과를 보면 '성공을 위한 노력'에 대한 믿음을 국가별로 비교한 결과, 우리나라는 51%로 나타나, 미국 64%나 중국 67%에 비해 낮은 수준이다.

소득계층 간 교육투자 격차도 심각한 상황이다. 소득수준에 따른 교육비 투자 격차는 매우 크고, 특히 사교육비 투자에서는 더 큰 차이(12.7배)를 보인다. 통계청의 가계동향조사 결과에 따르면, 월 소득 600만 원 이상인 가정과 월 소득 100만 원 미만인 가정의 교육비 지출 격차는 2006년 9.5배에서 2016년 10.2배로 점차 심화되는 추세이다.

상급학교 진학에서도 소득계층 간 양극화가 발생하고 있다. 사회경제적 지위가 높은 학생이 대학입시에서도 우수한 결과를 보이는데, 대도시, 중소도시, 읍 · 면 지역 순으로 수학능력시험 성적이 높은 것으로 나타난다. 소위 명문대학이라고 할 수 있는 대학의 재학생 다수는 국가장학금이 필요 없는 학생이라는 언론에 보도된 바 있다. 대학에 입학한 뒤로도 저소득층 학생들은 학비 부담 탓에 학업에 충실하기 어렵고, 취업 준비를 위한 해외연수나 졸업 유예 신청에도 더 제약이 있는 상황이다. 한국청소년정책연구원(2016)의 「대학생 졸업유예 실태 및 지원 방안 연구」에 따르면 졸업유예자의 52.8%는 부모가 비용을 지불하고, 부모가 졸업유예 비용 부담을 감당할 수 없는 저소득층 학생은 졸업유예 선택에 제약이 있는 것으로 나타났다.

사교육에 있어서도 교육격차가 존재한다. 최상위 가구(800만 원 이상) 월평균 사교육비는 50.4만 원으로, 최하위 가구(200만 원 미만) 월평균 사교육비인 9.9만 원과 비교해 보면 그 격차가 5배 이상인 것으로 나타났다. 소득수준에 따른 사교육비 지출 격차가 크다는 것을 보여 주는 결과이다. 사교육 참여율을 비교해 보면 최상위 가구(800만 원 이상)의 사교육 참여율은 80.1%로 나타났고, 최하위 가구(200만 원 미만)의 사교육 참여율은 39.9%로 나타나서 역시 큰 격차를 드러내고 있다. 사교육이 학업성취에 미치는 긍정적인 효과를 감안한다면 부모의 소득에 따라 교육의 기회가 달라지고 결과에 있어서도 상당한 격차를 나타낼 수 있다는 점을 보여 주는 수치라고 할 수 있다. 심해질 것으로 예상되는 교육격차를 해소하기 위한 정책 방향의 설정이 매우 중요한 과제라고 할 수 있다.

2) 4차 산업혁명과 인공지능 시대의 도래

2016년 세계경제포럼(World Economic Forum: WEF)에서 제기된 4차 산업혁명으로 인한 지능정보기술의 발전은 기존 생산요소(노동, 자본)를 압도하는 산업의 구조변화를 촉발하고, 사회 전반 엄청난 영향을 미칠 것으로 전망된다. 박종현 등(2014)은 지능정보사회를 "인공지능(AI)과 ICBM의 생활화"로 정의하고 있다. ICBM은 "사물 인터넷(Internet of Things: IoT) 센서가 수집한 데이터를 클라우드(Cloud)에 저장하고, 빅데이터(Big data) 분석 기술로 이를 분석해서, 적절한 서비스를 모바일(Mobile) 기기 서비스 형태로 제공하는 것"을 의미하고 있다.

슈왑(Schwab, 2016)은 3차 산업혁명과 비교하여 4차 산업혁명이 갖는 질적인 차이를 세 가지로 제시하고 있는데, 속도(velocity), 범위와 깊이(breadth and depth), 총체적 영향(systems impact)을 특징으로 강조하였다. 인공지능 기반의 지능정보기술은 기존의 생산요소를 압도하는 산업의 구조변화를 촉발하고, 사회 전반에 걸쳐 엄청난 영향을 미칠 것으로 예상된다. 4차 산업혁명 이후의 급속한 사회의 변화에 적극적으로 대응할 수 있는 인재를 양성하기 위하여 교육의 변화가 필요한 상황이라고 할 수 있다.

2020년 세계경제포럼은 4차 산업혁명 시대를 위한 새로운 교육 모델을 정의하는 미래교육 비전을 발표하였다(WEF, 2020). WEF(2020)는 교육 혁신을 주도하기 위한 다섯 가지 접근법을 제시하였다. 첫째, 재미를 함양한(playful) 접근법은 학생들이 적극적 사고, 사회적 교류를 통해 의미 있는 학습을 할 수 있도록 즐거운 경험을 제공하는 것이다. 둘째, 경험적인(experiential) 접근법은 실생활에 응용할 수 있는 콘텐츠(프로젝트 기반 학습, 연구 기반 학습)를 제공하는 것이다. 셋째, 컴퓨터를 사용한(computational) 접근법은 학생들에게 컴퓨터가 문제를 어떻게 푸는지 이해하도록 하여 문제를 해결할 수 있도록 하는 것이다. 넷째, 체화된(embodied) 접근법은 신체의 움직임을 통한 학습을 의미한다. 다섯째, 다문화적(multiliteracies) 접근법은 언어가 사용되고 공유되는 다양한 방법을 배우고 학습과 문화에 대한 인식을 연결해야 한다는 것이다.

경제협력개발기구(OECD)는 장기적인 관점에서 미래교육의 비전을 제시하고 교육의 궁극적인 목적을 '개인과 사회의 웰빙'으로 제안한 바 있다(OECD, 2018). 최근에는 OECD(2019)에서 인공지능 시대의 전략에 대해 회원 36개국과 아르헨티나, 브라질, 콜롬비아, 코스타리카, 페루, 루마니아가 참여하여 AI에 관한 OECD의 원칙(The OECD AI Principles)을 채택하였다. OECD는 AI 관련 권고안과 원칙을 발표하였고 이는 국제 표준으로 작용해 국내외 AI 사업 전반에 영향을 미칠 것으로 전망된다. OECD는 인공지능 정책 추진에 있어서 가치에 기반한 다섯 가지 원칙을 제시하였다(OECD, 2019). 첫째, 인공지능은 포용적 성장(inclusive growth), 지속 가능한 개발 및 복지(sustainable development and well-being)를 추진함으로써 사람들과 지구에 이익을 가져다주어야 한다. 둘째, 인공지능 시스템은 법, 인권, 민주적 가치, 다양성을 존중하는 방식으로 설계되어야 하며 정의롭고 공정한 사회를 위한 안전장치(appropriate safeguards to ensure a fair and just society)를 포함해야 한다. 셋째, 사람들이 인공지능 알고리즘에 기반하여 도출한 결과를 이해하고 그 결과에 도전(challenge)할 수 있도록 인공지능 시스템에 대해 투명하고 책임감 있게 공개해야 한다(transparency and responsible disclosure around AI system). 넷째, 인공지능 시스템은 수명 주기 내내 강력하고 안전한 방식으로 기능해야 하며 잠재적 위험성을 지속적으로 평가하고 관리(continually assessed and managed)해야 한다. 다섯째, 인공지능 시스템을 개발, 구축, 운영하는 기관과 개인은 앞의 원칙에 따라 적절히 기능하도록 책임(accountable)을 져야 한다.

OECD는 또한 인공지능 정책과 관련된 권고안(Recommendation of Council on AI)에서 신뢰할 수 있는 AI를 위한 국가 정책 및 국제 협력을 위해 권고 사항을 제시하였다(OECD, 2019). 첫째, 연구 개발에 대한 공공 및 민간 투자를 촉진하여 신뢰할 수 있는 AI의 혁신(innovation in trustworthy AI)을 촉진해야 한다. 둘째, 데이터와 지식을 공유할 수 있는 디지털 인프라와 기술, 메커니즘으로 접근 가능한 AI 생태계(accessible AI ecosystems)를 구축해야 한다. 셋째, 신뢰할 수 있는 AI의 시스템 구축을 위한 정책 환경(policy environment)을 보장해야 한다. 넷째, 사람들이 AI 기술을 배울 수 있도록 하고 공정한 전환(fair transition)을 위해 근로자들을 지원해야 한다.

다섯째, 신뢰할 수 있는 AI의 책임 있는 관리(responsible stewardship of trustworthy AI)를 위해 국경과 분야를 넘나들며 협력해야 한다는 것이다.

미국은 미래 사회를 '인공지능의 시대(Artificial Intelligence Era)'라고 규정하고, 인공지능 영역에서 미국의 리더십을 유지하는 것이 경제 및 국가 안보에 매우 중요하다고 강조하고 있다. 국제 사회에서의 리더십을 유지하기 위해 다양한 영역에서의 인공지능 관련 정책을 구상하고 제시하고 있다. 2018년 5월 백악관은 인공지능 시대에 미국의 리더십을 유지할 수 있도록 하는 AI 관련 정책에 대한 회의를 개최하였다. AI 관련 R&D에 대한 적극적 지원, STEM 교육과 AI 관련 교육을 통해 산업의 요구에 맞는 인력개발, AI 혁신의 장애물이 되지 않도록 과도한 규제 개선, AI에 대한 시민들의 인식 개선 등 AI와 관련된 연방정부의 노력을 강조하였다. 미국의 지속적인 리더십을 확보하기 위해 국가 과학기술위원회 산하에 'AI 특별 위원회'를 설치하는 것으로 결정하였다.

트럼프 대통령 정부에 들어서면서 2019년에 백악관의 'AI 집행 명령'에 인공지능 분야에서 미국의 리더십을 유지하기 위한 다섯 가지 원칙을 제시하였다(White House, 2019). 첫째, 미국은 과학적 발견, 경제 경쟁력 및 국가 안보를 장려하기 위해 연방 정부, 산업 및 학계 전반에 걸쳐 AI의 기술 혁신을 주도해야 한다. 둘째, 미국은 새로운 AI 관련 산업의 창출과 오늘날의 산업이 AI를 사용할 수 있도록 적절한 기술 표준 개발을 추진하고 AI 기술의 안전한 테스트 및 활용에 대한 장벽을 줄여야 한다. 셋째, 미국은 현재와 미래 세대의 미국 근로자들에게 AI 기술을 개발하고 적용할 수 있도록 훈련시켜 오늘날의 경제와 미래의 직업에 대비할 수 있게 해야 한다. 넷째, 미국은 AI 기술의 잠재력을 충분히 실현하기 위해 AI 기술에 대한 국민의 신뢰를 높이고 시민의 자유와 프라이버시, 가치를 보호해야 한다. 다섯째, 미국은 미국의 AI 연구와 혁신을 지원하기 위해 국제 환경을 조성해야 하며 미국의 AI 산업을 위한 시장을 개방하는 동시에 미국의 AI 기술 우위를 보호하고 미국의 중요한 AI 기술을 전략적 경쟁국과 적대국의 인수로부터 보호해야 한다.

전 세계는 2020년에 코로나19라는 팬데믹을 경험하면서 인적 교류의 통제를 경험하게 되었다. 온라인 시스템 적용이 전면화되었고, 교육 분야에서도 다양한 디지털 기기의 활용이 일상화되었다. 대부분의 학교에서 온라인 매체를 활용한 교육을 실시하였고, 교육의 디지털화가 가속화되는 계기를 마련하게 되었다. 먼 미래의 상황이라고 예상했던 디지털 기반 교육이 가까운 현실로 다가온 것이다. 에듀테크와 인공지능 융합 교육이라는 단어가 일상적으로 활용되는 상황을 맞이하게 되었다.

3. 인공지능 기술을 활용한 에듀테크의 발전

1) 클라우드 기반 교수-학습 플랫폼

에듀테크 기술과 학습 서비스가 학교에서 자유롭게 활용되기 위해서는 다양한 학습의 콘텐츠와 시스템이 탑재되어 있는 교수-학습 플랫폼을 구축하는 것이 필요하다. 교수-학습 플랫폼은 다양한 에듀테크 산업의 서비스가 탑재될 수 있도록 설계되는 것이 중요하다. 또한 시스템의 안정적인 운영과 학습자 데이터 수집을 위해서는 클라우드 생태계를 구축하는 것이 필수적이라고 할 수 있다.

클라우드 기반 교수-학습 플랫폼은 현재 학교에서 활용되고 있는 학습관리시스템(Learning Management System: LMS)에서 온라인 콘텐츠를 시청하고 관리하는 것 이상으로 종합적인 맞춤형 학습 관리 기능을 수행하는 것이다. 개별 학생의 교수-학습을 종합적으로 관리하기 위해서는 학생들의 학습 분석이 기본적으로 이루어지고, 이를 토대로 진학 및 진로 상담, 역량 개발 및 관리, 평가와 기록 등의 종합적인 학습관리 기능이 포함되어야 한다. 교수-학습 플랫폼은 궁극적으로 교사들의 맞춤형 수업을 지원하여 학생마다 개별적인 잠재 역량을 최대한 발휘할 수 있도록 지원하는 이상적인 교육 관리체제로 발전되고 있다. 이러한 교수-학습 플랫폼의 비전을 목표로 제시함으로써 민간의 개발 방향도 국가의 목표에 맞추어 이루어지고 있는 상황이다. 클라우드 기반의 교수-학습 플랫폼은 공공과 민간이 상생하는 플랫폼 시장으로 형성되고 있다 .

첨단화된 교수-학습 플랫폼이 되기 위해서는 클라우드 생태계를 활용하는 것이 중요하다. 클라우드 컴퓨터는 동적 서비스 분산을 통한 안정된 운영, 표준화된 학습 플랫폼 공통 설계기준의 적용, 민간 참여에 의한 콘텐츠, 앱, 솔루션 및 서비스 마켓플레이스의 개설을 가능하게 할 수 있다. 궁극적으로 클라우드 기반 지속적 발전이 가능한 교육 생태계를 구축하기 위한 기술적 기반이라고 할 수 있다.

교수-학습 플랫폼의 기반이 되는 것으로 볼 수 있는 클라우드 인프라는 서비스로서의 인프라(Infrastructure-as-a-Service), 서비스로서의 플랫폼(Platform-as-a-Service), 서비스로서의 소프트웨어(Software-as-a-Service)의 클라우드 컴퓨터 계층 위에 서비스로서의 교육(Education-as-a-Service)을 구현하는 것이 중요하다. 이는 해외에서 활용하는 클라우드 컴퓨팅 서비스의 일반적인 구성요소라고 할 수 있다.

2) 인공지능을 활용한 학습지원시스템

인공지능 기술의 교육적 활용(AI in Education)은 세계적으로 상당히 빠른 속도로 개발되고 있으며, 적용의 속도도 더욱 빠르게 진행되고 있다. 기존의 온라인 기반 교육 프로그램들이 인공지능과 빅데이터에 기반하여 급속히 빠른 속도로 발전하고 있는 것이다. 산업과 시장적 측면에서 살펴보면, 세계 교육시장은 2025년에 약 7조 8천억 달러까지 확대될 것으로 예상되는 가운데 에듀테크가 4.4%를 차지할 것으로 예상되며, 에듀테크의 시장 규모가 3,420억 달러로 가파르게 성장할 것으로 예견되고 있다(Holon IQ, 2019).

교육적 측면에서 본다면, 코로나19로 심화된 언택트 온라인 교육환경과 인공지능 시대의 학습환경에서 인공지능을 활용한 학습지원 시스템을 활용하여 공교육 내에서 '학생 맞춤형 학습지원'을 구현할 것이라는 기대가 커지고 있다. 교육부에서도 인공지능 기술을 활용한 교육의 변화에 대해 정책을 발표하는 등 맞춤형 교육을 적용하기 위한 노력을 기울이고 있다(교육부, 2020). 학습자 맞춤형 교육 실현과 함께 고부가가치의 에듀테크 신산업 창출을 통한 차세대 국가 먹거리 창출의 필요성이 높아지는 것이다.

정부의 정책적 측면에서도 비대면 산업 육성 및 활성화를 추진하고 있다. 특히 원격교육으로 인한 교원의 수업 운영 · 지원 업무 부담 증가와 학부모의 자녀 학습지도 · 관리 부담 등을 해결하기 위한 방향으로 인공지능 기술을 활용하려는 시도를 하고 있는 것이다. 인공지능을 활용한 학습지원 시스템은 교원들의 수업과 관련된 업무를 지원하는 'AI 보조교사'의 역할을 수행할 수 있다. 교원들에게 학생들의 수준을 분석한 데이터를 제공하고, 학습자에 맞는 학습자료를 제공해 줄 수 있으며, 채점으로 자동을 지원할 수 있다. 학생들에게는 'AI 개인교사'의 역할을 수행해 줄 수 있는데, 본인의 학습 수준과 이력, 속도에 따라 맞춤형으로 학습자료와 경로를 안내해 주는 역할을 할 수 있다. 이러한 인공지능 학습지원 시스템은 개인별 맞춤형 학습을 통해 학교에서 발생하는 학습 격차를 줄여 주는 역할을 효율적으로 수행할 수 있을 것으로 기대된다.

(1) 지능형 튜터링 시스템

지능형 튜터링 시스템(Intelligent Tutoring System: ITS)은 오래전부터 학생의 학습 속도에 수준에 맞추어 개별화된 적응적 학습(adaptive learning)을 제공하는 컴퓨터 기반 학습 시스템이다. 최근에는 인공지능 기술과 빅데이터 분석의 기술이 접목되면서 매우 각광받고 있는 학습 시스템이라고 할 수 있다. 기존 ITS는 개별 학생에게 맞춤형으로 체계화된 지식의 구조를 갖는 수학과 물리 영역에서 활용되어 왔다. 최근에는 다양한 교과에 적용되면서 더욱 주목을 받는 에듀테크 분야라고 할 수 있다. 학습의 주제와 교수방법에 대한 전문가의 지식을 활용하여 개별 학생의 잘못된 개념을 바로잡아 주고 학습성취를 돕는 방식이다. 학생의 학습 수준에 맞추어 교육내용과 학습활동들에 대한 최적의 단계별 학습 경로를 결정하고 제공하는 것이다. ITS는 학생들에게 개별화된 맞춤형 학습의 과정에서 과제와 문제의 난이도를 조절하고 힌트와 지침을 제공함으로써 학생이 주어진 학습 주제를 효과적으로 배울 수 있도록 도움을 제공하는 것이다.

ITS의 기본적인 구조는 '지식 모델(knowledge model)' '학습자 모델(student model)' '교수자 모델(pedagogy model)' 그리고 '사용자 인터페이스(user interface)' 등 네 가지 부분으로 나누어져 구성된다. 지식 모델은 전달하고자 하는 전문적인 지식(What is being taught)을 의미하는데 학습해야 할 지식 내용(knowledge component)으로 구성되어 있다. 학습자 모델은 학습자에 대한 지식(Who is being taught)으로 구성되어 있는데 최근 학습자의 다양한 학습과정과 학습결과에 대한 빅데이터를 기반으로 기술적 진보가 이루어지고 있다. 이를 통해 학습자 맞춤형 경로를 결정하게 된다. 교수자 모델은 교수방법에 대한 지식(How to teach him/her)으로 구성되어 있다.

(2) 지능형 튜터링 시스템의 다양한 유형

이미 오래전에 소개되었던 ITS는 매우 기초적인 시스템과 데이터에 기반하여 단순한 인터페이스를 가지고 있었던 상황이었다. 하지만 최근에는 컴퓨터 성능의 발전, 빅데이터의 축적과 분석적 활용, 클라우드 컴퓨팅 기술의 비약적 발전 등을 통해 다양한 과목에서 상당히 빠른 속도로 발전되어 활용되고 있다.

미국 Carnegie Mellon University에서 개발한 MATHia는 미국의 K-12 학생들을 위해 개발된 인공지능 기반의 맞춤형 수학 학습 시스템이다. MATHia는 학생들이 시스템에 구성되어 있는 수학 문제들을 순서대로 풀어 나갈 때 시스템은 학생들의 주제별 학습성취와 학생들의 오개념을 확인하고 맞춤형 학습과정에 대해 마치 학생별 개인 코치처럼 지도하는 것이다. MATHia 시스템은 빅데이터 분석에 기반한 자동화된 피드백을 제공하는데, 학생들이 왜 틀렸는지에 대해 설명하는 것뿐만 아니라 어떻게 옳은 답을 할 수 있는지에 대해서도 설명을 제공한다. 학생들은 자연스럽게 MOOC 환경에 대비할 수 있으며 학생 관리 효용성을 높일 수 있는 것으로 보고 있다.

대화형 튜터링 시스템(Dialogue-Based Tutoring Systems: DBTS)은 대화를 기반으로 학습이 이루어지는 ITS의 새로운 버전이다. 보통의 ITS는 학습 교재나 학습활동들을 개인별 맞춤형으로 제시하는 대신에 학생들을 학습 주제에 대한 대화에 참여시킨다는 점에서 대부분의 ITS와 차별점이 있다. IBM과 피어슨(Pearson)이 협력해 개발한 왓슨 튜터는 가장 유명한 대화형 튜터링 시스템의 하나라고 할 수 있다. 피어슨의 고등교육 교육용 프로그램인 레벨(REVEL)에 통합되어 출시되었다. 학생들은 복습을 하는 세션에서 대화의 방식으로 학습을 진행한다. 학습의 보조 내용을 제공하고, 학생들의 진전과정을 기록하고, 학생들의 답과 주제 습득 정도에 따른 분류에 따라 맞춤형 대화를 제공한다.

왓슨 튜터의 중요한 기능은 학습목표와 수행목표, 학습목표 사이의 관계를 나타내는 지식 그래프, 주요 질문과 답변, 주장, 주장에 대한 힌트 질문, 빈칸 채우기 질문으로 이루어져 있다. 왓슨 튜터는 교수 모델로 소크라테스의 대화법을 사용한다고 밝히고 있는데, 대화 관리자로서 구현하고, 대화식 접근을 반복해 실행목표로 나아가도록 인도하는 것이다. 학습자 모델은 학생들의 숙련도 평가, 개방적 학습자 모델(open learner model)의 역할도 수행하고 있다. 개방적 학습자 모델은 학습자의 학습 데이터 분석을 통해 시스템 자체를 개선하는 역할을 수행하는 것이다.

탐구학습시스템(Exploratory Learning Environments: ELE)은 구성주의적 접근방식으로 학생이 학습 환경의 요소를 탐구하고 조작해 지식을 적극적으로 구성하도록 권장하는 시스템이다. 학습자가 원하는 대로 탐구할 수 있는 비정형적이고 개방적인 학습환경을 제공한다는 특징을 갖고 있다. 정형화된 학습 경로를 제시하고 있는 기존의 ITS와 다른 점이 바로 학습자 스스로 학습 경로를 만들어 간다는 점이다. ELE에서는 올바른 행동에 대한 명확한 정의가 어렵다는 문제를 해결하기 위해 비지도 학습(데이터와 학습성과를 바탕으로 유사하게 학습하는 학생들을 그룹핑 하는 방식의 머신러닝 기법)을 활용하고 있다. 그룹핑의 과정을 통해 새로운 학습자를 분류하고 더 높은 성과를 달성하도록 실시간으로 적응적 학습을 유도하는 것이다.

자동 서술형 평가(Automatic Writing Evaluation: AWE)는 '자연어 처리'와 '의미 처리' 기술을 활용하여 시스템에 제출된 학생의 글에 대해 자동적으로 평가와 피드백을 제공하는 시스템이다. 지능형 튜터링 시스템, 대화형 튜터링 시스템, 탐구학습 시스템은 AWE와 달리 학생들이 즉각적인 맞춤형 지원을 받으며 개인 맞춤형 학습 경로를 따르고 있다. 하지만 AWE는 두 가지 접근법을 활용하는데, 첫째, 형성적 접근법은 학생들이 최종 평가를 받기 위해 본인의 글을 제출하기 전에 본인이 쓴 글을 개선할 수 있도록 잘못된 부분이나 개선이 필요한 부분을 알려 주는 것이다. 둘째, 총괄적 접근법은 학생의 글에 대한 평가의 결과를 최종 성적으로 평정하는 것이다. 기존에 개발된 서술형 평가는 대부분 피드백보다는 성적의 평정에 기울어져 왔다. 교실에서 이루어지는 저부담 평가뿐만 아니라 전국 단위의 고부담 평가에서도 AWE가 사용되고 있다. 자동화된 언어 판독 기술은 AWE가 획기적으로 발전하는 데 큰 역할을 수행하였다.

지능형 에세이 평가(Intelligent Essay Assessor: IEA)는 잠재 의미 분석을 사용하는 발전된 에세이 평가 시스템이다. 단어와 문장이 발견되는 맥락을 고려해서 의미 추론이 가능하고, 훈련 말뭉치에 대한 목표 문서의 의미상 연관성 계산이 가능하다. IEA의 점수 판정 방식은 유사도 점수 계산인데 전문가들에 의해 미리 채점된 모델 에세이 기준, 컴퓨터가 채점한 교과서와 학술 논문 같은 정보 출처 자료를 포함하는 훈련 텍스트의 결과를 비교하는 방식이다. IEA의 진단과 피드백은 각 분야를 대표하는 주요 텍스트와의 비교를 통해 개념과 내용, 구성, 문장의 유창성, 단어 선택, 관습, 표현 등 6개 영역을 평가한다. 영역에 걸쳐 진단과 형성적 피드백을 제공한다. 특히 인간 채점자가 확인하기 어려운 표절이나, 비슷한 표현의 반복도 확인이 가능하다고 할 수 있다.

이레이터(e-Rater)는 미국의 대표적인 평가회사인 ETS에 의해 개발된 평가 시스템이다. 최근에는 이레이터가 GMAT나 CCS(Common Core Standards) 평가에서 활용되고 있다. 자연언어 처리 기술(NLP)을 사용하여 에세이에서 발췌하는 언어적 특징으로 평가를 하고 있다. 평가의 알고리즘은 최종 점수의 예측을 위해 선형 회귀분석의 방법을 사용하고 있다. ETS는 피험자가 외국인인 경우, 해당 문화와 모국어의 차이를 보정해 개발한 다양한 영역들의 이레이터 평가결과가 학술적 타당도를 갖고 있다고 설명한다.

4. 미래교육의 방향과 과제

1) 학교제도의 유연화

우리나라의 눈부신 경제적 발전은 학교교육의 성과에 기인하고 있다는 국제적 평가를 받고 있다. 하지만 세계적으로 비교해 볼 때, 중앙집권적이고 획일화된 교육과정을 운영하고 있다는 특징을 함께 갖고 있다. 현재 근대식 학교 모형으로 비판을 받고 있는 공장형의 대량생산 교육체제의 특징이 매우 강하다는 것이다. 국가가 정한 교육과정에 의거하여 전국적으로 거의 동일한 수준과 속도로 수업이 진행되고 있다는 점에서 학생의 개별화된 맞춤형 교육이 이루어지기 어려운 구조이다.

에듀테크의 적극적 활용이 이루어지기 위해서는 이러한 경직적 학교제도를 유연화하는 것이 매우 중요한 과제라고 할 수 있다. 산업사회의 인력을 양성하기 위해 공장과 같은 방식으로 표준화된 규격에 맞는 '인재'를 양성해 왔던 기존 방식에서 벗어날 필요가 있다. 학생 개개인의 흥미와 소질, 학습과정에서의 이해도 및 개인별 성취수준에 적합한 맞춤형 교육을 시행하는 것이 중요하다. 학생들에게 개별화된 맞춤형 교육을 실시하고 학생의 완전학습을 위해서는 동일한 시간과 과정의 평가를 시행하는 경쟁 중심의 상대평가에서 벗어나서 협력학습이 이루어질 수 있도록 절대평가 방식으로 전환하는 것이 필요하다.

코로나19는 우리 사회에 커다란 충격으로 다가왔다. 원하지 않지만 어쩔 수 없이 온라인 원격수업을 전면 도입하게 되었다. 코로나19가 사회적으로 부정적인 영향을 많이 미치고 있지만, 대량의 온라인 중심 미래교육 실험을 경험하게 해 주었다는 점에서 긍정적 측면도 찾아볼 수 있다.

코로나19를 극복하더라도 현재 우리가 직면한 학교교육의 문제에 대해 그 원인을 철저하게 진단하고 분석하여 인공지능 시대에 적합한 미래교육 시스템을 새롭게 설계해야 한다. 기존에 제안되고 시행된 학교교육 개혁 방안들은 단편적인 사고에 기반하여 학교교육 시스템을 부분적으로 개선하고자 시도하였다. 하지만 수많은 교육개혁이 큰 성과를 거두지는 못한 것으로 평가받고 있다(정제영, 2016).

학교 조직은 기본적으로 관료제를 중심으로 학생들을 교육시키는 '대량생산형 교육체제(mass educational system)'이기 때문에 공장의 형태와 유사하다. 경직된 학제를 바탕으로 전국적으로 표준화된 국가교육과정을 운영하고 있다. 교실의 수업은 정해진 진도를 나가는 방식으로 진행되며 결과적으로 상당히 많은 학생들의 학습 실패를 당연하게 받아들이는 상황을 초래하고 있다. 우리나라에서 양산되는 수포자는 결과적으로 학교의 실패를 보여 주는 중요한 증거라고 할 수 있다.

2025년에 전면 도입이 예정된 고교학점제는 '맞춤형 교육을 실시함으로써 고등학생 모두가 성공적으로 완전학습에 도달하는 교육목표를 지원'하는 것을 목적으로 하고 있다. 고교학점제는 학교교육 시스템을 총체적으로 혁신하는 방향을 담고 있다고 평가할 수 있다(정제영, 2018). 유연한 학교제도 구현의 중요한 방향인 고교학점제가 안정적으로 정착되기 위해서는 여러 가지 보완적 조치가 필요하다. 우선, '2022 개정 교육과정'의 방향을 잘 설정하여 고교학점제의 정착을 위한 틀을 만드는 것이 무엇보다 시급하고 중요한 과제이다. 또한 학교교육 혁신의 과정에서 정책을 안정적으로 제도화하는 것은 바로 법령으로 규정하는 법제화의 과정이라고 할 수 있다. 고교학점제를 도입하기 위한 법률, 대통령령, 교육부령, 훈령 등을 종합적으로 검토하여 유연한 학제의 제도적 기반을 갖추어야 한다(정제영, 황규호, 박주형, 2020).

고교학점제를 다르게 표현한다면 무학년제를 인정하는 것이고, 더 나아가 학생 개인별 교육과정을 인정하게 된다는 것이다. 학생별로 개인화된 학습의 속도와 내용을 인정하는 것은 에듀테크 기술 적용의 중요한 전제 조건이라고 할 수 있다. 학교의 수학 수업을 생각해 본다면 고등학교뿐 아니라 중학교에서도 학생별로 심각한 학습 수준 차이가 발견된다. 초등학교 고학년에서도 학업성취 수준의 차이가 발생한다. 따라서 고교학점제의 정착 과정을 살펴보면서, 중학교와 초등학교에서도 수학과 같이 지식 구조의 계열성이 높은 교과의 경우에 학점제와 같은 무학년제 도입을 검토할 필요가 있다.

초등학교, 중학교, 고등학교의 교육기관별 특성과 교과목의 특성 등을 종합적으로 검토하여 교육활동의 효과성을 높이기 위해 학사제도와 교육과정의 유연화, 수업과 학사 운영의 융통성과 자율성을 부여할 필요가 있다. 특히 교육과정 운영에 있어서 학교와 교사의 자율성을 높이는 것이 필요하다. 학생들의 소질, 능력, 흥미, 적성, 학습 속도에 맞게 학습하고, 이를 바탕으로 자기주도 학습능력을 키우고 미래 성장 잠재력을 극대화할 수 있는 맞춤형 교육을 위해 학점제 도입을 적극적으로 확대해 나갈 필요가 있다.

유연한 학제인 고교학점제를 적용하기 위해서는 국내외 사례를 분석하여 벤치마킹하는 것도 중요한 과제이다. 미국의 Khan Academy는 초·중·고등학교 수준의 수학, 화학, 물리학부터 컴퓨터공학, 금융, 역사, 예술 분야의 약 6,000여 개의 동영상 강의를 무료로 제공하고 있으며, 미국 내 2만여 개의 학급에서 개인별 맞춤형 학습자료로 활용하고 있다. 이러한 온라인 학습자료, 특히 인공지능 기반의 ITS 시스템을 적극적으로 활용하는 것이 중요하다.

코로나19로 인해 실험적으로 운영된 쌍방향 실시간 수업은 고교학점제의 성공적 안착을 위한 온라인 공동 교육과정 운영에 활용이 가능하다고 할 수 있다. 기초과목·심화과목 등 학교에서 개설되지 않는 과목을 온라인으로 배울 수 있도록 초·중등 온라인 강좌 시스템을 활용하는 것이 필요할 것이다.

2) '교육과정-수업-평가-기록' 과정에 인공지능의 지원 강화

인공지능 시대에 맞추어 개인별 맞춤형 학습지원이 가능한 클라우드 기반 교수-학습 플랫폼을 설계할 때 가장 중요한 것은 교사의 역할과 시스템의 활용이 조화를 이루어야 한다는 것이다. AI 교실 혁명은 빅데이터와 AI를 활용한 개인별 맞춤형 학습

지원 시스템 및 AI 자동 채점 시스템을 구축하는 것이다. 데이터 중심의 학습 분석에 기반한 개인별 맞춤형 학습의 실현을 통해 학습자 중심의 교육으로 전환이 이루어지는 것이다.

클라우드 기반 교수–학습 플랫폼은 교사 중심의 상호작용이 가능해야 한다. 교수자와 학습자, 학습자와 학습자 간 다양한 상호작용이 일어날 수 있는 플랫폼을 구축하여 교수–학습 기능을 지원하는 것이 중요하다. 가르치고 배우는 기능뿐만 아니라, 협력학습이나 실시간 학습이 가능한 플랫폼을 구축해야 한다. 글쓰기, 사고력, 문제해결력 등 기본 역량을 신장시키는 챗봇형 인공지능 시스템이 필요하다.

인공지능의 교육적 활용의 주요 영역과 기술은 크게 교육주의, 학습주의와 함께 교사의 역할 중심으로 나누어 볼 수 있다(Holmes, Bialik, & Fadel, 2019). 인공지능 기술의 발달로 교육 분야에서 기술이 다양하게 활용되고 있으며, 이러한 변화는 지속적으로 증가하게 될 것으로 보인다. 인공지능 기술에 모든 교육을 의존하는 교육주의나 학생의 구성적 학습을 강조하는 학습주의는 모두 장단점을 갖고 있다. 하지만 보다 중요한 것은 교사의 역할이 강조되는 미래형 교육방법을 활용하는 것이 가장 바람직하다고 할 수 있다.

인공지능 기술이 다양하게 도입되는 에듀테크 산업이 전면적으로 학교에 도입될 때 교사의 역할에 대한 고민이 필요하다. 일부에서는 인공지능 기술로 만들어진 로봇 교사가 인간 교사를 대체하게 될 것이라는 예측과 우려가 등장하고 있다. 하지만 앞에서 살펴본 것과 같이 완전히 프로그램화된 AI 교사가 학습을 지도하게 된다면 그야말로 지식교육 중심의 학교교육으로 변화될 우려가 있다. 교육부(2020)가 제시하고 있는 인공지능 시대의 교육정책에서 미래교육의 방향으로 '인간다움과 미래다움이 조화를 이루어야 한다'는 지적은 매우 의미가 깊다.

인공지능 기술을 활용한 에듀테크의 가장 중요한 목표는 'AI 보조교사'의 역할을 수행하도록 해야 한다는 것이다. 교사가 AI 보조교사의 지원을 받아서 더 효과적으로 수업을 지도하는 것이 바람직한 미래 교실의 모습이라고 할 수 있다. 모라벡(H. Moravec)의 역설에서는 인간이 컴퓨터보다 잘하는 일과 컴퓨터가 인간보다 잘하는 일의 영역이 구분된다는 함의를 주고 있다. 많은 데이터를 수집, 관리, 분석하고 패턴화된 예측을 수행하는 것은 컴퓨터가 더 잘할 수 있는 일에 속한다. 인간교사는 학생들과 의사소통하면서 개별화된 학습지도를 위해 동기를 자극하고 자기주도성을 높여 줄 수 있는 격려, 배려, 지원 등의 역할을 수행하는 것이 바람직하다.

인간교사가 AI 보조교사를 잘 활용하여 도움을 받게 되면 이를 증강지능(augmented intelligence)의 강력한 역량을 갖춘 교사라고 할 수 있다. 교육과정의 재구성에서부터 수업 중에 개별화된 지식 이해와 전달, 평가에 있어서의 개별화된 접근과 평가결과의 정리, 맞춤형 평가결과의 기록을 위한 기초 자료 생성, 학생별로 필요로 하는 피드백의 기초 자료 제공 등의 역할을 인공지능에게 맡길 수 있을 것이다.

영화 〈아이언맨〉을 보면 인간 주인공이 아이언맨의 옷을 입게 되어 신체적으로 강한 파워를 갖게 된다. 더 눈여겨보아야 할 부분은 바로 인공지능 비서인 '자비스'로부터 인지적 측면에서 다양한 지원을 받는다는 것이다. 결과적으로 인간이 갖고 있는 역량을 뛰어넘는 초인적 역량을 발휘하게 된다. 교사의 경우에도 AI 보조교사의 지원을 받게 되면 지금보다는 더 뛰어난 교육적 역량을 발휘할 수 있을 것이다.

3) 교원의 미래교육 역량 함양

우리나라에서 2020년에 코로나19를 계기로 온라인 원격수업이 일상화되면서 교육에서의 IT 기술 활용에 대한 교사들의 인식 개선이 이루어졌다. 하지만 수업인정 기준이 출결 위주로 질문이나 토론보다 출석에 치중하였고, 학교현장에서 다양한 소프트웨어를 활용할 수 있는 충분한 지원이 이루어지지 못했다는 한계가 있다. 이러한 부분을 보완하기 위한 정책이 발표되고 있기 때문에 개선이 이루어질 것이라 생각된다. 하지만 더욱 중요한 것은 교원의 에듀테크 활용 역량을 강화하는 것이라고 할 수 있다. 클라우드 기반 교수-학습 플랫폼이 구축되고 다양한 에듀테크 시스템이 채워지는 마켓 플레이스가 형성되더라도 이를 활용하는 교원의 역량이 부족하다면 무용지물이 될 수밖에 없다.

다양한 에듀테크 시스템이 제대로 활용되기 위해서는 교원들의 온라인 원격수업의 역량 강화를 위한 교육 및 연수를 강화하고 수업 혁신을 촉진하는 것이 중요하다. 교원들은 아직 에듀테크를 활용한 창의적 수업에 익숙하지 않고 두려워하며 많은 시행착오를 겪고 있다. 따라서 에듀테크를 활용한 창의적 수업의 품질 제고를 위해서는 교원의 교육과 연수, 사례 및 경험 공유, 문화 확산이 필요하다. 특히 에듀테크를 활용한 창의적 수업의 경험이 쌓이면 다양한 수업 및 학습 콘텐츠(실험실습, 사례 등)를 교원 스스로 만들어 나갈 수 있을 것이다. 교원의 역량을 강화하기 위한 정부의 과감한 투자와 재정지원이 필요하다.

코로나19로 인해 시행된 온라인 원격수업 경험에서 교원이 성공적인 운영의 가장 중요한 요인임을 확인하였다. 교원의 에듀테크를 활용한 창의적 수업에 대한 지식, 긍정적 태도, 디지털 역량 등 종합적인 역량 증진이 필요하다. 전국의 거의 모든 교사가 원격수업 경험을 하였기 때문에 이제는 참여를 위한 인식의 제고는 이루어진 것으로 평가할 수 있다. 에듀테크를 활용한 창의적 수업을 위해서는 교실에서 학생과의 상호작용과 달리, 온라인과 오프라인에서 학생과의 상호작용, 온라인 튜터링 및 학습 퍼실리테이션 기법 등의 새로운 연수 내용이 필요하게 되었다.

에듀테크를 활용한 창의적 수업을 위해서는 온라인–오프라인을 넘나드는 방식의 하이브리드형 수업 진행 역량이 필요하다. 포스트 코로나 시대에 원격수업이 더욱 확대될 때, 더욱 효과적인 교육과정 계획과 운영을 지원해야 한다. 미래의 수업은 전 학기 종일 수업보다는 교실 수업, 현장학습, 플립러닝 등의 다양한 온라인과 오프라인 수업이 혼용되는 방식의 하이브리드 형태가 될 것으로 예상된다. 예를 들어, 원격수업이 디지털 기반 학습활동을 저장하여 학생마다 맞춤형 진단과 콘텐츠를 줄 수 있는 점을 살려서, 기존 수업과 함께 보충학습용 교재와 맞춤형 개별 수업방식을 도입할 수 있다. 국내외 미래학교의 수업 운영 사례에서 이미 다양하게 활용되고 있는 이러한 하이브리드형 방식 수업에 대한 가이드라인 및 사례, 수업 모형 등을 제공하는 것이 필요하다.

이번 코로나19의 상황에서 경험한 온라인과 오프라인의 병행 수업 상황에서 축적된 교사의 전문성과 자율성을 활용하여 미래교육을 위한 대비가 이루어질 필요가 있다. 미래를 위해 온라인과 오프라인 수업이 혼합되는 방식으로 유연한 교육체제를 구축하여야 한다.

교원들에게 요구되는 중요한 역량은 오프라인뿐만 아니라 온라인상에서 학생들과 소통하는 역량을 높이는 것이다. 학부모와 학생, 교사 등 현장의 불편한 점을 면밀하게 파악하는 것이 중요하며, 온라인 교육에 다양하고 분산된 플랫폼을 활용하여 공공 학습관리시스템(LMS) 구축을 통해 효율적으로 관리할 수 있는 역량이 필요하다.

교원들의 역량을 높이기 위한 방법은 두 가지로 나누어 볼 수 있다. 첫째, 예비교원의 에듀테크를 활용한 창의적 수업 역량을 강화하는 것이다. 전국 교육대학과 사범대 등 교원양성기관의 교육과정을 개편하는 것이 필요하다. 미래 사회에서 인공지능 활용의 보편화를 대비하여 인공지능 부전공을 적극적으로 장려하고, 향후 학교에서 STEAM 같은 '인공지능+X'의 융합교육이 일어날 수 있도록 교사의 역량을 제고하는 것이 필요하다. 교직 소양 과목으로 SW · AI 관련 교과를 신설하고 필수적으로 이수하도록 추진할 필요가 있다. 모든 분야에서 AI, 수리, 데이터 과학의 지식을 활용할 수 있는 인재를 배출할 수 있도록 교대-사범대 교육체계를 개편할 필요가 있다. 미래 창의 · 융합형 인재 양성을 지원하는 우수한 예비교원 양성을 위해 교원양성기관의 교육과정을 혁신해야 한다.

둘째, 현장 교사의 에듀테크를 활용한 창의적 수업 역량 강화를 위한 연수를 지원해야 한다. 지역별로 'AI 융합교육 교원 연수 거점센터'를 지정하여 단기 · 중기 연수 프로그램을 개발하고 운영함으로써 단기적으로 연수를 확대할 필요가 있다. 기존 교원 SW 역량 강화 연수를 AI 분야로 확대하고 관련 프로그램을 확충해야 할 것이다. 학교현장에서 정규 교육과정과 연계하여 AI 교육을 실천할 수 있는 모델 개발 및 중장기적 관점에서 미래교육을 선도할 수 있는 실천적 모형 연구를 장려해야 한다. 에듀테크를 활용한 창의적 수업 우수 모델의 프로그램 개발 및 단위학교 적용 확산을 통해 창의적 수업의 교육현장 적용을 확산해야 한다. 에듀테크를 활용한 창의적 수업을 운영할 현장 교사를 지원해 줄 수 있는 AI 교육 선도교사 양성 및 각 시 · 도 교육청별 AI 교육의 교사 이해 및 현장 정착을 위한 교사 연수를 확대해 나가야 한다.

학습과제

1. 우리나라의 교육을 둘러싸고 있는 환경 변화에 대해 살펴보고, 교육의 미래에 어떤 영향을 미칠 것인지에 대해 토론해 보자.
2. 정보통신기술의 발전과 빅데이터, 인공지능 기술의 발전은 교육에 어떤 영향을 미치게 될 것인지에 대해 토론해 보자.
3. 미래 사회에 대비한 교육의 변화 방향과 중요한 과제에 대해 토론해 보자.

참고문헌

교육부(2015). 초 · 중등학교 교육과정 총론(교육부 고시 제2015-74).

교육부(2017a). 경제 · 사회 양극화에 대응한 교육복지 정책의 방향과 과제 보고서.

교육부(2017b). 2016년 초 · 중 · 고 사교육비 조사 결과 보도자료.

교육부(2020). 인공지능시대 교육정책방향과 핵심과제 보고서.

국회입법조사처(2017). 노인 부양부담의 증가 및 정책적 시사점. 지표로 보는 이슈.

김경근, 성열관, 김정숙(2007). 학력 부진 아동의 특징 및 발생 원인에 대한 면담 연구. **교육사회학연구, 17**(3), 27-52.

김성일, 윤미선, 소연희(2008). 한국 학생의 학업에 대한 흥미-실태, 진단 및 처방. **한국심리학회지, 14**(1), 187-221.

김영철, 임천순, 반상진, 오헌석, 신준섭(2004). **정보지식사회에 따른 학제 다양화 방안**. 서울: 한국교육개발원.

박종현, 방효찬, 김세한, 김말희, 이인환, 최병철, 이강복, 강성수, 김호원(2014). **사물인터넷의 미래**. 서울: 전자신문사.

성의철, 양혁승(2015). 절대평가 대비 강제배분 상대평가 방식이 피평가자의 외재적 동기에 미치는 직 · 간접 효과. **대한경영학회지, 28**(3), 1009-1027.

양정호, 서정화, 김영철, 백순근(2008). **학력격차해소를 위한 학습부진 책임지도 정책추진 방안 연구**. 서울: 교육과학기술부.

윤정일, 김계현, 한숭희, 윤여각, 우마고시 도오루(2001). **학교교육 붕괴의 실상과 원인에 관한 조사연구**. 서울: 서울대학교 교육연구소.

윤철경, 이인규, 박창남(1999). **학교붕괴 실태 및 대책 연구**. 서울: 교육부.

이종재, 김성열, 돈 애덤스(2010). **한국교육 60년**. 서울: 서울대학교출판문화원.

이종재, 정제영(2003). 학업부실학교의 규모와 특성에 관한 연구. 중 · 고등학교를 중심으로. **교육행정학연구, 21**(3), 237-254.

정제영(2016). 지능정보사회에 대비한 학교교육 시스템 재설계 연구. **교육행정학연구, 34**(4), 49-71.

정제영(2018). **디지털 시대와 4차 산업혁명에 대비한 교육의 시대**. 서울: 박영스토리.

정제영, 황규호, 박주형(2020). **학생 맞춤형 교육 활성화를 위한 교육과정 방향 탐색**. 충북: 한국교육개발원.

조지민, 김명화, 최인봉, 송미영, 김수진(2007). **국가수준 학업성취도 평가 연구. 2003~2006년 변화 추이**. 서울: 한국교육과정평가원.

최상근, 박효정, 서근원, 김성봉(2004). **교육소외 계층의 교육실태와 정책과제**. 서울: 한국교육

개발원.

통계청(2017). 2016년 출생 · 사망통계 잠정 결과(2017. 2. 2.).

한국개발연구원(2013). KDI 행복연구조사.

한국청소년정책연구원(2016). **대학생 졸업유예 실태 및 지원 방안 연구**. 세종: 한국청소년정책연구원.

허경철(2001). 미래사회와 학교 교육과정의 운영. **교육과정연구**, 19(1), 67-93.

Bernstein, B. (1977). Social class, language and socialization. In J. Karabel & A. H. Halsey (Eds.), *Power and ideology in education*. NY: Oxford University Press.

Bourdieu, P. (1973). Cultural reproduction and social reproduction. In R. Brown (Ed.), *Knowledge, education, and cultural change*. London: Tavistock.

Bowles, S., & Gintis, H. (1976). *Schooling in capitalist America: Educational reform and the contradictions of economic life*. New York: Basic Books.

Bowles, S., & Gintis, H. (1986). *Democracy and capitalism: Property, community, and the contradictions of modern social thought*. New York: Basic Books, Inc, Publishers.

Coleman, J. (1966). The concept of equality of educational opportunity. *Harvard Educational Review, 38*(1), 37-77.

Creemers, B. (1996). *The school effectiveness knowledge base*. NY: Routledge.

Edmonds, R. (1979). Effective schools for the urban poor. *Educational Leadership, 37*(1), 15-24.

Giroux, H. (1983). *Theory and resistance in education: A pedagogy for the opposition*. Amherst, MA: Bergin & Gavey.

Holmes, W., Bialik, M., & Fadel, C. (2019). *Artificial intelligence in education*. Boston: Center for Curriculum Redesign.

Holon IQ (2019). 2019 Arficial Intelligence & Global Education Report.

Illich, l. (1970). *Deschooling society*. New York: Harrow Books (Harper & Low).

Jencks, C et al. (1972). *Inequality: A reassessment of the effect of family and schooling in America*. New York: Harper & Row Publishers.

Kornhaber, M. L. (2004). Appropriate and inappropriate forms of testing, assessment, and accountability. *Educational Policy, 18*, 45-70.

Laitsch, D. (2006). *Assessment, high-stakes, and alternative visions: Appropriate use of the right tools to leverage improvement*. The Great Lakes Center for Education Research &

Practice.

Linn, R. L. (1998). *Assessment and accountability*. CRESST/University of Colorado at Boulder.

OECD (2014). *Society at a Glance 2014*. OECD Publishing.

OECD (2018). The future of education and skills: Education 2030.

OECD (2019). The future of education and skills 2030-conceptual learning framework-concept note: Student agency for 2030.

Peterson, P. E., & West, M. R. (2003). *No child left behind? The politics and practice of school accountability*. Washington D.C.: The Brookings Institution Press.

Reimer, E. (1971). *School is dead: Alternatives in education*. New York: Penguin Books.

Schwab, K. (2016a). *The fourth industrial revolution*. Geneva: World Economic Forum.

Schwab, K. (2016b). What it means and how to respond. In G. Rose (Ed.), *The fourth industrial revolution*. New York: Council on Foreign Relations.

Taylor, F. W. (1911). *The Principles of scientific management*. New York and London: Harper &brothers

Tyack, D. B., & Cuban, L. (1995). *Tinkering toward utopia: A century of public school reform*. Cambridge, Mass: Harvard University Press.

UN(United Nations) (2015). World population prospects (The 2015 Revision): Key findings and advance tables. Author. Retrieved, Dec. 9, 2017, from https://esa.un.org/unpd/wpp/publications/files/key_findings_wpp_2015. pdf.

White House (2019). Executive Order 13859 of February 11.

World Economic Forum (2016). The Future of Jobs: Employment, Skills and Workforce Strategy for the Fourth Industrial Revolution.

World Economic Forum (2020). Schools of the Future, Defining New Models of Education for the Fourth Industrial Revolution.

통계청 e-나라지표. http://www.index.go.kr/main.do에서 인출.

찾아보기

인명

내용

저자 소개

김성열(SeongYul Kim / 11장)
서울대학교 대학원 석사(교육학 전공)
서울대학교 대학원 박사(교육행정학 전공)
현 경남대학교 교육학과 교수

강현석(Hyeon-Suk Kang / 6장)
경북대학교 대학원 석사(교육과정 및 수업 전공)
경북대학교 대학원 박사(교육과정 및 수업 전공)
현 경북대학교 교육학과 교수

김석우(Suk-Woo Kim / 8장)
미국 UCLA 대학원 석사(교육학 전공)
미국 UCLA 대학원 박사(교육평가 전공)
현 부산대학교 사범대학 교육학과 교수

김회수(Hoisoo Kim / 7장)
서울대학교 대학원 석사(교육과정 전공)
미국 The University of Texas at Austin 박사(교육공학 전공)
현 전남대학교 교육학과 교수

도승이(Seung Lee Do / 4장)
미국 The University of Texas at Austin 석사(프로그램 평가 전공)
미국 The University of Texas at Austin 박사(교육심리학 전공)
현 성균관대학교 교육학과 교수

박인우(Innwoo Park / 9장)
서울대학교 대학원 석사(교육공학 전공)
미국 Florida State University 박사(교육공학 전공)
현 고려대학교 교육학과 교수

박주병(Park, Jubyung / 3장)
서울대학교 대학원 석사(교육학 전공)
서울대학교 대학원 박사(교육철학 전공)
현 강원대학교 교육학과 교수

성기선(Kisun Sung / 5장)
서울대학교 대학원 석사(교육사회학 전공)
서울대학교 대학원 박사(교육사회학 전공)
현 가톨릭대학교 교직과 교수

손은령(Son Eunyoung / 10장)
서울대학교 대학원 석사(교육상담 전공)
서울대학교 대학원 박사(교육상담 전공)
현 충남대학교 사범대학 교육학과 교수

신종호(SHIN, Jongho / 1장)
서울대학교 대학원 석사(교육학 전공)
미국 University of Minnesota 박사(교육심리학 전공)
현 서울대학교 교육학과 교수

이길재(Lee, Giljae / 13장)
서울대학교 대학원 석사(교육행정학 전공)
미국 University of Minnesota 박사(교육행정학 전공)
현 충북대학교 교육학과 교수

이상무(Sangmoo Lee / 2장)
서울대학교 대학원 석사(교육학 전공)
서울대학교 대학원 박사(교육사 전공)
현 한국학중앙연구원 한국학대학원 조교수

이희수(Lee Hee Su / 12장)
중앙대학교 대학원 석사(교육사회학 전공)
중앙대학교 대학원 박사(교육사회학 전공)
현 중앙대학교 교육학과 교수

정제영(Jae Young Chung / 14장)
서울대학교 대학원 석사(교육행정 전공)
서울대학교 대학원 박사(교육행정 전공)
현 이화여자대학교 교육학과 교수

미래교사를 위한 **교육학개론**

Introduction to Education

2021년 8월 30일 1판 1쇄 인쇄
2021년 9월 5일 1판 1쇄 발행

지은이 • 김성열 · 강현석 · 김석우 · 김회수 · 도승이 · 박인우 · 박주병
성기선 · 손은령 · 신종호 · 이길재 · 이상무 · 이희수 · 정제영

펴낸이 • 김진환
펴낸곳 • (주)학지사
04031 서울특별시 마포구 양화로 15길 20 마인드월드빌딩
대표전화 • 02-330-5114 팩스 • 02-324-2345
등록번호 • 제313-2006-000265호

홈페이지 • http://www.hakjisa.co.kr
페이스북 • https://www.facebook.com/hakjisabook

ISBN 978-89-997-2481-7 93370

정가 20,000원